Autriche

Au carrefour
de trois grandes
civilisations
(germanique, latine
et slave),
au contact
du monde magyar,
possédant des frontières
avec non moins
de sept pays,
l'Autriche
occupe une position
centrale
au cœur de l'Europe.
Si l'Autriche
d'aujourd'hui
n'a plus guère à voir
avec l'orgueilleux
empire des Habsbourg,
elle a cependant conservé
de son passé
le goût de la fête
et du faste.
Vienne demeure
une capitale mondiale
de la musique et de la danse,
Salzbourg entretient
passionnément
le culte de Mozart,
et partout,
des montagnes du Tyrol
aux bords du Danube,
processions, costumes,
habitat, attestent
de l'attachement
des Autrichiens
à leurs traditions.
Mais ce paradis du tourisme
sous toutes ses formes
(le tourisme est
la première industrie du pays)
n'en est pas moins
une nation moderne
et prospère,
interlocuteur reconnu
des grandes puissances
de l'Ouest
comme de celles de l'Est.

Au numéro 9 de la Getreidegasse,
dans la vieille ville
de Salzbourg,
naquit en 1756 Mozart,
auquel la ville rend
chaque année hommage au cours
du *Festival international de Salzbourg*.

Séchage du foin dans la campagne
près de Feldkirch
(Autriche occidentale).

Sankt Gilgen,
petite ville au bord du Wolfgangsee.
Région de montagnes et de lacs,
le Salzkammergut
est un des hauts lieux du tourisme
en Autriche.

Dans la patrie de Haydn et de Mozart,
mais aussi de Mahler et de Webern,
la musique a toujours une grande
importance. Et, aujourd'hui comme
hier, on danse à Vienne
au son des valses de Strauss.

P. Koch-Rapho

Everts-Rapho

Bâti au sommet d'un piton rocheux
au cœur des *Préalpes de Salzbourg*,
le château de Hohenwerfen
domine la vallée de la Salzach.

Pays aux deux tiers montagneux,
l'Autriche possède nombre de stations
de sports d'hiver
comme celle de Seefeld,
dans le Tyrol,
dont on voit ici la patinoire.

Nou-Explorer

Façade
d'une ferme
du Tyrol
décorée
de peintures
en trompe l'œil.

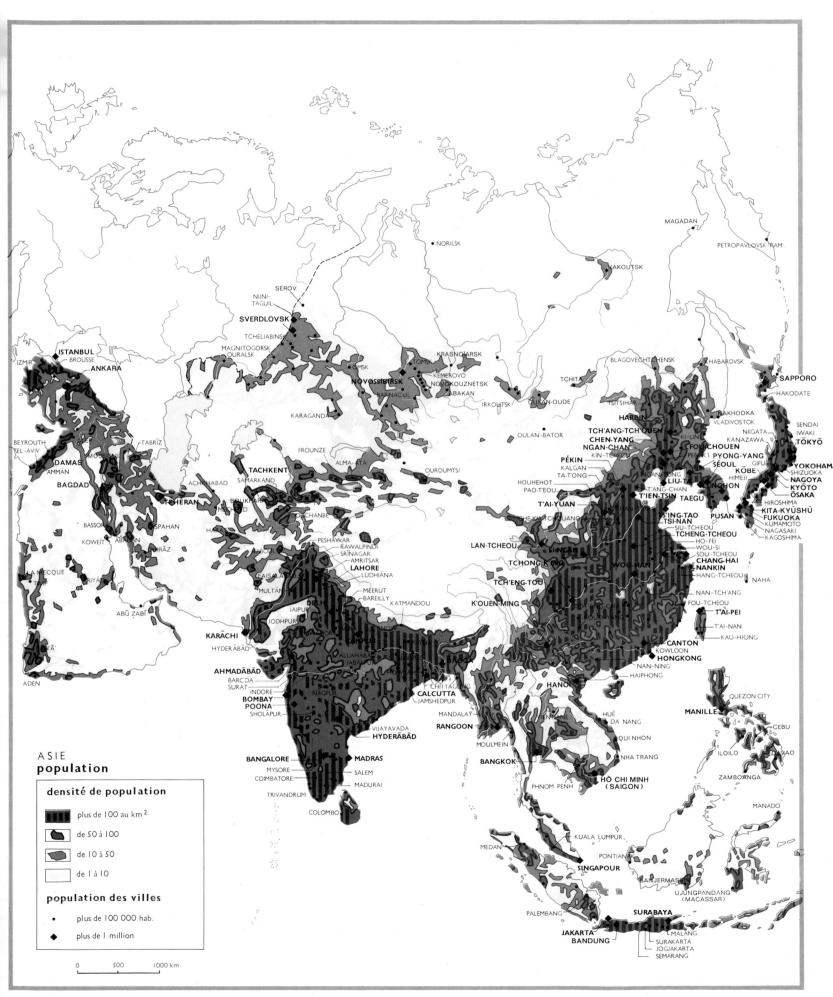

ASIE
population

densité de population

- plus de 100 au km²
- de 50 à 100
- de 10 à 50
- de 1 à 10

population des villes

- • plus de 100 000 hab.
- ◆ plus de 1 million

0   500   1000 km

L1-5

asphodèles

ASPIRÉ, E adj. et n. *Phon.* Se dit d'un phonème qui est accompagné d'une aspiration.

ASPIRER v. t. (lat. *aspirare*, souffler). Attirer l'air dans les voies respiratoires. ‖ Attirer en créant un vide partiel. ‖ Faire pénétrer dans l'appareil digestif. ◆ v. t. ind. [à]. Porter son désir vers, prétendre à : *aspirer à de hautes fonctions.*

ASPIRINE n. f. (nom déposé dans certains pays étrangers). Dérivé de l'acide salicylique, utilisé comme analgésique et fébrifuge.

ASPIRO-BATTEUR n. m. (pl. *aspiro-batteurs*). Aspirateur muni à la base d'un système de brosses rotatives et de palettes actionnées par le moteur électrique, permettant de faciliter, par un battage régulier, le dépoussiérage des tapis et moquettes.

ASPRE n. f. (lat. *asper*, rude). Dans le Roussillon, colline caillouteuse adossée aux Pyrénées, portant parfois des vignobles.

ASPRES-SUR-BUËCH (05140), ch.-l. de cant. des Hautes-Alpes, à 35 km au S.-O. de Gap, sur le *Buëch*; 773 hab.

ASPROMONTE, massif granitique de l'Italie, à l'extrémité méridionale de la péninsule, en Calabre; 1956 m.

ASQALĀN → ASCALON.

ASQUE n. m. (gr. *askos*, outre). Organe sporifère microscopique chez certains champignons. (Les spores se forment à l'intérieur de l'asque au nombre de 4 ou de 8.)

ASQUITH (Herbert Henry, *comte*), homme politique britannique (Morley 1852 - Sutton Courtenay 1928). Député libéral, ministre de l'Intérieur (1892-1895), chancelier de l'Échiquier (1905), il devient Premier ministre en 1908. Il soutient alors les projets sociaux audacieux de Lloyd George, fait triompher le *Home Rule* en Irlande (1914), et entre résolument, la même année, dans la Première Guerre mondiale. En 1916, il passe le pouvoir à Lloyd George et reprend la direction du parti libéral.

AṢRAM n. m. → ASHRAM.

ASSAB, principal port de l'Éthiopie, sur la mer Rouge; 21 200 hab. Raffinerie de pétrole. Salines.

ASSAGIR v. t. Rendre sage. ◆ **s'assagir** v. pr. Devenir sage.

ASSAGISSEMENT n. m. Action de s'assagir.

ASSAI [asaj] adv. (mot it.). *Mus.* Très. ● *Lento assai*, très lent.

ASSAILLANT, E adj. et n. Qui attaque.

ASSAILLIR v. t. (lat. *assilire*) [conj. **11**]. Attaquer vivement : *assaillir un passant dans une rue déserte.* ‖ Harceler, tourmenter : *il l'assaille d'une foule de questions.*

ASSAINIR v. t. Rendre sain : *assainir un marais, une situation.*

ASSAINISSEMENT n. m. Action d'assainir.

ASSAISONNEMENT n. m. Action, manière d'assaisonner les mets. ‖ Ingrédient pour assaisonner, comme le poivre, le sel, le vinaigre, etc.

ASSAISONNER v. t. (de *saison*). Ajouter à un mets des ingrédients qui en relèvent le goût : *assaisonner une salade.* ‖ Rendre moins fade un texte, un discours. ‖ *Fam.* Réprimander, maltraiter.

ASSAM, État du nord-est de l'Inde; 78 523 km²; 19 903 000 hab. Capit. *Dispur.*
GÉOGRAPHIE. Entre le Bangladesh à l'O., l'extrémité orientale de l'Himālaya au N. et les

montagnes de Birmanie à l'E., l'Assam correspond surtout à la large plaine alluviale du Brahmapoutre, chaude et humide (pluies de mousson, en été), domaine du riz et du jute et, sur les terrasses et les collines, du thé, dont l'État est le premier producteur en Inde.
HISTOIRE. De 1228 à 1800, l'Assam est un pays indépendant sous la dynastie des Ahoms. Mais, s'il a su résister à l'hégémonie mongole au XVIIIᵉ s., il est rendu vulnérable par les invasions birmanes (1816-1824), et, finalement, il est annexé par les Britanniques, maîtres de l'Inde (1826). Depuis l'indépendance de l'Inde, en 1947, l'Assam éprouve des difficultés à s'intégrer au reste du pays du fait de l'ambivalence de sa population et de tendances séparatistes.

ASSAMAIS n. m. Langue indo-aryenne parlée dans le nord de l'Assam.

ASSARMENTER v. t. Débarrasser une vigne des sarments inutiles.

ASSASSIN n. m. (it. *assassino*, mot ar.). Celui qui tue avec préméditation, qui est responsable de la mort d'un autre.

ASSASSINAT n. m. Meurtre commis avec préméditation.

ASSASSINER v. t. Tuer avec préméditation. ‖ *Fam.* Exiger de qqn un paiement exagéré.

ASSASSINS, secte chi'ite* ismaélienne*, organisée en société secrète vers 1090 par le Persan Hasan-i Ṣabbāḥ († 1124). En 1090, ce dernier s'empare de la forteresse d'Alamūt, près de Qazvin. Lors de la succession du calife fāṭimide du Caire (1094), il prend parti pour Nizār et organise la propagande nizarite en Syrie (forteresse du Maṣyaf) et en Iran. Les nizarites sont célèbres sous l'appellation populaire « enivrés de hachisch », « hachichiyyīn », déformée en « assas-

sins ». Ils emploient systématiquement le terrorisme contre leurs ennemis. Les assassins sont éliminés d'Iran par Hūlāgū* en 1256-1258, tandis que le mamelouk Baybars les chasse de Syrie (1271-1273).

ASSAUT n. m. (lat. *ad*, vers, et *saltus*, saut). Attaque vive, violente, à plusieurs : *donner l'assaut.* ‖ Combat d'escrime. ● *Faire assaut de*, lutter d'émulation en matière de. ‖ *Prendre d'assaut*, s'emparer par la force.

ASSE, comm. de Belgique (Brabant), au N.-O. de Bruxelles; 26 500 hab. Église gothique.

ASSEAU n. m. ou **ASSETTE** n. f. (lat. *ascia*, hache). Marteau de couvreur, dont l'une des extrémités est une lame tranchante, et qui sert à couper et à clouer les lattes et les ardoises.

ASSÈCHEMENT n. m. Action d'assécher.

ASSÉCHER v. t. (lat. *siccare*, sécher) [conj. **5**]. Ôter l'eau, mettre à sec : *assécher des marais.* ◆ **s'assécher** v. pr. Devenir sec.

A.S.S.E.D.I.C. (*Association pour l'emploi dans l'industrie et le commerce*), association paritaire créée en 1958 au niveau départemental, dans le but d'assurer aux chômeurs une indemnisation complémentaire de l'aide publique, et qui, depuis 1984, gère le régime de l'assurance chômage.

ASSEMBLAGE n. m. Action d'assembler, de réunir des choses. ‖ Œuvre d'art obtenue en réunissant des objets divers. ‖ *Arts graph.* Réunion des cahiers et des feuillets qui constituent un livre. ‖ *Techn.* Réunion de diverses pièces, de manière qu'elles ne fassent plus qu'un tout. ● *Langage d'assemblage* (Inform.), langage formé par les instructions d'un ordinateur écrites sous forme symbolique, c'est-à-dire facilement lisibles par l'homme.

■ (*Art contemp.*). L'opération d'assemblage de matériaux et d'objets à trois dimensions, de rebut ou neufs, donne son nom, dans l'art du XXᵉ s., aux œuvres d'une extrême variété qui en résultent. L'assemblage participe de l'esprit du collage* lorsqu'il réalise une métaphore visuelle inhabituelle, chargée de significations imprévues, mais non lorsqu'il a surtout valeur plastique (par ex. assemblages de matériaux dans le constructivisme* et la sculpture abstraite).
À l'origine de l'assemblage non identifiable à de la sculpture se trouvent les œuvres en matériaux divers construites par Boccioni*, Picasso* et Archipenko* dès 1912, ainsi que le phénomène majeur de l'intrusion de l'*objet* dans l'art, depuis le premier « ready-made » de M. Duchamp* en 1913. Après dada* (Schwitters*, Man Ray*...) et le surréalisme* (*objets surréalistes; environnement* de l'Exposition de 1938), l'art de l'assemblage, fortifié aux États-Unis par la pratique du happening* et par ces agencements

ASSEMBLAGE

Martial Raysse :
*Hygiène de
la vision.*
1960.
(Coll. priv.)

Picasso :
Guitare,
1914.
(Coll. priv.)

visant à investir le spectateur que sont les *environnements* (Oldenburg, Kienholz*...), se généralise autour de 1960 avec, par exemple, le pop* art, le nouveau réalisme* européen et, vers 1966, l'*arte povera* italien.

ASSEMBLAGISTE n. Artiste qui pratique l'assemblage.

ASSEMBLÉ n. m. ou **ASSEMBLÉE** n. f. *Chorégr.* Pas de conclusion ou temps de préparation à un pas battu.

ASSEMBLÉE n. f. Réunion de personnes dans un même lieu : *parler devant une nombreuse assemblée.* ‖ Ensemble des personnes qui forment un corps constitué. ‖ Dans la marine nationale, rassemblement quotidien des équipages à l'occasion de la cérémonie des couleurs.

Assemblée des femmes (l'), comédie d'Aristophane (392 av. J.-C.). La communauté des biens et des femmes vue et appliquée par les Athéniennes qui s'emparent du pouvoir.

Assemblée nationale, l'une des deux assemblées du Parlement* français, élue au suffrage universel direct pour cinq ans.

Assemblée nationale de 1871. Bismarck, après la défaite française (V. FRANCO-ALLEMANDE [*guerre*]), ayant subordonné la paix définitive au vote d'une Assemblée nationale, celle-ci est élue le 8 février 1871. Réunie d'abord à Bordeaux (13 févr. 1871), puis à Versailles (20 mars), elle est composée d'une majorité de monarchistes qui, malgré l'extrême gauche, ratifient les préliminaires de paix (1er mars 1871). Pour rétablir l'ordre bourgeois — qui sera de nouveau gravement menacé par la Commune* (mars-mai) — l'Assemblée nomme Adolphe Thiers* chef du pouvoir exécutif (17 févr. 1871), puis président de la République (31 août), tout en exigeant de lui qu'il respecte le pacte de Bordeaux (10 mars 1871), par lequel il s'était engagé à ne pas intervenir dans le débat devant statuer sur les

institutions définitives de la France. L'accusant d'avoir rompu ce pacte, l'Assemblée accule Thiers à la démission (24 mai 1873) et le remplace, le jour même, par le maréchal Mac-Mahon. Mais, la restauration monarchique escomptée par la majorité ayant été ajournée du fait de l'attitude du comte de Chambord (oct. 1873), les députés votent le septennat de Mac-Mahon (nov. 1873), puis, de guerre lasse, sont amenés à voter les lois constitutionnelles de la IIIᵉ République*(1875).

ASSEMBLER v. t. (lat. *simul*, ensemble). Mettre ensemble, réunir, grouper : *assembler les feuilles d'un livre, assembler des pièces de charpente.* ‖ *Inform.* Traduire en langage machine un programme écrit en langage d'assemblage.

ASSEMBLEUR n. m. *Inform.* Programme d'ordinateur traduisant en langage machine des programmes écrits en langage d'assemblage.

ASSEMBLEUSE n. f. *Impr.* Machine effectuant l'assemblage des cahiers d'un volume.

ASSEN, v. des Pays-Bas, ch.-l. de la Drenthe, au S. de Groningue; 45 500 hab. Aux environs, nombreux monuments mégalithiques.

ASSENEDE, comm. de Belgique (Flandre-Orientale), à l'E. d'Eeklo; 13 200 h.

ASSENER ou **ASSÉNER** [asene] v. t. (anc. fr. sen, direction) [conj. **5**]. Assener un coup, le porter avec violence.

ASSENTIMENT n. m. (lat. assentire, donner son accord). Consentement volontaire, accord.

ASSEOIR v. t. (lat. assidere) [conj. **38**]. Mettre sur un siège : asseoir un enfant sur une chaise. ‖ Poser sur qqch de solide : asseoir les fondations d'une maison sur un roc. ‖ Établir d'une manière stable : asseoir sa réputation. ● Fam. Jeter qqn dans la stupeur. ‖ Dr. Fixer, en parlant de la base de l'impôt. ◆ **s'asseoir** v. pr. Se mettre sur un siège, sur son séant.

ASSERMENTÉ, E adj. et n. Qui a prêté serment au gouvernement, à la Constitution, devant un tribunal. ● Prêtre, curé, évêque assermenté, celui qui, en 1790, avait prêté serment à la Constitution civile du clergé.

ASSERMENTER v. t. Faire prêter serment.

ASSERTION n. f. (lat. assertio). Énoncé soutenu comme vrai; affirmation : les faits ont justifié ses assertions. ‖ Log. Opération qui consiste à poser la vérité d'une proposition, généralement symbolisée par le signe ⊢ placé devant la proposition. ‖ Math. Énoncé d'une propriété attribuée à un nombre, une figure, un objet : une assertion peut être vraie ou fausse.

ASSERTORIQUE adj. (lat. asserere, affirmer). Jugement assertorique (Philos.), jugement qui énonce une vérité de fait et non nécessaire, par opposition au jugement APODICTIQUE.

ASSERVIR v. t. (de serf). Réduire à une grande dépendance : asservir la presse. ‖ Techn. Réaliser un asservissement.

ASSERVISSEMENT n. m. État de dépendance, de servitude. ‖ Techn. Action de mettre un mécanisme sous la dépendance d'un asservisseur. ‖ Système automatique dont le fonctionnement tend à annuler l'écart entre une grandeur commandée et une grandeur de commande : les servomécanismes sont des asservissements.

■ Les systèmes automatiques dont le fonctionnement est régi par l'écart entre le comportement actuel et le comportement désiré sont appelés asservissements, ou systèmes asservis. Pour une grandeur asservie unique, le principe d'asservissement consiste à agir sur elle d'après l'écart entre sa valeur mesurée et sa valeur désirée ou prescrite. Selon que celle-ci est constante ou variable dans le temps, on parle de système à régulation ou de servomécanisme*. Toute grandeur physique peut être asservie à toute autre grandeur physique, pourvu que ces deux grandeurs soient mesurables et qu'on puisse agir sur la première. On réalise ainsi des télécommandes* asservissant un déplacement à une commande mécanique ou électrique, des copieurs asservissant le mouvement d'un outil au profil d'un gabarit, des régulateurs de vitesse angulaire, de température, de pression, de débit, etc., des pilotes automatiques d'avions et de missiles, des radars de poursuite, des enregistreurs et des tables traçantes, même les répéteurs téléphoniques. L'asservissement s'accompagne d'une amplification de puissance. L'action de réglage peut être simplement proportionnelle à l'écart ou tenir compte de ses dérivées par rapport au temps (pour accroître la stabilité) et à son intégrale dans le temps (pour améliorer la précision). Les systèmes asservis tendant à entrer en auto-oscillation lorsque l'on augmente leur précision, leur calcul vise à établir le meilleur compromis possible entre les exigences contradictoires de la stabilité et de la précision. La théorie des asservissements linéaires peut être présentée en utilisant comme variable soit le temps, soit la fréquence; elle fait donc appel soit à la théorie des équations différentielles, soit à celle des filtres de fréquences. La théorie fréquentielle, ou analyse harmonique, peut être étendue à certains types de systèmes non linéaires dits filtrés, dans lesquels on peut négliger les harmoniques engendrés par les non-linéarités, telles que l'action d'un relais, la saturation d'un amplificateur ou un jeu mécanique. Il est également possible de prendre en compte les signaux et perturbations agissant réellement en service sur le système étudié, caractérisés par leurs propriétés statistiques; la théorie du filtrage optimal permet de rendre la boucle d'asservissement aussi sensible que possible vis-à-vis des signaux utiles et aussi insensible que possible aux signaux parasites et aux perturbations extérieures. Dans les systèmes asservis adaptatifs, les paramètres d'asservissement sont réglés automatiquement selon les propriétés fluctuantes du système commandé et de son environnement. La boucle d'asservissement peut être fermée en permanence ou par intermittence, comme dans les radars de poursuite ou les machines-outils commandées par ordinateur : on parle alors de système asservi échantillonné.

ASSERVISSEUR n. m. et adj. Organe régulateur qui, actionné par des appareils commandés, réagit sur le circuit de commande en vue d'imposer à l'ensemble certaines conditions.

ASSESSEUR n. m. (lat. assidere, s'asseoir auprès). Celui qui siège auprès d'un magistrat, d'un fonctionnaire, etc., pour l'aider dans ses fonctions.

ASSETTE n. f. → ASSEAU.

ASSEZ adv. (lat. ad, et satis, suffisamment). En quantité suffisante : il a assez mangé. ● En avoir assez (Fam.), être excédé.

ASSIDU, E adj. (lat. assiduus). Qui est continuellement auprès de qqn ou à l'endroit où il doit être. ‖ Qui manifeste de la constance, de l'obstination : présence assidue aux cours.

ASSIDUITÉ n. f. Qualité de celui qui est assidu; ponctualité, exactitude; application.

ASSIDÛMENT adv. Avec assiduité, constamment, continuellement.

ASSIÉGÉ, E n. Personne qui se trouve dans la place au moment d'un siège.

ASSIÉGEANT, E n. et adj. Personne qui assiège.

ASSIÉGER v. t. (conj. **1** et **5**). Faire le siège de. ‖ Harceler qqn de demandes inopportunes.

ASSIETTE n. f. (lat. assidere, être assis). Pièce de vaisselle individuelle dont le centre est plus ou moins creux. ‖ Manière d'être assis à cheval. ‖ Position stable d'un véhicule, d'un navire. ‖ Dr. Matière assujettie à l'impôt; biens garantissant une hypothèque. ● Assiette anglaise, assortiment de viandes froides. ‖ Assiette au beurre (Vx), source de profits. ‖ Assiette du pied (Chorégr.), manière dont il repose sur le sol. ‖ N'être pas dans son assiette (Fam.), être mal à son aise.

ASSIETTÉE n. f. Contenu d'une assiette.

ASSIGNABLE adj. Qui peut être assigné.

ASSIGNAT n. m. Papier-monnaie créé sous la Révolution française, et dont la valeur était assignée sur les biens nationaux.

ASSIGNATION n. f. Acte de procédure adressé par le demandeur au défendeur, priant celui-ci de comparaître devant la juridiction compétente. ● Assignation à résidence, situation dans laquelle se trouve celui qui est astreint à résider en un lieu précis.

ASSIGNER v. t. (lat. assignare). Attribuer qqch à qqn : assigner une tâche à ses collaborateurs. ‖ Dr. Appeler qqn en justice. ‖ Affecter un fonds à un paiement.

ASSIMILABLE adj. Qui peut être assimilé.

ASSIMILATEUR, TRICE adj. Propre à opérer l'assimilation.

ASSIMILATION n. f. Action d'assimiler. ‖ Phon. Modification apportée à l'articulation d'un phonème par les phonèmes environnants, et qui consiste à donner à deux phonèmes en contact des traits communs. (Ex. : sub devient sup dans supporter.) ‖ Physiol. Propriété que possèdent les organismes vivants de reconstituer leur propre substance à partir d'éléments puisés dans le milieu et transformés par la digestion. ‖ Psychol. Modification de son environnement par l'individu au moyen de la motricité, la perception, des actions effectives ou virtuelles (opérations mentales). ● Assimilation chlorophyllienne, phénomène par lequel la plante verte, à la lumière, élabore des matières organiques à partir d'aliments minéraux, en utilisant le gaz carbonique. (Syn. PHOTOSYNTHÈSE.) [L'assimilation chlorophyllienne se traduit extérieurement par une absorption de gaz carbonique et un rejet d'oxygène.]

ASSIMILÉ n. m. Personne dont la fonction a un statut identique à celle d'une autre catégorie, sans en avoir le titre. ‖ Militaire de certains services ou affecté de défense dont le grade est établi par comparaison avec ceux des armes combattantes.

ASSIMILER v. t. (lat. assimilare). Rapprocher en identifiant : assimiler un cas à un autre. ‖ Physiol. Transformer, convertir en sa propre substance. ● Assimiler des connaissances, les comprendre et les retenir. ◆ **s'assimiler** v. pr. Devenir semblable à qqn; se comparer à lui.

ASSINIBOINE, riv. du Canada, qui rejoint la Red River (r. g.) à Winnipeg; 960 km.

ASSIOUT ou **ASYÛT**, v. d'Égypte, ch.-l. de prov.; 154 000 hab. Barrage sur le Nil.

ASSIS, E adj. Magistrature assise, corps de magistrats qui siègent au tribunal, par opposition aux magistrats du parquet, qui plaident devant le tribunal. ‖ Place assise, place où l'on peut s'asseoir.

ASSISE n. f. (de asseoir). Dans une construction, rang d'éléments accolés de même hauteur (pierres, briques...). ‖ Base qui donne de la solidité. ‖ Anat. et Bot. Ensemble des cellules disposées sur une couche. (Les assises génératrices produisent les tissus secondaires de la tige et de la racine [liège, liber, bois]. L'assise pilifère des jeunes racines porte les poils absorbants.)

ASSISE, v. d'Italie, en Ombrie, au S.-E. de Pérouse; 24 000 hab. Saint François y fonda, en 1208, l'ordre des Franciscains. Ville pittoresque aux importants monuments, dont la basilique

S. Francesco, formée de deux églises superposées (XIIIe s.; fresques de Cimabue*, Giotto*, P. Lorenzetti*, S. Martini*...), la cathédrale (XIIe-XIIIe s.), l'église S. Chiara (XIIIe s.).

ASSISES n. f. pl. Séances tenues par des magistrats pour juger les causes criminelles; lieu où se tiennent ces séances. ‖ Congrès, notamment des partis politiques, des syndicats. ● Cour d'assises, juridiction chargée de juger les causes criminelles.

Assises de Jérusalem, recueil des lois des royaumes de Jérusalem et de Chypre. Rédigées, selon la tradition, par les croisés à l'initiative de Godefroi* de Bouillon, les Assises de Jérusalem (XIIe-XIIIe s.) sont importantes pour l'étude du droit français médiéval, car la législation de l'Orient latin découle des usages français.

ASSISTANAT n. m. Fonction d'assistant (enseignement supérieur, cinéma).

ASSISTANCE n. f. Action d'assister : assistance irrégulière aux cours; prêter assistance à qqn. ‖ Auditoire, public : l'assistance applaudit. ● Assistance éducative, ensemble des mesures protégeant les mineurs des dangers que leur occasionne leur conduite ou leur milieu. ‖ Assistance judiciaire, anc. dénomination de l'AIDE* JUDICIAIRE. ‖ Assistance publique, administration chargée de gérer les établissements hospitaliers publics à Paris et à Marseille. ‖ Assistance technique, aide apportée à un pays en voie de développement. ‖ Société d'assistance, compagnie d'assurance qui assure la prestation de certains services et secours.

ASSISTANT, E adj. et n. Qui assiste, auxiliaire : médecin assistant. ‖ Dans l'enseignement supérieur, enseignant chargé plus spécialement des travaux dirigés. ● Assistante maternelle, syn. officiel de NOURRICE. ‖ Assistante sociale, personne employée pour remplir un rôle d'assistance auprès des individus ou des familles dans les domaines moral, médical ou matériel. ◆ pl. Personnes présentes en un lieu.

ASSISTÉ, E adj. et n. Qui bénéficie de l'aide sociale ou judiciaire.

ASSISTÉ, E adj. Se dit d'un dispositif (frein, direction, etc.) sur lequel l'effort exercé par l'utilisateur est amplifié, réglé ou réparti grâce à un apport extérieur d'énergie.

ASSISTER v. t. ind. [à] (lat. assistere, se tenir auprès). Être présent : assister à une séance. ◆ v. t. Porter aide ou secours : il l'assistait dans sa tâche.

ASSOCIATIF, IVE adj. Relatif à une association ou aux associations de personnes réunies dans le but d'activités culturelles, sociales, etc., communes ou de la défense d'intérêts communs : mouvement associatif. ‖ Math. Relatif à l'associativité.

ASSOCIATION n. f. Action d'associer, de s'associer : travailler en association. ‖ Groupement de personnes réunies dans un intérêt commun, différent de la poursuite de bénéfices : association professionnelle. ‖ Stat. Degré de dépendance existant entre deux ou plusieurs caractères (généralement qualitatifs) observés chez les individus d'un même groupe. ● Association d'idées, fait psychologique consistant en ce qu'une idée ou une image en évoque une autre. ‖ Association libre (Psychanal.), méthode par laquelle le patient est invité à exprimer tout ce qui lui vient à l'esprit, sans critique et si possible sans réticence. ‖ Association de malfaiteurs, crime contre la paix publique qui consiste à former un groupe dans le but de préparer ou de commettre des crimes contre les personnes ou les propriétés. ‖ Association végétale, ensemble des plantes d'espèces différentes, vivant dans un même milieu.

ASSOCIATIONNISME n. m. Philos. Doctrine qui fait de l'association des idées la base de la vie mentale et le principe de la connaissance.

ASSOCIATIVITÉ n. f. Math. Propriété d'une loi de composition T aux termes de laquelle on peut associer plusieurs facteurs d'un système ordonné et les remplacer par le résultat de l'opération partielle effectuée sur eux, sans modifier le résultat final : $a\,T(b\,T\,c) = (a\,T\,b)\,Tc$.

ASSOCIÉ, E adj. et n. Lié par des intérêts communs avec une ou plusieurs personnes.

ASSOCIER v. t. (lat. socius, allié). Mettre ensemble, réunir : associer des idées, des partis. ‖ Faire participer qqn à une chose : associer un ami à un projet. ◆ **s'associer** v. pr. Être en accord : élégance qui s'associe avec la beauté. ‖ Participer à qqch avec qqn : s'associer à une entreprise criminelle.

ASSOIFFÉ, E adj. Qui a soif : être toujours assoiffé. ‖ Avide : assoiffé de richesses.

ASSOIFFER v. t. Provoquer la soif : cette longue conversation m'a assoiffé.

Assise. Grande nef de l'église inférieure de la basilique San Francesco : fresques de Pietro Lorenzetti illustrant la Passion de Jésus. 1326-1329.

ASSOLEMENT n. m. Division des terres labourables d'une exploitation agricole en soles, chacune de celles-ci étant consacrée à une culture.

ASSOLER v. t. (de sole). Répartir des cultures d'après un plan d'assolement déterminé.

ASSOLLANT (Jean), aviateur français (Versailles 1905 - Diégo-Suarez 1942). Il fut le premier Français qui réussit, le 13 juin 1929, la traversée de l'Atlantique Nord, des États-Unis à l'Espagne.

ASSOMBRIR v. t. Rendre obscur : ce papier assombrit la pièce. ‖ Attrister : la mort de son fils a assombri ses dernières années. ◆ **s'assombrir** v. pr. Devenir sombre.

ASSOMBRISSEMENT n. m. Le fait d'assombrir ou de s'assombrir.

ASSOMMANT, E adj. Fam. Fatigant, ennuyeux à l'excès.

ASSOMMER v. t. (lat. *somnus,* sommeil). Frapper d'un coup qui tue, étourdit, renverse. || *Fam.* Provoquer l'ennui.

ASSOMMOIR n. m. Instrument qui sert à assommer. || Débit de boissons de dernière catégorie (vx).

Assommoir *(l'),* roman d'Émile Zola (1877), septième volume des *Rougon*-Macquart.* La vie ratée de Gervaise Macquart, symbole de la déchéance fatale du petit peuple, prisonnier des quartiers sordides, du travail abrutissant et de l'alcool.

ASSOMPTION n. f. (lat. *adsumere,* prendre avec soi). Élévation de la Sainte Vierge au ciel. (Dogme défini par Pie XII le 1er novembre 1950.) || Jour où l'Église catholique en célèbre la fête (15 août). [Dans ce sens, prend une majuscule.]

ASSOMPTIONNISTES ou **AUGUSTINS DE L'ASSOMPTION,** membres d'une société religieuse d'hommes, fondée à Nîmes, en 1845, par le P. d'Alzan, en vue de rechristianiser le monde moderne par l'enseignement, l'organisation des pèlerinages et la presse *(la Croix, le Pèlerin...).*

ASSONANCE n. f. (lat. *assonare,* faire écho). Répétition, à la fin de deux ou plusieurs vers, de la même voyelle accentuée. (Ex. : *sombre, tondre; peintre, cintre; âme, âge,* etc.)

ASSONANT, E adj. Qui produit une assonance.

ASSORTI, E adj. En accord, en harmonie : *époux assortis; cravate assortie.* || Pourvu des articles nécessaires : *un magasin bien assorti.*

ASSORTIMENT n. m. Assemblage de choses qui vont ensemble, mélange, variété. || Ensemble de marchandises de même genre dont est fourni un commerçant.

ASSORTIR v. t. (de *sorte*). Réunir des personnes, des choses qui se conviennent parfaitement : *assortir des convives, des étoffes, des fleurs.* || Approvisionner : *assortir un magasin.* ◆ **s'assortir** v. pr. Être en accord, en harmonie : *son manteau s'assortit à la robe.* || S'accompagner : *le traité s'assortit d'un préambule qui le limite.*

ASSOUAN, v. de l'Égypte méridionale, sur le Nil, près de la première cataracte; 128 000 hab. Carrières pharaoniques avec un ancien obélisque inachevé. À proximité : monastère copte de Saint-Siméon, tombes rupestres (VIe-XIIe dynasties). Site de deux barrages, dont le plus en amont, dit « haut barrage » ou « Sadd al-'Ālī », l'un des plus grands du monde (mis en eau en 1970), emmagasine plus de 150 milliards de mètres cubes d'eau dans un lac artificiel (lac Nasser) et est destiné à l'irrigation et à la production d'électricité.

ASSOUCI (Charles COUPPEAU D'), musicien et poète français (Paris 1605 - *id.* 1677). Luthiste et compositeur, il publia des poèmes burlesques (*Ovide en belle humeur,* 1650) et le récit de son existence mouvementée *(les Aventures du sieur d'Assouci,* 1677).

ASSOUPIR v. t. (bas lat. *assopire,* endormir). Endormir à demi. || *Litt.* Calmer, apaiser : *assoupir la douleur.* ◆ **s'assoupir** v. pr. S'endormir à moitié.

ASSOUPISSEMENT n. m. Demi-sommeil, torpeur.

ASSOUPLIR v. t. Rendre plus souple, moins dur : *assouplir une étoffe, des règlements.* ◆ **s'assouplir** v. pr. Devenir souple.

ASSOUPLISSEMENT n. m. Action d'assouplir, de s'assouplir.

ASSOUR, l'une des capitales de l'Assyrie*, mise au jour entre 1903 et 1914 sur la rive droite du Tigre. On connaît le tracé de la cité, la double enceinte plusieurs fois reconstruite (première construction datant des XXIIIe et XXIIe s. av. J.-C.), le quai le long du Tigre, deux palais ainsi que les vestiges de plusieurs sanctuaires et ziggourats. De nombreux objets ont été recueillis, parmi lesquels la statue du dieu éponyme Assour et un lot important d'ivoires assyriens.

ASSOUR, dieu principal de la ville du même nom, puis de l'Assyrie. Sa divinité parèdre est Ishtar*. Père et roi des dieux, dont il assimile peu à peu les attributs, il est le Sage, le grand Juge, le dieu guerrier qui fait siennes les causes de son peuple.

ASSOURBANIPAL, dernier grand roi d'Assyrie* (de 668 à 627 env. av. J.-C.). Par la conquête de l'Égypte*, la soumission de Babylone* et la destruction de l'Empire élamite*, il porte à son apogée la puissance assyrienne. Monarque à l'esprit brillant et cultivé, il constitue à Ninive* une bibliothèque, en partie retrouvée (20 000 tablettes environ), où sont représentés les chefs-d'œuvre de l'ancienne littérature orientale. Ses hymnes à Ishtar* révèlent une sensibilité qui peut surprendre chez cet homme de guerre. Les reliefs animaliers qui ornent son palais sont les plus parfaits de l'art assyrien par la variété de leur composition et leur naturalisme expressif.

ASSOURDIR v. t. Rendre comme sourd par l'excès de bruit. || Rendre un bruit, un son moins sonore (surtout au passif) : *des pas assourdis, bruit assourdi.* ◆ **s'assourdir** v. pr. Devenir moins sonore.

ASSOURDISSANT, E adj. Qui assourdit.

ASSOURDISSEMENT n. m. Action d'assourdir.

ASSOUVIR v. t. (bas lat. *assopire,* endormir). *Litt.* Rassasier, satisfaire pleinement : *assouvir sa faim, sa fureur.*

ASSOUVISSEMENT n. m. Action d'assouvir.

ASSUÉTUDE n. f. (lat. *assuetudo,* habitude). *Méd.* Dépendance envers une drogue.

ASSUJETTI, E n. Personne tenue par la loi de verser un impôt ou une taxe, ou bien de s'affilier à un groupement professionnel ou mutualiste.

ASSUJETTIR v. t. (de *sujet*). Placer sous une domination absolue un peuple, une nation. || Plier qqn à une obligation stricte : *être assujetti à l'impôt.* || Fixer une chose de manière qu'elle soit stable ou immobile.

ASSUJETTISSANT, E adj. Qui exige beaucoup d'assiduité.

ASSUJETTISSEMENT n. m. Action d'assujettir, d'être assujetti.

ASSUMER v. t. (lat. *assumere*). Prendre sur soi, se charger de; accepter les conséquences : *assumer une lourde responsabilité.* ◆ **s'assumer** v. pr. S'accepter tel qu'on est.

ASSURABLE adj. Qui peut être assuré par une compagnie d'assurances.

ASSURANCE n. f. Certitude, garantie formelle, confiance totale : *j'ai l'assurance que vous réussirez.* || Convention par laquelle, moyennant une prime, les assureurs s'engagent à indemniser d'un dommage éventuel. ● *Assurances sociales,* assurances constituées en vue de garantir les travailleurs contre la maladie, l'invalidité, la vieillesse, le décès, etc. (On dit auj. SÉCURITÉ SOCIALE.)

ASSURANCE-CRÉDIT n. f. (pl. *assurances-crédits*). Opération d'assurance garantissant un créancier contre le risque de non-paiement de la part de son débiteur.

ASSURÉ, E adj. Ferme, décidé : *regard assuré.* || Certain : *succès assuré.*

ASSURÉ, E n. Personne garantie par un contrat d'assurance. ● *Assuré social,* personne qui est affiliée à un régime d'assurances sociales.

ASSURÉMENT adv. Certainement, sûrement.

ASSURER v. t. (lat. pop. *assecurare,* rendre sûr). Rendre plus stable, plus durable, plus solide : *assurer la paix.* || En alpinisme, utiliser une corde pour éviter les chutes. || Garantir : *assurer une créance.* || S'engager par contrat à rembourser les pertes : *assurer une récolte.* || Faire en sorte qu'une chose ne manque pas : *assurer le ravitaillement.* || Donner comme sûr, certain : *il m'assure de sa sincérité.* ◆ v. i. *Fam.* Maintenir son avantage sans prendre de risques excessifs. || *Pop.* Se montrer à la hauteur. ◆ **s'assurer** v. pr. Rechercher la confirmation de qqch : *s'assurer qu'il n'y a pas de danger.* || Se garantir le concours de qqn, l'usage de qqch : *s'assurer de collaborateurs fidèles.* || Passer un contrat d'assurance. ● *S'assurer d'un coupable,* l'arrêter.

Assyrie. Bas-relief provenant du palais d'Assour-Nasirpal à Nimroud, représentant le roi chassant le lion. IXe s. av. J.-C. (British Museum, Londres.)

British Museum-Larousse

ASSUREUR n. m. Celui qui prend les risques à sa charge dans un contrat d'assurance.

ASSY, localité de la Haute-Savoie (comm. de Passy*), à 15 km au N. de Saint-Gervais-les-Bains, au-dessus de l'Arve. Église (1937-1950) de Maurice Novarina, décorée par de grands artistes contemporains. Située à 1 000 m d'altitude, cette station sanatoriale est actuellement reconvertie en station climatique pour les convalescents et pour le traitement des maladies de longue durée.

ASSYRIE, Empire mésopotamien qui, du IXe au VIIe s. av. J.-C., domine l'Orient ancien.

HISTOIRE. L'histoire de l'Assyrie commence avec celle de la cité d'Assour*. Au IIIe millénaire, Assour est une cité-État qui perd son indépendance à deux reprises, au temps de l'empire d'Akkad* (2325-2200 env.) et à l'époque de la IIIe dynastie d'Our* (2133-2025). Du XXe au XVIIIe s., elle devient le centre d'un commerce très actif (étain, cuivre, tissus) qui s'étend jusqu'en Anatolie*. Mais, au long et brillant règne de Shamshi-Adad Ier (de 1816 à 1783 env.), succèdent quatre siècles faits de rivalités intérieures et de domination étrangère (Babylone*, Mitanni*). Au XIVe s., les Hittites*, en détruisant la puissance mitannienne, permettent à l'Assyrie d'exister en tant que nation. (Le terme d'« Assyrie » est la dénomination grecque du « pays d'Assour ».)

Assour-ouballit Ier (de 1366 à 1330), fondateur du *premier Empire assyrien* (XIVe-XIe s.), s'empare de Ninive* et des régions riveraines du Tigre. Trois rois feront de l'Assyrie l'État le plus puissant de l'Asie occidentale : Adad-nirâri Ier (de 1308 à 1276), Salmanasar Ier (de 1276 à 1246) et Toukoulti-Ninourta Ier (de 1246 à 1209); la domination assyrienne s'étend à la Mésopotamie entière (prise de Babylone v. 1224). Les invasions araméennes*, malgré le sursaut de Téglat-phalasar Ier (de 1115 à 1077) vont submerger la Mésopotamie et l'Empire assyrien sera bientôt réduit à la moyenne vallée du Tigre.

Il faut attendre la fin du Xe s. pour voir renaître la puissance assyrienne avec Assour-dân II (de 932 à 912) et Adad-nirâri II (de 911 à 891) qui entreprennent de desserrer l'étau araméen. L'ère des grandes conquêtes commence : Assour-Nasirpal II (de 883 à 859), premier grand roi du *second Empire assyrien* (IXe-VIIe s.), étend sa domination jusqu'à la Méditerranée; les cités araméennes et phéniciennes doivent payer tribut. Son fils, Salmanasar III (de 859 à 824) annexe l'important royaume araméen de Bît-Adini, mais échoue à Qarqar (854) devant une coalition dirigée par les Araméens de Damas. Une période de crise (826-746) arrête l'expansion assyrienne, qui ne reprend qu'avec Téglat-phalasar III (de 745 à 727); Damas est prise en 732 et Babylone placée sous le protectorat assyrien. Le règne de Sargon II (de 722 à 705) et ceux de ses successeurs, Sennachérib* (de 705 à 680), Asarhaddon* (de 680 à 669), Assourbanipal* (de 669 à 627 env.) marquent l'apogée de l'Assyrie. La soumission de la Palestine (prise de Samarie* en 721), de la Phénicie*, de l'Ourartou*, la mainmise sur la Babylonie, la conquête de l'Égypte (destruction de Thèbes* en 663) et l'anéantissement de l'Élam* (chute de Suse* en 639) font de l'Assyrie un empire grandiose qui, du haut Nil au golfe Persique, unifie tout l'Orient civilisé. Cet empire, fondé sur la violence et la terreur — prisonniers torturés et massacrés, populations déportées ou durement rançonnées, villes rasées —, n'a pas eu le souci d'assimiler les peuples vaincus. Sa chute sera rapide. Les Mèdes*, alliés aux Babyloniens, qui ont recouvré leur indépendance, portent les coups décisifs : en 612, Cyaxare s'empare de Ninive, qui est, à son tour, brûlée et rasée. « Elle est dévastée la ville sanguinaire... Qui la plaindra? » chante Nahoum, le prophète biblique.

BEAUX-ARTS. Même si les Assyriens sont déjà d'actifs commerçants à la fin du IIIe millénaire, comme l'attestent des tablettes de Kültepe, en Anatolie, c'est entre le XIIIe et le VIIe s. av. J.-C. que leur art connaît sa pleine expansion. En architecture, ils adoptent les moyens techniques de Sumer* et des autres civilisations de l'ancienne Mésopotamie*, mais on est frappé par le gigantisme architectural d'Assour* et de Ninive* — dont on a relevé le tracé des fondations —, et de Khursabâd (Dour-Sharroukên). La contrainte d'un matériau fragile, la brique crue, marque les ziggourats (tours à étages), les sanctuaires et les palais, dont le plan est un simple parallélépipède où se juxtaposent les quartiers (sanctuaires, salle d'apparat, appartements royaux, et communs). Les Assyriens, pour orner ces énormes façades, font appel à la brique émaillée et à l'alternance de redans et de saillants, mais, à l'intérieur, le décor plaqué — énormes orthostates souvent en albâtre gypseux et sculptés en léger relief — reste leur grande innovation et se développe entre le IXe et le VIIe s. Le récit mythologique, mais surtout la grandeur et les exploits du souverain, sont la seule source d'inspiration des sculpteurs. Malgré la rigidité des conventions, la perspective hiérarchique, l'éternelle représentation de profil, ils trouvent là un moyen d'expression à la mesure de leur talent d'animaliers. On distingue une certaine évolution entre les reliefs du IXe s. (nombre restreint de personnages, aux musculatures outrancières, pas de recherche de perspective) et ceux du VIIe s., où les personnages se multiplient, évoluent parfois au cœur de paysages, et où transparaît une certaine sensibilité (*Lionne blessée,* British Museum). La statuaire en ronde bosse est peu fréquente, mais des fragments de leur peinture murale — proches de ceux de Dour-Kourigalzou* — ont été retrouvés, notamment à Tilbarsip, sur le haut Euphrate.

Les arts appliqués, glyptique*, reliefs de bronze (portes de Bâlawât, British Museum), sont empreints d'originalité; les ivoires, découverts en grand nombre (Nimroud*, Arslân Tash [Hadatou*]), sont divisés en deux groupes : créations autochtones et importations syro-phéniciennes. Une multitude de tablettes constituaient la bibliothèque (British Museum) du roi Assourbanipal, découverte à Ninive. Comme celui des Achéménides*, quelques siècles plus tard, l'objectif unique de cet art de cour a été d'imposer la suprématie d'une civilisation essentiellement militaire, et tout naturellement il disparaîtra avec elle.

ASSYRIEN, ENNE adj. et n. De l'Assyrie.

ASSYRIOLOGIE n. f. Science des antiquités de l'Orient ancien.

ASSYRIOLOGUE n. Spécialiste d'assyriologie.

ASTAFFORT (47220), ch.-l. de cant. de Lot-et-Garonne, à 19 km au S. d'Agen, sur le Gers; 2 004 hab. Restes de fortifications. Constructions mécaniques.

ASTAIRE (Frederick E. AUSTERLITZ, dit **Fred**), danseur, chorégraphe, chanteur et acteur américain (Omaha 1899 - Los Angeles 1987). Aidé par une connaissance parfaite de la danse classique et par une virtuosité sans égale dans l'art des claquettes, il fut, au cours des années 30, à l'origine de l'épanouissement d'un genre cinématographique nouveau : la « comédie musicale ». Jusqu'en 1939, il forma avec Ginger Rogers un couple idéal célèbre, puis continua à imposer sa souplesse légendaire et son sens du rythme aux côtés de partenaires telles qu'Eleanor Powell, Paulette Goddard, Rita Hayworth, Judy Garland et Cyd Charisse.

ASTASIE n. f. (gr. *stasis,* station verticale). Difficulté à garder la station debout pouvant aller jusqu'à son impossibilité, d'origine névrotique et souvent associée à l'abasie.

ASTATE n. m. Élément chimique artificiel et radioactif (At) de numéro atomique 85.

ASTATIQUE adj. Qui présente un état d'équilibre indifférent : *système astatique*. ● *Équipage astatique*, ensemble de deux aimants disposés en sens inverse, le moment magnétique total étant ainsi nul.

ASTER [astɛr] n. m. (gr. *astêr*, étoile). Plante souvent cultivée pour ses fleurs décoratives, aux coloris variés. (Famille des composées.) ‖ *Cytol.* Ensemble de lignes rayonnantes qui entourent le ou les centrosomes.

Dragesco-Atlas-Photo

astérie

ASTÉRÉOGNOSIE n. f. (gr. *stereos*, solide, et *gnôsis*, connaissance). Impossibilité de distinguer les formes des objets par le seul toucher, dans certaines affections neurologiques.

ASTÉRIDE n. m. Syn. de ASTÉRIE.

ASTÉRIE n. f. Échinoderme de la classe des astérides, appelé usuellement *étoile* * *de mer*.

ASTÉRISQUE n. m. (gr. *asteriskos*, petite étoile). Signe typographique en forme d'étoile (*), indiquant un renvoi, une lacune, etc.

ASTÉROÏDE n. m. (gr. *astêr*, étoile, et *eidos*, aspect). Syn. de PETITE PLANÈTE.

ASTHÉNIE n. f. (gr. *sthenos*, force). État de fatigue et d'épuisement sans cause organique.

ASTHÉNIQUE adj. et n. Atteint d'asthénie.

ASTHÉNOSPHÈRE n. f. *Géol.* Couche visqueuse située à l'intérieur de la Terre, et sur laquelle repose la lithosphère.

ASTHMATIQUE adj. et n. Atteint d'asthme.

ASTHME [asm] n. m. (gr. *asthma*, respiration difficile). Affection caractérisée par des accès de dyspnée expiratoire, de suffocation.

■ Les accès de dyspnée expiratoire de l'asthme peuvent être brefs ou durer des semaines. Quand un épisode d'asthme se prolonge, on parle d'*état de mal asthmatique*. Habituellement l'asthme débute chez l'enfant, le jeune adulte; rarement chez le vieillard. Les cas familiaux sont fréquents. Les crises d'asthme sont dues, avant tout, à un rétrécissement des petites bronches périphériques et s'accompagnent de toux et de sifflements. Quatre causes, isolées ou associées, sont incriminées :
1. essentiellement une *allergie* *;
2. des infections respiratoires à répétition (bronchites);
3. des réactions psychologiques excessives aux difficultés de l'existence;
4. la pollution atmosphérique.
Lors du traitement des crises sont utilisés l'aminophylline, le salbutamol et, si nécessaire, les corticoïdes.

ASTI n. m. Vin blanc muscat mousseux, récolté près d'Asti (Italie).

ASTI, v. d'Italie, dans le Piémont, ch.-l. de prov., au S.-E. de Turin; 78 000 hab. Nombreux monuments médiévaux. Vins.

ASTICOT n. m. Larve de la mouche à viande, utilisée pour la pêche à la ligne.

ASTICOTER v. t. *Fam.* Contrarier pour des bagatelles; taquiner.

ASTIGMATE adj. et n. (gr. *stigma*, point). Affecté d'astigmatisme.

ASTIGMATISME n. m. Défaut d'un instrument d'optique ne donnant pas d'un point une image ponctuelle. ‖ Anomalie de la vision, due à des inégalités de courbure de la cornée transparente ou à un manque d'homogénéité dans la réfringence des milieux transparents de l'œil.

ASTIQUAGE n. m. Action d'astiquer.

ASTIQUER v. t. (francique *stikjan*, ficher). Faire briller en frottant.

ASTLEY (Philip), écuyer et imprésario britannique (Newcastle-under-Lyme 1742 - Paris 1814). Ayant eu l'idée de présenter à Londres, en 1769, dans un manège cerné de gradins, un spectacle

d'exhibitions équestres rehaussées d'attractions acrobatiques, il peut être considéré comme l'inventeur du cirque moderne. Il ouvrit à Paris, en 1783, l'Amphithéâtre des sieurs Astley et fils.

ASTON (09310 Les Cabannes), comm. de l'Ariège, à 12 km au S. de Tarascon-sur-Ariège; 327 hab. Centrale hydraulique.

ASTON (Francis William), physicien anglais (Harborne 1877 - Londres 1945). Il découvrit l'existence des isotopes, qu'il étudia en perfectionnant, en 1920, le spectrographe de masse de J. J. Thomson. (Prix Nobel de chimie, 1922.)

ASTRAGALE n. m. (gr. *astragalos*). *Anat.* Os du tarse qui s'articule avec le tibia et le péroné. ‖ *Archit.* Dans une colonne, moulure marquant la limite du chapiteau et du fût, en général tenant à ce dernier. ‖ *Bot.* Plante dont une espèce d'Orient fournit la gomme adragante.

ASTRAKAN n. m. (d'*Astrakhan*, ville de l'U. R. S. S.). Fourrure de jeune agneau karakul, à poil frisé.

ASTRAKHAN ou **ASTRAKAN**, v. d'U. R. S. S. (R. S. F. S. de Russie), sur la basse Volga, près de la mer Caspienne; 466 000 hab. Industries alimentaires (caviar). Papeterie.

ASTRAL, E, AUX adj. Relatif aux astres.

ASTRE [astr] n. m. (lat. *astrum*). Corps céleste naturel.

Astrée (*l'*), roman pastoral d'Honoré d'Urfé, en cinq parties : les trois premières furent publiées par l'auteur (1607-1619), la quatrième par son secrétaire Balthazar Baro (1627), qui y ajouta une cinquième (1628). Le récit des amours contrariées, puis triomphantes, du berger Céladon et de la bergère Astrée propose une véri-

Keystone

Astrid et Léopold de Belgique, en 1934, année du couronnement.

ASTRONAUTIQUE

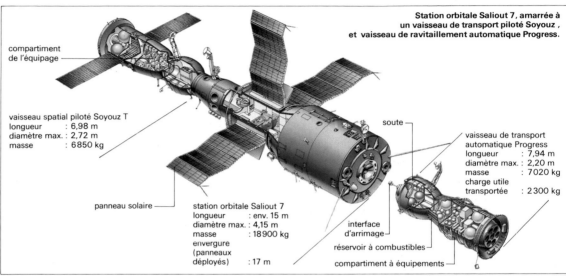

Station orbitale Saliout 7, amarrée à un vaisseau de transport piloté Soyouz, et vaisseau de ravitaillement automatique Progress.

compartiment de l'équipage

vaisseau spatial piloté Soyouz T
longueur : 6,98 m
diamètre max. : 2,72 m
masse : 6850 kg

panneau solaire

station orbitale Saliout 7
longueur : env. 15 m
diamètre max. : 4,15 m
masse : 18900 kg
envergure (panneaux déployés) : 17 m

soute

vaisseau de transport automatique Progress
longueur : 7,94 m
diamètre max. : 2,20 m
masse : 7020 kg
charge utile transportée : 2300 kg

interface d'arrimage

réservoir à combustibles

compartiment à équipements

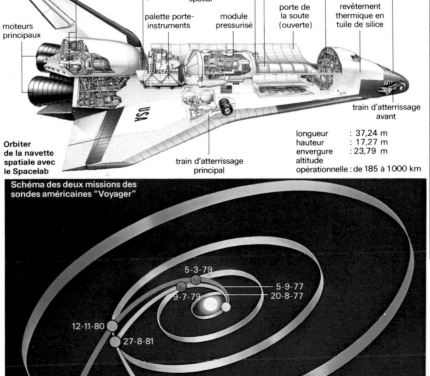

moteurs auxiliaires

(Spacelab) laboratoire spatial

tunnel de communication

poste de pilotage

bouclier thermique

palette porte-instruments

module pressurisé

porte de la soute (ouverte)

revêtement thermique en tuile de silice

moteurs principaux

USA

Orbiter de la navette spatiale avec le Spacelab

train d'atterrissage avant

train d'atterrissage principal

longueur : 37,24 m
hauteur : 17,27 m
envergure : 23,79 m
altitude opérationnelle : de 185 à 1000 km

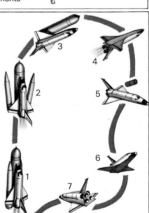

Schéma d'une mission orbitale
1. Lancement.
2. Séparation des fusées porteuses;
3. Séparation du réservoir extérieur;
4. Mise en orbite;
5. Mission orbitale;
6. Rentrée dans l'atmosphère;
7. Atterrissage.

Explorer Jupiter, Saturne, Uranus et certains de leurs satellites en les survolant à faible distance, telle est la mission des deux sondes américaines "Voyager" lancées en 1977.
La compréhension de l'histoire du système solaire passe en effet par une meilleure connaissance des planètes lointaines.

○ Terre   ● Saturne
● Jupiter   ◑ Uranus
▢ Voyager 2
▢ Voyager 1

Les dates indiquées sont celles de départ de la Terre et celles où les sondes seront à distance minimale des planètes Jupiter, Saturne et Uranus.

Schéma des deux missions des sondes américaines "Voyager"

5-3-79
5-9-77
9-7-79
20-8-77
12-11-80
27-8-81
30-1-86
espace interstellaire
vers Neptune : 8-89

table « mystique de l'amour », qui exerça une influence considérable sur la préciosité*.

ASTREIGNANT, E adj. Qui tient sans cesse occupé.

ASTREINDRE v. t. (lat. *astringere*, serrer) [conj. **55**]. Soumettre à une tâche difficile, un travail pénible. ◆ **s'astreindre** v. pr. [à]. S'obliger, se soumettre à qqch de pénible.

ASTREINTE n. f. *Dr.* Pénalité infligée au débiteur d'une obligation en vue de l'inciter à s'exécuter, et dont le montant s'élève proportionnellement au retard. ‖ *Litt.* Obligation.

ASTRID, reine des Belges (Stockholm 1905-près de Küssnacht, Suisse, 1935). Princesse suédoise, elle épousa en 1926 Léopold (III) de Belgique, devenu roi en 1934.

ASTRINGENCE n. f. *Méd.* Qualité de ce qui est astringent.

ASTRINGENT, E adj. et n. m. *Méd.* Qui resserre les tissus ou diminue la sécrétion.

ASTROBIOLOGIE n. f. Branche des sciences appliquées qui étudie la possibilité d'existence de formes vivantes dans d'autres régions de l'Univers que la Terre. (Syn. EXOBIOLOGIE.)

ASTROBLÈME n. m. (gr. *blêma*, blessure). *Géol.* Trace laissée par l'impact d'une grosse météorite.

ASTROLABE n. m. (ar. *asturlâb*, gr. *astron*, astre, et *lambanein*, prendre). Instrument ancien fournissant une représentation du ciel à un instant donné. ‖ Instrument servant à observer l'instant où une étoile atteint une hauteur déterminée, généralement 60⁰ ou 45⁰, au-dessus de l'horizon.

ASTROLOGIE n. f. Art divinatoire, cherchant à déterminer l'influence des astres sur le cours des événements terrestres et à en tirer des prédictions d'avenir.

ASTROLOGIQUE adj. Relatif à l'astrologie.

ASTROLOGUE n. Personne qui pratique l'astrologie.

ASTROMÉTRIE n. f. Partie de l'astronomie dont l'objet est la mesure de la position des astres et la détermination de leurs mouvements. (Syn. ASTRONOMIE DE POSITION.)

ASTROMÉTRIQUE adj. Relatif à l'astrométrie.

ASTROMÉTRISTE n. Spécialiste d'astrométrie.

ASTRONAUTE n. Pilote ou passager d'un engin spatial.

ASTRONAUTIQUE n. f. (gr. *astron*, astre, et *nautikê*, navigation). Science de la navigation dans l'espace. ‖ Ensemble des sciences, des techniques et des activités humaines rendant possibles les vols spatiaux, ou rendues possibles par ceux-ci.

■ Concrétisant les recherches des précurseurs de génie, dont les plus célèbres sont le Russe Konstantine Tsiolkovski*, l'Américain Robert Hutchings Goddard*, l'Allemand Hermann Oberth* et le Français Robert Esnault-Pelterie*, l'astronautique n'a véritablement pris son essor que le 4 octobre 1957, avec la mise en orbite par les Soviétiques du premier satellite* artificiel de la Terre, « Spoutnik 1 ». Dès lors, les progrès ont été rapides, grâce à la mise au point de fusées* puissantes permettant de disposer d'énergies de lancement considérables. Le 12 avril 1961, les Soviétiques mirent en orbite le premier satellite occupé par un homme, le cosmonaute Youri Gagarine. De nombreux lancements suivirent, tant aux États-Unis qu'en U.R.S.S., la durée des vols devenant de plus en plus longue. De nouvelles étapes furent franchies : sortie des cosmonautes hors de leur capsule et travail dans l'espace (18 mars 1965); premier rendez-vous en orbite entre deux satellites habités (« Gemini 6 » et « Gemini 7 », le 15 décembre 1965); premier amarrage dans l'espace (« Gemini 8 » et une cible « Agena », le 16 mars 1966).

Un nouvel objectif put être alors envisagé : l'envoi d'hommes sur la Lune*; et ce fut le but du programme américain « Apollo ». Pour l'atteindre, les États-Unis conçurent la fusée Saturne V à 3 étages, dont la hauteur et le poids au décollage étaient respectivement de 111 m et 3 000 t. Le 16 juillet 1969 commença la mission qui, pour la première fois, conduisit des hommes sur la Lune : le 21 juillet, Neil Armstrong* et Edwin Aldrin posèrent le pied sur le sol lunaire. Jusqu'à la fin de 1972, cinq autres missions « Apollo » réussirent, les tâches confiées aux astronautes devenant de plus en plus complexes. Lors des trois dernières missions, une voiture électrique leur a permis d'effectuer des déplacements de plusieurs kilomètres. Au total, près de 400 kg d'échantillons de roches et de poussières ont été rapportés sur la Terre pour être analysés. Divers instruments scientifiques ont également été déposés sur la Lune afin d'étudier l'environnement. Parallèlement au programme « Apollo », les Soviétiques ont développé un vaste programme d'exploration lunaire à base d'engins automatiques, les « Luna », dont certains ont également ramené sur la Terre des échantillons lunaires.

Depuis les années 60, on assiste à l'exploration progressive des planètes* du système solaire par des sondes spatiales qui les survolent à faible distance, sont mises en orbite autour de ces planètes ou se posent sur leur sol (Vénus, Mars). En 1989, la plus lointaine planète survolée est Neptune, approchée par la sonde américaine « Voyager 2 ».

L'utilisation de l'espace à des fins pratiques a pris une grande envergure grâce au développement de satellites d'applications. Les télécommunications en sont les premières bénéficiaires, avec la mise en orbite de satellites géostationnaires capables de transmettre sur de longues distances des programmes de télévision, des communications téléphoniques, et des données. Les *satellites de télédétection* fournissent des images de la Terre très utiles à la cartographie, à l'hydrologie, à l'océanographie, à l'agriculture, à la sylviculture, à l'exploration minière et pétrolière, etc. Parmi les autres satellites d'applications figurent les *satellites météorologiques*, les *satellites géodésiques*, et, dans le domaine militaire, les *satellites de reconnaissance photographique*. C'est aussi dans un but pratique qu'est prévue la mise sur orbite circumterrestre de stations permanentes de grandes dimensions, dans lesquelles des équipes d'astronautes se relaieraient régulièrement, des navettes spatiales assurant la liaison entre la Terre et la station. Le lancement, depuis 1971, par l'U.R.S.S., de stations orbitales « Saliout » auxquelles se substitue, depuis 1986, la station modulaire « Mir », représente une première démarche dans ce sens tandis que, pour les Américains, la navette spatiale, mise en service en 1981, offre de nouvelles possibilités de lancement de satellites et d'expérimentations en orbite, en attendant de servir au transport dans l'espace des éléments de la « Space Station » envisagée pour les années 90. Le programme de la Nasa est néanmoins retardé (jusqu'en 1988) après l'explosion, peu après son décollage, de la navette « Challenger » (28 janv. 1986). [V. ill. p. 117.]

ASTRONEF n. m. Véhicule spatial.

ASTRONOME n. Spécialiste d'astronomie.

ASTRONOMIE n. f. (gr. *astron*, astre, et *nomos*, loi). Science qui étudie les positions relatives, les mouvements, la structure et l'évolution des corps célestes.

■ Liée au développement des techniques, l'astronomie n'a progressé que très lentement jusqu'à la découverte de la lunette* et du télescope*, qui ont permis de reculer les limites du monde visible et donné son essor à l'étude des astres du système solaire.

On admet généralement que l'astronomie est née en Mésopotamie, où l'on savait déjà prédire les éclipses*, mais de façon purement empirique. C'est à la Grèce que l'on doit l'explication des éclipses et la première mesure du rayon terrestre. Toutefois, pendant très longtemps, deux hypothèses fausses sont restées à la base des tentatives d'explication du mouvement des planètes* : ce mouvement est circulaire et la Terre* est le centre de l'Univers*. Pourtant, dès le IIIᵉ s. av. J.-C., Aristarque* de Samos place le Soleil* au centre du monde et les planètes, y compris la Terre, sur des orbites concentriques et circulaires autour du Soleil. Ces idées nouvelles ne rencontrent pas l'approbation des grands de l'époque, Aristote* et Platon*, et cette théorie est écartée. Le Moyen Âge ne remet pas en question la tradition. Si de nombreuses observations, ainsi que l'établissement de tables donnant la position d'un astre en fonction du lieu et de la date, rendent surtout service aux astrologues, elles restent malgré tout précieuses. Au XVIᵉ s., Copernic* propose à nouveau un système héliocentrique. Grâce aux nombreuses observations de Tycho Brahe*, au Danemark, son élève Kepler* montrera que les planètes se déplacent sur des orbites elliptiques dont le Soleil occupe l'un des foyers. Puis, la découverte de la lunette va bouleverser l'astronomie. Galilée*, physicien et astronome italien, confirme par ses observations le système de Copernic. Newton*, physicien et astronome anglais, invente le télescope. Il établit la loi de la gravitation* universelle. À partir de cette époque, l'astronomie se développe rapidement; elle dispose de bons instruments et de théories fondamentales. Dans la seconde moitié du XVIIᵉ s., l'Observatoire de Paris et celui de Greenwich, en Angleterre, sont créés. Puis les découvertes se multiplient : prévision du retour d'une comète*, propagation non instantanée de la vitesse de la lumière*, découverte des satellites* de Saturne*, découverte d'Uranus* et de ses satellites, des étoiles* doubles, de nébuleuses, etc. Au XIXᵉ s., les calculs conjugués de Le Verrier*, astronome français, permettent la découverte de Neptune* et constituent l'un des succès les plus spectaculaires de la mécanique céleste. Mais la nature des astres et les conditions physiques qui y règnent restent encore à déterminer. L'utilisation conjuguée de la spectroscopie, de la photographie et de la photométrie permet de résoudre ces énigmes et donne à l'astrophysique son essor. Au début du XXᵉ s., l'astronome américain Hubble* met en évidence l'existence d'objets extérieurs à la Galaxie* et établit une relation de proportionnalité entre la vitesse et la distance

Jupiter, photographié par la sonde américaine « Pioneer 11 » (début du survol de la planète en décembre 1974).

La comète Humason, photographiée en 1961 par l'observatoire du Mont-Palomar (Californie)

ASTRONOMIE

Radiotélescope d'Effelsberg (R. F. A.), en service depuis 1972.

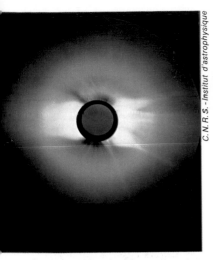

Couronne solaire observée au cours de l'éclipse totale de soleil du 30 juin 1973. Observation faite à Mousoro (Tchad), à bord du prototype 01 de l'avion supersonique « Concorde ».

Photographie du sol (« Chryse Planitia ») de la planète Mars, prise par la sonde américaine « Viking 1 » en 1976.

de ces objets. L'introduction de la théorie de la relativité* générale par Einstein* bouleverse les conceptions newtoniennes : toute masse courbe l'espace dans son voisinage. La loi d'expansion de l'Univers et la relativité générale servent de base à toute la cosmologie* moderne. De grands télescopes, dont le miroir principal atteint jusqu'à 6 m de diamètre (Zelentchouk, U.R.S.S.), équipés de détecteurs de plus en plus perfectionnés (photomultiplicateurs, caméras électroniques, CCD), permettent de découvrir des objets extragalactiques de plus en plus lointains et repoussent sans cesse les limites de l'Univers visible. Depuis 1945, la radioastronomie a ouvert un autre domaine, celui des longueurs d'onde du millimètre au décamètre, permettant ainsi, entre autres, la découverte d'objets invisibles avec les moyens optiques. La radioastronomie a autorisé la mise en évidence de la structure spirale de la Galaxie par la détection de l'hydrogène* sur une longueur d'onde de 21 cm. La découverte des quasars* et des pulsars* est aussi à inscrire à son actif. Enfin, le développement des ballons, des fusées-

Satellite américain d'astronomie ultraviolette « IUE » (International Ultraviolet Explorer), lancé le 26 janvier 1978.

Télescope soviétique de Zelentchouk (Caucase), mis en service en 1976. Type de télescope à monture azimutale.

sondes, des satellites et des sondes spatiales a fait entrer l'astronomie dans une ère nouvelle, celle de l'exploration directe du système solaire et de l'étude de l'Univers sur l'ensemble du spectre électromagnétique, en particulier dans les domaines de longueurs d'onde où l'observation au sol est contrariée par la présence de l'atmosphère (rayonnements gamma*, X*, ultraviolet* et infrarouge*).

ASTRONOMIQUE adj. Relatif à l'astronomie : *observation astronomique*. || *Fam.* Exagéré, très grand : *prix astronomiques*.

ASTRONOMIQUEMENT adv. Suivant les principes de l'astronomie.

ASTROPHYSICIEN, ENNE n. Spécialiste d'astrophysique.

ASTROPHYSIQUE n. f. Partie de l'astronomie qui étudie la constitution, les propriétés physiques et l'évolution des astres et des divers milieux qui les composent.

ASTUCE n. f. (lat. *astutia*). Manière d'agir qui dénote de l'ingéniosité, de l'habileté et permet de se procurer des avantages ou de s'amuser. || Plaisanterie, jeu de mots.

ASTUCIEUSEMENT adv. De façon astucieuse.

ASTUCIEUX, EUSE adj. Qui a de l'astuce, habile, malin. || Qui dénote de l'ingéniosité : *une réponse astucieuse*.

ASTURIAS (Miguel Ángel), écrivain et diplomate guatémaltèque (Guatemala 1899 - Madrid 1974). Ses poèmes et ses romans, consacrés à l'histoire et aux problèmes sociaux de son pays

(*Légendes du Guatemala*, 1930 ; *Monsieur le Président*, 1946 ; *le Pape vert*, 1954 ; *Week-end au Guatemala*, 1956 ; *le Miroir de Lida Sal*, 1967 ; *Trois des quatre soleils*, 1971), mêlent la splendeur des légendes mayas à la luxuriance des recherches verbales. (Prix Nobel, 1967.)

ASTURIES, en esp. **Asturias**, région du nord de l'Espagne, correspondant à la province

Miguel Ángel **Asturias**

d'Oviedo* et constituant une communauté autonome ; 10 565 km²; 1 129 000 hab.

GÉOGRAPHIE. Sur l'Atlantique, région au climat humide et doux, malgré une altitude moyenne relativement élevée, les Asturies sont une terre d'élevage (bovins), où l'industrie occupe néanmoins une place exceptionnelle grâce à la présence de charbon, qui est à l'origine de la sidérurgie (Avilés, Mières), favorisée par la présence du port de Gijón (importateur de fer), plus peuplé que la capitale, Oviedo, ville surtout tertiaire.

HISTOIRE. Les peintures rupestres d'Altamira (près du village de Santillana del Mar) attestent une très ancienne implantation humaine (paléolithique, faciès magdalénien). Relativement peu marqué par la civilisation romaine, ce pays montagneux devient, après l'écroulement de la monarchie wisigothique (711), le refuge de ses derniers partisans. S'y crée même, dès 718, un royaume chrétien des Asturies, dont Oviedo est la capitale en 758. Alphonse III, roi de 866 à 910, réorganise et unifie les provinces chrétiennes du Nord-Ouest. Son État comprend la Galice, les Asturies et le León, qui, vers 920, donne son nom au royaume. Depuis 1388, l'héritier présomptif de la couronne de Castille puis d'Espagne porte le titre de « prince des Asturies ».

ASUNCIÓN, capit. du Paraguay, sur le río Paraguay ; 600 000 hab. Industries textiles et alimentaires.

ASYMBOLIE n. f. *Psychol.* Incapacité pathologique de comprendre les symboles.

ASYMÉTRIE n. f. Défaut de symétrie.

ASYMÉTRIQUE adj. Sans symétrie.

ASYMPTOTE n. f. (gr. *sun*, avec, et *piptein*, tomber). *Math.* Droite telle que la distance d'un point d'une courbe à cette droite tend vers zéro quand le point s'éloigne à l'infini sur la courbe. ◆ adj. *Courbes asymptotes*, courbes, au nombre de deux, à branches infinies, telles que, si un point s'éloigne indéfiniment sur l'une d'elles, il existe sur l'autre un point variable dont la distance au premier tend vers zéro. || *Plan asymptote d'une surface*, plan tangent dont le point de contact est à l'infini. || *Point asymptote d'une courbe*, point P tel que, si un point parcourt la courbe, sa distance au point P tend vers zéro.

ASYMPTOTIQUE adj. Relatif à l'asymptote.

ASYNCHRONE adj. Qui n'est pas synchrone. ● *Moteur asynchrone*, moteur électrique à courant alternatif et dont la vitesse dépend de la charge.

ASYNDÈTE [asedɛt] n. f. (gr. *asundeton*, absence de liaison). *Ling.* Suppression des mots de liaison (conjonctions, adverbes) dans une phrase ou entre deux phrases.

ASYNERGIE n. f. Manque de coordination entre les mouvements des muscles participant à un geste.

ASYSTOLIE n. f. Insuffisance des contractions du cœur, entraînant une baisse du débit cardiaque, cause de dyspnée, d'œdème, d'anurie et de troubles divers.

At, symbole chimique de l'*astate*.

ATACAMA, région désertique du Chili septentrional, couvrant l'étroite plaine côtière sur le Pacifique et une haute plaine andine, la *Puna de Atacama*.

ATAHUALPA (1500 - Cajamarca 1533), souverain inca depuis 1525. Prisonnier de Pizarro (1532), il est étranglé sur son ordre. L'Empire inca s'écroule alors.

Atala, roman de Chateaubriand (1801). Conçu d'abord comme un épisode des *Natchez**, puis comme un chapitre du *Génie* du christianisme*, il parut sous sa forme autonome en 1805. L'impossible passion de l'Indien Chactas et d'Atala, vouée à la virginité par sa mère chrétienne, est à la fois une mise en images de la philosophie des Lumières, une illustration des idées de Chateaubriand sur la valeur pratique de la religion, et la préfiguration du rêve romantique qui fait de l'exotisme le lieu de l'ordre et de la beauté.

Atalante (l'), film français de Jean Vigo (1934). Un marinier épouse une jeune paysanne et lui fait partager les difficultés d'une existence vagabonde sur une péniche où règne un vieil excentrique (Michel Simon). Poème romanesque plutôt que récit linéaire, l'*Atalante*, qui connut un douloureux échec commercial, reste un exemple unique dans le cinéma français des années 30 : ce fut l'heureuse rencontre du réalisme poétique populiste et du lyrisme surréaliste. Son auteur mourut peu après le tournage.

ATANASSOFF (Cyril), danseur français d'origine bulgare (Puteaux 1941), danseur noble *(Giselle)* dont la personnalité s'est également imposée dans sa création du *Sacre du printemps* (chorégraphie de Maurice Béjart, 1965), et dans la reprise d'*Ivan le Terrible* (de I. Grigorovitch, 1976).

ATARAXIE n. f. (gr. *ataraxia*, absence de troubles). *Philos.* Quiétude absolue de l'âme, qui est, selon l'épicurisme et le stoïcisme, le principe du bonheur.

ATATÜRK → KEMAL (Mustafa).

ATAVIQUE adj. Relatif à l'atavisme.

ATAVISME n. m. (lat. *atavus,* ancêtre). Réapparition de certains caractères venus d'un ancêtre et qui ne s'étaient pas manifestés dans les générations intermédiaires.

ATAXIE n. f. (gr. *ataxia,* désordre). Incoordination des mouvements, caractéristique de certaines maladies neurologiques.

ATAXIQUE adj. et n. Relatif à l'ataxie; atteint d'ataxie.

ATBARA, riv. du Soudan, affl. du Nil (r. dr.); 1 100 km. Au confluent se situe la ville d'*Atbara* (56 000 hab.).

ATCHINSK, v. de l'U.R.S.S. (R.S.F.S. de Russie), en Sibérie, à l'O. de Krasnoïarsk; 117 000 hab. Cimenterie. Alumine.

ATÈLE n. m. Singe de l'Amérique du Sud, dit *singe-araignée* à cause de la longueur extrême de ses membres.

ATÉLECTASIE n. f. Aplatissement des alvéoles pulmonaires lorsque celles-ci ne contiennent pas d'air, normal chez le fœtus, ou pathologique en cas d'obstruction bronchique.

ATELIER n. m. (anc. fr. *astelle,* éclat de bois, du lat. *astula*). Lieu où travaillent des ouvriers, des artistes, etc. ‖ Groupe de travail. ‖ *Bx-arts.* Ensemble des élèves ou des collaborateurs travaillant ou ayant travaillé sous la direction d'un même maître. ‖ *Préhist.* Emplacement jonché de débris provenant de la taille de la pierre.

Loirat - C.D. Tétrel

Athènes. Vue panoramique de la ville. Au centre, l'Acropole.

Pitch

atèle

Atelier *(théâtre de l'),* l'un des théâtres du Cartel*, dirigé par Charles Dullin* de 1922 à 1940, puis par André Barsacq.

Ateliers nationaux, chantiers établis à Paris, le 27 février 1848 pour les ouvriers sans travail. Caricature des ateliers sociaux préconisés par Louis Blanc, ils s'avérèrent rapidement aux yeux du pouvoir, comme dangereux et inutiles. Leur dissolution, le 21 juin 1848, par l'Assemblée constituante, provoqua une violente insurrection ouvrière.

ATELLANES [atɛlan] n. f. pl. Chez les Romains, pièces bouffonnes qui passaient pour avoir pris naissance à *Atella,* ville des Osques.

A TEMPO [atɛmpo] loc. adv. (mots it.). *Mus.* Expression indiquant de reprendre le mouvement primitif.

ATEMPOREL, ELLE adj. Qui n'est pas concerné par le temps. ‖ *Ling.* Se dit d'une forme verbale n'exprimant pas un temps.

ATÉRIEN, ENNE adj. et n. m. (de *Bir al-Ater,* lieu-dit d'Algérie, au sud de Tébessa). Se dit d'un faciès culturel caractéristique du paléolithique supérieur du Maghreb.

ATERMOIEMENT n. m. (surtout au pl.). Action de différer, délai : *chercher des atermoiements.* ‖ Accommodement d'un débiteur avec ses créanciers pour les payer à termes convenus.

ATERMOYER [atɛrmwaje] v. i. (anc. fr. *termoyer,* vendre à terme) [conj. **2**]. Remettre à plus tard, chercher à gagner du temps.

ATGET (Eugène), photographe français (Libourne 1856 - Paris 1927). Il pratiqua avec un appareil de grand format une technique très simple et n'utilisa presque jamais d'instantané. Sa principale source d'inspiration : un Paris, souvent désert, étrange, dont il capta l'atmosphère magique, presque irréelle. Il mourut à peu près ignoré. Quelques peintres s'inspirèrent de ses photographies, les surréalistes les collectionnèrent.

ATH, v. de Belgique (Hainaut), sur la Dendre, au S.-O. de Bruxelles; 24 200 hab.

ATHABASCA ou **ATHABASKA,** riv. du Canada occidental, née dans les Rocheuses, qui constitue le cours supérieur du Mackenzie* et se jette dans le *lac d'Athabasca.* Gisements de sables bitumineux (réserves du pétrole contenu estimées à 100 Gt), dont l'exploitation, expérimentale, a commencé.

ATHABASCA ou **ATHABASKA** *(lac),* grand lac du Canada occidental (11 500 km²), partagé entre l'Alberta et la Saskatchewan, dont l'émissaire, la rivière de l'Esclave, rejoint le Grand Lac de l'Esclave*.

ATHALIE, reine de Juda (de 841 à 835 av. J.-C.). À la mort de son fils Ochozias, elle fait périr tous les princes de la famille royale et s'impose comme reine. Après six ans d'un pouvoir tyrannique, elle est mise à mort, à la faveur d'un coup d'État dirigé par le grand prêtre Joad (Yehoyada). Son petit-fils Joas, qui avait échappé à l'extermination, continue la lignée des rois davidiques.

Athalie, tragédie de Racine (1691), avec chœurs de J.-B. Moreau, composée pour les demoiselles de Saint-Cyr. Inspiré du texte biblique et de la réflexion contemporaine sur la nature des révolutions (et singulièrement sur celle de 1688 en Angleterre), un drame temporel et religieux : l'habileté politique du grand prêtre Joad et l'innocence inspirée de Joas concourent au succès de la légitimité, qui est, avant tout, le triomphe de Dieu.

ATHANASE *(saint),* évêque d'Alexandrie. Père de l'Église grecque (Alexandrie v. 295 - *id.* 373), un des principaux adversaires de l'arianisme*. Les fluctuations de la politique religieuse des empereurs et la rigueur dont il fait montre à l'égard du moindre compromis avec l'hérésie le conduisent à cinq reprises en exil : dix-huit années, au total, sur les quarante-cinq années de son épiscopat (328-373). Son œuvre théologique est presque entièrement consacrée à la controverse antiarienne. Il faut mentionner, parmi ses principales œuvres, le *Discours contre les ariens, l'Apologie contre les ariens, l'Apologie à Constance* et ses *Commentaires* sur l'Écriture; enfin, et dans un autre domaine, la *Vie de saint Antoine,* qui aura pour la diffusion de l'idéal monastique une influence considérable, surtout en Occident.

ATHAULF → WISIGOTHS.

ATHÉE adj. et n. (gr. *theos,* dieu). Qui nie l'existence de toute divinité.

ATHÉISME n. m. Courant de pensée matérialiste propre aux athées.

ATHÉNA, déesse grecque, fille de Zeus, qui l'a fait sortir de son front tout armée. Ses attributions, comme celles de la plupart des divinités grecques, sont très variées : protectrice des villes — en particulier d'Athènes, à laquelle elle a donné l'olivier —, déesse des combats, des arts, de la raison. Elle symbolise l'action de la sagesse et de l'intelligence sur la vie de la cité. (V. PANATHÉNÉES.)

ATHÉNAGORAS, primat orthodoxe (Tsaraplana, auj. Vassilikón, Épire, 1886 - Istanbul 1972). Patriarche œcuménique de Constantinople (1948), il s'attache à renouer les liens entre Rome et Constantinople. Sa rencontre avec Paul VI à Jérusalem, en 1964, prend valeur de symbole.

ATHÉNÉE n. m. (gr. *athênaion,* temple d'Athéna). En Belgique, établissement d'enseignement secondaire.

ATHÉNÉE, écrivain grec, né à Naucratis, en Égypte (IIIᵉ s. apr. J.-C.), auteur d'un recueil des curiosités relevées au cours de ses lectures *(Banquet des sophistes),* qui a conservé des extraits de 1 500 ouvrages antiques perdus.

ATHÈNES, capit. de la Grèce (et du nome [province] de l'Attique); 867 023 hab. *(Athéniens).*

GÉOGRAPHIE. Avec le port du Pirée (principal débouché maritime du pays) et les autres banlieues, l'agglomération athénienne (le *Grand Athènes*) compte environ 3 millions d'habitants, c'est-à-dire près du tiers de la population totale de la Grèce. Le poids économique de la capitale est encore plus lourd que son poids démographique : la ville concentre le tiers des fonctionnaires, regroupe environ la moitié des actifs industriels du pays et draine près des deux tiers des revenus déclarés. Outre ses fonctions de production (industries métallurgiques, alimentaires, textiles, chimiques) et de services (administration, banques, enseignement, etc.), Athènes est un centre touristique et culturel de niveau mondial. Le rythme de la croissance de la population (qui a plus que décuplé depuis le début du siècle) est cependant hors de rapport avec son essor économique. Résultant de l'excédent naturel et surtout de l'immigration de ruraux, il explique l'aspect hétérogène de l'habitat et un taux élevé de chômeurs. Il pose surtout le problème, exceptionnel à ce degré, en Europe, du rapport entre une agglomération hypertrophiée et le reste du pays, tributaire des besoins prioritaires de la capitale. En 1981, Athènes est ébranlée par plusieurs secousses sismiques.

HISTOIRE. Au temps des rois (av. le Xᵉ s. av. J.-C.), Athènes, limitée au rocher escarpé de l'Acropole, est une des douze cités rivales de l'Attique*. D'après la légende, c'est Thésée* qui aurait procédé à l'unification politique de l'Attique. Il aurait ainsi, par le groupement des différentes cités (synœcisme), fondé Athènes et assuré sa suprématie. À la royauté succéda l'archontat. Un collège annuel d'archontes* est institué à partir de 683, et un gouvernement aristocratique s'établit au profit des Eupatrides*. Mais, au VIIᵉ s., des transformations économiques et sociales ébranlent l'aristocratie, dont Dracon* et Solon* essaient de diminuer les pouvoirs. Avec la Constitution de Solon naît le véritable départ de la démocratie, car il étend la participation de la classe populaire à la vie publique. Des partis politiques se forment : pédiens, paraliens et diacriens. Ces derniers permettent à Pisistrate* de s'emparer du pouvoir et d'exercer la tyrannie. Athènes connaît, sous les tyrans, une période de splendeur et de développement. Mais une nouvelle évolution politique se dessine : la tyrannie n'aura été qu'une période de transition entre l'émancipation des petits propriétaires et la Constitution de la démocratie instaurée par Clisthène* (507 av. J.-C.). Ce dernier complète l'œuvre de Solon et donne à Athènes des institutions qui en font un État nouveau, débarrassé des privilèges de la naissance.

Au début du Vᵉ s., les guerres médiques* contribuent à consolider le régime démocratique : Athènes, restée jusqu'alors un État agricole, devient une grande puissance maritime, et les victoires qu'elle a remportées lui confèrent un grand prestige. La cité groupe autour d'elle les cités de l'Égée et constitue, sous son autorité, une vaste confédération (ligue de Délos*, 477) pour s'opposer à l'hégémonie spartiate. Grâce à son hégémonie maritime et aux hommes qui la gouvernent, Thémistocle*, Aristide*, Cimon, Éphialtès* et Périclès*, Athènes connaît, au Vᵉ s., une période de prospérité. L'évolution démocratique va s'achever avec les réformes de Périclès. Sous son autorité, la ville, embellie de monuments, rayonne par son activité artistique, littéraire et commerciale. Mais, malgré ce prestige, apparaissent les signes du déclin, qui commence avec la guerre du Péloponnèse* (431-404). Cette lutte, née de la rivalité entre Sparte* et Athènes, prend l'allure d'une guerre civile opposant démocrates et oligarques. Le conflit aboutit à la destruction de l'empire maritime d'Athènes et, en 404, la ville est prise par le Spartiate Lysandre*; elle doit subir un gouvernement aristocratique (tyrannie des Trente*). L'année suivante cependant Thrasybule rétablit la démocratie. Athènes reprend alors une place assez importante dans le monde grec. Elle constitue une nouvelle confédération (378), mais la guerre sociale* (357-355) y met fin.

Face à l'expansion macédonienne, Athènes déjà affaiblie ne peut résister. Vaincue à Chéronée (338) par Philippe* de Macédoine, elle doit se soumettre à l'autorité macédonienne. Dès lors, Athènes cessant d'être une puissance politique et militaire ne joue plus qu'un rôle économique et culturel. Malgré des sursauts d'indépendance (guerre lamiaque, 323-322), son rôle prééminent est terminé pour longtemps. En 146 av. J.-C., elle est assujettie aux Romains. Unie un moment à Mithridate (88), elle est prise et saccagée par Sulla (86). Elle garde pourtant son prestige intellectuel. Au IIIᵉ s. apr. J.-C., elle est menacée par les Barbares. Au Moyen Âge, elle est à peine mentionnée. Cependant, après la prise de Constantinople par les Francs (1204), elle devient la capitale du duché d'Athènes et retrouve un rôle politique momentané. Elle est conquise par les Turcs en 1456 puis en 1688. Elle est saccagée en 1821 pendant la guerre d'indépendance. Athènes est la capitale du royaume ou de la république de Grèce depuis 1834.

BEAUX-ARTS. Occupée dès le néolithique, l'Acropole* reste le brillant témoignage du siècle de Périclès (Parthénon, Erechthéion, temple d'Athéna Nikê), de même que le temple d'Héphaïstos (dit « Théséion »), temple dorique achevé du vivant de l'homme d'État. Sur les pentes méridionales de l'Acropole, à l'est, le théâtre de Dionysos est terminé au IVᵉ s. av. J.-C. et embelli par l'empereur Hadrien. Les constructions de l'époque hellénistique ne frappent que par leurs dimensions colossales (portique d'Attalos sur l'Agora*; portique d'Eumenês; reprise des travaux de l'Olympieion, terminé sous Hadrien; reconstruction de l'Odéon de Périclès). La ville demeure un centre intellectuel pour les Romains, qui continuent les aménagements : Hadrien crée une véritable cité romaine; Hérode Atticus lui offre un nouvel Odéon, au sud-ouest de l'Acropole, et refait le stade en marbre pentélique. L'époque byzantine, par contre, laisse de petites églises, parmi lesquelles : la Kapnikaréa, la petite Métropole, les Saints-Apôtres et les Saints-Théodores. Le monastère de Kaisariani date du Xᵉ s., tandis que l'église de celui de Dhafní (fin XIᵉ s.), sur la route d'Éleusis*, est justement célèbre pour ses mosaïques*, qui associent la sévérité (Pantocrator) à un style nouveau (épisodes de la vie du Christ), plus souple et plus gracieux, empreint de réminiscences antiques.

Le XXᵉ s. a vu la protection des zones archéologiques (Acropole, Agora, théâtre de Dionysos, etc.) ainsi que de nouvelles présentations du Musée national, le plus riche du monde en antiquités grecques. Près du Parthénon, l'important musée de l'Acropole abrite toutes les pièces provenant des fouilles voisines. Restitution réalisée par l'École américaine, le portique d'Attalos est aménagé en musée de l'Agora. Un musée est installé dans le cimetière du Céramique, qui a livré un mobilier funéraire important de l'époque géométrique et de nombreuses stèles. De belles icônes sont présentées dans le musée d'Art byzantin; le musée Benaki possède une riche collection d'arts décoratifs, antiques et byzantins.

ATHÉNIEN, ENNE adj. et n. D'Athènes.

ATHERMIQUE adj. *Phys.* Se dit d'une transformation qui ne dégage ni n'absorbe de chaleur.

Course de 5 000 mètres.

Arrivée d'une course de 200 mètres.

Presse-Sports

Presse-Sports

ATHÉROME n. m. (gr. *athêrôma*, loupe graisseuse). Dégénérescence de la tunique interne des artères.

ATHÉROSCLÉROSE n. f. Affection dégénérative des artères, très répandue, associant les lésions de l'artériosclérose et de l'athérome.

ATHÉTOSE n. f. (gr. *athetos*, non fixé). *Neurol.* Syndrome caractérisé par des mouvements automatiques, lents et ondulatoires, prédominants aux mains.

ATHÉTOSIQUE adj. et n. Relatif à l'athétose, qui en est atteint.

ATHIS-DE-L'ORNE (61430), ch.-l. de cant. de l'Orne, à 9 km au N.-E. de Flers; 2 369 hab.

ATHIS-MONS (91200), ch.-l. de cant. de l'Essonne, à 18 km au S. de Paris, près d'Orly; 29 006 hab. *(Athégiens* ou *Athémonsois).* Métallurgie.

ATHLÈTE n. (gr. *athlêtês*). Personne qui pratique un sport et spécialement l'athlétisme. ‖ Personne très musclée : *carrure d'athlète.*

ATHLÉTIQUE adj. Relatif aux athlètes.

ATHLÉTISME n. m. Ensemble des sports individuels comprenant des courses et des concours (sauts et lancers).

■ L'athlétisme est un sport dont l'extension universelle résulte de son caractère naturel, de la simplicité de règlements, fondés sur les seules mesures du temps ou de la distance. Pratiqué exclusivement, ou presque, par des amateurs, il est la base des jeux Olympiques.

Pour les hommes, il existe douze *courses* principales (disputées aux jeux Olympiques, et dans les autres compétitions internationales — championnats continentaux et mondiaux ou rencontres entre pays). Le 100 mètres et le 200 mètres sont les épreuves de sprint pur, le

Course de 110 mètres haies.

Presse-Sports

4 × 100 mètres et 4 × 400 mètres, 100 mètres et 400 mètres haies, sauts en hauteur et en longueur, lancers du poids (4 kg), du disque (1 kg) et du javelot (600 g).

Les principaux records du monde au 1er janvier 1990

	Hommes	Femmes
100 m	9 s 92/100	10 s 49/100
200 m	19 s 72/100	21 s 34/100
400 m	43 s 29/100	47 s 60/100
800 m	1 min 41 s 73/100	1 min 53 s 28/100
1 500 m	3 min 29 s 45/100	3 min 52 s 47/100
5 000 m	12 min 58 s 39/100	
10 000 m	27 min 8 s 23/100	
110 m haies	12 s 92/100	
400 m haies	47 s 02/100	52 s 94/100
3 000 m steeple	8 min 5 s 35/100	
4 × 100 m	37 s 83/100	41 s 37/100
4 × 400 m	2 min 56 s 16/100	3 min 15 s 17/100
hauteur	2,44 m	2,09 m
longueur	8,90 m	7,52 m
perche	6,06 m	
triple saut	17,97 m	
poids	23,06 m	22,63 m
disque	74,08 m	76,80 m
marteau	86,74 m	
javelot	87,66 m	80 m

Saut en longueur.

Course de 800 mètres.

Presse-Sports

400 mètres est une course de vitesse prolongée, comme tend à le devenir le 800 mètres. Le 1 500 mètres, le 5 000 mètres et le 10 000 mètres constituent les épreuves de demi-fond et de fond. À ces courses plates individuelles s'ajoutent deux courses de relais — le 4 × 100 mètres et le 4 × 400 mètres —, et trois courses individuelles d'obstacles — le 110 mètres haies et le 400 mètres haies, comportant chacune le franchissement de dix haies (hautes respectivement de 1,067 m et 0,914 m), et le 3 000 mètres steeple, marqué, entre autres obstacles, par le franchissement de la « rivière » (fosse remplie d'eau large de 3,60 m).

Les *concours* comprennent quatre épreuves de sauts et quatre épreuves de lancers. Il s'agit, d'une part, du saut en hauteur, du saut en longueur, du triple saut (addition de trois bonds successifs) et du saut à la perche (effectué avec une perche en fibre de verre), et, d'autre part, des lancers du poids (sphère en métal lourd pesant 7,257 kg), du disque (engin presque plat, de forme circulaire, pesant 2 kg), du marteau (boulet de 7,257 kg, accroché à un câble en fil d'acier) et du javelot (long de 2,60 m et pesant 800 g) ; en 1986 est décidé le retour au javelot piqueur, nettement moins performant mais moins dangereux que le javelot planeur qui l'avait remplacé en 1953.

Les épreuves féminines sont moins nombreuses : 100 mètres, 200 mètres, 400 mètres, 800 mètres, 1 500 mètres et 3 000 mètres, relais

Presse-Sports

Saut en hauteur.

◁ Saut à la perche.

Lancer du disque.

Lancer du marteau.

ATHLÉTISME

Lancer
du javelot.

Lancer du poids.

Il existe d'autres épreuves, plus ou moins régulièrement disputées, et dont les plus célèbres sont le décathlon (et son équivalent féminin, l'heptathlon), le marathon et le mile. Le décathlon, réservé aux hommes, consiste en l'addition des points obtenus, selon les performances accomplies, dans les dix épreuves (100 mètres, 400 mètres, 1 500 mètres, 110 mètres haies, hauteur, longueur, perche, poids, disque, javelot); l'heptathlon comprend 100 mètres haies, 200 mètres, 800 mètres, hauteur, longueur, javelot et poids. Le marathon est une course de fond disputée sur 42 km, qui doit son origine et son nom au célèbre soldat de Marathon*. Enfin, le mile est une course classique de demi-fond, sur 1 609 m, disputée surtout dans les pays anglo-saxons, moins courue cependant aujourd'hui que le 1 500 mètres.

ATHOS (mont), montagne de la Grèce septentrionale, en Macédoine, dans le sud de la péninsule la plus orientale de la Chalcidique, au-dessus de la mer Égée; 2033 m.
La « Sainte Montagne » est la dernière de ces colonies monastiques que l'Orient chrétien a multipliées de l'Égypte à l'Asie Mineure. C'est une république confédérale de 1300 moines (1970), autonome, sous le protectorat politique de la Grèce et la juridiction canonique du patriarcat de Constantinople. Cœur de l'orthodoxie, le monachisme athonite est purement contemplatif; mais la contemplation, toujours unie au travail manuel le plus humble, y est conçue comme la forme suprême de l'action.

Entourés de murailles, les bâtiments monastiques ont subi d'importantes modifications au XVIIe s. Les constructions s'échelonnent entre le XIIIe et le XXe s., avec des vestiges du IXe s. Le plan le plus fréquent est conforme aux normes byzantines. La décoration extérieure est fournie par les éléments constructifs, tandis qu'à l'intérieur se rencontrent les dallages de marbre, la mosaïque, puis les faïences murales. La fresque illustre l'art des Paléologues, mais surtout l'école dite « crétoise » (grands ensembles datés de 1535 à 1560), dont le moine Théophane a été l'un des brillants représentants. Les monastères abritent de très riches collections d'arts mineurs et des manuscrits du VIIIe au XVe s.

ATHREPSIE n. f. (gr. *threpsis*, action de nourrir). Défaut d'assimilation chez les nourrissons, entraînant un amaigrissement et des complications graves.

ATHYMHORMIE n. f. (gr. *thumos*, cœur, sentiment; et *hormein*, exciter). *Psychopathol.* État d'indifférence affective apparente, caractéristique de la schizophrénie.

ATILIUS REGULUS (*Marcus*) → PUNIQUES (guerres).

ATLAN (Jean Michel), peintre français (Constantine 1913 - Paris 1960). Venu tard à la peinture, il est vers 1944, à Paris, l'un des précurseurs des courants informel et gestuel. Son lyrisme, âpre et passionné, se nourrit de sources magiques et ésotériques (la Kabbale) autant que d'exemples primitifs (océaniens, africains).

ATLANTA, v. des États-Unis, capit. de la Géorgie, au S. des Appalaches; 425 000 hab. Université. Aéroport. Industries mécaniques.

ATLANTE n. m. (it. *atlante*, du nom du géant *Atlas*). Statue d'homme servant de support. (Syn. TÉLAMON.)

ATLANTHROPE n. m. Type d'archanthropien reconnu en Afrique du Nord.

ATLANTIC CITY, v. des États-Unis (New Jersey), sur l'Atlantique, au S. de New York; 48 000 hab. Station balnéaire.

ATLANTIDE, île hypothétique de l'Atlantique, jadis engloutie, et qui a inspiré depuis Platon de nombreuses légendes.

ATLANTIQUE adj. Relatif à l'océan Atlantique ou aux États ou régions qui le bordent.

ATLANTIQUE (océan), océan qui sépare l'Europe et l'Afrique de l'Amérique; 106 200 000 km² (avec ses dépendances).

L'océan Atlantique, le deuxième du monde par sa surface, s'étire en forme de S relativement étroit, communiquant avec l'océan Arctique par un seuil resserré, le seuil d'Islande, mais s'ouvrant largement sur l'Antarctique. Dans sa moitié nord, les côtes continentales, très découpées, délimitent de nombreuses mers annexes (Manche, mer du Nord, Baltique, Méditerranée, mer de Baffin, mer des Antilles). Au sud, par contre, les côtes sont très rectilignes.

Les fonds de l'océan Atlantique présentent une disposition très régulière. Les côtes sont bordées par une *plate-forme continentale* peu profonde. Celle-ci se développe le long de l'Europe, de l'Amérique du Nord et de la Patagonie, et étroite au large de l'Afrique et du Brésil. Une énorme chaîne de montagnes sous-marine, la *ride* (ou *dorsale*) *médio-atlantique*, s'étire sur toute la longueur de l'Océan. Son sommet se situe généralement entre −3 000 et −1 500 m de profondeur, mais elle émerge parfois et forme alors des îles : Jan Mayen, Islande, Açores, Ascension, Tristan da Cunha. Dans sa partie centrale, elle est disloquée par des fractures transversales déterminant de profonds fossés (−7 758 m à la fosse de la Romanche). De part et d'autre de la ride se disposent une série de bassins de 6 000 à 7 000 m de profondeur, séparés par des seuils : bassins américain, du Brésil et argentin à l'ouest, bassins scandinave, ouest-européen, ouest-africain, de Guinée, d'Angola et du Cap à l'est. Les fosses océaniques sont très limitées : elles se situent en contrebas des Antilles (fosses des Caïmans et de Porto Rico) et des îles Sandwich du Sud. Des campagnes océanographiques systématiques ont montré que la ride médio-atlantique est constituée de basaltes, qui disparaissent sous des sédiments, de plus en plus épais au fur et à mesure que l'on approche des côtes. Enfin, du point de vue géologique, le plateau continental est la prolongation sous-marine du continent. Les eaux de l'Atlantique sont les plus salées de tous les océans (37,5 p. 1 000). Elles sont animées par des courants qui assurent un brassage entre les eaux froides des hautes latitudes et les eaux chaudes équatoriales. Les courants froids du Labrador et des Falkland remontent les côtes septentrionales et méridionales de l'Amérique et celui de Benguela remonte la côte africaine vers l'équateur. Ils sont compensés par le courant chaud du Brésil et celui du Gulf Stream, qui, parti du golfe du Mexique, vient réchauffer l'Europe par sa terminaison nord-est, la dérive nord-atlantique. Ces mélanges provoquent une agitation constante de l'eau qui favorise son oxygénation et la prolifération du plancton.

L'océan Atlantique joue un rôle économique très important. Certains secteurs sont le siège d'une pêche active : la façade nord-américaine autour de Terre-Neuve, la façade européenne et l'Islande, enfin la côte africaine et la côte méridionale de l'Amérique du Sud. Les plates-formes continentales recèlent parfois des gisements pétroliers (mer du Nord, côtes du Venezuela et du golfe de Guinée). Enfin, l'Atlantique est sillonné par une circulation maritime intense.

Atlantique (mur de l'), position fortifiée construite par les Allemands, de 1941 à 1944, sur les côtes de la mer du Nord, de la Manche et de l'Atlantique.

Atlantique Nord (traité de l'), pacte d'alliance signé à Washington le 4 avril 1949 par la Belgique, le Canada, le Danemark, les États-Unis, la France, la Grande-Bretagne, l'Islande, l'Italie, le Luxembourg, la Norvège, les Pays-Bas et le Portugal. Ces pays ont été rejoints en 1952 par la Grèce et la Turquie et en 1955 par l'Allemagne fédérale. Destinée à sauvegarder la paix et la sécurité dans la région de l'Atlantique Nord, l'organisation constituée par les signataires comprend de grands commandements militaires intégrés, dont le plus important est le S.H.A.P.E.*. Tout en restant membre de l'alliance, la France s'est retirée en 1966 de l'organisation; la Grèce a fait de même en 1974, mais elle a réintégré l'O.T.A.N. en 1980. L'Espagne y est entrée en 1982 (adhésion confirmée par référendum en mars 1986).

ATLANTISME n. m. Doctrine des partisans du pacte de l'Atlantique Nord.

Mont **Athos.** Le Saint-Pantéléïmon, couvent cénobitique russe fondé en 1814 sur la côte occidentale de la presqu'île du mont Athos.

ATLANTOSAURE n. m. Reptile du crétacé, dont la taille pouvait atteindre 40 m de long.

ATLAS n. m. (de *Atlas*, nom myth.). Recueil de cartes géographiques. ‖ Planches jointes à un ouvrage. ‖ *Anat.* Première vertèbre du cou.

ATLAS, un des Titans de la mythologie grecque. Ayant pris part à la révolte contre les dieux, il fut condamné par Zeus à soutenir sur ses épaules la voûte du ciel.

ATLAS, nom donné à plusieurs chaînes de montagnes de l'Afrique du Nord (Maroc et Algérie).

Au Maroc, le *Haut Atlas* (parfois appelé aussi *Grand Atlas*) s'étire sur près de 800 km du S.-O. au N.-E., à partir de l'Atlantique (région d'Agadir). Massif lourd, il culmine à 4 165 m au djebel Toubkal, point culminant de l'Afrique du Nord. Il est séparé de l'*Anti-Atlas*, au S., moins élevé, par les vallées du Sous, du Dadès et du Todra, et du *Moyen Atlas*, au N., par celles de l'oued el-Abid et de la haute Moulouya.

En Algérie, on distingue, au N., l'*Atlas tellien*, proche de la Méditerranée, région de moyennes montagnes, et, au S., l'*Atlas saharien* ou *présaharien*, succession de massifs (Ksour, djebel Amour, Ouled Naïl, Aurès), lieu d'estivage des nomades et semi-nomades du Sahara et des régions des hautes plaines.

ATMOSPHÈRE n. f. (gr. *atmos*, vapeur, et *sphaira*, sphère). Couche gazeuse qui enveloppe une planète ou un satellite, et particulièrement la Terre. ‖ Couche extérieure d'une étoile d'où provient le rayonnement sortant de cette étoile. ‖ Air que l'on peut respirer dans un lieu : *atmosphère étouffante.* ‖ Milieu dans lequel on vit, considéré comme exerçant une influence. ‖ Anc. unité de mesure de pression, égale au poids d'une colonne de mercure ayant pour hauteur 76 cm et pour base 1 cm² : *pression de dix atmosphères.* ● *Atmosphère contrôlée,* atmosphère d'un four de traitement thermique dans lequel l'air a été remplacé par un gaz adapté aux produits à traiter.

■ La variation verticale de la température permet de distinguer les couches suivantes : 1° la *troposphère,* où la température décroît quand on s'élève, et qui, brassée par la circulation atmosphérique, est le siège des phénomènes météorologiques; 2° la *stratosphère,* où la température est pratiquement constante; 3° la *mésosphère,* où la température est croissante, puis décroissante; 4° la *thermosphère,* où la température croît avec l'altitude. Les limites supérieures des trois premières couches sont la tropopause, la stratopause, la mésopause. On appelle *homosphère* la couche située entre 0 et 100 km, où la composition de l'air est constante. Au-dessus, l'*hétérosphère* se caractérise par la prédominance des gaz légers (hélium, azote, hydrogène). À partir de 1 000 km commence l'*exosphère,* où les molécules les plus légères échappent à la pesanteur et s'évadent vers l'espace interplanétaire. La vapeur d'eau, le gaz carbonique, les impuretés de toutes sortes se cantonnent à la troposphère, et, le plus souvent, dans les trois premiers kilomètres. L'ozone prédomine dans la stratosphère supérieure. La densité des ions devient grande dans diverses couches, à partir de 100 km d'altitude, dont l'ensemble constitue l'*ionosphère*.

L'atmosphère est indispensable à la vie en raison des gaz qu'elle contient et aussi en tant qu'écran protecteur (en particulier l'ozone qui filtre les rayons ultraviolets) face au rayonnement solaire.

ATMOSPHÉRIQUE adj. Relatif à l'atmosphère. ● *Moteur atmosphérique,* moteur dont les cylindres sont alimentés à partir de la pression atmosphérique, sans surpression et sans suralimentation.

ATOCA n. m. (mot amérindien). Au Canada, nom vulgaire de l'*airelle canneberge*.

ATOLL n. m. (mot des îles Maldives). Île annulaire des mers tropicales, constituée de récifs coralliens entourant une lagune, le *lagon*.

ATOME n. m. (gr. *atomos*, qu'on ne peut diviser). Particule d'un élément chimique qui forme la plus petite quantité pouvant se combiner. ‖ Très petite quantité d'une chose. ● *Atome de parenté* (Anthropol.), structure de parenté la plus élémentaire, comprenant le frère de la mère, le père, la mère et le sujet.

■ Chaque élément chimique est constitué par des atomes, particules extrêmement petites, identiques entre elles, conservant, au travers de toutes les réactions chimiques, leur masse et leurs propriétés caractéristiques de l'élément considéré.

L'atome d'un élément chimique est formé d'un noyau central (qui porte la totalité de sa masse, ainsi qu'une charge électrique positive), entouré d'un nuage d'électrons (particules d'électricité négative, ayant au total une charge opposée à celle du noyau).

Le *noyau* est formé de *neutrons,* particules sans charge, et de *protons,* particules chargées positivement, ayant à peu près la même masse. Deux constantes le caractérisent :
— 1. Le nombre Z de ses protons, dit *numéro atomique,* qui varie de 1 (hydrogène) à 92 (uranium) pour les éléments existant dans la nature; ce nombre indique la charge du noyau et le nombre des électrons planétaires;
— 2. Le nombre total de particules $A = Z + N$ (N, nombre de neutrons), dit *nombre de masse,* car il fournit sensiblement la masse du noyau. Pour un élément donné il peut y avoir des noyaux possédant des valeurs de A différentes (isotopes).

On accompagne le symbole d'un élément des indications précédentes, A étant porté en exposant et Z en indice. Ainsi, $^{16}_{8}O$ indique un noyau d'oxygène formé de 16 particules, dont 8 protons. On remarque que la masse d'un noyau est légèrement inférieure à celle des particules qui le constituent. Cette *perte de masse* mesure l'énergie libérée par la formation de l'atome, selon la formule relativiste $W = mc^2$, où c est la vitesse de la lumière dans le vide.

Les électrons sont disposés autour du noyau en couches, définissant des niveaux d'énergie. Chaque électron, dont il est impossible de

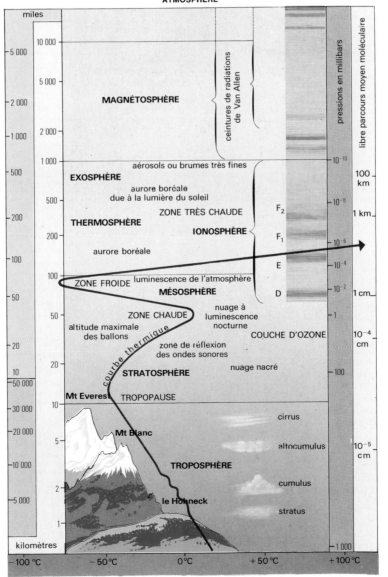

ATMOSPHÈRE

MAGNÉTOSPHÈRE

ceintures de radiations de Van Allen

libre parcours moyen moléculaire

pressions en millibars

aérosols ou brumes très fines

EXOSPHÈRE

aurore boréale due à la lumière du soleil

ZONE TRÈS CHAUDE

THERMOSPHÈRE

IONOSPHÈRE

aurore boréale

ZONE FROIDE luminescence de l'atmosphère

MÉSOSPHÈRE

nuage à luminescence nocturne

ZONE CHAUDE

altitude maximale des ballons

COUCHE D'OZONE

zone de réflexion des ondes sonores

nuage nacré

courbe thermique

STRATOSPHÈRE

Mt Everest TROPOPAUSE

cirrus

Mt Blanc

altocumulus

TROPOSPHÈRE

cumulus

le Hohneck

stratus

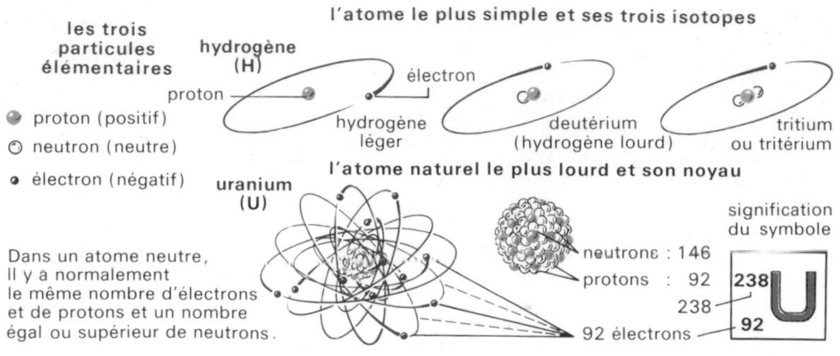
l'atome le plus simple et ses trois isotopes
les trois particules élémentaires
hydrogène (H)
proton
électron
proton (positif)
neutron (neutre)
électron (négatif)
hydrogène léger
deutérium (hydrogène lourd)
tritium ou tritérium
l'atome naturel le plus lourd et son noyau
uranium (U)
signification du symbole
neutrons : 146
protons : 92
238
92 électrons
238
U
92
Dans un atome neutre, il y a normalement le même nombre d'électrons et de protons et un nombre égal ou supérieur de neutrons.

ATOME

localiser la position et la vitesse (principe d'incertitude), est défini par divers nombres quantiques, dont le premier est le numéro d'ordre de la couche. L'émission ou l'absorption d'énergie par un atome, qui se fait par quanta, correspond à un changement de nombre quantique.

Les *ions* sont des atomes ayant gagné ou perdu des électrons; ils manifestent alors, selon le cas, une charge totale négative (anions) ou positive (cations). Les propriétés chimiques des éléments s'interprètent par les caractères des électrons de la couche extérieure.

Les diamètres des nuages électroniques vont de 1 à 5 dix-millionièmes de millimètre; ils sont environ 10 000 fois plus grands que ceux des noyaux.

ATOME-GRAMME n. m. (pl. *atomes-grammes*). Valeur en grammes de la masse atomique d'un élément chimique. (C'est la masse de l'atome multipliée par le nombre d'Avogadro, $6{,}023 \times 10^{23}$.)

ATOMICITÉ n. f. *Chim.* Nombre d'atomes contenus dans une molécule. ‖ *Écon.* Caractère d'une offre et d'une demande composées d'éléments nombreux et suffisamment petits pour qu'une modification de l'offre ou de la demande de l'un ou de quelques-uns de ces éléments ne puisse déterminer une variation de l'offre ou de la demande globales.

ATOMIQUE adj. Relatif aux atomes. ● *Arme atomique,* arme employée pour la première fois en 1945, qui utilise les réactions de fission à base de plutonium ou d'uranium. (La puissance de ces armes est exprimée en kilotonnes. Elles servent d'amorce aux armes thermonucléaires beaucoup plus puissantes.) [V. NUCLÉAIRE et THERMONUCLÉAIRE.] ‖ *Énergie atomique,* énergie libérée par des réactions nucléaires. ‖ *Masse atomique,* masse relative des atomes des divers éléments, celle du carbone étant, par convention, fixée à 12. ‖ *Notation atomique,* notation chimique fondée sur la considération des masses atomiques. ‖ *Numéro* ou *nombre atomique,* numéro d'un élément dans la classification périodique. (Il est égal au nombre de ses électrons tournant autour du noyau.)

ATOMISATION n. f. Action d'atomiser.

ATOMISÉ, E adj. et n. Qui a subi les effets d'une explosion ou de radiations nucléaires.

ATOMISER v. t. Réduire un corps en fines particules solides, en partant d'un état liquide ou pâteux. ‖ Détruire au moyen d'armes atomiques. ‖ Désagréger un groupe, un élément cohérent.

ATOMISEUR n. m. Appareil servant à la pulvérisation moléculaire des liquides. ‖ Vaporisateur permettant de pulvériser un parfum, une laque, etc.

ATOMISME n. m. Philosophie matérialiste qui considère l'univers comme formé d'un nombre infini d'atomes associés en combinaisons fortuites et purement mécaniques. (L'atomisme antique fut représenté par Leucippe, Démocrite, Épicure et Lucrèce.) ● *Atomisme logique,* théorie de B. Russell, selon laquelle le monde se compose de faits exprimés dans un langage logique formalisé.

ATOMISTE n. et adj. Savant qui poursuit des recherches sur les phénomènes atomiques. ‖ Partisan de l'atomisme.

ATOMISTIQUE adj. Qui concerne l'atomisme.

ATOMISTIQUE n. f. Étude des propriétés des atomes.

ATON → AMÉNOPHIS IV.

ATONAL, E, ALS ou **AUX** adj. *Mus.* Écrit suivant les règles de l'atonalité.

ATONALITÉ n. f. *Mus.* Système d'écriture musicale libérant des règles tonales de l'harmonie traditionnelle. (L'atonalité se rencontre chez Schönberg, A. Berg, Boulez, Stockhausen, Xenakis, etc.)

ATONE adj. (gr. *atonos,* relâché). Sans vigueur, sans vivacité : *un regard atone.* ‖ *Phon.* Qui ne porte pas d'accent tonique.

ATONIE n. f. Manque de force.

ATONIQUE adj. Qui résulte de l'atonie.

ATOURS n. m. pl. (anc. fr. *atourner,* disposer). *Dans ses plus beaux atours* (Litt.), dans sa plus belle toilette.

ATOUT n. m. (de *tout*). Couleur choisie ou retournée dans les jeux de cartes, qui l'emporte sur les autres. ‖ Chance de réussir : *avoir tous les atouts en main.*

ATOXIQUE adj. *Méd.* Dépourvu de toxicité.

A.T.P., abrév. de ADÉNOSINE TRIPHOSPHATE et sigle de ASSOCIATION DES TENNISMEN PROFESSIONNELS.

ATRABILAIRE adj. et n. *Litt.* D'humeur noire, chagrine, irritable.

ATRABILE n. f. (lat. *bilis atra,* bile noire). *Méd. anc.* Bile noire qui passait pour causer la mélancolie.

ÂTRE n. m. (du gr. *ostrakon,* morceau de brique). *Litt.* Partie de la cheminée où l'on fait le feu.

ATRÉSIE n. f. (gr. *tresis,* trou). Étroitesse ou obstruction congénitale ou acquise d'un orifice ou d'un canal naturels.

ATRIAU n. m. En Suisse, crépinette ronde.

ATRIDES, famille de la mythologie grecque célèbre par son destin tragique.

La légende a pour point de départ la haine farouche qui dresse l'un contre l'autre les deux fils de Pélops*, Atrée, ancêtre de la famille, et Thyeste. Cette rivalité, à la fois politique (le trône de Mycènes*) et amoureuse, conduit Atrée à tuer les trois fils de Thyeste et à les faire servir à leur père dans un festin (d'où l'expression « festin de Thyeste »). Égisthe, fruit de l'inceste de Thyeste avec sa propre fille, tuera Atrée pour venger son père.

La deuxième partie de la légende a comme toile de fond une période historique : Mycènes et la guerre de Troie*. Atrée avait deux fils, Agamemnon, qui régnera sur Mycènes, et Ménélas, qui sera roi de Sparte; Ménélas épouse Hélène*, Agamemnon* prend pour femme la sœur d'Hélène, Clytemnestre, qui, trouvant trop longue la guerre de Troie, où son mari commande en chef, fait d'Égisthe son amant. À son retour, Agamemnon sera assassiné par Égisthe avec la complicité de Clytemnestre. Pour venger son père, Oreste* tue les amants meurtriers; poursuivi pour son parricide par les Érinyes*, il ne trouvera la paix que par l'intervention d'Apollon*.

Dans cette légende qui illustre la force du Destin, thème cher à la pensée hellénique, se mêlent des éléments folkloriques et historiques.

ATRIUM [atrijɔm] n. m. (mot lat.). Pièce principale commandant la distribution de la maison romaine, et dont l'ouverture (le *compluvium*), au centre de la toiture, permettait de recueillir les eaux de pluie dans l'*impluvium.* ‖ Cour bordée de portiques élevée devant la façade antérieure de certaines églises primitives.

ATROCE adj. (lat. *atrox, -ocis*). Qui provoque l'horreur, la répulsion, par sa laideur, sa cruauté; affreux, épouvantable : *crime atroce; douleur atroce.*

ATROCEMENT adv. De manière atroce.

ATROCITÉ n. f. Crime, cruauté horrible : *les atrocités de la guerre.*

ATROPHIE n. f. (gr. *trophê,* nourriture). *Méd.* Défaut de nutrition d'un tissu, d'un organe, d'un organisme, entraînant une diminution de son volume et des troubles variés.

ATROPHIÉ, E adj. Qui a subi une atrophie.

ATROPHIER (S') v. pr. *Méd.* Diminuer de volume, en parlant d'un membre ou d'un organe. ‖ Perdre de sa force, se dégrader.

ATROPINE n. f. (lat. *atropa,* belladone). Alcaloïde extrait de la belladone. (L'atropine apaise les spasmes et dilate la pupille.)

ATTABLER (S') v. pr. Se mettre à table.

ATTACHANT, E adj. Qui intéresse, passionnant : *un livre attachant.*

ATTACHE n. f. Objet qui sert à attacher (lien, courroie, etc.). ‖ Endroit où est fixé un muscle. ● *Port d'attache,* port où un navire est immatriculé par la douane. ◆ pl. Rapports, relations : *conserver des attaches avec la province.*

ATTACHÉ, E n. Membre d'une ambassade, d'un cabinet ministériel, etc., chargé de certaines fonctions : *attaché culturel; attaché militaire.* ● *Attaché(e) de presse,* dans une entreprise publique ou privée, personne chargée d'informer les médias.

ATTACHÉ-CASE [ataʃekɛz] n. m. (de l'angl.) [pl. *attachés-cases*]. Mallette peu profonde et rigide qui sert de porte-documents.

ATTACHEMENT n. m. Sentiment d'affection, de sympathie pour qqn ou pour qqch. ‖ Relevé journalier des travaux et des dépenses d'un entrepreneur.

ATTACHER v. t. (anc. fr. *estachier,* fixer). Fixer, lier à qqch, au moyen d'une corde, d'une chaîne, etc. : *attacher un arbuste à un tuteur; attacher des pieux avec du fil de fer; attacher sa ceinture.* ‖ Attribuer (une qualité) à qqch : *j'attache du prix à votre réponse.* ‖ Unir, lier à qqn ou qqch de durable : *attacher son nom à une invention.* ◆ v. i. Coller au fond d'un récipient pendant la cuisson : *le riz a attaché.* ◆ **s'attacher** v. pr. *S'attacher à qqn, à qqch,* éprouver de l'intérêt pour. ‖ *S'attacher à qqch,* s'y appliquer.

ATTAGÈNE n. m. (mot gr.). Petit coléoptère dont les larves brunes s'attaquent aux fourrures, aux lainages, aux tapis, etc.

ATTAINGNANT (Pierre), éditeur français de musique († Paris 1552). Il publia des recueils de chansons polyphoniques et des livres de motets.

ATTALIDES, dynastie hellénistique des souverains de Pergame*, issue d'Attalos de Tios.

Philétairos († 263 av. J.-C.), fils d'Attalos et officier de Lysimaque*, se rend indépendant des Séleucides* et fonde le royaume de Pergame, que son fils adoptif, Eumenès Ier (de 263 à 241), fait reconnaître en 261 par les Séleucides. Attalos Ier (de 241 à 197) prend le titre de roi à la suite de sa victoire sur les Galates. Eumenès II (de 197 à 159), allié des Romains contre les Séleucides, reçoit à la paix d'Apamée (188) une partie de l'Asie Mineure. Son frère, Attalos II Philadelphe (de 159 à 138), intervient dans les affaires de Bithynie* et participe à côté des Romains à l'écrasement de la ligue Achéenne (146). Il laisse un royaume puissant et prospère qui, à la mort de son neveu Attalos III Philométor (de 138 à 133), esprit fantasque, plus intéressé par la botanique que par la politique, revient aux Romains.

ATTALOS ou **ATTALE Ier, II, III** → ATTALIDES.

ATTAQUABLE adj. Qui peut être attaqué.

ATTAQUANT, E n. et adj. Qui attaque.

ATTAQUE n. f. Action d'attaquer, agression : *attaque à main armée.* ‖ Action militaire visant à conquérir un objectif ou un pays, à défaire ou à détruire des forces adverses. ‖ Accès subit d'une maladie; congestion cérébrale. ‖ Accusation, critique violente : *être en butte aux attaques de ses adversaires.* ● *Être d'attaque* (Fam.), être en forme, vigoureux.

ATTAQUER v. t. (it. *attacare,* attacher). Exécuter une action offensive contre qqn ou qqch; assaillir : *attaquer l'arrière-garde; attaquer qqn à coups de poing.* ‖ Intenter une action judiciaire : *attaquer qqn en justice.* ‖ Critiquer, incriminer : *attaquer la réputation de qqn.* ‖ Causer du dommage : *la rouille attaque le fer.* ‖ Entreprendre sans hésitation; commencer à manger : *attaquer un travail; attaquer le fromage.* ◆ **s'attaquer** v. pr. [**à**]. Entreprendre d'affronter qqn, qqch : *s'attaquer à plus fort que soi, à des préjugés.*

'ATTĀR (Farīd al-Dīn), poète persan (Nichāpur v. 1150-*id.* v. 1220). Il a illustré les doctrines du soufisme* dans ses épopées romanesques *(le Livre de Khosrō)* et mystiques *(le Colloque des oiseaux, le Livre des afflictions)* et dans ses récits biographiques *(le Mémorial des saints).*

ATTARDÉ, E adj. et n. Dont l'intelligence est peu développée. ‖ En retard sur son siècle.

ATTARDER (S') v. pr. [**à**]. Rester longtemps à faire qqch; demeurer quelque part au-delà du temps habituel : *s'attarder à discuter chez un ami; s'attarder à des futilités; s'attarder sur un sujet.*

ATTEINDRE v. t. (lat. *attingere,* toucher) [conj. **55**]. Blesser; troubler gravement : *le coup de feu l'atteignit au bras; cette critique l'atteint dans ses convictions.* ‖ Réussir à toucher, à rencontrer qqn, à parvenir à qqch : *peut-on vous atteindre au bureau? atteindre ses objectifs, un âge avancé.* ◆ v. t. ind. [**à**]. Parvenir avec un certain effort : *atteindre à la perfection.*

ATTEINTE n. f. Dommage, préjudice : *porter atteinte à la dignité humaine.* ‖ Attaque, crise : *les premières atteintes d'un mal.* ● *Atteinte à la sûreté de l'État,* infraction commise contre les intérêts du pays, la défense nationale, l'intégrité du territoire, etc. ‖ *Hors d'atteinte,* qui ne peut être touché.

ATTELAGE n. m. Action ou manière d'atteler. ‖ Ensemble des bêtes attelées. ‖ Dispositif d'accrochage de véhicules entre eux.

ATTELER v. t. (lat. *protelum,* attelage de bœufs) [conj. **3**]. Attacher des animaux de trait à une voiture ou à un instrument agricole. ‖ Accrocher des voitures, des wagons. ‖ *Fam.* Appliquer : *atteler l'équipe nécessaire à un travail.* ◆ **s'atteler** v. pr. [**à**]. Entreprendre un travail long et difficile.

ATTELLE n. f. (lat. *astula,* de *assis,* planche). *Chir.* Petite pièce de bois ou de métal pour maintenir des os fracturés. (Syn. ÉCLISSE.)

ATTENANT, E adj. (lat. *attinens*). Contigu, touchant : *terre attenante à la maison.*

ATTENDRE v. t. et i. (lat. *attendere,* prêter attention) [conj. **46**]. Rester dans un lieu jusqu'à ce qu'arrive qqn, qqch : *attendre un ami; attendre l'autobus; j'attends jusqu'à son arrivée; j'attends qu'il arrive.* ‖ Compter sur la venue prochaine de qqn, de qqch : *attendre une lettre.* ‖ Être prêt : *le dîner nous attend.* ● *En attendant,* en tout cas. ◆ v. t. ind. *Attendre après qqn, qqch,* en avoir besoin : *il y a longtemps qu'on attend après vous; il attend après cette somme.* ◆ **s'attendre** v. pr. [**à**]. Compter sur, espérer : *ils ne s'étaient pas attendus à vous voir; il s'attend à ce que je revienne bientôt.*

ATTENDRIR v. t. Rendre moins dur : *attendrir de la viande.* ‖ Émouvoir, apitoyer, fléchir qqn. ◆ **s'attendrir** v. pr. Être ému, touché : *je m'attendris à ces pleurs.*

ATTENDRISSANT, E adj. Qui émeut, qui touche.

ATTENDRISSEMENT n. m. Mouvement de tendresse, de compassion; apitoiement.

ATTENDRISSEUR n. m. Appareil de boucherie pour attendrir la viande en sectionnant le tissu conjonctif qui envahit les muscles.

ATTENDU prép. Vu, eu égard à : *attendu les événements.* ◆ loc. conj. *Attendu que,* vu que, puisque.

ATTENDU n. m. *Dr.* Chacun des alinéas énonçant les arguments sur lesquels sont fondés une requête, un jugement, etc.

ATTENTAT n. m. Acte d'agression contre les personnes, les choses, les droits, les sentiments : *être victime d'un attentat.* ● *Attentat aux mœurs* (Dr.), ensemble d'infractions qui portent atteinte à la pudeur et comprenant l'outrage public à la pudeur, l'attentat à la pudeur, le viol.

ATTENTATOIRE adj. Qui porte atteinte : *mesure attentatoire à la liberté.*

ATTENTE n. f. Action d'attendre; temps pendant lequel on attend. ‖ Action de compter sur qqn, sur qqch, espérance, prévision : *répondre à l'attente de ses amis, contre toute attente.*

ATTENTER v. t. ind. [**à**] (lat. *attentare,* attaquer). Commettre une tentative criminelle : *attenter à la vie de qqn.*

ATTENTIF, IVE adj. Qui prête attention à qqn, qqch : *spectateur attentif; être attentif à ne pas blesser.* ‖ Qui témoigne du désir d'être utile : *soins attentifs.*

ATTENTION n. f. (lat. *attentio*). Action de concentrer son esprit sur qqch, vigilance : *ce travail exige une grande attention.* ‖ Sollicitude; égard : *ces fleurs sont une délicate attention.* ◆ interj. *Attention!,* prenez garde!

ATTENTIONNÉ, E adj. Qui manifeste de la gentillesse, des égards : *un ami attentionné.*

ATTENTISME n. m. Politique d'attente et d'opportunisme.

ATTENTISTE adj. et n. Qui pratique l'attentisme.

ATTENTIVEMENT adv. Avec attention.

ATTÉNUANT, E adj. *Circonstances atténuantes,* faits qui tendent à diminuer la gravité d'un crime, d'un délit, et à abaisser la peine.

ATTÉNUATEUR n. m. Dispositif permettant d'atténuer un phénomène.

ATTÉNUATION n. f. Diminution, adoucissement.

ATTÉNUER v. t. (lat. *attenuare,* affaiblir). Rendre moins fort, moins grave : *atténuer un mal de tête, la violence de ses propos.* ◆ **s'atténuer** v. pr. Devenir moins fort.

ATTERRAGE n. m. *Mar.* Voisinage de la terre ou d'un port.

ATTERRANT, E adj. Consternant.

ATTERRER v. t. (de *terre*). Jeter dans l'abattement, la stupéfaction; consterner, accabler : *cette nouvelle nous a atterrés.*

ATTERRIR v. i. Se poser à terre (en parlant d'un avion, d'un engin spatial, etc.). ‖ *Mar.* Toucher terre (en parlant d'un navire). ‖ *Fam.* Arriver quelque part inopinément : *atterrir au milieu d'une cérémonie.*

ATTERRISSAGE n. m. Action d'atterrir.

ATTERRISSEMENT n. m. *Dr.* Amas de terres, de sables apportés par les eaux.

ATTESTATION n. f. Affirmation verbale ou écrite, certificat, témoignage.

ATTESTER v. t. (lat. *attestari;* de *testis,* témoin). Certifier la vérité de qqch : *nous attestons qu'il est innocent.* ‖ Être la preuve de : *cette remarque atteste qu'il n'a rien compris.* ‖ *Litt.* Prendre à témoin : *attester le ciel.*

ATTICHY (60350 Cuise la Motte), ch.-l. de cant. de l'Oise, à 18 km à l'E. de Compiègne, sur l'Aisne; 1631 hab. Église des XVe-XVIIe s. Chimie.

ATTICISME [atisism] n. m. (gr. *attikos*, attique). Style propre aux écrivains attiques, en particulier du Ve et du IVe s. av. J.-C., d'Eschyle à Démosthène, et en qui les auteurs hellénistiques et les orateurs latins virent un modèle de concision et d'élégance.

ATTIÉDIR v. t. *Litt.* Rendre tiède.

ATTIFEMENT n. m. *Fam.* Manière d'attifer.

ATTIFER v. t. (anc. fr. *tifer*, parer). *Fam.* et *péjor.* Orner, parer avec une recherche de mauvais goût ou d'une manière ridicule (souvent au passif). ◆ **s'attifer** v. pr. *Fam.* et *péjor.* S'habiller, se coiffer d'une manière bizarre.

ATTIGER v. i. (conj. **1**). *Pop.* Exagérer.

ATTIGNY (08130), ch.-l. de cant. des Ardennes, à 14,5 km au N.-O. de Vouziers, sur l'Aisne; 1265 hab. Église des XIIe et XVe-XVIe s.

ATTILA (v. 395-453), roi des Huns* (434-453). Il ravage l'empire d'Orient (441) et poursuit sa politique expansionniste vers l'Occident, dominé par le désir de « conquérir l'or du Rhin » : il envahit la Gaule en 451. Battu aux champs Catalauniques*, il reconstitue ses forces en Pannonie et marche vers l'Italie (452) : il prend Aquilée, Milan, Pavie; après avoir négocié avec le pape Léon Ier, il évacue l'Italie. L'empire des Huns sur lequel il régnait se désagrégea après sa mort.

ATTIQUE adj. Relatif aux Athéniens de l'Antiquité.

ATTIQUE n. m. *Archit.* Couronnement horizontal décoratif ou petit étage terminal d'une construction, placés au-dessus d'une corniche ou d'une frise importante.

ATTIQUE, péninsule de la Grèce, correspondant à l'actuelle province *(nome)* dont Athènes est le chef-lieu. Dès la période achéenne, la population de l'Attique est groupée dans une douzaine de bourgades indépendantes, dont Athènes*, Éleusis*, Braurôn, etc. Vers 750 av. J.-C., Athènes annexe Éleusis et unifie l'Attique à son profit. Dès lors, l'histoire de l'Attique se confond avec celle d'Athènes. Mais subsistent encore les anciennes rivalités locales que Clisthène, en 507, par une nouvelle division administrative, tentera de réduire.

ATTIRABLE adj. Susceptible d'être attiré.

ATTIRAIL n. m. (anc. fr. *atirier*, disposer). Ensemble d'objets divers et encombrants, destinés à un usage particulier : *attirail de cambrioleur.*

ATTIRANCE n. f. Charme particulier qui attire; attrait.

ATTIRANT, E adj. Qui attire, séduit.

ATTIRER v. t. (de *tirer*). Tirer à soi : *l'aimant attire le fer.* ‖ Inviter à venir : *ce spectacle attire les foules.* ‖ Procurer, occasionner : *cette attitude va lui attirer des ennuis.*

ATTIS, dieu phrygien de la végétation, aimé de la déesse Cybèle*. Dans un accès de folie, il s'émascula; son sang fertilisa la végétation. Attis était l'objet d'un culte initiatique.

ATTISER v. t. (lat. *titio*, tison). Rapprocher les tisons pour les faire mieux brûler. ‖ *Litt.* Exciter : *attiser la haine.*

ATTITRÉ, E adj. En titre, investi d'un rôle : *représentant attitré d'une agence.* ‖ Que qqn se réserve : *coiffeur attitré.*

ATTITUDE n. f. (it. *attitudine*, posture). Manière de se tenir, posture; manière d'être à l'égard des autres, comportement : *avoir une attitude gauche; garder une attitude réservée.* ‖ *Chorégr.* Pose de la danse académique, inspirée du *Mercure ailé* de Giambologna.

ATTLEE (Clement, *comte*), homme d'État britannique (Londres 1883-*id.* 1967). Député travailliste (1922), puis leader de son parti, il fait partie du cabinet de guerre présidé par W. Churchill (1940-1945). Premier ministre en 1945, il engage prudemment le pays dans la voie des nationalisations et de la planification. Rejeté dans l'opposition par les élections de 1951, il dirige le parti travailliste jusqu'en 1955. Il est élevé à la pairie l'année suivante.

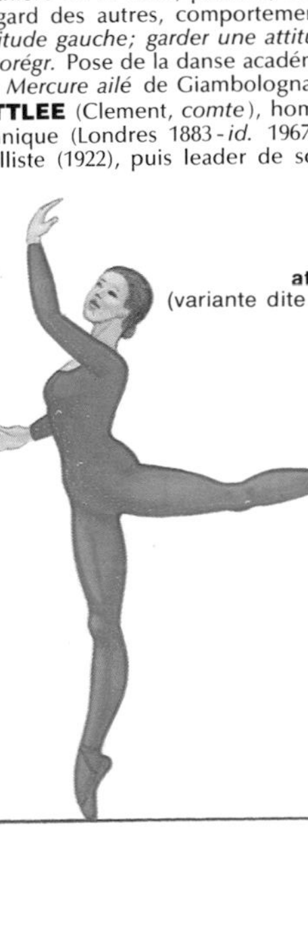

attitude ouverte
(variante dite « à la russe »)

ATTO-, préfixe (symb. : a) qui, placé devant une unité, la multiplie par 10^{-18}.

ATTORNEY n. m. (mot angl.; anc. fr. *atorné*, préposé a). Homme de loi dans les pays anglo-saxons. ● *Attorney général*, en Grande-Bretagne et aux États-Unis, ministre de la Justice.

ATTOUCHEMENT n. m. Action de toucher surtout avec la main.

ATTRACTIF, IVE adj. Qui a la propriété d'attirer : *force attractive.*

ATTRACTION n. f. (lat. *attractio*; de *trahere*, tirer). Force en vertu de laquelle un corps est attiré. ‖ Spectacle qui attire le public, objet de curiosité. ‖ Charme, séduction : *une secrète attraction le portait vers elle.* ● *Loi de l'attraction universelle* ou *loi de Newton*, loi selon laquelle tous les corps matériels s'attirent mutuellement, en raison directe de leurs masses et en raison inverse du carré de leurs distances. (Établie par Newton pour expliquer la pesanteur et le mouvement des planètes.) ◆ pl. Spectacle de variétés.

ATTRAIRE v. t. (lat. *attrahere*, tirer à soi) [conj. **73**]. *Litt.* Attirer. ‖ *Dr.* Assigner ou citer qqn devant un tribunal.

ATTRAIT n. m. (part. passé de *attraire*). Ce qui plaît, charme, attire : *l'attrait de la nouveauté, du pouvoir.*

ATTRAPADE n. f. *Litt.* Réprimande.

ATTRAPE n. f. Tromperie faite par plaisanterie. ‖ Objet destiné à tromper par jeu.

ATTRAPE-NIGAUD n. m. (pl. *attrape-nigauds*). Ruse grossière.

ATTRAPER v. t. (de *trappe*). Prendre à un piège. ‖ Saisir, atteindre : *attraper un voleur; attraper un train.* ‖ Tromper : *se laisser attraper par des flatteries.* ‖ *Fam.* Contracter (une maladie) : *attraper un rhume.* ‖ Faire des reproches : *se faire attraper pour un retard.*

ATTRAPE-TOUT adj. inv. Se dit d'un parti politique dont les sympathisants ne correspondent pas à des catégories bien déterminées, et qui peut obtenir les suffrages d'une très grande variété d'électeurs.

ATTRAYANT, E adj. Séduisant, charmant.

ATTREMPAGE n. m. Action d'attremper.

ATTREMPER v. t. En parlant d'un four de verrerie, chauffer progressivement.

ATTRIBUABLE adj. Qui peut être attribué.

ATTRIBUER v. t. (lat. *attribuere*). Accorder comme avantage, comme part : *attribuer une récompense, un prix à qqn.* ‖ Considérer qqn comme auteur, qqch comme cause : *il lui attribue des arrière-pensées; attribuer un succès au hasard.* ◆ **s'attribuer** v. pr. Revendiquer, s'approprier : *il s'attribue tous les mérites.*

ATTRIBUT n. m. (lat. *attributum*, qui a été attribué). Ce qui appartient en propre à qqn, à qqch, ce qui en est le symbole : *le droit de grâce est un attribut du chef de l'État; un glaive et une balance sont les attributs de la Justice.* ‖ *Ling.* Fonction d'un nom ou d'un adjectif relié au sujet par des verbes comme *être, paraître, devenir*, etc., ou au complément d'objet par des verbes comme *rendre, nommer*, etc. ‖ *Log.* Syn. de PRÉDICAT. ‖ *Philos.* Propriété d'une substance.

ATTRIBUTIF, IVE adj. *Log.* Qui indique ou énonce un attribut.

ATTRIBUTION n. f. Action d'attribuer : *l'attribution d'un rôle à un acteur.* ● *Complément d'attribution* (Ling.), complément désignant la personne ou la chose dans l'intérêt de qui est faite l'action du verbe. (Ex. : *donner de l'argent à un ami.*) ◆ pl. Pouvoirs, compétence attribués à qqn : *les attributions d'un maire.* ‖ *Dr.* Indication, dans une répartition de dividendes ou dans une liquidation, des parts revenant à chacun.

ATTRISTANT, E adj. Qui attriste, déçoit.

ATTRISTER v. t. Rendre triste, désoler : *cette nouvelle nous a attristés.* ◆ **s'attrister** v. pr. Devenir triste.

ATTRITION n. f. (lat. *attritio*, frottement). *Théol.* Regret d'avoir offensé Dieu, causé par un motif humain, tel que la honte ou la crainte du châtiment. (Syn. CONTRITION IMPARFAITE.) ‖ Usure des matériaux par frottement réciproque.

ATTROUPEMENT n. m. Rassemblement plus ou moins tumultueux.

ATTROUPER v. t. Rassembler des personnes : *le spectacle avait attroupé les badauds.* ◆ **s'attrouper** v. pr. Se réunir en foule.

ATWOOD (George), physicien britannique (Londres 1746 - *id.* 1807), inventeur d'un appareil pour l'étude des principes de la dynamique et des lois de la chute des corps (1784).

ATYPIQUE adj. Qui n'a pas de caractères particuliers permettant une identification sur classement; qui diffère du type habituel.

AU, AUX art. contractés pour *à le, à les.*

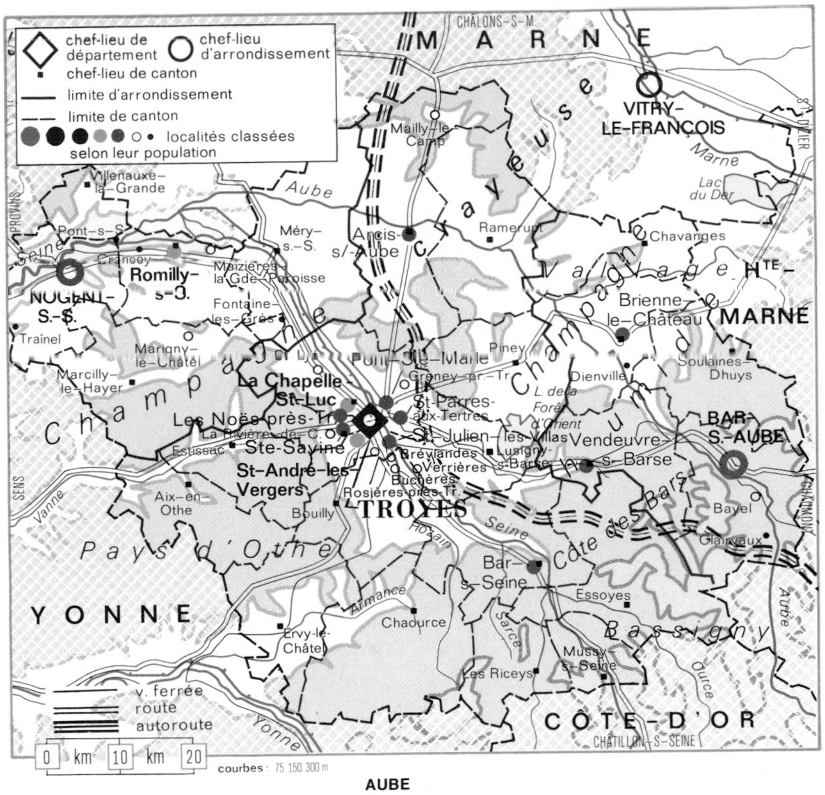

AUBE

Au, symbole chimique de l'*or.*

AUBADE n. f. (prov. *aubada*). *Litt.* Concert donné à l'aube sous les fenêtres de quelqu'un.

AUBAGNE (13400), ch.-l. de cant. des Bouches-du-Rhône, à 17 km à l'E. de Marseille, sur l'Huveaune; 38571 hab. *(Aubagnais).* Restes de remparts autour de la vieille ville. Dépôt de la Légion étrangère et du 1er régiment étranger replié de Sidi-Bel-Abbès en 1962. Musée de la Légion créé en 1966.

AUBAIN n. m. (lat. *alibi*, ailleurs). *Hist.* Individu fixé dans un pays étranger sans être naturalisé.

AUBAINE n. f. (de *aubain*). Avantage inespéré : *profiter de l'aubaine.* ‖ *Hist.* Droit seigneurial, puis royal (XVIe s.), par lequel la succession d'un aubain était attribuée au souverain.

AUBANEL (Théodore), poète français d'expression provençale (Avignon 1829 - *id.* 1886), l'un des fondateurs du félibrige.

AUBANGE, comm. de Belgique (Luxembourg), au S. d'Arlon; 14600 hab.

AUBE n. f. (lat. *alba*, blanche). *Litt.* Première lueur du jour qui se produit à l'horizon. ● *À l'aube de* (Litt.), au commencement de.

AUBE n. f. (lat. *albus*, blanc). *Liturg. cath.* Longue robe de toile blanche utilisée dans la célébration des offices et de certaines cérémonies religieuses.

AUBE n. f. (lat. *alapa*, soufflet). *Techn.* Partie d'une roue hydraulique, d'une turbine, d'un compresseur, sur laquelle s'exerce l'action du fluide moteur.

AUBE, riv. de l'est du Bassin parisien, affl. de la Seine (r. dr.); 248 km. Née sur le versant septentrional du plateau de Langres, l'Aube draine le sud de la Champagne, passant à Bar-sur-Aube et confluant près de Romilly-sur-Seine.

AUBE (10), départ. de la Région Champagne-Ardenne; 6004 km^2; 289300 hab. Ch.-l. *Troyes.* Ch.-l. d'arr. *Bar-sur-Aube* et *Nogent-sur-Seine.*

Dans l'est du Bassin parisien, le département s'étend sur la partie méridionale de la Champagne, drainée par l'*Aube* et, surtout, la Seine, axe vital, jalonnée de centres urbains — Bar-sur-Seine, Romilly-sur-Seine, Nogent-sur-Seine et, surtout, Troyes, dont l'agglomération regroupe environ les deux cinquièmes de la population départementale. Dans la vallée de l'Aube, moins active, se succèdent Bar-sur-Aube, Brienne-le-Château et Arcis-sur-Aube.

L'agriculture n'emploie plus guère que le dixième de la population active, développée surtout dans le nord-ouest, la Champagne crayeuse, valorisé par l'emploi massif d'engrais et domaine des céréales, de la betterave à sucre et de la luzerne. Au S., dans la Champagne humide, à la topographie plus accidentée, plus arrosée, l'élevage domine. Les cultures réapparaissent à l'extrémité est du département, dans la côte des Bars, où, de plus, la production du vignoble est destinée à la champagnisation. Enfin, les forêts occupent de grandes superficies, dans le pays d'Othe, au S. de la Seine (forêt d'Aumont) et à l'E. de Troyes (forêt d'Orient, à proximité d'un grand lac artificiel [réservoir Seine] destiné à écrêter les crues du fleuve).

L'industrie est, de loin, l'activité principale, occupant environ la moitié de la population active. Elle est toujours dominée par la bonneterie, dont Troyes est la capitale (les constructions mécaniques et l'alimentation sont les autres branches notables). Troyes, seul véritable centre urbain du département, connaît un accroissement de population qui masque la persistance de l'émigration dans la quasi-totalité des cantons ruraux. Au total, le département est peu peuplé : la densité est inférieure de moitié à la moyenne nationale.

AUBENAS (07200), ch.-l. de cant. de l'Ardèche, à 30 km au S.-O. de Privas, au-dessus de l'Ardèche; 13134 hab. *(Albenassiens).* Hôtel de ville dans l'anc. château.

AUBENTON (02500 Hirson), ch.-l. de cant. de l'Aisne, à 15 km au S.-E. d'Hirson; 973 hab.

AUBÉPINE n. f. (lat. *alba*, blanche, et *épine*). Arbre ou arbrisseau épineux à fleurs blanches ou roses, à baies rouges. (Famille des rosacées, genre *cratægus.*)

AUBER (Esprit), compositeur français (Caen 1782 - Paris 1871). S'étant spécialisé dans le genre de demi-caractère de l'opéra-comique, en s'assurant la collaboration du librettiste E. Scribe, il y remporta de vifs succès (*la Muette de Portici*, 1828; *Fra Diavolo*, 1830; *le Domino noir*, 1837; *les Diamants de la Couronne*, 1841), avant d'être nommé directeur du Conservatoire de Paris (1842).

AUBERCHICOURT (59165), comm. du Nord, à 12 km au S.-E. de Douai; 4826 hab.

AUBÈRE adj. et n. m. (esp. *hobero*, mot ar.). Se dit d'un cheval dont la robe, composée de deux couleurs, est faite d'un mélange de poils alezans et blancs répandus sur tout le corps, extrémités et crins compris.

AUBERGE n. f. (de *héberger*). Hôtel-restaurant de campagne. ● *Auberge espagnole*, lieu où on apporte tout ce qu'on souhaite y trouver. ‖ *On n'est pas sorti de l'auberge* (Fam.), les difficultés ne sont pas terminées.

AUBERGENVILLE (78410), ch.-l. de cant. des Yvelines, à 12 km au S.-E. de Mantes-la-Jolie, près de la Seine; 10025 hab.

Auberges de la Jeunesse (A. J.), centres d'accueil et de vacances organisés pour les jeunes. En 1945, elles se sont regroupées sous l'autorité d'une Fédération internationale.

AUBERGINE n. f. (catalan *alberginia*, mot ar.). Fruit comestible, généralement violet, produit par une solanacée annuelle. (V. ill. p. 126.) ◆ adj. inv. De la couleur violette de l'aubergine.

AUBERGISTE n. Personne qui tient une auberge.

AUBERIVE (52160), ch.-l. de cant. de la Haute-Marne, à 27 km au S.-O. de Langres, sur l'Aube; 219 hab.

AUBERT (Jean), architecte français († 1741) au service du prince de Condé (superbes Grandes Écuries de Chantilly, 1719-1735).

AUBERT (Jacques), compositeur français (1689 - Belleville, près de Paris, 1753). Violoniste réputé, au service du prince de Condé, puis du roi, de l'Académie de musique et du Concert spirituel, il a laissé pour son instrument des

aubergine

livres de suites, sonates et concertos qui se ressentent de l'influence italienne.

AUBERT (Marcel), archéologue et historien d'art français (Paris 1884 - id. 1962), spécialiste du Moyen Âge.

AUBERVILLIERS (93300), ch.-l. de cant. de la Seine-Saint-Denis, à 2 km au N.-E. de Paris; 67 775 hab. (Albertivilliariens).

AUBETERRE-SUR-DRONNE (16390 St Séverin), ch.-l. de cant. de la Charente, à 57 km au S. d'Angoulême, sur la Dronne; 404 hab. Deux églises, dont l'une rupestre (XIIe s.).

AUBETTE n. f. (anc. fr. hobe, d'origine germanique). En Belgique, édicule construit sur la voie publique et servant de kiosque à journaux ou d'abri pour les usagers des transports en commun.

AUBIER n. m. (lat. albus, blanc). Partie jeune du tronc et des branches d'un arbre, située à la périphérie, sous l'écorce, constituée par les dernières couches annuelles de bois encore vivantes et de teinte plus claire que le cœur.

AUBIÈRE (63170), ch.-l. de cant. du Puy-de-Dôme, dans la banlieue sud-est de Clermont-Ferrand; 8772 hab. Église du XIIe s.

AUBIGNÉ (Théodore Agrippa D'), écrivain français (près de Pons, Saintonge, 1552 - Genève 1630). Voué par son père, devant le spectacle des supplices d'Amboise, à la défense de la cause calviniste, il devient le compagnon incorruptible d'Henri IV, puis, la paix politique et religieuse revenue, il défend ses convictions en écrivant une épopée mystique (les Tragiques*, 1616), des romans satiriques (Aventures du baron de Fœneste, 1617), une Histoire universelle depuis 1550 jusqu'en 1601 (1616-1620). Compromis dans la conspiration contre Luynes (1620), il se réfugia

Agrippa d'**Aubigné**,
d'après Bartholomé Sarburgh,
1622.
(Musée de Bâle.)

à Genève. Il a laissé des poèmes d'amour (le Printemps) qui sont une des premières manifestations du baroque* littéraire. Il fut le grand-père de Mme de Maintenon.

AUBIGNY-EN-ARTOIS (62690), ch.-l. de cant. du Pas-de-Calais, à 16 km au N.-O. d'Arras; 1330 hab.

AUBIGNY-SUR-NÈRE (18700), ch.-l. de cant. du Cher, à 28 km au S.-O. de Gien, en Sologne; 5693 hab. Église des XIIe-XVe s. Château et maisons des XVe-XVIe s. Constructions mécaniques.

AUBIN n. m. (angl. hobby). Allure défectueuse du cheval qui est un mélange de trot dans l'arrière-main et de galop dans l'avant-main.

AUBIN (12110), ch.-l. de cant. de l'Aveyron, à 4 km au S. de Decazeville; 6017 hab. Église des XIIe et XVe s.

AUBISQUE (col d'), passage pyrénéen (Pyrénées-Atlantiques), entre Eaux-Bonnes et Argelès-Gazost; 1709 m.

AUBOIS, E adj. et n. De l'Aube.

AUBOUÉ (54580), comm. de Meurthe-et-Moselle, à 6 km au S.-E. de Briey; 3694 hab.

AUBRAC, haut plateau basaltique du Massif central, dans le sud de l'Auvergne, entre les vallées de la Truyère et du Lot supérieur; 1469 m au Mailhebiau.

AUBRAIS (Les), écart de la comm. de Fleury-les-Aubrais (Loiret), à 3 km au N. d'Orléans. Centre ferroviaire.

AUBURN [obœrn] adj. inv. (mot angl.; anc. fr. auborne). D'un brun rouge.

AUBURNIEN adj. m. Se dit d'un système pénitentiaire combinant le régime cellulaire et la vie en commun. (Ce système fut inauguré dans la prison d'Auburn, État de New York, en 1816.)

AUBUSSON (23200), ch.-l. d'arr. de la Creuse, sur la Creuse; 6153 hab. (Aubussonnais). Ateliers de tapisserie, surtout depuis le XVIe s. (à noter le séjour de Lurçat* en 1940). École nationale des arts décoratifs. Constructions électriques.

AUBY (59950), comm. du Nord, à 6 km au N. de Douai; 8630 hab. Métallurgie. Engrais.

Aucassin et Nicolette, « chantefable », roman en prose mêlée de vers (XIIIe s.), racontant les amours du fils du comte de Beaucaire et d'une esclave sarrasine.

AUCH (32000), ch.-l. du départ. du Gers, sur le Gers, à 680 km au S.-O. de Paris; 25 543 hab. (Auscitains). Cathédrale de style gothique flamboyant, à façade classique (célèbres stalles et vitraux du XVIe s.). Tuilerie. Imprimerie.

AUCHEL (62260), comm. du Pas-de-Calais, à 5 km à l'O. de Bruay-en-Artois; 12535 hab. (Auchellois). Textile.

AUCKLAND, v. de Nouvelle-Zélande, dans l'île du Nord; 808 000 hab. C'est, de loin, la principale agglomération (regroupant plus du cinquième de la population totale du pays), le premier port et le plus grand centre industriel (métallurgie, textile, alimentation, chimie) de la Nouvelle-Zélande. Université. Musée.

AUCKLAND (îles), archipel inhabité du Pacifique Sud, à 350 km au S. de la Nouvelle-Zélande, dont il dépend.

AUCUBA n. m. (jap. aokiba). Arbrisseau à feuilles coriaces, vertes, tachetées de jaune, venant du Japon, souvent cultivé dans les jardins. (Haut. 2 m; famille des cornacées.)

AUCUN, E adj. ou pron. indéf. (lat. aliquis, quelqu'un, et unus, un seul). Pas un, nul (avec la négation ne). [Au pluriel seulem. devant un nom qui n'a pas de singulier : aucunes funérailles.] ● D'aucuns (Litt.), quelques-uns.

AUCUN (65400 Argelès Gazost), ch.-l. de cant. des Hautes-Pyrénées, sur le même nom, sur le gave d'Argelès, à 9 km au S.-O. d'Argelès-Gazost; 170 hab.

AUCUNEMENT adv. Pas du tout.

AUDACE n. f. (lat. audacia). Hardiesse, courage; insolence : un coup d'audace; avoir l'audace de venir le déranger chez lui.

AUDACIEUSEMENT adv. Avec audace.

AUDACIEUX, EUSE adj. et n. Décidé, téméraire.

AUDE, riv. du sud de la France, tributaire de la Méditerranée; 220 km. Née dans les Pyrénées orientales (massif du Carlitte), elle sort en gorges de la montagne, coulant d'abord vers le N., passant par Quillan puis à Limoux. À Carcassonne,

entrant en plaine, elle oblique vers l'E., drainant l'extrémité méridionale de la plaine languedocienne.

AUDE (11), départ. de la Région Languedoc-Roussillon; 6139 km²; 280 686 hab. (Audois). Ch.-l. Carcassonne. Ch.-l. d'arr. Limoux et Narbonne.

Sur la Méditerranée, aux confins du Massif central et des Pyrénées, du bassin d'Aquitaine et du Languedoc, le département juxtapose des paysages variés. La plaine littorale s'étire vers l'O. dans la vallée de l'Aude (prolongée par le seuil de Naurouze ou du Lauragais), dominée, au N., par le versant méridional de la Montagne Noire (Cabardès) et les hauteurs du Minervois, au S., par le massif des Corbières et le pays de Sault, avant-pays pyrénéen. Le climat, méditerranéen sur la côte, devient plus rude dans l'intérieur, également plus élevé.

La densité générale d'occupation est faible, inférieure même à la moitié de la moyenne nationale, en raison de l'extension des secteurs montagneux et de la médiocrité de l'urbanisation. Il n'existe pas de grandes villes, les principales cités jalonnent la vallée de l'Aude; se succèdent ainsi Quillan, Limoux, Carcassonne et, à proximité de la rivière, Lézignan-Corbières et Narbonne. L'industrie est peu développée, n'occupant guère que le quart de la population active, proportion voisine de celle qui est enregistrée dans l'agriculture, à laquelle elle est d'ailleurs partiellement liée. La viticulture demeure, de loin, la principale ressource départementale, juxtaposant vignobles de masse (prépondérants) et vignobles de qualité plus grande (Corbières, Minervois, région de Limoux). Son dynamisme est cependant bien insuffisant pour retenir la population. La part élevée du secteur tertiaire

est liée à la place importante de la fonction commerciale (notamment pour les vins) et au développement du tourisme estival sur le littoral (Leucate et Gruissan), dont l'apport est supérieur à celui de la pêche, peu développée.

AU-DEDANS [de] loc. adv. et prép. À l'intérieur (de).

AU-DEHORS [de] loc. adv. et prép. À l'extérieur (de).

AU-DELÀ [de] loc. adv. et prép. Plus loin (que).
◆ **au-delà** n. m. inv. La vie future, l'autre monde.

Au-delà du principe de plaisir, essai écrit par S. Freud en 1920 et qui marque un tournant important dans la théorie analytique. Freud y introduit en effet le concept de pulsion de mort.

AUDEN (Wystan Hugh), écrivain américain d'origine anglaise (York 1907 - Vienne 1973). Son œuvre poétique (Poèmes, 1930; l'Âge de l'angoisse, 1948; le Bouclier d'Achille, 1955; Hommage à Clio, 1960), dramatique (la Danse de mort, 1933) et critique (la Main du teinturier, 1963) a évolué de l'engagement social et politique à l'angoisse existentialiste puis à l'acceptation de la vision chrétienne.

AUDENARDE, en néerl. Oudenaarde, v. de Belgique (Flandre-Orientale), sur l'Escaut; 24 300 hab. Hôtel de ville de style gothique tardif (1527). Églises N.-D. de Pamele (gothique scal-

dien du XIIIe s.) et Sainte-Walburge (XIIIe et XVe s.). Textile. Le duc de Vendôme y fut battu par le Prince Eugène et Marlborough (1708).

AUDENGE (33980), comm. de la Gironde, à 45 km au S.-O. de Bordeaux, près du bassin d'Arcachon; 2675 hab. Station balnéaire.

AUDERGHEM, en néerl. Oudergem, comm. de Belgique (Brabant), dans la banlieue sud-est de Bruxelles; 30 300 hab.

AU-DESSOUS [de] loc. adv. et prép. À un point inférieur.

Au-dessous du volcan, roman de Malcolm Lowry (1947). Le délire alcoolique et la désagrégation intellectuelle d'un consul déchu dans une petite ville du Mexique : symbole de tous les fantasmes d'autodestruction qui obsèdent l'homme contemporain.

AU-DESSUS [de] loc. adv. et prép. À un endroit supérieur.

AUDEUX (25170 Recologne), ch.-l. de cant. du Doubs, à 13 km au N.-O. de Besançon; 314 hab.

AU-DEVANT [de] loc. adv. et prép. À la rencontre (de).

AUDIBERTI (Jacques), écrivain français (Antibes 1899 - Paris 1965). Ses poèmes (Des tonnes de semence, 1941; Ange aux entrailles, 1964), ses romans (Abraxas, 1938; Les tombeaux ferment mal, 1963) et son théâtre (Le mal court, 1947; l'Effet Glapion, 1959; la Fourmi dans le corps, 1961; Cavalier seul, 1963) témoignent d'un monde où, à travers les hymnes à l'amour vrai, les situations fausses et les personnages ambigus, le langage se révèle la seule réalité solide.

AUDIBILITÉ n. f. Propriété d'un son d'être perçu par l'oreille.

AUDIBLE adj. (lat. audire, entendre). Perceptible à l'oreille; qui peut être écouté sans déplaisir.

AUDIENCE n. f. (lat. audientia, action d'écouter). Fait d'être écouté ou lu avec intérêt, attention : obtenir une large audience. ‖ Entretien accordé par un supérieur, une personne en place : recevoir qqn en audience. ‖ Dr. Séance au cours de laquelle les juges interrogent les parties, entendent les plaidoiries et prononcent leurs jugements. ● Délit d'audience, manquement aux obligations professionnelles commis par un avocat à l'audience.

AUDIERNE (29113), comm. du Finistère, à 35 km à l'O. de Quimper, sur la baie d'Audierne, à l'embouchure du Goyen; 3094 hab. Pêche et conserveries. Station balnéaire.

AUDIERNE (baie d'), baie comprise entre la pointe du Raz et la pointe de Penmarch.

AUDIMUTITÉ n. f. Absence congénitale de langage chez un sujet ne présentant pas de déficits auditif ou intellectuel évidents.

AUDINCOURT (25400), ch.-l. de cant. du Doubs, à 6 km au S.-E. de Montbéliard, sur le Doubs; 18 725 hab. (Audincourtois). Église moderne (vitraux de Léger, Bazaine et Le Moal). Métallurgie.

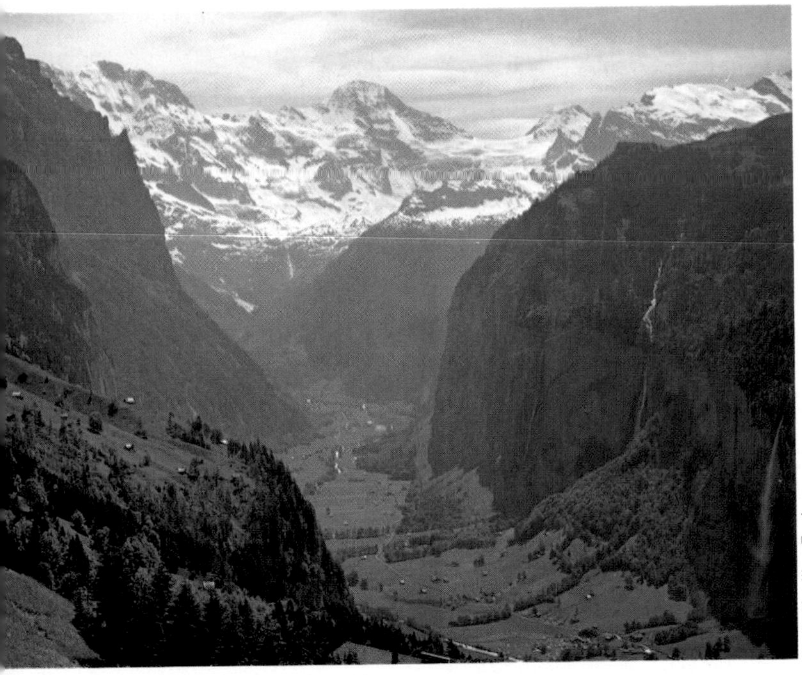

M. C. Noailles-Explorer

vallée en **auge** : la vallée de Lauterbrunnen, dans l'Oberland bernois (canton de Berne, Suisse)

AUDIOCONFÉRENCE n. f. Téléconférence assurée grâce à des moyens de télécommunications ne permettant que la transmission de la parole et, éventuellement, de documents graphiques.

AUDIODISQUE n. m. Disque sur lequel sont enregistrés des sons. (Par oppos. à VIDÉODISQUE.)

AUDIOFRÉQUENCE n. f. Fréquence correspondant à des sons audibles.

AUDIOGRAMME n. m. Courbe caractéristique de la sensibilité de l'oreille aux divers sons.

AUDIOMÈTRE n. m. Instrument pour mesurer l'acuité auditive et établir les audiogrammes.

AUDIOMÉTRIE n. f. Mesure de l'acuité auditive.

AUDIONUMÉRIQUE adj. *Disque audionumérique,* audiodisque sur lequel les sons sont enregistrés sous forme de signaux numériques. (Sa lecture s'effectue grâce à un procédé de lecture optique par laser.)

AUDIO-ORAL, E, AUX adj. Se dit d'une méthode d'enseignement qui utilise conjointement des textes et des enregistrements sonores.

AUDIOPROTHÉSISTE n. Praticien qui choisit, délivre, adapte et contrôle les appareils de prothèse auditive.

AUDIOVISUEL, ELLE adj. et n. m. Se dit de ce qui a pour objet d'enregistrer, de transmettre ou de reproduire soit des sons, soit des images, soit les deux à la fois.

■ Le terme *audiovisuel* désigne, parmi les moyens de diffusion, ceux qui n'appartiennent pas à l'univers de l'écrit. Dans ce sens, il englobe les moyens de communication de masse, permettant l'enregistrement et la diffusion des sons et des images : la radio, la télévision, la télédistribution, les satellites de télécommunication, les vidéogrammes et le matériel vidéo.

Au sein des méthodes modernes d'enseignement, les techniques audiovisuelles couvrent, de la projection de simples vues fixes à la télévision en circuit fermé, un large éventail de fonctions pédagogiques. Elles jouent deux rôles principaux : elles créent une *motivation,* éveillant par l'immédiateté de l'image la curiosité des élèves ou des adultes qui relèvent de la formation permanente; elles apportent une *illustration* sur des événements ou des objets impossibles à produire dans l'espace d'enseignement et qu'elles rendent plus sensibles que la seule description verbale (certains films très courts permettent de faire comprendre en quelques minutes des processus complexes : mouvements moléculaires, circulation sanguine, phénomènes géologiques, combinaisons mécaniques, etc.). D'autre part, le langage audiovisuel apparaît, et pas seulement dans des milieux sociaux culturellement défavorisés, comme un *mode d'expression* moins contraignant et plus immédiat que l'écriture : l'analyse de l'image, son « décodage », permet une réflexion sur l'expression audiovisuelle et ouvre à une initiation aux arts de l'écran. De plus, les possibilités de conservation et de rediffusion des messages éducatifs par les techniques audiovisuelles permettent une véritable démocratisation pédagogique (systèmes « multimédia », télé-enseignement) et un abaissement sensible des coûts de l'enseignement. La loi du 30 septembre 1986 régit plus particulièrement l'organisation des services de radiodiffusion* et de télévision.

AUDIOVISUEL (Institut national de l') [**I. N. A.**], établissement public industriel et commercial créé en 1974, chargé des recherches de création audiovisuelle et de la conservation des archives de la radiodiffusion et de la télévision.

AUDIT [odit] n. m. (angl. *Internal Auditor*). Procédure de contrôle de l'exécution des objectifs d'une entreprise. ‖ Personne chargée de cette mission. (Syn. AUDITEUR.)

AUDITEUR, TRICE n. Personne qui écoute un discours, une lecture, une émission radiophonique, un cours, etc. ‖ Syn. de AUDIT. ‖ *Dr.* Magistrat chargé de préparer les décisions que prendront ses supérieurs, dans certaines juridictions (Conseil d'État, Cour des comptes).

AUDITIF, IVE adj. Qui concerne l'audition : *mémoire auditive.* ● *Appareil de correction auditive,* appareil électronique comportant un amplificateur et un écouteur, qui sert à rétablir l'audition chez ceux qui entendent mal.

AUDITION n. f. (lat. *auditio;* de *audire,* entendre). Fonction du sens de l'ouïe : *troubles de l'audition.* ‖ Action d'entendre ou d'écouter : *l'audition des témoins.* ‖ Présentation par un artiste de son répertoire, d'une œuvre musicale, etc.

■ La détection des vibrations mécaniques est assurée par deux sortes d'organes animaux : ceux qui enregistrent les vibrations d'un support solide, et que l'on range parmi les organes du tact (corpuscules de Krause, de Herbst, etc.), et ceux qui enregistrent les vibrations d'un milieu fluide, air ou eau, et dont la fonction est l'*audition.*

L'organe auditif peut siéger sur diverses parties du corps : les pattes, chez les insectes (sauterelle); les flancs, chez les poissons (ligne latérale); enfin la tête (oreilles), chez les vertébrés terrestres. La bande de fréquence que perçoit l'oreille humaine forme l'ensemble des *sons.* Mais de nombreux animaux perçoivent des *ultrasons* de plus haute fréquence (chauve-souris, chien) ou des *infrasons* de fréquence plus basse (cétacés, poissons).

L'organe auditif distingue les sons simples d'après leur intensité (unité : le décibel) et d'après leur hauteur, ou fréquence (unité : le hertz), mais il est capable, contrairement à l'œil, d'analyser les sons complexes selon leur *timbre.*

La comparaison des informations sonores parvenues à droite et à gauche permet de localiser l'origine des sons, voire de structurer un champ auditif (écholocation* des chauves-souris).

En milieu aquatique, l'audition est parfois assurée par le même organe que celui de l'orientation spatiale, le statocyste* (crustacés).

L'audition joue un rôle capital dans la reconnaissance des individus : conjoint, parent ou progéniture, au sein d'une foule (manchots, phoques, passereaux chanteurs). Elle permet la détection des proies ou des prédateurs. Associée à la phonation, elle permet des échanges de signaux qui, chez l'homme (et peut-être chez le dauphin), aboutissent au langage.

AUDITIONNER v. t. Écouter un artiste présenter son répertoire, son tour de chant, etc. ◆ v. i. En parlant d'un artiste, présenter son numéro.

AUDITOIRE n. m. Ensemble de personnes qui écoutent un discours, assistent à un cours, etc.

AUDITORAT n. m. *Dr.* Fonction d'auditeur.

AUDITORIUM [oditɔrjɔm] n. m. (mot lat.). Salle pour l'audition d'une œuvre musicale ou théâtrale, pour les émissions radiophoniques ou les enregistrements cinématographiques.

AUDOIS, E adj. et n. De l'Aude.

AUDOMAROIS, E adj. et n. De Saint-Omer.

AUDONIEN, ENNE adj. et n. De Saint-Ouen.

AUDRAN, famille d'artistes français des XVIIe et XVIIIe s., dont les plus illustres sont GÉRARD II (Lyon 1640-Paris 1703), « graveur ordinaire du roi » et rénovateur de l'estampe de reproduction (à l'eau-forte et au burin, non plus au burin seul), d'après les œuvres de Raphaël, Le Brun, Mignard, Poussin..., et CLAUDE III (Lyon 1657-Paris 1734), qui contribua à libérer l'art ornemental de la pompe classique par l'usage d'arabesques et de grotesques allégées (décors muraux perdus; tapisseries).

AUDRUICQ (62370), ch.-l. de cant. du Pas-de-Calais, à 26 km au S.-E. de Calais; 4089 hab. Église et château reconstruits au XVIIIe s. Restes de remparts.

AUDUN-LE-ROMAN (54560), ch.-l. de cant. de Meurthe-et-Moselle, à 17 km au N. de Briey; 2110 hab.

AUDUN-LE-TICHE (57390), comm. de la Moselle, à 18 km au S.-E. de Longwy; 6831 hab. Métallurgie.

AUER (Karl), baron **von Welsbach,** chimiste autrichien (Vienne 1858-château de Welsbach, Carinthie, 1929). Auteur de recherches sur les terres rares, il inventa le manchon à oxyde de thorium dit *bec Auer* (1895) et découvrit les propriétés pyrophoriques du ferrocérium.

AUERBACH (Erich), critique américain d'origine allemande (Berlin 1892 - Wallingford, Connecticut, 1957), auteur d'études sur le problème de la figuration et de la représentation dans la littérature occidentale, de Dante à Zola (*Mimesis**, 1946).

AUERSTEDT, village de l'Allemagne démocratique, au N.-E. de Weimar, où Davout fut vainqueur des Prussiens le 14 octobre 1806. (V. COALITION [4e].)

Aufklärung *(Zeitalter der)* [« siècle des lumières »], mouvement de pensée rationaliste, d'inspiration leibnizienne, qui s'efforce de promouvoir une émancipation intellectuelle dans l'Allemagne du XVIIIe s. Ce courant, dont Wolff*, Lessing* et Herder* sont les trois grandes figures, cherche à créer un théâtre (Lessing), une poésie (Wieland*) et une esthétique (Baumgarten*) où s'affirmerait le « génie national » du peuple allemand.

AUGE n. f. (lat. *alveus*). Récipient en pierre, en bois ou en tôle où mangent et boivent les animaux. ‖ Récipient à l'usage des maçons, des cimentiers, etc. ‖ Rigole qui conduit l'eau à un réservoir ou qui l'amène à la roue d'un moulin. ‖ Vide entre les branches du maxillaire inférieur du cheval. ‖ Vallée dont le profil transversal (versants raides et fond plat) rappelle celui d'une auge.

AUGE *(pays d'),* région herbagère de Normandie, s'étendant essentiellement dans le département du Calvados, entre les vallées de la Touques et de la Dives (on donne à cette dernière le nom de *vallée d'Auge*). C'est un pays d'élevage bovin, destiné surtout à la production de fromages (camembert, livarot, pont-l'évêque).

AUGER (Pierre), physicien français (Paris 1899). Il a découvert les grandes gerbes du rayonnement cosmique ainsi que l'émission d'un électron par un atome changeant de niveau d'excitation (*effet Auger,* 1925).

AUGEREAU (Pierre), duc de **Castiglione,** maréchal et pair de France (Paris 1757 - La Houssaye 1816). Général en 1795, il se distingue en Italie (1796) et exécute le coup d'État du 18-Fructidor (1797). Fait maréchal en 1804, il participe à toutes les campagnes de l'Empire.

AUGERON, ONNE adj. et n. Du pays d'Auge.

AUGET n. m. Petite auge.

AUGIER (Émile), auteur dramatique français (Valence 1820-Paris 1889), défenseur de la société bourgeoise traditionnelle contre toutes les atteintes portées à sa stabilité de corps et à son confort moral et intellectuel (*le Gendre de Monsieur Poirier,* 1854).

AUGMENT n. m. *Ling.* Affixe préposé à la racine verbale dans la flexion de certaines formes du passé (en grec par ex.).

AUGMENTABLE adj. Qu'on peut augmenter.

AUGMENTATIF, IVE adj. et n. m. *Ling.* Se dit d'un préfixe *(archi-, super-)* ou d'un suffixe servant à renforcer le sens d'un mot.

AUGMENTATION n. f. Action d'augmenter, accroissement : *augmentation de volume, augmentation des prix.* ‖ Opération qui consiste à tricoter deux mailles dans une seule ou bien à ajouter une maille au commencement ou à la fin d'un rang.

AUGMENTER v. t. (lat. *augere,* accroître). Rendre plus grand, plus important; accroître la quantité, le prix, le salaire : *augmenter la vitesse, les salaires; augmenter un employé.* ◆ v. i. Devenir plus grand, plus considérable; croître : *les prix augmentent.*

AUGSBOURG, en all. **Augsburg,** v. de l'Allemagne fédérale (Bavière), sur le Lech, au N.-O. de Munich, 218000 hab. Industries métallurgiques et textiles.

BEAUX-ARTS. Cathédrale du XIe s., transformée aux XVe-XVIe s. (vitraux du XIIe s., parmi les plus beaux d'Allemagne). Église Sainte-Anne (avec chapelle funéraire des Fugger*) et cité ouvrière, dite « Fuggerei », du début du XVIe s. Hôtel de ville, arsenal et hôpital classiques par Elias Holl (1573-1646). Musées installés dans des édifices anciens.

Augsbourg *(Confession d'),* premier formulaire confessionnel des Églises luthériennes, composé par Melanchthon* en 1530 pour exposer la foi des réformés à la diète réunie par Charles Quint à Augsbourg. Melanchthon s'efforce de montrer que les Églises évangéliques ne s'écartent pas de la tradition chrétienne, les quelques changements introduits consistant dans la correction de certains abus.

Augsbourg *(ligue d'),* coalition (1686-1697) des puissances européennes — les puissances protestantes notamment — contre les visées ambitieuses de Louis XIV*, qui vient d'occuper Strasbourg (1681) et de révoquer l'édit de Nantes (1685). L'âme de cette coalition est Guillaume* (III) d'Orange, roi d'Angleterre à partir de 1689. En fait, le roi de France peut contenir les forces ennemies grâce aux exploits de Luxembourg devant Guillaume III (victoires de Steinkerque [1692] et de Neerwinden [1693]) et de Catinat devant le duc de Savoie (La Marsaille, 1693). Si bien qu'au traité de Ryswick (1697) la France conserve Strasbourg; il est vrai qu'elle doit reconnaître Guillaume III comme roi d'Angleterre.

AUGURAL, E, AUX adj. Relatif aux augures.

AUGURE n. m. (lat. *augurium*). Présage, signe par lequel on juge de l'avenir : *tirer un bon, un mauvais augure de qqch.* ‖ *Hist.* Présage tiré d'un signe céleste.

AUGURE n. m. (lat. *augur*). Prêtre romain chargé d'interpréter les présages tirés du vol, du chant des oiseaux, etc.

AUGURER v. t. *Litt.* Tirer un présage, faire une conjecture : *ceci lui fit bien augurer du succès de l'entreprise.*

AUGUSTA, v. des États-Unis (Géorgie); 60000 hab.

AUGUSTA, v. des États-Unis, capit. de l'État du Maine; 22000 hab.

AUGUSTA, port d'Italie, en Sicile, sur la côte orientale de l'île; 28000 hab. Raffinage du pétrole et pétrochimie.

AUGUSTE adj. (lat. *augustus*). *Litt.* Qui inspire le respect ou la vénération.

AUGUSTE n. m. *Hist.* Titre des empereurs romains. ‖ Type de clown.

AUGUSTE, en latin **Caius Julius Caesar Octavianus Augustus,** empereur romain (Rome 63 av. J.-C. - Nola 14 apr. J.-C.). Par sa mère, Octave est petit-neveu de César*, qui le choisit pour héritier dès 45 av. J.-C. À Apollonia (Grèce), où il achève ses études, il apprend l'assassinat de son père adoptif. Alors âgé de dix-neuf ans, il rentre en Italie pour revendiquer son héritage. À Rome, le maître de l'heure, Antoine*, a fait valider les actes de César et la lutte a repris entre césariens et républicains. Octave n'hésite pas à se poser en rival d'Antoine. Cicéron lui ménage les faveurs des sénateurs (qui soutiennent les meurtriers de César, Brutus* et Cassius*) et obtient pour lui un *imperium* pour aller combattre Antoine. Vainqueur d'Antoine à Modène (43), Octave se fait élire consul. Maître de Rome, il fait régulariser son adoption par les comices et devient Jules César Octavien. Pour venger la mort de César, il s'entend provisoirement avec Antoine et Lépide*, ancien maître de la cavalerie de César : la *lex Titia* (43) reconnaît le triumvirat*, partage l'Occident romain entre les triumvirs et crée pour eux une sorte de triple dictature, les chargeant pour cinq ans de restaurer la République. À Rome, l'opposition républicaine est extirpée par les proscriptions (Cicéron est assassiné); en Orient, l'armée républicaine de Brutus et Cassius est anéantie à Philippes* (42). Après Philippes, le monde romain tout entier est partagé entre les triumvirs : l'Occident à Octavien, l'Orient à Antoine, l'Afrique à Lépide (paix de Brindes, 40). En Occident, Octavien élimine d'abord (à Nauloque, 36) le « roi de la mer », Sextus Pompée*, qui avait conservé la Sicile et affamait Rome. La Sicile est conquise et, lorsque Lépide prétend la garder, Octavien le dépose et lui enlève l'Afrique tout en lui laissant la charge de grand pontife. Resté seul maître de l'Occident, Octavien s'entoure de bons conseillers (Mécène* et Agrippa*), assure la sécurité des côtes dalmates,

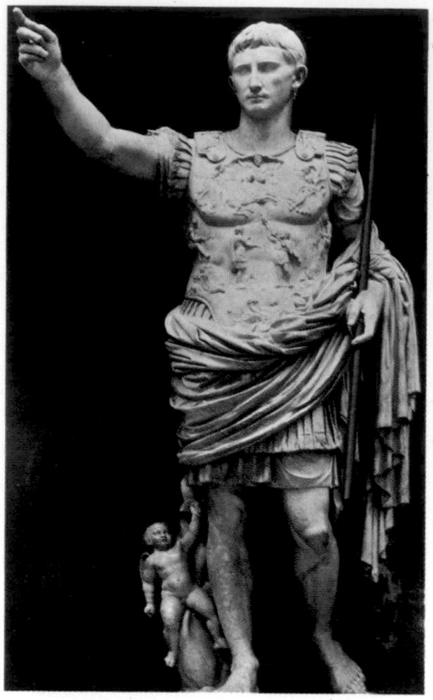

Scala

Auguste. Statue découverte à Prima Porta, près de Rome. Marbre avec traces de polychromie. Ier s. apr. J.-C. (Musée du Vatican).

embellit Rome et reçoit, en 36, la puissance tribunitienne*. Il devient ainsi le chef incontesté d'un Occident romain pacifié et unifié. Dans le même temps, à Alexandrie, Antoine prend de plus en plus les allures d'un monarque hellénistique. Octavien a alors l'habileté de présenter sa rivalité avec Antoine comme la lutte entre l'Orient et Rome, menacée par le réveil d'un nouvel empire oriental. Le triumvirat expirant en 32, Octavien, dans la perspective de la guerre contre Antoine, se fait prêter serment de fidélité par l'Italie, ce qui lui permet de conserver l'*imperium.* Vainqueur d'Antoine à Actium* (sept. 31), il occupe la Grèce, l'Asie et annexe l'Égypte.

Octavien règne seul désormais sur le monde romain; de 31 à 27 il procède à la remise en ordre de l'État et, en janvier 27, il remet au sénat la République restaurée par ses soins; l'Assemblée lui confie alors le gouvernement de plusieurs provinces et lui décerne le titre d'*Auguste* : « Depuis ce temps, écrit Auguste, je l'ai emporté sur tous en *autorité.* » Tout en revêtant les magistratures traditionnelles (consulat depuis 31, proconsulat), Auguste exerce, en fait, la réalité du pouvoir politique. En 23, la base constitutionnelle de son autorité est modifiée : Auguste dépose le consulat mais prend l'*imperium* proconsulaire, étendu à tout l'Empire *(imperium majus);* puis il reçoit tous les pouvoirs des tribuns, autrement dit tous les pouvoirs civils. Enfin, à la mort de Lépide, en 12, le peuple l'élit grand pontife. Ainsi est fondé un nouveau régime, le *principat,* qu'Auguste a l'habileté d'organiser derrière une façade républicaine, mais qui est dominé par l'*empereur,* dont les pouvoirs reposent sur trois bases : civile, par la puissance tribunitienne; militaire, par l'*imperium;* religieuse, par le grand pontificat.

Cette autorité, Auguste l'emploie à édifier les institutions qui vont consolider le nouvel État politique : il s'entoure d'un véritable conseil impérial, et le sénat, dépouillé de ses pouvoirs politiques, devient un corps plus qu'une assemblée. Il crée un corps de fonctionnaires nommés et recrutés par lui dans les classes supérieures, fortement organisées : l'ordre sénatorial (défini par un cens de un million de sesterces) et l'ordre équestre (400 000 sesterces), dont les membres sont tout entiers consacrés aux tâches administratives. Parmi les chevaliers, il recrute les préfets chargés de l'administration de Rome : les préfets du prétoire, chefs de la garde impériale, le préfet de l'annone* chargé du ravitaillement et le préfet des vigiles, chef de la police. Les provinces sont réparties en provinces impériales et en provinces sénatoriales; dans les premières, l'empereur envoie ses légats* *(legati Augusti propraetores),* nommés, payés et révoqués par lui; les secondes relèvent du sénat, qui y délègue des promagistrats (anciens consuls ou préteurs); mais Auguste, en vertu de son *imperium majus,* y exerce sa surveillance par l'intermédiaire de ses procurateurs. En même temps que la stabilité politique, Auguste instaure un ordre nouveau, qu'il fonde sur des valeurs morales héritées du passé, et rétablit les formes traditionnelles de la religion : culte de Mars et de Vénus...

Dans sa politique extérieure, Auguste préfère aux conquêtes la sécurité des frontières : il envoie des expéditions en Égypte et en Afrique. Il emploie autant l'action diplomatique que militaire : c'est ainsi qu'il obtient des Parthes*, en 20 av. J.-C., la restitution des enseignes de M. Licinius* Crassus. La seule entreprise offensive de son règne, la conquête de la Germanie* jusqu'à l'Elbe, se solde par l'échec de P. Quintilius* Varus (9 apr. J.-C.). La frontière est ramenée au Rhin, désigné par Auguste comme les bornes de l'Empire.

Auguste a élaboré l'ordre dans un monde ébranlé par un siècle de guerres civiles : il a développé, derrière une façade républicaine, un ordre monarchique, il a promu une classe de grands commis dévoués au prince, il a fondé la société sur des bases morales et religieuses nouvelles, et opéré des remaniements idéologiques dont les écrivains de son « siècle », Virgile* et Horace*, multiplient l'écho.

Mais le fondateur de l'Empire voulut que son œuvre lui survécût : en se présentant comme l'héritier des magistrats républicains, Auguste, qui n'a eu qu'une fille, Julie*, ne put appliquer la loi d'hérédité pratiquée dans une monarchie. Il désigna, de son vivant, au sénat et au peuple, ceux qu'il désirait avoir pour successeurs : son neveu, M. Claudius Marcellus, Agrippa, C. et L. César*, mais, tous ayant disparu avant l'ouverture de sa succession, l'Empire revint à sa mort à son beau-fils, Tibère*, qu'il avait adopté et associé à son pouvoir.

AUGUSTE II (Dresde 1670 - Varsovie 1733), Électeur de Saxe et roi de Pologne (1697-1733). Successeur de Jean Sobieski, il est un moment détrôné par Charles XII de Suède.

AUGUSTE III (Dresde 1696 - *id.* 1763), Électeur de Saxe et roi de Pologne (1733-1763). Fils d'Auguste II, il obtient le trône de Pologne contre Stanislas Leszczyński. (V. SUCCESSION DE POLOGNE *[guerre de la].*)

AUGUSTE, orfèvres parisiens du XVIIIe s. : ROBERT JOSEPH (1725 - v. 1795), maître en 1757, travailla pour les cours de France et de Suède et fut l'un des premiers à rompre avec la rocaille au profit du répertoire classique. — Son fils, HENRI (1759 - v. 1816), maître en 1785, innova sur le plan de la technique, alors en voie d'industrialisation (pièces coulées, voire embouties, au lieu d'être travaillées au marteau, usage de vis et écrous), comme sur celui du style, solennel et monumental (commandes de Louis XVI et de Napoléon).

AUGUSTIN, E n. Religieux, religieuse des instituts qui ont adopté la règle de saint Augustin.

AUGUSTIN *(saint),* Père de l'Église latine (Tagaste [auj. Souk-Ahras] 354 - Hippone 430). Romain d'Afrique, Augustin, malgré sa mère Monique, reste longtemps étranger à l'Église, cherchant dans les plaisirs charnels et les séductions du manichéisme une réponse à son inquiétude. Converti à Milan sous l'influence de l'évêque Ambroise*, il y est baptisé (387) et rentre en Afrique, où il se dépouille de ses biens, amorçant, avec quelques compagnons, une forme de vie cénobitique : expérience qu'il poursuivra étant évêque et qui lui permettra d'élaborer, à l'usage des religieux, ce qu'on appellera assez improprement la *règle* de saint Augustin.

Ordonné prêtre malgré lui, puis élu évêque d'Hippone (398), Augustin joue un rôle capital dans l'Église d'Occident par le rayonnement de sa pensée, de sa parole, de son zèle et de son immense œuvre écrite, d'où se détachent *la Cité de Dieu* (413-427), qui est « le traité fondamental de la théologie chrétienne de l'Histoire » (H. Marrou), les *Confessions* (397) et une correspondance universelle. Adversaire des doctrines hétérodoxes (manichéisme, donatisme, pélagianisme...), Augustin est un infatigable prédicateur (on a de lui 400 sermons authentifiés), en même temps qu'un exégète et un théologien consulté de partout, un pasteur constamment attentif au bien spirituel de ses ouailles et un écrivain racé qui donne ses lettres de noblesse au latin chrétien.

Augustin meurt au début du siège d'Hippone par les Vandales. Docteur de l'Église, son nom est attaché à diverses familles religieuses (Augustins) et à une tendance doctrinale dite « augustinisme* ».

AUGUSTIN *(saint),* évêque de Canterbury († Canterbury 604 ou 605). Moine bénédictin, il est choisi par le pape Grégoire Ier pour conduire les moines chargés d'évangéliser les Anglo-Saxons (596). Il convertit le roi du Kent Aethelberht, et devient le premier métropolitain de Canterbury.

AUGUSTINIEN, ENNE adj. et n. Qui concerne saint Augustin, ou sa théologie de la grâce.

AUGUSTINISME n. m. Doctrine de saint Augustin sur la grâce. ‖ Doctrine des jansénistes se réclamant de saint Augustin.

AUGUSTINS DE L'ASSOMPTION → ASSOMPTIONNISTES.

Augustinus (l'), titre de l'ouvrage posthume de Jansénius, évêque d'Ypres (1640), et dont les adversaires du jansénisme* prétendirent tirer des propositions hérétiques.

AUJOURD'HUI adv. (anc. fr. *hui,* lat. *hodie*). Dans le jour où l'on est; dans le temps présent : *il y a aujourd'hui trois semaines qu'il est parti; les hommes d'aujourd'hui.*

AULIQUE adj. (lat. *aula,* cour). *Hist.* Qui appartient à la cour d'un souverain.

AULIS, port de Béotie où, selon la légende, se rassembla la flotte des Grecs partant pour Troie*, et où Agamemnon fut contraint de sacrifier sa fille Iphigénie. C'est l'*Aulide* de Racine.

AULNAIE ou **AUNAIE** [onɛ] n. f. Lieu planté d'aulnes.

AULNAT (63510), comm. du Puy-de-Dôme, à 5 km à l'E. de Clermont-Ferrand; 4 724 hab. Aérodrome. Base et école de l'armée de l'air.

AULNAY (17470), ch.-l. de cant. de la Charente-Maritime, à 17 km au N.-E. de Saint-Jean-d'Angély; 1 505 hab. Église exemplaire de l'art roman de Saintonge (début XIIe s.).

AULNAY-SOUS-BOIS (93600), ch.-l. de cant. de la Seine-Saint-Denis, à 10 km au N.-E. de Paris; 76 032 hab. *(Aulnaisiens).* Église des XIIe et XVIIIe s. Constructions mécaniques. Produits chimiques.

AULNE ou **AUNE** [on] n. m. (lat. *alnus*). Arbre à feuilles tronquées au sommet, croissant souvent au bord de l'eau. (Haut. jusqu'à 20 m; famille des bétulacées; autre nom : *verne* ou *vergne.*)

AULNE, fl. de la Bretagne occidentale, né dans les monts d'Arrée, qui traverse le bassin de Châteaulin, avant de rejoindre la rade de Brest; 140 km.

AULNOY (Marie Catherine LE JUMEL DE BARNEVILLE, *comtesse* D'), femme de lettres française (Barneville v. 1650 - Paris 1705). Entre un mariage précoce avec un mari débauché qu'elle chercha à faire condamner à mort et une fin édifiante dans un couvent, elle donna de l'Espagne une image qui prévalut jusqu'au romantisme *(Relation du voyage d'Espagne,* 1690) et fut l'un des plus féconds et des plus célèbres auteurs de *Contes de fées.*

AULNOYE-AYMERIES (59620), comm. du Nord, à 12 km au N.-O. d'Avesnes-sur-Helpe, sur la Sambre; 10 320 hab. Sidérurgie.

AULNOY-LEZ-VALENCIENNES (59300 Valenciennes), comm. du Nord, banlieue sud de Valenciennes; 8 759 hab.

AULOFFÉE n. f. *Mar.* Remontée dans le vent grâce à la vitesse acquise.

AULT (80460), ch.-l. de cant. de la Somme, à 12 km au N.-E. du Tréport; 2 058 hab. *(Aultois).* Église des XVe-XVIe s. Station balnéaire.

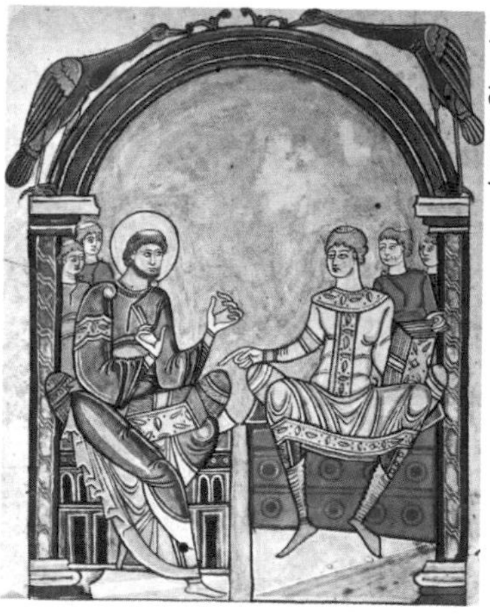

Lauros-Giraudon

Saint Augustin discutant avec Faustus en présence de leurs élèves. Miniature d'un manuscrit du XIIe s. (Bibliothèque municipale, Avranches.)

AULU-GELLE, grammairien et critique latin (Rome v. 130 apr. J.-C.). Ses notes de lecture *(Nuits attiques)* donnent de précieux renseignements sur les écrivains archaïques et la civilisation de l'Antiquité grecque et romaine.

Aulularia *(« la Marmite »),* comédie de Plaute (v. 190 av. J.-C.), qui inspira l'*Avare* * de Molière.

AULUS-LES-BAINS (09140 Seix), comm. de l'Ariège, à 33 km au S.-E. de Saint-Girons; 208 hab. Thermalisme.

AULX n. m. pl. Un des pluriels de *ail.*

AUMALE (76390), ch.-l. de cant. de la Seine-Maritime, à 45 km au S.-O. d'Amiens, sur la Bresle; 3 023 hab. *(Aumalois).* Église et hôtel de ville remontant aux XVIe-XVIIe s.

AUMALE, v. d'Algérie → SOUR EL-GHOZLANE.

AUMALE (Henri D'ORLÉANS, *duc* D'), général et historien français (Paris 1822 - Zucco, Sicile, 1897), quatrième fils de Louis-Philippe. Il se distingue en Algérie, où il enlève la smala d'Abd el-Kader (1843). Retiré en Angleterre en 1848, député à l'Assemblée nationale et élu à l'Académie française en 1871, il est rappelé à l'activité et préside, en 1872, le conseil de guerre qui condamne Bazaine. Auteur d'une *Histoire des princes de Condé* (1869), il a légué à l'Institut le château de Chantilly ainsi que ses collections, qui y sont conservées.

AUMANCE, riv. du départ. de l'Allier, affl. du Cher (r. dr.); 58 km. Gisement houiller dans la vallée.

AUMÔNE n. f. (gr. *eleêmosunê,* pitié). Ce qu'on donne aux pauvres par charité. ● *Faire l'aumône de,* accorder la faveur de.

AUMÔNERIE n. f. Charge d'aumônier.

AUMÔNIER n. m. Ministre d'un culte attaché à un établissement scolaire, religieux, hospitalier, pénitentiaire ou à une formation militaire. ● *Grand aumônier de France,* titre donné autref. au premier aumônier du roi.

AUMÔNIÈRE n. f. Bourse portée à la ceinture (vx).

AUMONT-AUBRAC (48130), ch.-l. de cant. de la Lozère, à 11 km au S. de Saint-Chély-d'Apcher, dans le Gévaudan; 1 049 hab.

AUNAIE n. f. → AULNAIE.

AUNAY-SUR-ODON (14260), ch.-l. de cant. du Calvados, à 32 km au S.-O. de Caen; 3 039 hab.

AUNE n. m. → AULNE.

AUNE n. f. (mot germ.). Anc. mesure de longueur, valant environ 1,188 m à Paris.

AUNEAU (28700), ch.-l. de cant. d'Eure-et-Loir, à 23 km à l'E. de Chartres; 3 184 hab. Château en partie médiéval. Constructions mécaniques.

AUNÉE n. f. Plante des lieux humides, à fleurs jaunes. (Famille des composées.)

AUNEUIL (60390), ch.-l. de cant. de l'Oise, à 11 km au S.-O. de Beauvais; 2 370 hab.

AUNIS, région calcaire du nord-ouest du départ. de la Charente-Maritime, entre la basse vallée de la Charente au S. et celle de la Sèvre Niortaise au N. V. princ. *La Rochelle.*

HISTOIRE. L'Aunis, dont le nom dérive de Châtelaillon *(Castrum Alionis,* puis *Pagus Alienensis),* était l'un des deux *pagi* de Saintes. Rattachée en 507 au *Regnum Francorum,* la région passe progressivement sous l'influence anglaise au XIIe s. Réunie à la Couronne en 1271, elle est ensuite donnée aux Anglais par le traité de Brétigny* (1360); elle fait définitivement retour à la France en 1371-1373. Fief du parti protestant au XVIe s., elle est dévastée par les guerres de Religion*. La prise de La Rochelle*, en 1628, marque le début de l'emprise totale de la royauté sur l'Aunis.

AUPARAVANT adv. (de *avant*). D'abord, avant une autre chose ou une autre époque.

AUPRÈS [de] loc. adv. et prép. Dans le voisinage (de) : *pour voir cela, il faut que je sois auprès; auprès de la maison.* ‖ Par comparaison avec : *votre mal n'est rien auprès du mien.* ‖ Dans l'opinion de : *je ne veux pas passer pour un imbécile auprès de lui.* ‖ En s'adressant à : *faire une demande auprès du ministre.*

AUPS (83630), ch.-l. de cant. du Var, à 29 km au N.-O. de Draguignan; 1 652 hab. Église gothique.

AUQUEL pron. relat. masc. (pl. *auxquels*). Forme correspondant à *à lequel.*

AURA n. f. (mot lat.). Signe avant-coureur d'une crise d'épilepsie. ‖ En occultisme, halo enveloppant le corps, visible aux seuls initiés. ‖ *Litt.* Atmosphère immatérielle enveloppant certains êtres : *une aura de sainteté.*

AURANGĀBĀD, v. de l'Inde (Mahārāshtra), au N.-E. de Bombay; 151 000 hab. Plusieurs édifices rappellent l'empereur moghol Aurangzeb, qui en fit sa résidence favorite; le site est aussi célèbre pour ses fondations bouddhiques creusées dans la falaise et décorées (IIe-VIIe s.).

AURANGZEB ou **AWRANGZĪB** (Dhod 1618-Aurangābād 1707), empereur moghol de l'Inde (1658-1707). Descendant de Timūr Lang, il se débarrasse de ses trois frères et devient le chef de l'Empire moghol*, que, par ses conquêtes, il porte à son apogée.

AURAY (56400), ch.-l. de cant. du Morbihan, sur la *rivière d'Auray* (estuaire du Loch), à 18 km à l'O. de Vannes; 10 185 hab. *(Alréens).* Église du XVIIe s. Vieilles maisons. Chapelle abritant les ossements des royalistes fusillés en 1795.

AURE *(vallée d'),* région des Pyrénées centrales (départ. des Hautes-Pyrénées), ouverte par la *Neste d'Aure* et la Neste de Louron, qui confluent à Arreau.

AUREC-SUR-LOIRE (43110), ch.-l. de cant. de la Haute-Loire, à 25 km au S.-O. de Saint-Étienne; 4 563 hab.

AUREILHAN (65800), ch.-l. de cant. des Hautes-Pyrénées, dans la banlieue nord-est de Tarbes; 7 818 hab.

Aurélia, *ou le Rêve et la vie,* dernier ouvrage de Gérard de Nerval (1855), que les besoins de la publication dans la *Revue de Paris* ont divisé

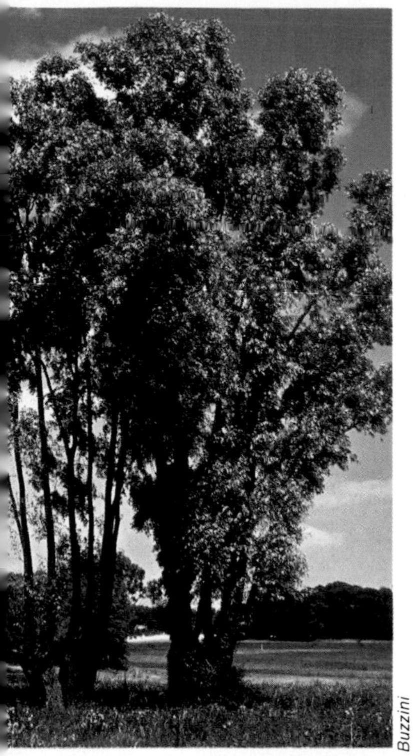

Buzzini

aulnes

artificiellement en deux parties. Accordant le même degré de réalité aux faits oniriques qu'aux événements de la vie quotidienne, Nerval décrit cette « seconde vie » qu'est le rêve, traversé par ses croyances d'illuminé, ses souvenirs d'amour, ses réminiscences littéraires.

AURÉLIE n. f. Grande méduse des mers tempérées, à l'ombrelle frangée de tentacules. (Type de la famille des *auréliacés.*)

AURÉLIEN (v. 214 - 275), empereur romain de 270 à 275. Originaire d'Illyrie, Aurélien se fait proclamer empereur par l'armée de Sirmium (270). L'Empire romain semble alors en voie de désagrégation : l'Orient (royaume de Palmyre*) et l'Occident (empire des Gaules) deviennent progressivement indépendants. Pour parer aux invasions barbares, Aurélien fait fortifier Rome (mur d'Aurélien) et bon nombre de cités gauloises. Puis il se consacre à la réunification de l'Empire. Sur le Danube, il bat les Goths (271), mais il préfère laisser la Dacie* aux Barbares pour se porter contre Zénobie*, reine de Palmyre, qui vient de rompre les derniers liens qui l'unissaient à Rome : Palmyre est prise en 273. Aurélien se tourne ensuite contre le maître de l'empire des Gaules, Tetricus, qui se rend et abdique (Châlons, 273). L'unité de l'Empire rétablie, Aurélien peut entreprendre des réformes qui traduisent un renforcement de l'autorité : le contrôle de l'État sur les corporations est accru, et l'Italie est divisée en régions confiées à des *correctores.* Voulant donner à sa monarchie l'appui d'une religion pratiquée par tous, il crée le culte du Soleil, dieu suprême universel dont l'empereur apparaît comme l'incarnation et le représentant sur terre : aussi Aurélien se fait-il appeler *deus* de son vivant. En proclamant le droit divin de l'empereur, il jette les bases d'un État où l'empereur, maître de toutes choses, va permettre le redressement du Bas*-Empire.

AURELLE DE PALADINES (Louis D') → LOIRE *(armées de la)* [1870-71].

AURÉOLE n. f. (lat. *aureola,* couleur d'or). Cercle dont les artistes entourent la tête des saints en signe de gloire. (Syn. NIMBE.) ‖ Halo autour d'un astre, sur une photographie. ● *L'auréole du martyre, du génie,* la gloire venue du martyre, du génie. ‖ *Auréole métamorphique,* zone entourant un batholite dont la mise en place a engendré un métamorphisme de contact.

Aureole, *white modern dance work* (« ballet blanc de danse moderne ») [chorégraphie de Paul Taylor, musique de Händel; New London, Connecticut, 1962]. Fluidité du mouvement et rigueur académique sont alliées à la jupe de mousseline blanche romantique.

AURÉOLER v. t. Entourer d'une auréole. ● *Être auréolé de,* être paré d'une auréole (de génie, de prestige, etc.).

AURÈS, massif de l'Algérie orientale; 2 328 m au *djebel Chelia.* Montagne aux formes lourdes, l'Aurès a été le refuge de populations berbères, les Chaouïas, qui s'opposèrent aux Romains puis aux Arabes et aux Français.

AURIC (Georges), compositeur français (Lodève 1899 - Paris 1983). Membre du groupe des Six, il sacrifie d'abord à son esthétique impertinente *(les Fâcheux,* 1924), puis s'exprime avec plus de force et d'ampleur *(Sonate pour piano)* et s'intéresse à la musique pure *(Imaginées* I à IV pour orchestre). Il est un des premiers à saisir l'importance de la musique de film *(À nous la liberté, l'Éternel Retour, la Belle et la Bête, Lola Montes).* Il administre la Réunion des théâtres lyriques nationaux de 1962 à 1968.

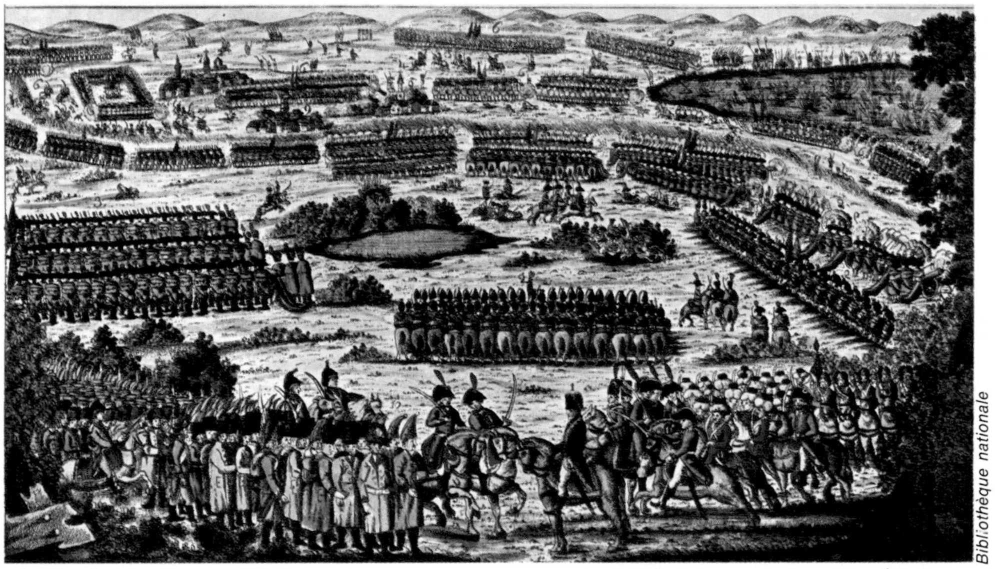

La bataille d'**Austerlitz.** Estampe. (Bibliothèque nationale, coll. de Vinck.)

Bibliothèque nationale

AURICULAIRE adj. (lat. *auricula,* petite oreille). Relatif à l'oreille. ● *Témoin auriculaire,* personne qui a entendu de ses propres oreilles.

AURICULAIRE n. m. Le petit doigt de la main.

AURICULE n. f. Lobe ou bout de l'oreille. ‖ Oreille externe tout entière. ‖ Portion de chacune des oreillettes du cœur, débordant sur les ventricules.

AURICULÉ, E adj. Muni d'auricules.

AURICULOTHÉRAPIE n. f. Thérapeutique dérivée de l'acupuncture qui consiste à traiter différentes affections par la piqûre de points déterminés du pavillon de l'oreille.

AURIFÈRE adj. (lat. *aurum,* or, et *ferre,* porter). Qui contient de l'or : *sable aurifère.*

AURIFIER v. t. Obturer une dent creuse en y introduisant de l'or.

AURIGE n. m. (lat. *auriga*). Dans l'Antiquité, conducteur de char.

AURIGNAC (31420), ch.-l. de cant. de la Haute Garonne, à 22 km au N.-E. de Saint-Gaudens; 1 128 hab. Site éponyme d'un faciès culturel du paléolithique supérieur.

AURIGNACIEN, ENNE adj. et n. m. (d'*Aurignac*). Se dit d'un faciès culturel du paléolithique supérieur dont l'industrie est caractérisée par des sagaies en bois de renne, des grattoirs et des lames de silex à retouche écailleuse. (Œuvre de l'homme de Cro-Magnon, la culture aurignacienne marque l'apparition de l'art figuratif en 30000-27000 avant notre ère.)

AURIGNY, en angl. **Alderney** la plus septentrionale des îles Anglo-Normandes, au large du cap de La Hague, dont elle est séparée par le raz Blanchart. Ch.-l. *Sainte-Anne.* Cultures maraîchères, fruitières et florales. Tourisme.

AURILLAC (15000), ch.-l. du départ. du Cantal, sur la Jordanne, à 547 km au S. de Paris; 33 197 hab. *(Aurillacois).* Monuments divers, vieilles maisons et musées. Centre commercial. Parapluies. Mobilier. Industrie pharmaceutique.

AURIOL (Vincent), homme politique français (Revel 1884 - Paris 1966). Socialiste, il est ministre des Finances du gouvernement du Front* populaire (1936-37). Après la guerre, il devient le premier président de la IVe République (1947-1954).

AURIQUE adj. *Mar.* Se dit de toute voile située dans l'axe du navire.

AUROBINDO (Śri), philosophe indien (Calcutta 1872 - Pondichéry 1950). Il consacre la seconde partie de sa vie à l'enseignement de sa pensée dans une communauté (āśram) qu'il fonde à Pondichéry en 1914 et qui, en 1968, comptera plus de 2 000 fidèles. Le pivot de sa doctrine, qu'il exprime notamment dans *la Synthèse des yogas* et *la Vie divine,* est le yoga*, qu'il conçoit comme la discipline permettant de reconnaître en soi la vérité de Dieu. Sous l'impulsion de ses disciples a été édifiée la cité d'Auroville.

AUROCHS [orɔk] n. m. (all. *Auerochs*). Espèce de bœuf sauvage de grande taille, aujourd'hui presque éteinte.

AURON, riv. du Berry, qui rejoint l'Yèvre (r. g.) à Bourges; 84 km.

AURON (06660 St Étienne de Tinée), station de sports d'hiver (alt. 1 600-2 400 m) des Alpes-Maritimes (comm. de Saint-Étienne-de-Tinée).

AURORA, v. du Canada (Ontario); 14 249 hab.

AURORAL, E, AUX adj. *Litt.* De l'aurore.

AURORE n. f. (lat. *aurora*). *Litt.* Lumière qui précède le lever du soleil : *se lever dès l'aurore.* ● *À l'aurore de* (Litt.), au commencement de. ‖ *Aurore polaire (boréale* ou *australe),* phénomène lumineux se produisant parfois dans le ciel des régions polaires. ◆ adj. inv. *Couleur aurore,* d'un jaune doré.

■ L'aurore polaire forme un arc lumineux d'où s'échappent des jets de lumière. Elle est due à la luminescence de la haute atmosphère sous l'action de particules électrisées issues du Soleil, dont les trajectoires sont déviées vers les pôles par le champ magnétique terrestre.

Aurore *(l'),* film américain de Friedrich Wilhelm Murnau (1927). Adapté d'un roman de Hermann Sudermann par le scénariste Carl Mayer, ce film, tourné à Hollywood, fut produit par William Fox, qui désirait s'attacher les services de F. W. Murnau, le cinéaste européen le plus coté en Amérique après le succès critique du *Dernier des hommes.* Cet émouvant « chant de l'Homme et de la Femme » (un jeune paysan séduit par une jolie citadine projette de tuer son épouse puis renonce à son forfait et, au cours d'un voyage périlleux sur un lac, sent renaître en lui le renouveau de la passion conjugale) fut l'un des derniers joyaux du cinéma muet. Ses qualités esthétiques ne lui évitèrent pas un cuisant échec commercial.

AUROS (33124), ch.-l. de cant. de la Gironde, à 11 km au S.-E. de Langon; 645 hab.

AUSCHWITZ, en polon. **Oświęcim,** v. de Pologne, à 30 km de Katowice. Des camps de concentration y furent créés par les Allemands (Oświęcim en 1940, Buna-Monowitz et Birkenau en 1941), où furent exterminés par asphyxie dans des chambres à gaz près de 4 millions de détenus, en majorité Juifs et Polonais. L'ancien camp d'Oświecim a été conservé comme témoignage de l'horreur du système concentrationnaire nazi.

AUSCITAIN, E adj. et n. D'Auch.

AUSCULTATION n. f. *Méd.* Action d'écouter les bruits émis par les organes, soit directement *(auscultation immédiate)* en appliquant l'oreille sur le corps, soit indirectement *(auscultation médiate)* par le stéthoscope, afin d'établir un diagnostic.

AUSCULTER v. t. (lat. *auscultare,* écouter). Pratiquer une auscultation.

AUSONE, poète latin (Burdigala [Bordeaux] v. 310 - *id.* v. 395). Précepteur du futur empereur Gratien, consul en 379, il fut le maître de saint Paulin et reste l'un des meilleurs représentants de la poésie descriptive *(la Moselle).*

AUSPICES n. m. pl. (lat. *auspicium;* de *avis,* oiseau, et *spicere,* examiner). Chez les Romains, présages qui se tiraient en général du vol ou du chant des oiseaux, de la manière dont ils mangeaient et de certains phénomènes célestes. ● *Sous les auspices de qqn* (Litt.), sous sa protection, avec son appui. ‖ *Sous les meilleurs auspices, sous d'heureux auspices* (Litt.), avec beaucoup de chances de succès.

AUSSI adv. (lat. *aliud,* autre chose, et *sic,* ainsi). Indique : 1° l'égalité : *il est aussi sympathique que vous; lui, aussi bien que sa femme, travaille;* 2° l'explication : *il est agressif, aussi chacun le fuit.* ● *Aussi bien* (Litt.), d'ailleurs, somme toute : *je ne partirai pas, aussi bien est-il trop tard.*

AUSSIÈRE n. f. Cordage employé pour l'amarrage des navires et les manœuvres de force. (On écrit aussi HAUSSIÈRE.)

AUSSILLON (81200 Mazamet), comm. du Tarn, banlieue de Mazamet; 8 178 hab.

AUSSITÔT adv. (de *aussi* et *tôt*). Au moment même, sur l'heure : *aussitôt après votre retour.* ◆ loc. conj. *Aussitôt que,* dès que.

AUSTEN (Jane), femme de lettres anglaise (Steventon 1775 - Winchester 1817). En marge de la première génération romantique, elle fit des mœurs provinciales de la petite bourgeoisie anglaise le lieu d'une œuvre romanesque, publiée anonymement et marquée par le réalisme de la peinture sociale et l'ironie froide de l'analyse psychologique *(Raison et sentiments,* 1811; *Orgueil et préjugé,* 1813; *Mansfield Park,* 1814; *l'Abbaye de Northanger,* 1818).

AUSTÉNITE n. f. (de *Austen,* n. propre). *Métall.* Constituant micrographique des aciers.

AUSTÉNITIQUE adj. Relatif à l'austénite.

AUSTÈRE adj. (lat. *austerus,* âpre au goût). Qui a de la sévérité dans ses principes, de la gravité dans son caractère : *une vie, un air austère.* ‖ Qui exclut la douceur : *une éducation austère.*

AUSTÈREMENT adv. Avec austérité.

AUSTÉRITÉ n. f. Sévérité, rigorisme.

AUSTERLITZ, en tchèque **Slavkov,** v. de Tchécoslovaquie (Moravie). Théâtre, le 2 décembre 1805, de la plus célèbre victoire de Napoléon, qu'il remporta sur les Autrichiens et les Russes. Dite aussi *bataille des Trois Empereurs,* cette victoire mit fin à la troisième coalition*.

AUSTIN, v. des États-Unis, capit. du Texas, sur la Colorado River; 345 000 hab. Université.

AUSTIN (John Langshaw), logicien britannique né à Lancaster (1911-1960), dont les travaux ont eu une importance décisive dans l'histoire des théories du langage *(Quand dire, c'est faire,* 1962).

AUSTRAL n. m. (pl. *australes*). Unité monétaire principale de l'Argentine.

AUSTRAL, E, ALS ou **AUX** adj. (lat. *auster,* vent du midi). Qui concerne la partie sud de la Terre ou d'un astre quelconque. (Contr. BORÉAL.)

AUSTRAL *(océan),* nom souvent donné à l'ensemble des eaux bordant le continent Antarctique.

AUSTRALANTHROPIEN, ENNE adj. et n. m. Se dit d'une forme primitive d'anthropien fossile (pliocène supérieur et pléistocène inférieur) comprenant le genre australopithèque et l'espèce *Homo habilis,* et constituant la charnière entre les hominidés et les hommes proprement dits.

AUSTRALASIE, nom parfois donné à l'ensemble géographique formé par l'Australie et la Nouvelle-Zélande.

AUSTRALES *(îles),* archipel de la Polynésie française, au S. de Tahiti; 164 km²; 5 208 hab.

AUSTRALES ET ANTARCTIQUES FRANÇAISES (TERRES), territoire français d'outre-mer, créé en 1955, regroupant l'archipel des Kerguelen, les îles Saint-Paul et Nouvelle-Amsterdam, l'archipel Crozet et la terre Adélie.

AUSTRALIE, en angl. **Commonwealth of Australia,** État de l'Océanie, membre du Common-

Paysage des régions désertiques de l'intérieur de l'Australie.

mains de grandes sociétés internationales, à capitaux surtout australiens, américains et britanniques. Les produits sont exportés bruts ou sont raffinés sur place. Sur le plan énergétique, la production d'hydrocarbures s'accroît (près de 25 Mt de pétrole), mais demeure inférieure à l'apport de charbon (135 Mt). Celui-ci alimente la sidérurgie (6 Mt d'acier), base de toute une gamme d'*industries de transformation*, mécaniques (constructions automobiles et navales) et électriques. Le textile utilise surtout la laine locale. Enfin, les industries alimentaires (sucreries, conserveries) sont en étroite liaison avec l'agriculture.

Le développement économique n'a pu se réaliser que grâce à l'essor du *réseau de communication*, dans ce pays où les distances sont énormes. La voie ferrée sert surtout au transport des matières pondéreuses (produits agricoles et miniers) vers les ports, alors que les voyageurs utilisent couramment l'avion.

L'Australie exporte principalement des matières premières, dont la moitié provient de l'agriculture (laine, blé). Elle doit encore importer du pétrole et des biens d'équipement. La *balance commerciale* est devenue excédentaire. L'essentiel des échanges se fait avec l'Asie (Japon), puis l'Europe (la Grande-Bretagne conserve des liens privilégiés à l'intérieur du Commonwealth) et les États-Unis. Ce pays aux ressources immenses possède l'un des niveaux de vie les plus élevés du monde. Mais il souffre de l'insuffisance du peuplement que la très forte mécanisation n'arrive guère à pallier.

HISTOIRE. Occupé partiellement par des populations dites « australoïdes », le continent australien attire les navigateurs hollandais (Willem Jansz, Abel J. Tasman) et anglais (William Dampier) au XVIIe s. La compétition franco-anglaise (Bougainville-Cook), qui se développe à partir de 1768, se dénoue au profit des Britanniques, qui voient dans l'Australie un relais de l'Amérique perdue et un trop-plein pour leurs condamnés *(convicts)*. La première colonie anglaise est établie à Port Jackson (Sydney) en janvier 1788 : c'est le noyau de la Nouvelle-Galles du Sud.

Bientôt, les gouverneurs se heurtent à l'oligarchie despotique du *New South Wales Corps*, que finit par mater l'énergique Macquarie (1808) : celui-ci, en construisant routes et bâtiments publics, en acclimatant le mouton mérinos et en poursuivant l'exploration du continent, fournit à l'Australie les éléments de son développement et de sa richesse.

Après Macquarie, l'Australie passe du stade de pénitencier à celui de colonie : la Nouvelle-Galles du Sud est en effet déclarée colonie de la Couronne en 1823; puis la Tasmanie reçoit un gouverneur (1825); l'Australie-Occidentale (1829), l'Australie-Méridionale (1836) et le Queensland (1859) sont fondés; l'envoi de *convicts* est arrêté (1840). Dès lors, l'Australie évolue vers le *self-government*, qui prend corps avec l'*Australian colonies government act* (1850). La découverte de l'or dans la région de Bathurst et le Victoria accélère, à partir de 1851, l'immigration britannique. En 1880, l'Australie compte 2 300 000 habitants. L'enrichissement inouï des éleveurs et des propriétaires a comme conséquences la prolétarisation des non-possédants et la formation d'un syndicalisme bien structuré, tandis que les visées françaises et allemandes en Océanie fortifient le courant unioniste, qui aboutit en 1899 à une constitution fédérale. Deux ans plus tard (1er janvier 1901), le *Commonwealth of Australia* est proclamé.

AUSTRALIE

Les montagnes Bleues, en Nouvelle-Galles du Sud.

Carte

INDONÉSIE — MER DE TIMOR — PAPOUASIE-NLLE-GUINÉE — MER DE CORAIL — OCÉAN INDIEN — OCÉAN INDIEN — MER DE TASMAN

Perth — Adelaide — MELBOURNE — SYDNEY — CANBERRA — Brisbane — Hobart — TASMANIE

route — v. ferrée — courbes : 200 500 1000 m

Lenars-Atlas-Photo

---

wealth; 7 700 000 km²; 15 800 000 hab. *(Australiens)*. Capit. *Canberra*.

GÉOGRAPHIE. L'Australie est *une île à la taille d'un continent*. Tout le centre du pays s'étend sur une vaste région déprimée. Celle-ci est bordée à l'O. par un ensemble de plateaux formés de terrains très anciens rabotés, tandis qu'à l'E. la Cordillère australienne (2 228 m au mont Kosciusko) domine une étroite plaine côtière. En raison de sa latitude, l'Australie est presque entièrement aride. Seuls le Nord, tropical, et une frange orientale et méridionale, méditerranéenne, échappent à la sécheresse. Le reste du pays est un désert couvert par une végétation discontinue, le scrub.

L'Australie est très peu peuplée : la densité moyenne atteint juste 2 habitants au kilomètre carré. La population se concentre dans les zones humides, surtout sur la côte orientale et méridionale. Elle est fortement urbanisée : plus de 80 p. 100 des habitants résident dans des villes, généralement portuaires. Le peuplement est essentiellement d'origine européenne. Les aborigènes (environ 40 000) ont été décimés et refoulés dans des réserves, où ils vivent de la chasse et de la cueillette. Actuellement, la popu-

lation s'accroît par l'excédent des naissances sur les décès, mais également par l'immigration qui se poursuit. Celle-ci est sévèrement contrôlée : l'Australie accueille surtout des Européens (dont la moitié est composée de Britanniques) et exclut les gens de couleur.

L'agriculture reste l'un des secteurs essentiels de l'économie. Les surfaces cultivables, assez restreintes en raison des conditions naturelles, progressent grâce à l'irrigation (aménagement du Murray). Elles produisent surtout des céréales (16 Mt de blé), mais aussi des fruits (agrumes, pommes), du vin et, sur la côte nord, de la canne à sucre et du coton. La culture est pratiquée dans de grandes exploitations fortement mécanisées. Les prairies artificielles permettent l'élevage intensif de bovins. Mais l'élevage se fait surtout dans les immenses propriétés extensives des régions arides. Les bovins (23 millions de têtes) fournissent lait et viande, les ovins (150 millions de têtes), viande et laine.

Le *sous-sol* recèle de nombreux minerais : du fer (60 Mt), de la bauxite (30 Mt), de l'uranium (près de 20 p. 100 des réserves mondiales) et divers métaux non ferreux (or, argent, plomb, zinc, manganèse, etc.). Leur exploitation est aux

Zuber-Top

Plusieurs crises (notamment celle de 1901, due à la sécheresse) provoquent l'arrivée au pouvoir fédéral, en 1910, du Labour Party, vainqueur des libéraux. Fortement engagée (330 000 volontaires, 60 000 tués) durant la Première Guerre mondiale, l'Australie est dominée, de 1920 à 1930, par le parti nationaliste, qui, lors de la crise mondiale de 1929, doit céder la place au Labour : celui-ci essaie de sauver la face en vendant l'or, mais il ne peut éviter le chaos économique et même, pendant un moment (1932), une atmosphère de guerre civile, tandis que les progrès de la puissance japonaise amènent le gouvernement à mettre sur pied un plan de défense nationale (1939). De fait, l'Australie est tout de suite et massivement engagée dans la Seconde Guerre mondiale (750 000 mobilisés, 30 000 morts), dont elle sort fortifiée : sur le plan économique, par le développement d'une industrie moderne; sur le plan diplomatique en devenant, dans l'Asie du Sud-Est, le partenaire privilégié des États-Unis.

Cependant, l'après-guerre est marqué par de graves difficultés. Le leader libéral, Robert Gordon Menzies, au pouvoir de 1949 à 1966, est secondé par une équipe qui met sur pied un programme économique sévère : celui-ci permet de maîtriser inflation et récession, et, à partir de 1963, d'assurer l'essor du pays. Après la démission de Menzies (1966), et sous la présidence des libéraux Harold Holt (1966-67), John Grey Gorton (1967-1971) et William McMahon (1971-72), qui s'appuient sur l'union des libéraux et des agrariens, un nouveau parti, le parti libéral réformiste, pousse le pays vers une voie originale : tout en maintenant des liens spéciaux avec la Couronne britannique, l'Australie se tourne en effet — et délibérément — vers le marché japonais et appuie totalement l'action des États-Unis dans le Sud-Est asiatique. Cette politique rencontre l'hostilité des travaillistes (Labour), qui reviennent au pouvoir avec Edward Gough Whitlam, après les élections de décembre 1972, mais qui doivent le quitter en 1975 au profit des conservateurs (Malcolm Fraser). En 1983, avec Robert Hawke, les travaillistes sont de nouveau au pouvoir. Ils s'y maintiennent au terme des élections de juillet 1987. En 1986, l'*Australia Act* abolit les derniers pouvoirs d'intervention directe de la Grande-Bretagne dans les affaires australiennes.

AUSTRALIE-MÉRIDIONALE, État de l'Australie, sur l'océan Indien; 984 377 km²; 1 302 000 hab. Capit. *Adélaïde.* La densité de population dépasse de peu 1 habitant au kilomètre carré, mais ce chiffre a peu de signification, près des trois quarts des habitants étant concentrés dans l'agglomération d'Adélaïde. Le reste du territoire, au climat aride, est un désert ou le support d'un élevage (ovins) très extensif. Le sous-sol fournit surtout du minerai de fer.

AUSTRALIEN, ENNE adj. et n. D'Australie.

AUSTRALIE-OCCIDENTALE, État de l'Australie, sur l'océan Indien; 2 527 621 km²; 1 276 000 hab. Capit. *Perth.* Vaste comme près de cinq fois la France, l'État, au climat généralement désertique, est presque vide, en dehors de l'agglomération de Perth (qui regroupe près des trois quarts de sa population) et des sites d'exploitation minière (minerai de fer surtout, pétrole, or, etc.).

AUSTRALOPITHÈQUE n. m. Genre d'australanthropien reconnu en Afrique australe et orientale, auteur des premiers outils taillés (3 millions d'années).

AUSTRASIE, royaume de l'est de la Gaule (par opposition à la Neustrie*, royaume de l'ouest). Il comprenait la rive gauche du Rhin, les régions de la Moselle, de la Meuse et de l'Escaut et, à l'E. du Rhin, les régions soumises aux Francs*, avec Metz pour capitale. Constituée en 511, l'Austrasie, après une longue rivalité avec la Neustrie, se révolta. Pépin d'Herstal, par la victoire de Tertry* (687), affirma la prédominance du royaume de l'Est et prépara l'avènement des Carolingiens*, qui en sont originaires.

AUSTRONÉSIEN, ENNE adj. et n. Syn. de MALAYO-POLYNÉSIEN.

austro-prussienne *(guerre),* conflit qui, en 1866, opposa la Prusse, soutenue par l'Italie, à l'Autriche, appuyée par les principaux États allemands (Bade, Bavière, Hanovre, Hesse, Saxe, Wurtemberg). Voulue par Bismarck, cette guerre eut pour but d'évincer l'Autriche au profit de la Prusse dans sa position de puissance dominante en Allemagne. Les opérations, conduites par Moltke, se déroulèrent en Allemagne, en Italie (victoires autrichiennes à Custoza et, sur mer, à Lissa) et surtout en Bohême, où les Prussiens remportèrent la victoire décisive de Sadowa (3 juillet) qui les conduisit à 60 km de Vienne. La paix de Prague (23 août 1866) consacrait cette victoire, tandis que par le traité de Vienne (3 octobre), obtenu par l'arbitrage de Napoléon III, l'Autriche cédait la Vénétie à l'Italie.

AUTAN n. m. (mot prov.). *Autan blanc,* vent violent, chaud et très sec du sud-est, qui souffle sur le Toulousain.

AUTANT adv. (lat. *aliud,* autre chose, et *tantum,* tellement). Marque l'égalité de quantité, d'intensité, de qualité : *je travaille autant qu'un autre; autant d'hommes que de femmes; le rubis ne vaut pas autant que le diamant;* etc. ● *Autant dire que,* c'est comme si. ‖ *D'autant,* dans la même proportion : *payez un acompte, vous diminuerez d'autant vos dettes.* ‖ *Pour autant,* cependant. ‖ *Tout autant,* autant que. ◆ loc. conj. *Autant que,* dans la mesure où : *autant que je le sache.* ‖ *D'autant que, d'autant plus que,* vu, attendu que.

Autant en emporte le vent, film américain de Victor Fleming (1939). Cette adaptation d'un best-seller de Margaret Mitchell (1936), décrivant la vie tumultueuse et romanesque d'une famille sudiste déchirée par la guerre de Sécession, demeura longtemps en tête du box-office américain. Cette superproduction fut en effet l'une des premières fresques cinématographiques à bénéficier des prestiges de la couleur et fut en outre soutenue par une distribution éclatante (Vivien Leigh, Clark Gable, Olivia De Havilland, Leslie Howard).

AUTANT-LARA (Claude), metteur en scène de cinéma français (Luzarches 1901). Costumier et décorateur, il dirigea en 1927 *Construire un feu,* premier essai de Cinémascope. Parmi ses autres films, on citera : *le Mariage de Chiffon* (1942), *Douce* (1943), *le Diable au corps* (1947), *Occupe-toi d'Amélie* (1949), *l'Auberge rouge* (1951), *la Traversée de Paris* (1956) et *En cas de malheur* (1958).

AUTARCIE n. f. (gr. *autarkeia,* qui se suffit à soi-même). Régime économique d'un pays qui se suffit à lui-même.

AUTARCIQUE adj. Fondé sur l'autarcie.

AUTEL n. m. (lat. *altare*). Autref., table pour les sacrifices : *dresser, élever un autel.* ‖ Table où l'on célèbre la messe.

AUTERIVE (31190), ch.-l. de cant. de la Haute-Garonne, sur l'Ariège, à 32 km au S. de Toulouse; 5 436 hab.

AUTEUIL, quartier résidentiel de Paris (XVIe arr.). Hippodrome.

AUTEUR n. m. (lat. *auctor*). Celui qui est la cause, le responsable : *l'auteur d'une découverte, d'un accident.* ‖ Écrivain, rédacteur d'une chronique, d'un article. ‖ *Dr.* Celui de qui une personne (l'*ayant cause*) tient un droit. ● *Droit d'auteur,* droit exclusif d'exploitation reconnu à quiconque sur toute création originale manifestant sa personnalité, qu'il s'agisse de lettres, de sciences ou d'arts.

AUTHENTICITÉ n. f. Caractère de ce qui est authentique, vrai.

AUTHENTIFICATION n. f. Action d'authentifier.

AUTHENTIFIER v. t. Rendre authentique, légaliser, certifier.

AUTHENTIQUE adj. (gr. *authentikos,* qui agit de sa propre autorité). Qui ne peut être contesté; véridique, exact; qui correspond à la vie profonde, vrai : *histoire authentique; une émotion authentique.* ‖ *Dr.* Revêtu des formes légales requises : *acte authentique.*

AUTHENTIQUEMENT adv. De façon authentique.

AUTHIE, fl. côtier du nord de la France qui rejoint la Manche au S. de Berck; 100 km.

AUTHION, riv. de l'Anjou, affl. de la Loire (r. dr.); 100 km.

AUTHON-DU-PERCHE (28330), ch.-l. de cant. d'Eure-et-Loir, à 17 km au S.-E. de Nogent-le-Rotrou; 1 319 hab.

AUTISME n. m. (gr. *autos,* soi-même). Repli pathologique sur son monde intérieur avec perte du contact avec la réalité et impossibilité de contact avec les autres.

AUTISTE adj. et n. Atteint d'autisme.

AUTISTIQUE adj. Relatif à l'autisme.

AUTO n. f. Automobile.

AUTO n. m. → AUTO SACRAMENTAL.

AUTO-ACCUSATEUR, TRICE adj. Qui relève de l'auto-accusation.

AUTO-ACCUSATION n. f. Accusation qu'un sujet porte sur lui-même, concernant des fautes réelles ou imaginaires.

AUTO-ADHÉSIF, IVE adj. Syn. de AUTOCOLLANT.

AUTO-ALARME n. m. *Mar.* Appareil récepteur de radio qui enregistre automatiquement les signaux de détresse.

AUTO-ALLUMAGE n. m. Allumage spontané du mélange détonant dans le cylindre d'un moteur, souvent provoqué par la calamine.

AUTO-AMORÇAGE n. m. Amorçage spontané d'une machine ou d'une réaction, effectué sans l'action d'un agent extérieur.

AUTO-ANALYSE n. f. Introspection psychologique.

AUTOBIOGRAPHIE n. f. Vie d'une personne écrite par elle-même.

Autobiographie, récit de John Cowper Powys (1934). Moins un portrait en pied qu'une radiographie de son être créateur, à travers les troubles d'une sexualité anomale et le rituel compliqué de la célébration d'un mythe personnel.

AUTOBIOGRAPHIQUE adj. Relatif à la vie même d'un auteur.

AUTOBUS n. m. (de *auto,* et *bus,* abrév. de *omnibus*). Grand véhicule automobile de transport en commun urbain.

AUTOCAR n. m. Grand véhicule automobile de transport collectif, routier ou touristique.

AUTOCASSABLE adj. Se dit d'une ampoule qui peut être cassée sans lime.

AUTOCENSURE n. f. Censure effectuée par qqn sur ses propres textes.

AUTOCENSURER (S') v. pr. Pratiquer sur ses écrits une autocensure.

AUTOCÉPHALE adj. Se dit des Églises orthodoxes ou des évêques métropolitains orthodoxes qui déclarent ne dépendre que d'eux-mêmes.

AUTOCHENILLE n. f. Automobile sur chenilles à l'arrière, et munie de roues à l'avant.

AUTOCHTONE [otoktɔn] adj. et n. (gr. *khthôn,* terre). Originaire du pays qu'il habite et dont les ancêtres ont toujours habité le pays. (Syn. ABORIGÈNE.) ‖ *Géol.* Dans les régions à structure charriée, se dit d'un terrain qui n'a pas subi de déplacement latéral et sur lequel se sont avancées les nappes de charriage.

AUTOCLAVE n. m. et adj. (lat. *clavis,* clef). Récipient à parois épaisses et à fermeture hermétique pour réaliser sous pression soit une réaction industrielle, soit la cuisson ou la stérilisation à la vapeur.

AUTOCOAT [otokot] n. m. (angl. *coat,* manteau). Vêtement de longueur intermédiaire entre celle de la veste et celle du manteau.

AUTOCOLLANT, E adj. Se dit de surfaces recouvertes d'une gomme qui adhère sans être humectée. ◆ n. m. Image, vignette autocollante.

AUTOCONSOMMATION n. f. Utilisation par les agriculteurs des produits de leur propre exploitation pour leur consommation.

AUTOCOPIANT, E adj. Se dit d'un papier chimiquement préparé sur lequel une pression localisée donne le double de l'original écrit ou dactylographié.

AUTOCORRECTIF, IVE adj. Se dit d'un processus permettant l'autocorrection.

AUTOCORRECTION n. f. Dispositif permettant au sujet de contrôler ses réponses à une épreuve de connaissances.

AUTO-COUCHETTE adj. inv. Se dit d'un train spécialisé dans le transport simultané des voyageurs et de leurs automobiles. (On écrit aussi AUTOS-COUCHETTES.)

AUTOCRATE n. m. (gr. *autokratês,* qui gouverne lui-même). Monarque absolu.

AUTOCRATIE [otokrasi] n. f. Système politique dans lequel le souverain dispose d'un pouvoir absolu.

AUTOCRATIQUE adj. Relatif à l'autocratie.

AUTOCRITIQUE n. f. Jugement qu'une personne porte sur sa propre conduite, particulièrement dans le domaine politique.

AUTOCUISEUR n. m. Récipient métallique et à fermeture hermétique destiné à la cuisson des aliments à la vapeur, sous pression.

AUTODAFÉ n. m. (portug. *auto da fé,* acte de foi). Proclamation solennelle d'un jugement prononcé par l'Inquisition. ‖ L'exécution du coupable (souvent par le feu). ‖ Destruction par le feu.

AUTODÉFENSE n. f. Action de se défendre soi-même par ses seuls moyens.

AUTODESTRUCTEUR, TRICE adj. Qui vise à se détruire soi-même.

AUTODESTRUCTION n. f. Destruction par soi-même.

AUTODÉTERMINATION n. f. Droit d'un peuple à décider de lui-même le régime politique qui lui convient.

AUTODIDACTE adj. et n. (gr. *didaskein,* enseigner). Se dit d'une personne qui s'est instruite elle-même.

AUTODIRECTEUR adj. et n. m. Se dit d'un système de guidage permettant à un véhicule ou à un missile de se diriger vers son objectif sans intervention extérieure.

AUTODISCIPLINE n. f. Discipline volontaire que s'impose un individu ou un groupe, sans contrôle de l'extérieur.

AUTODROME n. m. (gr. *dromos,* course). Piste pour courses et essais d'automobiles.

AUTO-ÉCOLE n. f. (pl. *auto-écoles*). École où l'on enseigne la conduite automobile à des candidats au permis de conduire.

AUTO-ÉLÉVATEUR, TRICE adj. Se dit d'un engin capable de modifier une de ses dimensions verticales par coulissement de certains de ses éléments.

AUTO-ÉROTIQUE adj. Relatif à l'auto-érotisme.

AUTO-ÉROTISME n. m. Recherche d'une satisfaction sexuelle sans recours à un partenaire.

AUTOFÉCONDATION n. f. *Bot.* Fécondation des ovules d'une fleur par le pollen de la même fleur.

AUTOFINANCEMENT n. m. Financement que l'entreprise réalise par ses propres moyens, sans le concours des associés ou actionnaires et de capitaux d'emprunt, et destiné pour l'essentiel à la réalisation d'investissements.

AUTOFINANCER (S') v. pr. Pratiquer l'autofinancement.

AUTOFOCUS [-kys] adj. (mot angl., de *to focus,* mettre au point). Se dit d'un système de mise au point automatique équipant un appareil photo, une caméra, un projecteur, etc. ◆ n. m. Appareil équipé selon ce système.

AUTOGAMIE n. f. (gr. *gamos,* mariage). *Zool.* Union de gamètes mâle et femelle provenant du même individu animal (ténia).

AUTOGÈNE adj. *Soudure autogène,* soudure de deux pièces d'un même métal par fusion, avec ou sans apport d'un métal ayant la même composition.

AUTOGÉRÉ, E adj. Soumis à l'autogestion.

AUTOGESTION n. f. Gestion d'une entreprise, d'une collectivité par les travailleurs eux-mêmes. ‖ Système de gestion collective en économie socialiste.

AUTOGESTIONNAIRE adj. et n. Relatif à l'autogestion.

AUTOGIRE n. m. (esp. *autógiro*). Aéronef dont la sustentation est due au mouvement circulaire d'un rotor tournant librement sous l'action du vent relatif créé par le déplacement horizontal de l'appareil.

AUTOGRAPHE adj. et n. m. (gr. *graphein,* écrire). Écrit de la main même de l'auteur : *lettre autographe de Napoléon.*

AUTOGRAPHIE n. f. Procédé d'impression par double décalque d'un texte écrit à l'encre grasse.

AUTOGRAPHIQUE adj. Relatif à l'autographie.

AUTOGREFFE n. f. Greffe sur un sujet à partir d'un greffon prélevé sur lui-même.

AUTOGUIDAGE n. m. Procédé permettant à un mobile de diriger lui-même son mouvement vers le but qui lui a été assigné.

AUTOGUIDÉ, E adj. Se dit d'un mobile, d'un missile dirigé par autoguidage.

AUTO-IMMUNE adj. f. *Maladie auto-immune,* affection qui est due à l'auto-immunité.

AUTO-IMMUNITAIRE adj. Relatif à l'auto-immunité.

AUTO-IMMUNITÉ ou **AUTO-IMMUNISATION** n. f. Phénomène par lequel un organisme sécrète les anticorps dirigés contre certains de ses propres constituants.

AUTO-INDUCTANCE n. f. Syn. de SELF-INDUCTANCE.

AUTO-INDUCTION n. f. Syn. de SELF-INDUCTION.

AUTO-INTOXICATION n. f. Ensemble des troubles produits par les déchets non ou mal éliminés de l'organisme.

AUTOLUBRIFIANT, E adj. Qui assure sa propre lubrification, sans intervention de lubrifiant externe.

AUTOLYSAT [otɔliza] n. m. Liquide comestible résultant de l'autolyse de la viande ou du poisson dans certaines conditions.

AUTOLYSE n. f. *Biol.* Destruction des tissus animaux ou végétaux par les enzymes qu'ils contiennent eux-mêmes. (Le *blettissement* des fruits est une autolyse.) ‖ *Psychol.* Suicide.

AUTOMATE n. m. (gr. *automatos,* qui se meut par lui-même). Machine imitant le mouvement d'un être vivant. ‖ Dispositif assurant un enchaînement automatique et continu d'opérations arithmétiques et logiques. ‖ Personne qui agit comme une machine.

AUTOMATICIEN, ENNE n. Spécialiste de l'automatique et de l'automatisation.

AUTOMATICITÉ n. f. Caractère de ce qui est automatique.

AUTOMATION [ɔtɔmasjɔ̃] n. f. Création d'automates. ‖ Syn. d'AUTOMATISATION.

AUTOMATIQUE adj. Qui s'exécute sans la participation de la volonté : *mouvement automatique.* ‖ Qui intervient d'une manière régulière, qui doit forcément se produire. ‖ Qui opère par des moyens mécaniques : *téléphone automatique.* ● *Arme automatique,* arme à feu qui, sans être rechargée, peut tirer sans interruption une rafale de plusieurs projectiles.

AUTOMATIQUE n. m. Téléphone automatique. ‖ Pistolet automatique.

AUTOMATIQUE n. f. Science et technique de l'automatisation, qui étudient les méthodes scientifiques et les moyens technologiques utilisés pour la conception et la construction des systèmes automatiques.

■ L'automatique est l'aspect technique de la cybernétique. Elle présente des liens étroits avec les mathématiques, les statistiques, la théorie de l'information, l'informatique et les techniques de l'ingénieur. On distingue, d'une part, l'*automatique théorique,* ensemble des méthodes mathématiques d'analyse et de synthèse des systèmes automatiques et de leurs éléments, et, d'autre part, l'*automatique appliquée,* qui traite des problèmes pratiques d'automatisation grâce à la théorie et à la technologie des capteurs, des amplificateurs, des actionneurs et des ordinateurs. Le fonctionnement de tout système automatique résulte de la confrontation d'une *information de commande,* décrivant le programme désiré, à une *information d'état;* des ordres sont donnés aux organes d'action, ou *actionneurs,* qui agissent sur le système commandé, modifiant ainsi son état. Cette suite d'opérations constitue une boucle, qui est le siège d'opérations de commande et de contrôle dont l'ensemble assure la conduite de l'installation : *conduite = commande + contrôle.*

• Dans les *automatismes à programme chronométrique,* comme les tours automatiques, l'information d'état se réduit à une information de sécurité, qui arrête la machine en cas de danger.

• Dans les *automatismes séquentiels,* dont l'ascenseur est un exemple connu de tous, l'information d'état est fournie par des capteurs binaires, tels que des contacts de fin de course, et le traitement de l'information est de nature logique. Le programme est constitué par une suite, ou séquence, de phases opératoires s'enchaînant les unes aux autres selon un ensemble de règles logiques. Ces systèmes constituent la grande majorité des automatismes industriels — notamment dans les fabrications mécaniques — et des automatismes électroménagers. Les ordinateurs, dont le programme est enregistré dans une mémoire de grande capacité, en sont la forme la plus élaborée.

• Dans les *systèmes asservis,* l'information d'état prend la forme d'une ou de plusieurs mesures caractérisant l'état du système. L'énergie communiquée aux actionneurs est dosée d'après les écarts entre ces mesures et les valeurs désirées, et la boucle de conduite agit comme un système de zéro automatique tendant sans cesse à annuler l'écart entre l'état actuel et l'état désiré. De plus, ce principe d'asservissement tend à réduire l'influence des perturbations extérieures. On distingue les *régulateurs,* grâce auxquels une grandeur réglée est astreinte à conserver le mieux possible une valeur constante dite « de consigne », des *servomécanismes,* ou *asservissements,* dans lesquels une grandeur de sortie doit suivre le mieux possible les évolutions d'une grandeur d'entrée.

• Dans les systèmes *autoadaptatifs,* qui possèdent, outre la faculté d'autocorrection des écarts, une faculté d'autoréglage qui leur permet de fonctionner correctement dans des conditions extérieures très diverses, la résistance aux perturbations et aux fluctuations de l'environnement est accrue.

• Dans les *systèmes autodidactiques,* enfin, le programme de traitement de l'information s'élabore et se perfectionne en cours de fonctionnement par autoapprentissage sous la conduite d'un superprogramme. Ce principe est appliqué notamment en reconnaissance automatique des formes et des sons.

AUTOMATIQUEMENT adv. De façon automatique.

AUTOMATISATION n. f. Exécution automatique de tâches industrielles, administratives ou scientifiques sans intervention humaine intermédiaire, depuis les plus simples, comme la régulation de la température d'un four, jusqu'aux plus complexes, comme celles qui sont assumées par des ordinateurs pour la gestion d'un établissement de crédit.

■ Le contenu du mot « automatisation » ne diffère en rien de celui de l'anglicisme *automation.* L'automatisation conduit généralement à repenser le processus considéré et à remettre en question les habitudes acquises et les solutions traditionnelles. En confiant à des organes technologiques tout ou partie des fonctions intellectuelles intervenant dans la conduite d'un processus, l'automatisation se place à un niveau supérieur à la *mécanisation.* Les problèmes d'automatisation industrielle et administrative sont confiés respectivement aux automaticiens et aux informaticiens, auxquels se joignent les spécialistes du processus à automatiser, constituant ainsi des équipes pluridisciplinaires. L'automatisation d'un processus se situe dans un cadre technico-économique dont elle ne constitue qu'un des aspects; elle est liée au processus lui-même, à l'étude des besoins justifiant son automatisation et à la distribution des produits fabriqués ou à la prestation des services rendus. Elle fait partie intégrante de la conception et de la gestion des grands ensembles industriels, administratifs et commerciaux. Elle constitue l'un des facteurs d'accroissement de la productivité et de la qualité. Les principaux *composants* de l'automatisation sont les émetteurs et les capteurs d'information, les actionneurs et leurs amplificateurs de puissance, ainsi que les organes de traitement de l'information, notamment les ordinateurs; leur nature dépend de celle du système considéré, automatisme séquentiel ou système asservi. Toutes les techniques y ont leur place : pneumatique, hydraulique, électrotechnique et électronique. Dans un nombre croissant d'installations industrielles, un *ordinateur de conduite* se charge de calculs de bilans d'énergie ou de matières, de la surveillance des grandeurs pouvant prendre des valeurs dangereuses, de la conduite séquentielle du démarrage et de l'arrêt, de calculs sur les mesures, etc. Mais l'ordinateur peut également effectuer des calculs d'auto-adaptation ou d'autooptimalisation; les conditions de fonctionnement optimal sont imposées au processus, soit indirectement par l'intermédiaire de régulateurs classiques pilotés par l'ordinateur, soit directement dans le cas de la conduite numérique directe. Dans les systèmes de *conduite hiérarchisée,* un ordinateur central détermine les consignes générales communiquées à des calculateurs spécialisés pilotant les divers éléments de l'installation. Même dans le domaine des fabrications mécaniques, où la plupart des automatismes sont du type séquentiel, l'ordinateur a fait son apparition sous la forme des commandes numériques de machines-outils, qui permettent de commander le choix et le trajet des outils au moyen d'un programme enregistré sur bande magnétique ou perforée.

AUTOMATISER v. t. Rendre le fonctionnement automatique.

AUTOMATISME n. m. Caractère de ce qui est automatique. ‖ Mécanisme ou système automatique. ‖ Mécanisme psychique, repris des expériences médiumniques du XIXᵉ s., dont les surréalistes ont prôné l'usage dans la création littéraire (« écriture automatique ») et artistique. • *Automatisme mental,* (Psychiatr.), pour un sujet, impression qu'une partie de sa vie psychique lui échappe et est soumise à une influence extérieure. ‖ *Automatisme séquentiel,* système automatique dont le fonctionnement est constitué par l'enchaînement d'une suite ou séquence de phases opératoires. (On dit aussi AUTOMATISME À SÉQUENCES.)

AUTOMÉDICATION n. f. Choix et prise de médicaments sans avis médical.

AUTOMITRAILLEUSE n. f. Véhicule blindé, rapide, à roues, armé de mitrailleuses et de canons.

AUTOMNAL, E, AUX adj. De l'automne.

AUTOMNE [otɔn] n. m. (lat. *autumnus*). Saison qui succède à l'été et précède l'hiver, et qui, dans l'hémisphère boréal, commence le 22 ou le 23 septembre pour finir le 21 ou le 22 décembre. • *À l'automne de la vie* (Litt.), au déclin de la vie.

Automne à Pékin *(l'),* roman de Boris Vian (1947). Un conte surréaliste où l'on retrouve les influences conjointes de *la Tentation de saint Antoine* de Flaubert et de la peinture de Salvador Dalí.

AUTOMOBILE adj. Se dit de ce qui se meut par soi-même. ‖ Qui relève de l'automobile : *coureur automobile; industrie automobile.*

AUTOMOBILE n. f. Véhicule muni d'un moteur et destiné au transport individuel ou familial. (Syn. VOITURE.)

■ L'automobile a pour ancêtre la voiture hippomobile, modifiée par la substitution d'un moteur thermique au cheval de traction. Après des essais sans lendemain du moteur à vapeur et du moteur électrique, le moteur à essence, dit « à explosion », fut seul adopté, le diesel à huile lourde étant généralement réservé à l'équi-

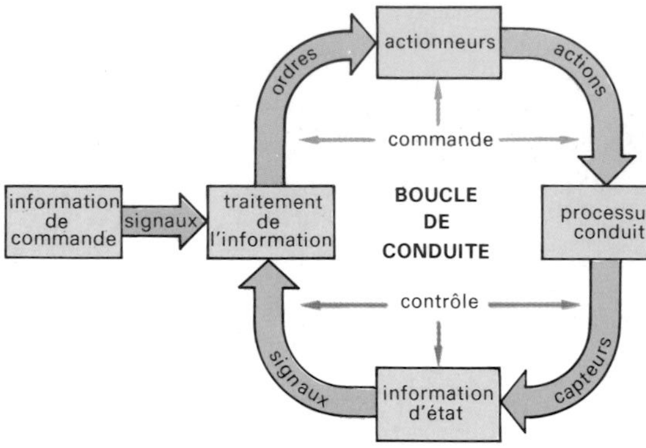

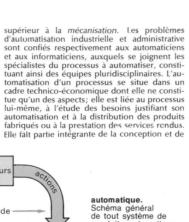

automatique. Schéma général de tout système de conduite automatique. La bande de conduite du processus comprend une chaîne de commande ou d'action et une chaîne de contrôle ou de réaction.

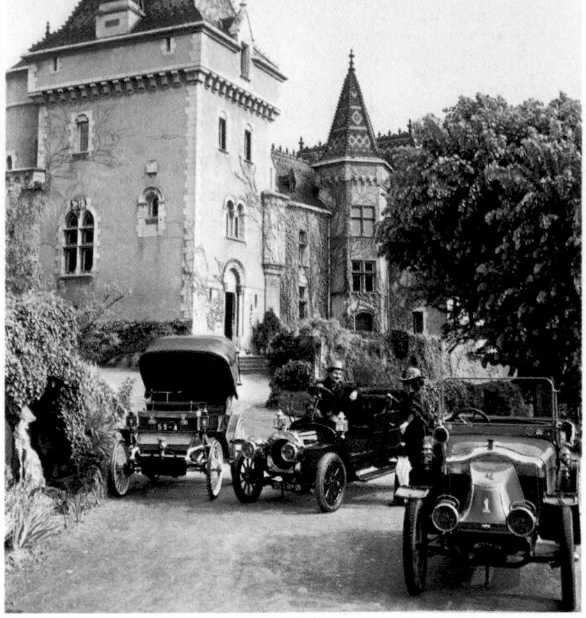

Musée Henri Malatre

AUTOMOBILE

De gauche à droite, Peugeot 1895, Chenard et Walcker 1905, Clément Bayard 1913.

Traction avant Citroën, modèle 11 CV.

les grandes dates de l'automobile

1771	« Fardier » de Cugnot*, à trois roues, mû par la vapeur.
1821	Diligence à vapeur de l'Anglais Julius Griffith.
1860	Brevet de Lenoir* pour un moteur fonctionnant soit au gaz* d'éclairage, soit par combustion d'hydrocarbures.
1862	Cycle à quatre temps de Beau de Rochas*.
1873	La *Mancelle* à vapeur d'Amédée Bollée*.
1876	Premier moteur à essence à soupapes latérales, fonctionnant selon le cycle de Beau de Rochas et dû à Otto*.
1880	Invention du pneumatique par Dunlop*.
1883	Voiture de Delamarre-Debouteville*, qui, actionnée par un moteur à explosion — alimenté d'abord au gaz d'éclairage, puis (1884) à l'essence —, fut la première automobile à circuler en vitesse sur route.
1887	Tricycle à vapeur de Serpollet*, avec chaudière à petits tubes et à vaporisation instantanée. — Brevet de Daimler* pour un moteur fonctionnant au gaz de pétrole. — Premier moteur à deux cylindres en V.
1888	Brevet de Dunlop pour son pneumatique.
1890	Construction par Peugeot* d'une des premières voitures à essence qui aient circulé.
1891	René Panhard* et Levassor* adaptent un moteur à explosion de Daimler sur un châssis automobile.
1892	Premier brevet de Diesel*, utilisant l'élévation de la température provoquée par la compression de l'air du cylindre pour enflammer le combustible.
1899	Brevet de Renault* pour la prise directe dans le changement de vitesse, et introduction du cardan dans la transmission. — Première carrosserie profilée sur la *Jamais-Contente* de Jenatzy, avec laquelle il dépasse la vitesse de 105 km/h.
1902	Carrosserie « tonneau » avec entrée par l'arrière.
1903	Carrosserie avec entrées sur les côtés.
1906	Boîte à quatre vitesses, avec la quatrième surmultipliée (Rolls-Royce).
1907	Suspension à roues avant indépendantes (Sizaire et Naudin).
1908	Carrosserie « torpédo ».
1910	Pare-brise. — Voiture à freins avant (Argyll). — Brevet d'Henri Perrot pour le freinage sur les quatre roues, à dispositif de sécurité pour la commande.
1912	Premières voitures de série, sortant de l'usine d'Henry Ford* entièrement carrossées et équipées.
1913	Démarreur électrique.
1919	Apparition du servofrein.
1920	Carrosserie Weyman à charpente déformable en bois, dite « indépendante du châssis ». — Moteur sans soupapes, à fourreaux, brevet « Knight », adopté par Voisin*, puis par Panhard. — Introduction en Europe, par Citroën*, de la fabrication en série, avec une 10 CV, qui sera suivie, en 1922, de la 5 CV, point de départ de la voiture de faible cylindrée, économique et confortable.
1921	Commande hydraulique des freins.
1922	Première voiture à structure autoportante et à roues indépendantes (Lancia). — Première application industrielle de la commande hydraulique du freinage (Lockheed). — Voiture de course à moteur arrière (Benz).
1923	Pneu à basse pression.
1924	Généralisation du freinage sur les quatre roues.
1925	Filtration de l'admission d'air (Packard).
1926	« Tracta » à traction avant, utilisant des joints homocinétiques pour la transmission (Grégoire et Fenaille).
1927	Première voiture carénée sans angles saillants (Voisin). — Berline à profilage en goutte d'eau (Émile Claveau).
1928	Torpédo profilée en aile d'avion (Chenard* et Walcker). — Boîte de vitesses munie d'un dispositif de synchronisation.
1929	Boîte de vitesses à pignons silencieux à taille hélicoïdale.
1930	Accouplement hydraulique de Daimler. — « Voiturelle » DKW à suspension munie de quatre roues indépendantes.
1932	Première voiture à carrosserie autoportante, à éléments emboutis et soudés (Lancia).
1933	Suspension à barres de torsion (Porsche).
1934	Voiture à carrosserie autoportante et à roues avant motrices (Citroën).
1936	Moteur à culasse hémisphérique en série (Talbot).
1953	Apparition du frein à disque (lancé en série sur la DS 19 Citroën en 1955).
1955	Modèle à suspension hydropneumatique (Citroën).
1956	Commande hydraulique de la boîte de vitesses (Hydramatic). — Transmission automatique par convertisseur de couple (Turboglide).
1962	Transmission automatique électromagnétique et mécanique (R 8 Renault).
1965	Moteur à pistons rotatifs (NSU).
1969	Injection électronique d'essence (Citroën-Bosch).
1970	Direction assistée à rappel asservi (Citroën).
1973	Allumage transistorisé lancé en série (Chrysler).
1978	Allumage électronique intégral lancé en série sur la Citroën Visa à moteur bicylindre. — Ordinateur de bord et programmateur de vitesse (Chrysler-Simca).

Citroën

Conduite intérieure Citroën « B 12 ». 1926.

« 4 CV » Renault, construite dans l'immédiat après-guerre.

et approche 10 millions de véhicules utilitaires. Dans sa majeure partie, elle provient d'un petit nombre de pays et est assurée par quelques grandes firmes. Le Japon (avec Toyota et Nissan notamment) est devenu le premier producteur mondial de voitures de tourisme, devançant les États-Unis qui contrôlent toutefois une partie de la production européenne grâce à ses firmes géantes (General Motors et Ford) et les pays de l'Europe occidentale (Allemagne fédérale, France, Grande-Bretagne, Italie), qui possèdent aussi de puissantes entreprises (Volkswagen, Daimler-Benz [Mercedes], Renault, Peugeot, British Leyland [Austin], Fiat).

Citroën

Renault

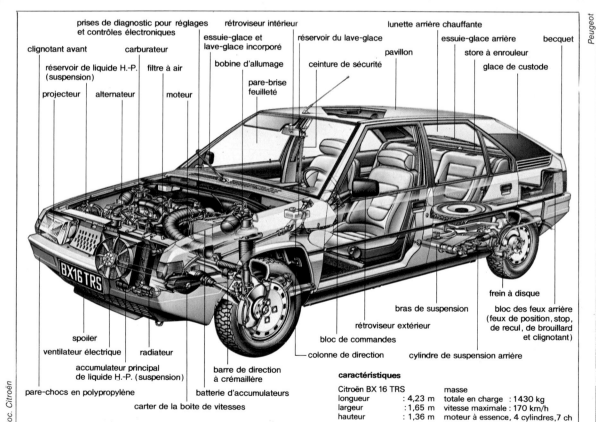

prises de diagnostic pour réglages et contrôles électroniques

rétroviseur intérieur

lunette arrière chauffante

clignotant avant
carburateur

essuie-glace et lave-glace incorporé

réservoir du lave-glace

essuie-glace arrière

becquet

réservoir de liquide H.-P. (suspension)
filtre à air

bobine d'allumage

pavillon

store à enrouleur

projecteur
alternateur
moteur

ceinture de sécurité

glace de custode

pare-brise feuilleté

BX16TRS

frein à disque

bras de suspension

bloc des feux arrière (feux de position, stop, de recul, de brouillard et clignotant)

rétroviseur extérieur

spoiler

bloc de commandes

ventilateur électrique
radiateur

colonne de direction

cylindre de suspension arrière

accumulateur principal de liquide H.-P. (suspension)

barre de direction à crémaillère

caractéristiques

pare-chocs en polypropylène

batterie d'accumulateurs

Citroën BX 16 TRS   masse
longueur   : 4,23 m   totale en charge : 1430 kg
largeur   : 1,65 m   vitesse maximale : 170 km/h
hauteur   : 1,36 m   moteur à essence, 4 cylindres, 7 ch

carter de la boîte de vitesses

Doc. Citroën

Peugeot

pement des poids lourds. Cependant, celui-ci équipe également des voitures particulières dans un souci d'économie d'emploi. Théoriquement, la voiture est composée de trois parties principales : le *moteur* destiné à l'entraîner ; le *châssis*, qui comporte deux longerons parallèles réunis par des entretoises assurant la rigidité ; la *carrosserie*, qui lui est liée par un système élastique. Le châssis est considéré comme un support rigide pour tous les organes mécaniques : moteur, transmission* (changement de vitesse), arbre de transmission, pont arrière différentiel et essieux, direction, freins et sus-

pension élastique de l'habitacle que constitue la carrosserie. Cette dernière avait été étudiée surtout en fonction du confort, mais des considérations de tenue de route ont conduit à l'associer rigidement avec le châssis, l'ensemble constituant une coque autoporteuse. Ce procédé nécessite un compromis, car la ligne ne peut varier que dans d'étroites limites et les profilages de moindre résistance aérodynamique ne s'adaptent que difficilement à l'impératif de confort des occupants.

● La production annuelle mondiale oscille entre 25 et 30 millions de voitures de tourisme

AUTOMOBILE

Berline Peugeot 205 SR 1983.

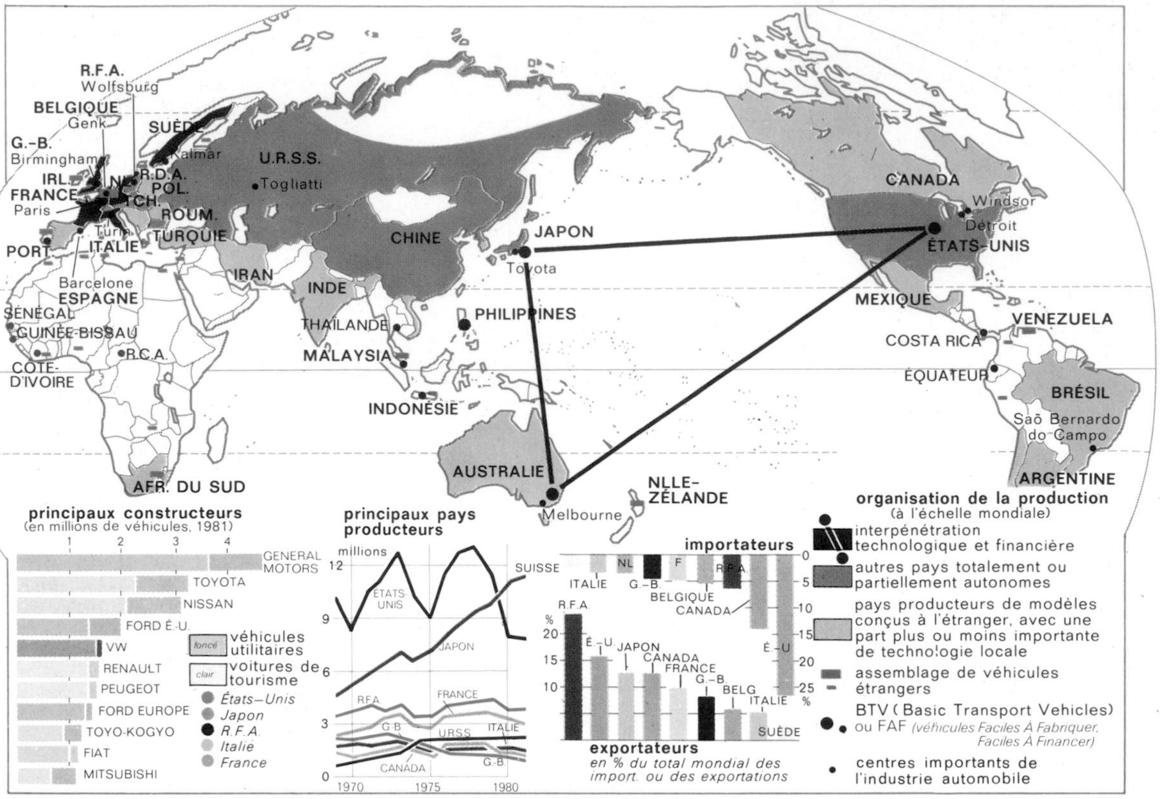

AUTOMOBILE

• Le nombre total de voitures de tourisme en circulation dans le monde dépasse 320 millions d'unités, auxquelles il faut ajouter environ 90 millions de véhicules utilitaires. Les États-Unis, où l'on compte 1 voiture pour 2 habitants, concentrent près de 40 p. 100 du « parc de tourisme » et plus du tiers du « parc utilitaire ». Le nombre des voitures de tourisme en circulation dépasse ou avoisine 20 millions d'unités en Allemagne fédérale et en France, 15 en Italie et en Grande-Bretagne. Ici, il existe 1 voiture pour 3 à 5 habitants, fréquence que l'on retrouve dans les autres pays développés et qui implique, rapportée à la moyenne mondiale (1 voiture pour 15 habitants), une grande rareté dans le tiers monde (1 voiture pour 800 habitants en Inde).

AUTOMOBILISME n. m. Ensemble des activités qui se rapportent à l'automobile.

AUTOMOBILISTE n. Personne qui conduit une automobile.

AUTOMORPHISME n. m. *Math.* Isomorphisme résultant de l'application d'un ensemble sur lui-même.

AUTOMOTEUR, TRICE adj. Se dit d'un véhicule capable de se déplacer par ses propres moyens. ‖ Se dit d'un train composé de véhicules attelés entre eux de façon à constituer une rame réversible indéformable.

AUTOMOTEUR n. m. Grande péniche à moteur, de transport fluvial, se déplaçant par ses propres moyens. ‖ *Arm.* Pièce d'artillerie montée sur affût chenillé, blindé ou non.

AUTOMOTRICE n. f. Véhicule se déplaçant sur rails par ses propres moyens.

AUTOMOUVANT, E adj. Se dit d'une pièce d'artillerie dont le canon est monté sur un châssis chenillé dépourvu de toute protection.

AUTOMUTILATION n. f. Conduite pathologique consistant à s'infliger des mutilations.

AUTONETTOYANT, E adj. *Four autonettoyant,* four qui brûle les déchets par catalyse ou pyrolyse, et ne nécessite aucun nettoyage.

AUTONOME adj. (préf. *auto*, et gr. *nomos*, loi). Qui jouit de l'autonomie : *gouvernement, région autonome.* • *Gestion autonome,* système d'organisation des entreprises dans lequel chaque atelier est considéré comme autonome. ◆ adj. et n. Se dit de certains contestataires d'extrême gauche, en marge de toute organisation politique.

AUTONOMIE n. f. Liberté pour un gouvernement, un pays, etc., de se gouverner par ses propres lois, et pour un individu de disposer librement de soi. ‖ Pour un véhicule à moteur, distance franchissable à une vitesse donnée correspondant à la consommation totale du combustible embarqué. • *Autonomie financière,* situation d'un service dont la gestion financière est indépendante de celle de la collectivité publique qui l'a créé ou qui le contrôle.

AUTONOMISTE n. et adj. Partisan de l'autonomie.

AUTONYME adj. *Usage autonyme d'un mot,* usage d'un mot où celui-ci se désigne lui-même, et non l'objet qu'il symbolise.

AUTOPLASTIE n. f. *Chir.* Opération qui consiste à reconstituer une région par autogreffe.

AUTOPOLAIRE adj. *Math.* Se dit d'un triangle dont chacun des côtés est la polaire du sommet opposé, cette polaire étant prise par rapport à une conique donnée, et particulièrement par rapport à un cercle.

AUTOPOMPE n. f. Camion équipé d'une pompe à incendie.

AUTOPORTRAIT n. m. Portrait d'un artiste par lui-même.

AUTOPROPULSÉ, E adj. Qui assure sa propre propulsion. • *Projectile autopropulsé,* projectile dont le mouvement résulte de la réaction provoquée par l'éjection à grande vitesse d'une partie de sa substance.

AUTOPROPULSEUR n. m. et adj. m. Dispositif assurant l'autopropulsion.

AUTOPROPULSION n. f. Propriété qu'ont certains engins de se propulser par leurs propres moyens.

AUTOPSIE n. f. (gr. *autopsia,* action de voir de ses propres yeux). *Méd.* Examen et dissection d'un cadavre, en vue de déterminer les causes de la mort. (Syn. NÉCROPSIE.)

AUTOPSIER v. t. Faire l'autopsie.

AUTOPUNITIF, IVE adj. Se dit d'un comportement dicté par l'autopunition.

AUTOPUNITION n. f. Punition que l'on s'inflige sous l'influence d'un sentiment de culpabilité.

AUTORADIO n. m. Appareil récepteur de radiodiffusion installé dans une automobile.

AUTORADIOGRAPHIE n. f. Empreinte laissée sur une couche photographique par un objet ou un tissu contenant un produit radioactif.

AUTORAIL n. m. Voiture automotrice sur rails, pour le transport des voyageurs.

AUTORÉGLAGE n. m. Propriété d'un appareil perturbé de retrouver son régime initial.

AUTORÉGULATEUR, TRICE adj. Qui produit une autorégulation.

AUTORÉGULATION n. f. Régulation d'une fonction, d'une machine par elle-même.

AUTORÉPARABLE adj. *Techn.* Se dit d'un objet, d'un système qui, en cas de défaut, peut automatiquement se réparer.

AUTORISATION n. f. Action d'autoriser. ‖ Écrit par lequel on autorise.

AUTORISER v. t. (lat. *auctor,* garant). Donner la permission, le pouvoir, le droit de : *autoriser un employé à s'absenter.* ‖ Rendre possible, permettre : *la situation autorise une hausse des prix.* • *Personne autorisée,* celle qui a l'autorité pour déclarer, exécuter une chose. ◆ **s'autoriser** v. pr. [**de**]. *Litt.* S'appuyer sur : *il s'autorise abusivement de sa confiance.*

AUTORITAIRE adj. et n. Qui impose son pouvoir d'une manière absolue, qui ne tolère pas la contradiction, l'opposition : *régime autoritaire, ton autoritaire.*

AUTORITAIREMENT adv. Avec autorité.

AUTORITARISME n. m. Caractère, système autoritaire.

AUTORITÉ [ɔtɔrite] n. f. (lat. *auctoritas*). Droit ou pouvoir de commander, de se faire obéir : *l'autorité des lois; imposer son autorité.* ‖ Administration, gouvernement : *décision de l'autorité compétente.* ‖ Ascendant, influence résultant de l'estime, d'une pression morale, etc. : *perdre son autorité.* ‖ Personne ou ouvrage dont les jugements sont considérés comme vrais : *l'autorité de Platon.* • *Autorité de la chose jugée,* effet attribué par la loi aux décisions de justice, et qui interdit de remettre en discussion ce qui a fait l'objet d'un jugement définitif. ‖ *Autorité parentale,* autorité exercée en commun sur les enfants mineurs par les père et mère, ou, à défaut, par l'un d'entre eux seulement, et entraînant l'administration et la jouissance des biens des enfants. ‖ *D'autorité, de sa propre autorité,* sans consulter personne; d'une façon impérative. ‖ *Faire autorité,* faire loi, servir de règle. ◆ pl. Représentants de la puissance publique, hauts fonctionnaires.

AUTOROUTE n. f. Route à deux chaussées séparées, dont les accès sont spécialement aménagés, et qui, conçue pour la circulation rapide et sûre des automobiles, ne croise à niveau aucune autre voie.

■ Les *autoroutes de liaison,* qui sont actuellement les infrastructures routières les plus élaborées, permettent d'assurer, avec le maximum de sécurité et de confort, un trafic important et très rapide entre les villes qu'elles desservent. Grâce à la réduction importante réalisée sur les coûts de transport et à la facilité de relations procurée, une autoroute de liaison est un facteur de développement des activités économiques, et, par conséquent, un élément de prospérité et de croissance démographique des régions qu'elle traverse. Elle constitue un véritable outil d'aménagement du territoire. La construction d'une autoroute nécessite la réalisation d'un grand nombre d'ouvrages d'art, non seulement pour le franchissement des cours d'eau, vallées et voies ferrées, mais aussi pour les passages supérieurs et inférieurs des routes rencontrées. Les passages supérieurs routiers sont, le plus souvent, des ponts* à quatre travées de petite portée, composés de tabliers en béton* armé ou précontraint, d'épaisseur constante, reposant sur des piles en béton.

Les *bretelles des échangeurs* se présentent sous des formes plus ou moins complexes, selon le nombre des voies à raccorder à l'autoroute : losanges ou trèfles à deux, trois ou quatre feuilles.

Les *autoroutes urbaines* permettent le trafic dans les agglomérations entre les zones d'habitation et les lieux de travail. Elles se distinguent des autoroutes de liaison par un volume de trafic beaucoup plus important, surtout aux heures de pointe, par des parcours en général réduits à une dizaine de kilomètres et par des vitesses de circulation plus faibles (de 50 à 60 km/h pendant les heures de pointe). L'écoulement d'un trafic très important constitue un impératif majeur. L'établissement d'une autoroute urbaine et de ses nombreux échangeurs à proximité immédiate des zones bâties est plus délicat et plus coûteux au kilomètre construit que la construction des autoroutes en rase campagne. Les prix de revient au kilomètre peuvent être dans le rapport de 1 à 10.

AUTOROUTIER, ÈRE adj. Relatif aux autoroutes.

AUTO SACRAMENTAL [otosakrametal] ou **AUTO** n. m. (mots esp., *drame du saint sacrement*) [pl. *autos sacramentales*]. Représentation dramatique qui avait lieu en Espagne le jour de la Fête-Dieu, sur des théâtres dressés dans les rues. (Le genre s'est développé surtout aux XVIe et XVIIe s.)

AUTOSATISFACTION n. f. Contentement de soi.

AUTOS-COUCHETTES adj. inv. Se dit d'un train spécialisé dans le transport simultané des voyageurs et de leurs automobiles.

AUTOSOME [otozom] n. m. Variété de chromosome n'intervenant pas dans la détermination du sexe. (Contr. GONOSOME.)

AUTO-STOP n. m. Pratique consistant à arrêter un automobiliste pour lui demander d'être transporté gratuitement.

AUTO-STOPPEUR, EUSE n. (pl. *auto-stoppeurs, euses*). Personne qui pratique l'autostop.

AUTOSUBSISTANCE n. f. Organisation économique d'un groupe social qui assume l'essentiel de ses besoins.

AUTOSUFFISANCE n. f. État de qqn, d'un pays autosuffisant.

AUTOSUFFISANT, E adj. dont les ressources sont suffisantes pour assurer les besoins essentiels sans faire appel à une aide extérieure.

AUTOSUGGESTION n. f. Influence sur la vie psychique et le comportement d'une idée volontairement privilégiée. (Syn. MÉTHODE COUÉ.)

AUTOTOMIE n. f. Mutilation réflexe d'une partie du corps, observée chez certains animaux (appendices des crustacés, queue des lézards), et leur permettant d'échapper au danger.

AUTOTRANSFORMATEUR n. m. Transformateur électrique dont les enroulements primaire et secondaire possèdent des parties communes.

AUTOTREMPANT adj. m. Se dit d'un alliage dont la trempe se produit par un refroidissement normal à l'air libre.

AUTOTROPHE adj. Se dit des organismes végétaux (plantes vertes et certains végétaux inférieurs) qui sont capables d'élaborer leurs aliments organiques à partir d'éléments minéraux. (Contr. HÉTÉROTROPHE.)

AUTOTROPHIE n. f. Mode de nutrition des espèces autotrophes.

AUTOUR n. m. (lat. *accipiter,* épervier). Oiseau de proie qui attaque le gibier et les oiseaux de basse-cour, très apprécié en fauconnerie. (Long. 60 cm; type de la famille des *accipitridés.*)

AUTOUR [de] adv. et loc. prép. (de *tour*). Dans l'espace environnant : *la Terre tourne autour du Soleil.* ‖ Dans le voisinage habituel : *ceux qui vivent autour de nous.* ‖ *Fam.* Environ, à peu près : *posséder autour d'un million.*

AUTOVACCIN n. m. Vaccin obtenu à partir de germes prélevés sur le malade lui-même.

AUTRANS (38880), comm. de l'Isère, à 16 km au N. de Villard-de-Lans, dans le Vercors; 1 588 hab. Sports d'hiver (alt. 1 050-1 610 m), centre de ski de fond.

AUTRE adj. et pron. indéf. (lat. *alter*). Indique une différence entre choses et gens de même catégorie : *il se souhaite autre. Veux-tu une autre pomme? Je n'en veux pas d'autre.* • *À d'autres!* (Fam.), je ne vous crois pas. ‖ *L'autre jour,* un de ces jours derniers. ‖ *Autre part,* ailleurs. ‖ *D'autre part,* en outre. ‖ *De part et d'autre,* des deux côtés. ‖ *De temps à autre,* parfois. ‖ *Sans autre,* en Suisse, sans façon, sans faire de manières.

AUTRE n. m. *Philos.* Principe de la pensée qui désigne le divers, l'hétérogène et le multiple.

AUTREFOIS adv. Dans un passé lointain.

AUTREMENT adv. De façon différente : *il parle autrement qu'il ne pense.* ‖ Dans le cas contraire; sinon, sans quoi : *obéissez, autrement je vous punis.* • *Autrement plus* (Fam.), beaucoup plus.

AUTREY-LÈS-GRAY (70100 Gray), ch.-l. de cant. de la Haute-Saône, à 8 km au N.-O. de Gray; 482 hab. Église remontant aux XIIe-XIIIe s.

Autriche. Hallstatt, station touristique du Salzkammergut, en Haute-Autriche.

souffert du démantèlement de l'Empire austro-hongrois. L'économie de ce petit pays aux ressources limitées, doté d'une capitale disproportionnée, est étroitement dépendante de l'Allemagne fédérale le principal partenaire commercial, devant la Suisse.

HISTOIRE. Les camps des légions romaines donnent naissance aux principales villes autrichiennes. Après avoir détruit l'empire des Avars, Charlemagne, pour prévenir de nouvelles invasions, constitue en 803 la marche de l'Est (Ostmark), que les Hongrois ne peuvent franchir (victoire d'Otton le Grand au Lechfeld en 955) et que garde durant trois siècles la maison de Babenberg.

Duché héréditaire (1156), avec Vienne comme capitale, bientôt agrandi de la Styrie et d'une partie de la Carniole (1192), l'Autriche passe en 1278 sous la coupe des Habsbourg* : ceux-ci acquièrent la Carinthie (1335) et le Tyrol (1363). En 1379, les territoires autrichiens sont partagés entre la branche léopoldine et la branche albertine : cette dernière s'éteint en 1457, ce qui permet à Frédéric V de Styrie, chef de la branche léopoldine et empereur germanique (Frédéric III) depuis 1440, de rassembler la majeure partie des terres habsbourgeoises. Les Habsbourg vont désormais être assurés du titre impérial, tout en restant les maîtres de l'Autriche, cœur de leurs domaines héréditaires.

Maximilien Ier (de 1493 à 1519) pousse au développement des ressources (sel, cuivre, argent) de ces domaines, qu'il dote d'institutions originales. Dans le même temps, il acquiert l'Artois, la Franche-Comté et le Charolais (1493). Charles Quint*, petit-fils de Maximilien, étant devenu empereur (1519), abandonne à son frère Ferdinand les domaines autrichiens, qui, en 1526, s'augmentent de la Bohême et de la Hongrie. Les successeurs de Ferdinand Ier stoppent l'offensive turque, qui atteint Vienne (1683) sans la submerger, avant de passer à l'offensive et

triche. Au premier rang des vainqueurs de l'Empereur des Français (1814), puissance organisatrice du congrès de Vienne (1814-15), l'Autriche non seulement recouvre la plupart de ses anciens territoires et obtient une place prépondérante en Italie, mais, dans la personne du chancelier d'Empire Metternich*, domine la diplomatie européenne jusqu'en 1848, assurant, contre les libéraux et les patriotes européens, le triomphe des idéaux de la Sainte-Alliance*

L'année 1848 marque un tournant dans l'histoire de l'Autriche, qui se voit peu à peu éliminée de l'Allemagne par la Prusse, dont les armées battent les siennes à Sadowa (1866); d'autre part, l'Autriche doit compter avec la résistance des nombreuses minorités ethniques de l'empire, notamment Hongrois et Tchèques. L'empereur François-Joseph Ier (de 1848 à 1916) réagit d'abord dans le sens de l'absolutisme («système» de Bach*); puis Sadowa l'amène au compromis austro-hongrois (1867) [v. AUTRICHE-HONGRIE].

En 1918, à la suite de la défaite des Empires centraux, la monarchie austro-hongroise disparaît, et l'empire éclate. Dans une Autriche réduite aux territoires germaniques des Habsbourg déchus, devenue en octobre 1920 République fédérale et dominée par les chrétiens-sociaux, les difficultés s'accumulent, notamment sur le plan économique. L'inflation, un moment contenue par Mgr Ignaz Seipel, chancelier de 1922 à 1924 et de 1926 à 1929, reprend en 1930, ce qui renforce les positions des partisans de l'Anschluss (réunion de l'Autriche à l'Allemagne); le gouvernement autrichien, qui s'appuie sur les chrétiens-sociaux, lutte tout à la fois contre les socialistes et contre les nazis. L'assassinat du chancelier Dollfuss par les nazis en 1934 prélude à l'Anschluss, que réalise Hitler le 11 mars 1938. L'Autriche n'est plus qu'une province du Reich (Ostmark); en cette qualité, elle participe aux luttes de la Seconde Guerre mondiale.

Si la IIe République fédérale autrichienne est reconnue par les Alliés le 27 avril 1945, l'Autriche n'en subit pas moins l'occupation militaire, sa souveraineté ne devenant officielle et effective qu'en mai 1955. Cependant, de 1945 à 1955, l'action du président socialiste Karl Renner († 1950) et celle du chancelier populiste Leopold Figl (de 1945 à 1958) permettent à l'Autriche de revivre, populistes et socialistes cohabitant dans une Grosse Koalition qui se prolongera jusqu'en 1966. Par la suite, la constitution d'un parti démocratique du progrès disloque la coalition et oriente l'Autriche vers un système majoritaire, marqué, en fait, par l'alternance au pouvoir des populistes (Josef Klaus, de 1966 à 1970) et des socialistes (Bruno Kreisky, de 1970 à 1983). Après les élections législatives d'avril 1983, où les socialistes perdent la majorité absolue, Kreisky démissionne et un gouvernement de coalition socialo-libérale est constitué par Fred Sinowatz. Au lendemain de l'élection de Kurt Waldheim, conservateur, à la présidence de la République (juin 1986), Sinowatz démissionne. Le socialiste Franz Vranitzky devient chancelier mais, dès septembre, la coalition socialo-libérale au pouvoir éclate. Le parti socialiste ayant conservé la majorité relative lors des élections législatives anticipées de novembre 1986, F. Vranitzky forme (1987) un gouvernement de coalition socialo-populiste.

AUTRICHE (Basse-), province du nord-est de l'Autriche, drainée par le Danube; 19 170 km²; 1 439 000 hab. Capit. Sankt Pölten.

AUTRICHE (Haute-), province du nord de l'Autriche, correspondant à la vallée du Danube et à l'extrémité septentrionale des Alpes; 11 979 km²; 1 274 000 hab. Capit. Linz.

AUTRICHE-HONGRIE, anc. État de l'Europe centrale (1867-1918). Selon les dispositions du « compromis austro-hongrois » du 8 février 1867, l'Autriche et la Hongrie forment deux États égaux, ayant chacun leur capitale (Vienne, Budapest). Chaque État a son système politique propre, avec des éléments communs, qui sont l'empereur et roi — François-Joseph († 1916), puis son petit-neveu Charles Ier (de 1916 à 1918) —, les ministres des Affaires étrangères, de la Guerre et des Finances.

La Hongrie est chargée d'administrer la partie orientale de l'empire (Transleithanie), la Cisleithanie demeurant sous la direction autrichienne. En fait, la Cisleithanie (Galicie, Bohême, Moravie, États autrichiens, Trentin, Istrie, Illyrie...) l'emporte par les ressources et la population, une population remuante d'ailleurs : en effet, jusqu'en 1918, les minorités, les Tchèques surtout, ne cessent de s'agiter. Au début (1868-1878), les centralistes l'emportent avec les frères Adolf et Karl Auersperg; la politique fédéraliste d'Eduard Taafe (de 1879 à 1893) apporte quelque détente. Mais l'industrialisation et la modernisation du pays provoquent la création de nouveaux partis, très actifs, notamment les chrétiens-sociaux de Karl Lueger (1880), qui, violemment antisémites, s'appuient sur la petite bourgeoisie, et les sociaux-démocrates (1888), marxisants, de Victor Adler.

À l'extérieur, la politique austro-hongroise est fondée sur l'alliance indéfectible avec l'Allemagne et sur les visées balkaniques. Celles-ci,

AUTRICHE

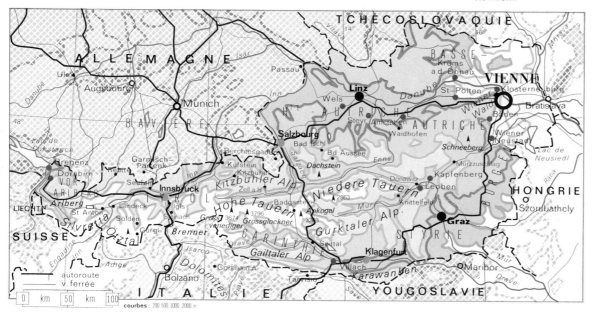

courbes : 200 500 1000 2000 m

AUTRICHE, en allem. Österreich, État de l'Europe centrale; 84 000 km²; 7 510 000 hab. (Autrichiens). Capit. Vienne.

GÉOGRAPHIE. L'Autriche s'étend en majeure partie sur la terminaison orientale des Alpes. Les massifs cristallins de l'Ötztal et des Hohe Tauern (3 796 m au Grossglockner) sont flanqués au N. par des Préalpes calcaires et au S. par des chaînes sédimentaires (Alpes de Carinthie et de Styrie). Les Alpes autrichiennes sont percées de vallées (Inn, Enns, Mur, Drave) élargies par les glaciers, et des bassins intramontanards s'y ouvrent (Klagenfurt). L'extrémité nord du pays appartient au massif ancien de Bohême; à l'E. s'ouvre le bassin de Vienne. Le climat, continental, est étroitement dépendant de l'altitude. Les hauts sommets sont très arrosés, et l'enneigement dure plusieurs mois en montagne. La région de Vienne, très abritée, jouit d'un ensoleillement prolongé.

Si l'on tient compte des conditions naturelles, l'Autriche est relativement peuplée. Mais elle souffre du faible pourcentage des couches actives, dû au vieillissement de la population, lié aux conditions historiques. Actuellement, cette population n'augmente plus. Le taux d'urbanisation est moyen : environ la moitié des habitants résident dans les villes (Graz, Linz, Salzbourg et Innsbruck dépassent 100 000 habitants) et surtout à Vienne, qui groupe le cinquième de la population du pays.

L'agriculture reste importante. En montagne, les alpages sont consacrés à l'élevage bovin, tandis que bassins et vallées sont le domaine d'une polyculture vivrière traditionnelle. Dans la vallée du Danube et le bassin de Vienne, la grande culture prédomine : céréales, betterave sucrière, arbres fruitiers et vigne dans les endroits abrités.

Le développement industriel reste récent. Il existait quelques activités traditionnelles, fondées sur l'exploitation de la forêt. Un renouveau a eu lieu après la dernière guerre, principalement sous l'impulsion de l'État, notamment grâce aux ressources en pétrole du bassin de Vienne et surtout à l'exploitation du potentiel hydroélectrique que représentent les Alpes et le Danube. Le fer de l'Erzberg alimente la sidérurgie (5 Mt d'acier par an). Mais les activités sont très diversifiées : constructions mécaniques, électriques et électroniques, industries textiles, chimiques et alimentaires (brasseries, sucreries). Elles se localisent dans les grandes villes, principalement sur l'axe danubien (autour de Linz et surtout à Vienne). Le développement du tourisme, en plein essor dans les montagnes du Tyrol et du Vorarlberg, compense le déséquilibre de la balance commerciale. L'Autriche a beaucoup

d'acquérir la Transylvanie (1699), puis le Banat (1718). De plus, les divers engagements des Habsbourg d'Autriche contre la France leur valent l'acquisition des Pays-Bas, du Milanais et de Naples (1714). Dans le même temps, les Habsbourg s'efforcent de faire reculer l'influence protestante en promouvant la Contre-Réforme*.

L'indivisibilité des États autrichiens, promulguée en 1713 par Charles VI (Pragmatique Sanction), est sauvegardée par Marie-Thérèse (de 1740 à 1780), qui, si elle perd Parme et la Silésie à l'issue de la guerre de la Succession d'Autriche (1740-1748), acquiert la Galicie (1772) et la Bucovine (1774). En même temps, l'impératrice renforce la centralisation et la germanisation de ses États dans une perspective de «despotisme éclairé», laquelle est poursuivie par son fils Joseph II (de 1780 à 1790); la politique de ce dernier, le joséphisme*, allie les réformes sociales (abolition du servage) et économiques au centralisme administratif et au cléricalisme.

De 1791 à 1814, l'histoire de l'Autriche n'est qu'une longue lutte contre la France révolutionnaire et impériale, ce qui lui vaut de graves amputations territoriales. En 1806, François II, empereur depuis 1792, doit renoncer, par la volonté de Napoléon, qui deviendra son gendre en 1810, à la couronne du Saint Empire (1806); il est désormais François Ier, empereur d'Au-

autruches

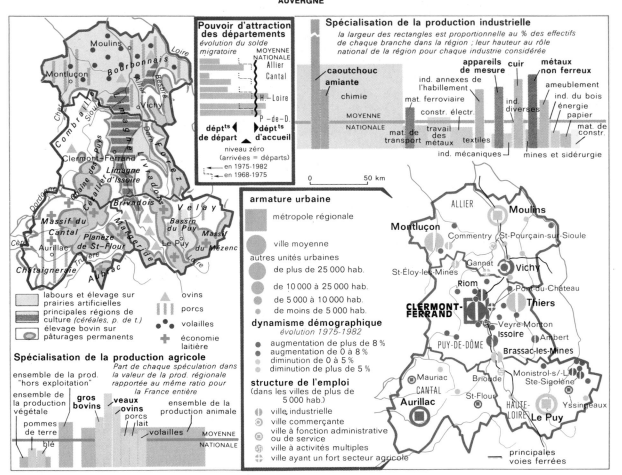

Autun. *Ève*, sculpture de Gislebertus, provenant du portail nord de la cathédrale Saint-Lazare. XIIᵉ s.

AUVERGNE

J. Six

Dragesco-Altas-Photo

Pouvoir d'attraction des départements
évolution du solde migratoire

Spécialisation de la production industrielle
la largeur des rectangles est proportionnelle au % des effectifs de chaque branche dans la région ; leur hauteur au rôle national de la région pour chaque industrie considérée

caoutchouc amiante — chimie — appareils de mesure — cuir — métaux non ferreux — ind. annexes de l'habillement — mat. ferroviaire — constr. électr. — ameublement — ind. du bois — énergie papier — mat. de transport — travail des métaux — ind. diverses — mat. de constr. — textiles — ind. mécaniques — mines et sidérurgie

MOYENNE NATIONALE

dépt^ts de départ / dépt^ts d'accueil
niveau zéro (arrivées = départs)
en 1975-1982
en 1968-1975

Allier — Cantal — H.-Loire — P.-de-D.

0   50 km

armature urbaine
métropole régionale
ville moyenne
autres unités urbaines
de plus de 25 000 hab.
de 10 000 à 25 000 hab.
de 5 000 à 10 000 hab.
de moins de 5 000 hab.

dynamisme démographique
évolution 1975-1982
augmentation de plus de 8 %
augmentation de 0 à 8 %
diminution de 0 à 5 %
diminution de plus de 5 %

structure de l'emploi
(dans les villes de plus de 5 000 hab.)
ville industrielle
ville commerçante
ville à fonction administrative ou de service
ville à activités multiples
ville ayant un fort secteur agricole

labours et élevage sur prairies artificielles
principales régions de culture (céréales, p. de t.)
élevage bovin sur pâturages permanents
ovins
porcs
volailles
économie laitière

Spécialisation de la production agricole

ensemble de la prod. "hors exploitation"
ensemble de la production végétale
gros bovins
veaux ovins porcs lait
ensemble de la production animale
pommes de terre
blé
volailles
MOYENNE NATIONALE

Part de chaque spéculation dans la valeur de la prod. régionale rapportée au même ratio pour la France entière

Moulins — Bourbonnais — Loire — Montluçon — Combrailles — Limagne des Puys — Vichy — Forez — Livradois — Clermont-Ferrand — Limagne d'Issoire — Velay — Massif du Cantal — Brivadois — Bassin du Puy — Massif du Mézenc — Aurillac — Planèze de St-Flour — Le Puy — Châtaigneraie — Aubrac

ALLIER — Moulins — Montluçon — Commentry — St-Pourçain-sur-Sioule — St-Éloy-les-Mines — Gannat — Vichy — Riom — Pont-du-Château — **CLERMONT-FERRAND** — Thiers — Veyre-Monton — Issoire — Ambert — PUY-DE-DÔME — Brassac-les-Mines — Mauriac — Monistrol-s/-L. — Ste-Sigolène — CANTAL — Brioude — **Aurillac** — St-Flour — HAUTE-LOIRE — Yssingeaux — Le Puy

principales voies ferrées

en provoquant l'hostilité de la Russie, sont à l'origine de la Première Guerre mondiale (assassinat de l'archiduc héritier François-Ferdinand à Sarajevo le 28 juin 1914), cause, elle-même, de l'éclatement de la monarchie austro-hongroise. (V. AUTRICHE et HONGRIE.)

AUTRICHIEN, ENNE adj. et n. D'Autriche.

AUTRUCHE n. f. (lat. *avis*, oiseau, et *struthio*, autruche). Oiseau vivant en bandes dans les steppes et les déserts africains, aux ailes réduites, inapte au vol, mais capable, grâce à ses pattes longues et fortes, de courir à une vitesse de 40 km à l'heure. (On chasse et on élève l'autruche pour les longues plumes blanches de ses ailes, dont on fait des parures.) [Haut. 2,60 m; poids 100 kg; longévité 50 ans; sous-classe des ratites.] ● *Estomac d'autruche*, estomac qui digère tout. ‖ *Politique de l'autruche*, refus d'envisager le danger.

AUTRUI pron. indéf. *Litt.* Les autres, le prochain par rapport à moi.

AUTUN (71400), ch.-l. d'arr. de Saône-et-Loire, sur l'Arroux; 22 156 hab. (*Autunois*). Portes monumentales et vestiges divers de l'époque gallo-romaine. Cathédrale Saint-Lazare, un des chefs-d'œuvre du roman bourguignon (v. 1120-v. 1140; tympan du Jugement dernier, signé Gislebertus), avec clocher du XVᵉ s. Riche musée dans l'hôtel du chancelier Rolin (XVᵉ s.). Constructions mécaniques. Industrie textile. Parapluies.

AUTUNITE n. f. (de *Autun*). Phosphate naturel d'uranium et de calcium.

AUTUNOIS, petite région boisée du nord-est du Massif central, au S.-E. d'*Autun*, entre les vallées de l'Arroux et de la Bourbince.

AUVENT n. m. (mot celtique). Petit toit généralement en appentis couvrant un espace à l'air libre devant une baie, une façade. ‖ *Abri* placé sur un mur pour protéger des espaliers.

AUVERGNAT, E adj. et n. D'Auvergne.

AUVERGNE, région historique de la France. Peuplée par les Arvernes, l'Auvergne est rattachée à la province romaine d'Aquitaine après la défaite de Vercingétorix à Alésia (52 av. J.-C.). Cédée aux Wisigoths en 474, elle est, par la suite, réunie au « Regnum Francorum » (507) et devient en 778 un comté du royaume d'Aquitaine. Durant le haut Moyen Âge, le morcellement féodal l'affaiblit. Au XIIIᵉ s., l'Auvergne est découpée en quatre domaines :
— la terre d'Auvergne, devenue duché d'Auvergne en 1360 et appartenant aux Bourbons, est réunie à la Couronne en 1527;
— le Dauphiné d'Auvergne est légué à la Couronne en 1693;
— le comté d'Auvergne et le comté de Clermont, réunis en 1557, sont légués par Marguerite de Valois à Louis XIII (1606).
L'Auvergne connaît une période de troubles au XVIᵉ s. avec la Réforme et les guerres de Religion. Il en est de même au XVIIᵉ s. avec les révoltes des féodaux, dont Louis XIV se débarrasse avec la réunion des Grands Jours d'Auvergne (1665).

AUVERGNE, Région formée des quatre départements de l'Allier, du Cantal, de la Haute-Loire et du Puy-de-Dôme; 26 013 km²; 1 332 678 hab. (*Auvergnats*). Ch.-l. *Clermont-Ferrand*.
L'Auvergne englobe la partie la plus élevée (volcanique) du Massif central. À l'O., entre Sioule et Truyère, se succèdent, du N. au S., la chaîne des Puys, les monts Dore et le massif du Cantal. À l'E., la Région s'étend sur les monts du Forez et du Livradois, séparés par la Dore et le Velay, également en partie montagneux (monts du Velay), surtout entre les hautes vallées de la Loire et de l'Allier. Ce dernier cours d'eau assure une certaine unité à l'Auvergne, qu'il traverse du S. vers le N., ouvrant des bassins dans la montagne (les Limagnes de Brioude et d'Issoire, la Grande Limagne de Clermont-Ferrand), avant de s'épanouir dans le Bourbonnais, qui correspond approximativement au département de l'Allier. Celui-ci est le seul à prépondérance de régions basses et, d'ailleurs, se rattache géologiquement au Bassin parisien, sédimentaire; les autres départements de l'Auvergne sont formés, sous la partielle couverture volcanique, surtout de roches primaires, souvent cristallines.

Du point de vue climatique, comme du point de vue topographique, s'opposent les bassins et les fossés en position d'abri — aux hivers froids et assez secs, aux étés chauds et aux modestes totaux annuels de précipitations (à Clermont-Ferrand, la température moyenne de janvier est de – 1,1°C, celle de juillet de 25,4°C; 563 mm de précipitations tombent en 132 jours) — à la montagne, plus arrosée (enneigée l'hiver), notamment dans l'ouest, plus élevé et surtout exposé aux influences maritimes atlantiques. Landes et prairies dominent; l'est est plus forestier, mais comporte aussi plus de champs.

Des conditions naturelles souvent défavorables expliquent la faible densité générale d'occupation, de l'ordre de 50 habitants au kilomètre carré, c'est-à-dire inférieure de moitié à la moyenne nationale. L'émigration sévit depuis plus d'un siècle, vidant la montagne au profit des plaines de l'Allier (où se concentre aujourd'hui près de la moitié de la population de l'Auvergne et qui apparaissent de plus en plus comme l'axe vital de la Région) et surtout de la région parisienne. L'émigration d'éléments jeunes a provoqué le vieillissement de la population, ce qui se répercute sur les taux de fécondité et de natalité, fortement abaissés. La faiblesse de la densité moyenne et l'émigration sont aussi à relier à l'absence de grande ville, en dehors de la capitale régionale; les autres cités notables sont les villes qui jalonnent la partie aval de l'Allier, Vichy et Moulins, le centre isolé du Puy, cité administrative et industrielle et l'agglomération de Montluçon.

L'agriculture tient toujours une place importante, occupant approximativement le tiers des actifs. En règle générale, l'élevage (bovins et ovins) domine sur les hauteurs, alors que les cultures se concentrent dans les plaines (blé, betterave sucrière, maïs, fourrages notamment dans la Grande Limagne). L'artisanat, autrefois développé dans la montagne, a décliné. Il en subsiste des vestiges, comme la coutellerie de Thiers, mais l'industrie, manquant de bases et de mines de charbon vont fermer, une partie de l'hydroélectricité produite, dans le Cantal surtout, est exportée), se concentre dans la vallée de l'Allier, de Brioude à Moulins, en passant par Clermont-Ferrand, la capitale française du caoutchouc, activité évidemment sans liens avec le milieu régional. Celui-ci, en revanche, explique le développement du thermalisme, actif autour de Vichy et dans le Puy-de-Dôme, et aussi du tourisme. Ces activités vivifient ou revivifient localement une Région qui souffre de la fréquente rigueur des conditions naturelles, du compartimentage du relief, aéré seulement par le sillon de l'Allier, qui l'ouvre sur le N., vers la région parisienne, alors que les liaisons sont plus difficiles vers Lyon et le Rhône, Bordeaux et l'Aquitaine ainsi que vers le Languedoc méditerranéen.

AUVERGNE (Antoine D'), compositeur français (Moulins 1713 - Lyon 1797). Violoniste, surintendant de la musique du roi, directeur de l'Académie de musique et du Concert spirituel, il s'adonne surtout, après un essai dans l'opéra bouffe (*les Troqueurs,* 1753), à la musique instrumentale (sonates, concerts de symphonies).

AUVERS-SUR-OISE (95430), ch.-l. de cant. du Val-d'Oise, à 6,5 km au N.-E. de Pontoise, sur la rive droite de l'Oise; 5722 hab. Église des XIIe-XIIIe s. Tombe de Van Gogh.

AUVEZÈRE, riv. du Limousin et du Périgord, qui rejoint l'Isle (r. g.) en amont de Périgueux; 103 km.

AUVILLAR (82340), ch.-l. de cant. de Tarn-et-Garonne, à 20 km à l'O. de Castelsarrasin, sur la Garonne; 863 hab. *(Auvillarais).* Église des XIIe-XVe s.

AUVOURS, camp militaire, situé à 10 km du Mans, sur la commune de Champagné (Sarthe).

AUXERRE (89000), ch.-l. du départ. de l'Yonne, à 162 km au S.-E. de Paris, sur l'Yonne; 41164 hab. *(Auxerrois).* Anc. abbatiale bénédictine Saint-Germain, reconstruite aux XIIIe-XIVe s. (cryptes du IXe s. avec peintures, clocher roman). Cathédrale, reconstruite à partir du XIIIe s. (crypte romane à voûte peinte, vitraux du XIIIe s., portails sculptés). Églises. Vieilles maisons. Musées d'archéologie et des beaux-arts. Constructions mécaniques et électriques. Industries alimentaires.

AUXI-LE-CHÂTEAU (62390), ch.-l. de cant. du Pas-de-Calais, à 26 km au N.-E. d'Abbeville, sur l'Authie; 3195 hab. Église du XVIe s. Constructions mécaniques.

AUXILIAIRE n. et adj. (lat. *auxilium,* secours). Personne qui aide, prête son concours temporairement ou dans un emploi subalterne. ‖ Employé recruté à titre temporaire par l'Administration, et qui ne bénéficie pas, de ce fait, du statut des fonctionnaires. • *Auxiliaire de justice,* dénomination commune des personnes qui concourent à l'administration de la justice (avocats, experts, syndics, commissaires de police, etc.). ‖ *Auxiliaires médicaux,* appellation générale des infirmiers, masseurs, kinésithérapeutes, pédicures, orthophonistes, etc. ‖ *Verbes auxiliaires,* les verbes *avoir* et *être, faire, laisser* qui, n'ayant plus leur signification particulière, servent à former les temps composés des verbes ou, avec l'infinitif, les manières de considérer l'action du verbe. ◆ n. m. pl. À bord d'un navire, appareils nécessaires au fonctionnement des machines propulsives, à la sécurité et à la vie à bord.

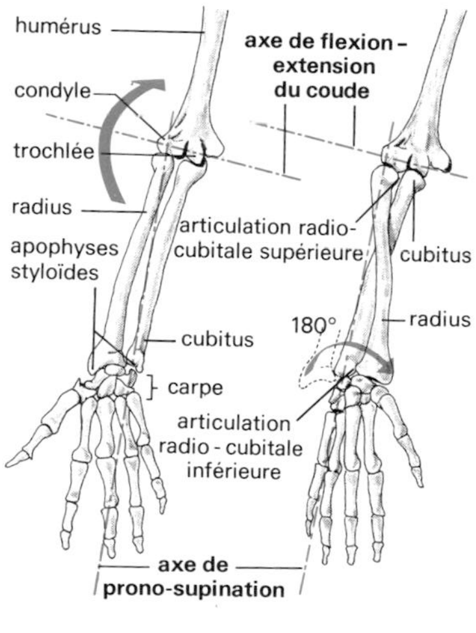
humérus
axe de flexion - extension du coude
condyle
trochlée
radius
articulation radio-cubitale supérieure
cubitus
apophyses styloïdes
cubitus
180°
radius
carpe
articulation radio - cubitale inférieure
axe de prono-supination

avant-bras : schéma des deux os de l'avant-bras avec leurs articulations et les axes de rotation montrant le mécanisme de prono-supination.

AUXILIAIREMENT adv. De manière accessoire.

AUXILIARIAT n. m. Dans l'enseignement fonction des maîtres auxiliaires.

AUXILIATEUR, TRICE adj. et n. *Relig.* Qui donne du secours.

AUXINE n. f. Hormone végétale qui gouverne la croissance des plantes et qui a été découverte dans le sommet du coléoptile d'avoine.

AUXOIS, petit pays de Bourgogne, entre les vallées du Serein et de l'Armançon.

AUXONNE (21130), ch.-l. de cant. de la Côte-d'Or, à 16 km au N.-O. de Dole, sur la Saône; 7868 hab. Anc. ville forte. Église du XIVe s. Industrie alimentaire.

AUZANCES (23700), ch.-l. de cant. de la Creuse, à 31 km au N.-E. d'Aubusson; 1779 hab. Industries alimentaires. Église des XIIe et XVe s.

AUZAT (09220 Vicdessos), comm. de l'Ariège, à 32 km au S.-O. de Foix, sur le Vicdessos; 851 hab. Aluminium.

AUZON (43390), ch.-l. de cant. de la Haute-Loire, à 12 km au N. de Brioude, dans la Limagne; 1047 hab. Belle église romane (œuvres d'art).

AUZOUT (Adrien), mathématicien et astronome français (Rouen 1622 - Rome 1691). Surtout connu pour ses réalisations instrumentales, il fut, avec Hooke* et Huygens*, l'un des premiers constructeurs des grandes lunettes* astronomiques sans tube. Les lentilles*, fixées dans des cadres de bois, étaient manœuvrées par des systèmes de poulies et de cordages très spectaculaires. Avec l'invention du micromètre, Auzout a ouvert à l'astronomie le domaine de la précision.

AVACHI, E adj. Déformé : *des souliers avachis.* ‖ *Fam.* Amolli, sans énergie : *il se sent tout avachi.*

AVACHIR (S') v. pr. (francique *waikjan,* rendre mou). Devenir mou, se déformer : *costume qui s'avachit.* ‖ Perdre son énergie, se laisser aller.

AVACHISSEMENT n. m. Action de s'avachir.

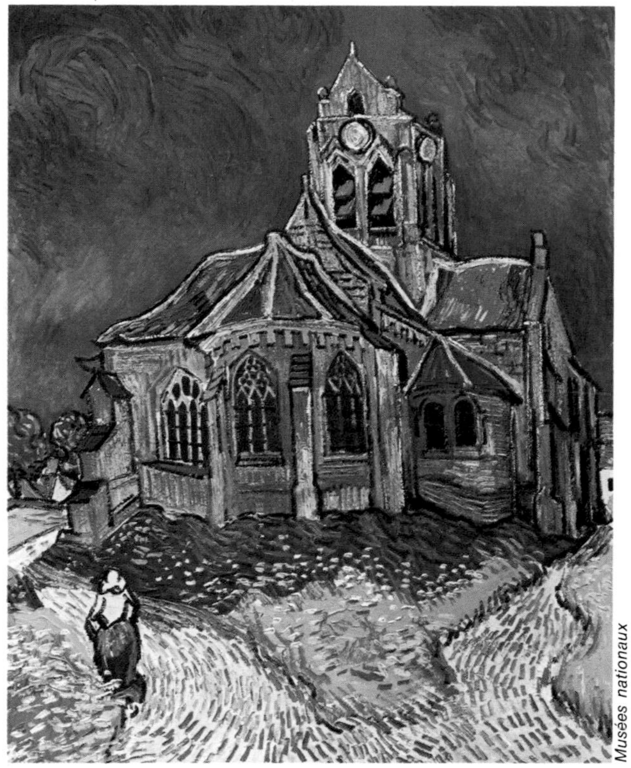
Musées nationaux

*L'Église d'***Auvers-sur-Oise,** par Van Gogh. 1890. (Musée du Louvre, Paris.)

AVAILLES-LIMOUZINE (86460 Mauprévoir), ch.-l. de cant. de la Vienne, à 13 km au N. de Confolens, sur la Vienne; 1441 hab.

AVAL n. m. (de *val*). Partie d'un cours d'eau vers laquelle descend le courant. (Contr. AMONT.) • *À l'aval,* se dit de la partie de la production considérée comme fournissant des produits élaborés, par rapport aux premiers stades de la mise en valeur des matières premières. ‖ *En aval,* en descendant vers l'embouchure : *Nantes est en aval de Tours sur la Loire.* ◆ adj. inv. Se dit du ski ou du côté du skieur qui se trouve du côté de la vallée.

AVAL n. m. (it. *avallo,* mot ar.) [pl. *avals*]. Garantie donnée sur un effet de commerce ou lors de l'octroi d'un prêt, par un tiers qui s'engage à en payer le montant s'il n'est pas acquitté par le signataire ou par le bénéficiaire.

AVALANCHE n. f. (mot de la Suisse romande; de *avaler,* descendre). Masse de neige qui se détache des flancs d'une montagne et qui dévale avec une grande vitesse en entraînant des boues et des pierres. ‖ Masse d'objets qui tombent : *une avalanche de dossiers.* ‖ Multitude de choses qui vous accablent : *une avalanche d'ennuis.* • *Avalanche de fond,* avalanche de neige compacte, lourde et très humide. ‖ *Avalanche de plaques,* avalanche de neige compacte, débitée en fragments. ‖ *Avalanche de poudre,* avalanche de neige blanche. ‖ *Cône d'avalanche,* zone de débris au débouché du couloir d'avalanche.

AVALANCHEUX, EUSE adj. Qui peut être affecté par des avalanches.

AVALER v. t. (de *aval*). Faire descendre par le gosier : *avaler une gorgée d'eau.* ‖ *Fam.* Croire avec naïveté : *on lui fait tout avaler.* • *Avaler un livre,* le lire rapidement. ‖ *Vouloir tout avaler,* croire qu'aucun obstacle ne résistera.

AVALEUR n. m. *Avaleur de sabres,* forain qui fait pénétrer un sabre par le gosier jusque dans l'estomac.

AVALISER v. t. Revêtir d'un aval : *avaliser un effet de commerce.* ‖ Appuyer en donnant sa caution : *avaliser une politique.*

AVALISEUR adj. et n. m. Qui donne son aval.

AVALLON (89200), ch.-l. d'arr. de l'Yonne, à 52 km au S.-E. d'Auxerre, sur le Cousin; 9186 hab. *(Avallonnais).* Église Saint-Lazare, en roman bourguignon (XIe-XIIe s.). Restes de fortifications. Hôtel de ville du XVIIIe s. Constructions mécaniques.

À-VALOIR n. m. inv. Somme à imputer sur une créance.

AVALOIRE n. f. ou **AVALOIR** n. m. Sangle horizontale embrassant les fesses du cheval, pour lui permettre de retenir ou de faire reculer la voiture.

AVALOIRS *(mont* ou *signal des),* sommet de l'extrémité orientale du Massif armoricain, dont il constitue (avec la forêt d'Écouves) le point culminant (417 m), à l'O. d'Alençon.

AVALOKITEŚVARA, le plus populaire des bodhisattvas du bouddhisme du Grand Véhicule. Il symbolise la charité. Né en Inde au IIe s., son culte s'est répandu en Chine, au Japon et surtout au Tibet.

AVALON, presqu'île située au S.-E. de Terre-Neuve, à laquelle la relie l'*isthme d'Avalon.* V. princ. *Saint John's,* capit. de l'île.

AVANCE n. f. Espace parcouru avant qqn ou temps qui anticipe sur le moment prévu : *prendre une certaine avance; arriver avec une heure d'avance.* ‖ Mouvement en avant : *l'avance d'une armée.* ‖ Prêt remboursable dans un délai et selon des conditions bien déterminés : *faire une avance.* ‖ *Mécan.* Déplacement de l'outil dans le sens de l'épaisseur des copeaux, durant l'usinage. • *En avance, d'avance, par avance,* avant l'heure; par anticipation. ◆ pl. Premières démarches faites en vue d'une réconciliation, d'une liaison d'amitié : *faire des avances à un voisin.*

AVANCÉ, E adj. Loin de son début : *travail avancé.* ‖ À un niveau supérieur : *il est avancé pour son âge.* ‖ Progressiste, de gauche, d'avant-garde : *idées, opinions avancées.* ‖ Près de se gâter : *gibier avancé; fruits avancés.*

AVANCÉE n. f. Ce qui fait saillie : *l'avancée d'un toit.* ‖ Partie située en avant : *les avancées d'un fort.* ‖ Partie terminale d'une ligne de pêche. ‖ Progression, marche en avant : *avancée du dollar.*

AVANCEMENT n. m. Action d'avancer, de progresser : *l'avancement des travaux.* ‖ Promotion dans une carrière : *obtenir de l'avancement.*

AVANCER v. t. (lat. *ab ante,* d'avant) [conj. **1**]. Porter, pousser en avant : *avancer le bras.* ‖ Effectuer, fixer avant le moment prévu; faire progresser : *avancer son départ; avancer un peu ses affaires.* ‖ Prêter, verser par avance : *avancer de l'argent pour acheter une maison.* ‖ Mettre en avant, donner pour vrai : *avancer une hypothèse.* ◆ v. i. Aller en avant : *avancer rapidement.* ‖ Faire saillie : *balcon qui avance.* ‖ Faire des progrès, approcher du terme : *avancer dans ses études; l'ouvrage avance.* • *Montre qui avance,* qui indique une heure en avance sur l'heure réelle. ◆ **s'avancer** v. pr. Se porter en avant, progresser : *il s'avança en chancelant.* ‖ Sortir d'une juste réserve, se hasarder : *attention! ne vous avancez pas trop.*

AVANIE n. f. (lat. *avania*). *Litt.* Affront public, traitement humiliant : *essuyer une avanie.*

AVANT prép. et adv. (lat. *ab* et *ante,* auparavant). Marque l'antériorité dans le temps ou l'espace : *trois cents ans avant Jésus-Christ; la première maison avant la mairie; placer son intérêt avant celui des autres.* • *Avant tout,* principalement. ‖ *En avant,* au-delà du lieu où l'on est. ‖ *Mettre en avant,* alléguer. ◆ loc. conj. et prép. *Avant que* (+ subj.), *avant de* (+ inf.), indiquent la priorité dans le temps : *avant qu'il (ne) parte, avant de partir.*

AVANT n. m. Partie antérieure : *l'avant d'une voiture.* ‖ Dans certains sports d'équipe, joueur qui fait partie de la ligne d'attaque. ‖ Chacun des huit (rugby à quinze) ou six (rugby à treize) joueurs de la *ligne d'avants* en rugby, participant notamment aux touches et mêlées. ‖ En temps de guerre, région des combats. • *Aller de l'avant,* avancer rapidement; s'engager résolument dans une affaire, progresser. ‖ *D'avant,* antérieur : *la semaine d'avant.* ◆ adj. inv. Qui est en avant : *les roues avant.*

AVANTAGE n. m. (de *avant*). Ce qui est utile, profitable : *tirer avantage de tout.* ‖ Ce qui donne de la supériorité : *profiter de son avantage.* ‖ *Dr.* Gain résultant d'un acte juridique ou d'une disposition légale : *faire un avantage.* ‖ *Sports.* Au tennis, point marqué par un des joueurs lorsque ceux-ci se trouvent avoir chacun 40. • *Avantages en nature,* rémunération consistant en logement, en nourriture, etc.

AVANTAGER v. t. (conj. **1**). Donner des avantages, favoriser : *il avait avantagé sa fille dans son testament.*

AVANTAGEUSEMENT adv. De façon avantageuse, favorablement.

AVANTAGEUX, EUSE adj. Qui produit un avantage, un profit : *des articles avantageux.* ‖ Vaniteux : *prendre un ton avantageux.*

AVANT-BEC n. m. (pl. *avant-becs*). Éperon dont est munie, du côté d'amont, la base d'une pile de pont pour diviser l'eau et la protéger des corps flottants.

AVANT-BRAS n. m. inv. Partie du membre supérieur comprise entre le coude et le poignet. ‖ Chez le cheval, région du membre antérieur, s'étendant du coude au genou.

AVANT-CALE n. f. (pl. *avant-cales*). Prolongement d'une cale de construction en dessous du niveau de la mer.

AVANT-CENTRE n. m. (pl. *avants-centres*). En football, joueur placé au centre de la ligne d'attaque.

AVANT-CLOU n. m. (pl. *avant-clous*). Petite vrille avec laquelle on perce des trous pour enfoncer des clous.

AVANT-CONTRAT n. m. (pl. *avant-contrats*). *Dr.* Convention conclue provisoirement en vue de la réalisation d'une convention future.

AVANT-CORPS n. m. inv. *Constr.* Partie d'un bâtiment en avancée sur l'alignement de la façade, correspondant ou non à un corps de bâtiment distinct.

AVANT-COUR n. f. (pl. *avant-cours*). Cour située devant une autre cour à l'entrée d'un édifice.

AVANT-COUREUR adj. et n. m. (pl. *avant-coureurs*). Qui annonce un événement prochain : *signes avant-coureurs.*

AVANT-CREUSET n. m. (pl. *avant-creusets*). *Métall.* Cuve placée à côté du creuset des fours à cuve et des cubilots, et communiquant avec lui par sa partie inférieure.

AVANT-DERNIER, ÈRE adj. et n. (pl. *avant-derniers, ères*). Immédiatement avant le dernier.

AVANT-GARDE n. f. (pl. *avant-gardes*). Élément précédant une force terrestre ou navale pour en assurer la sécurité. ‖ Ce qui est en avance sur son temps par ses audaces : *idées d'avant-garde.*

AVANT-GARDISME n. m. (pl. *avant-gardismes*). Le fait d'être d'avant-garde.

AVANT-GARDISTE adj. et n. (pl. *avant-gardistes*). Relatif à l'avant-garde, à l'avant-gardisme.

AVANT-GOÛT n. m. (pl. *avant-goûts*). Première impression, agréable ou désagréable, que procure l'idée d'un bien, d'un mal futur.

AVANT-GUERRE n. m. ou f. (pl. *avant-guerres*). Période qui a précédé la guerre (celle de 1914 ou celle de 1939).

AVANT-HIER [avɑ̃tjɛr] adv. Avant-veille du jour où l'on est.

AVANT-MAIN n. m. (pl. *avant-mains*). Partie antérieure d'un animal, notamment du cheval, comprenant la tête, le cou, la poitrine et les membres antérieurs.

AVANT-MIDI n. m. ou f. inv. En Belgique et au Canada, syn. de MATINÉE.

AVANT-PAYS n. m. inv. Région peu accidentée située au pied d'un relief montagneux.

AVANT-PLAN n. m. (pl. *avant-plans*). En Belgique, syn. de PREMIER PLAN.

AVANT-PORT n. m. (pl. *avant-ports*). Entrée d'un port donnant accès aux divers bassins. || Nouveau port, en aval d'un port primitif (établi généralement sur un estuaire).

AVANT-POSTE n. m. (pl. *avant-postes*). Détachement disposé en avant d'une troupe en station pour la prémunir contre toute surprise.

AVANT-PREMIÈRE n. f. (pl. *avant-premières*). Réunion d'information, destinée aux journalistes et précédant la répétition générale d'une pièce, la première présentation d'un film, l'ouverture d'une exposition. || Article publié à cette occasion.

AVANT-PROJET n. m. (pl. *avant-projets*). Étude préparatoire d'un projet.

AVANT-PROPOS n. m. inv. Introduction placée en tête du livre.

AVANT-SCÈNE n. f. (pl. *avant-scènes*). Partie de la scène en avant du rideau. || Chacune des loges disposées de chaque côté de la scène.

AVARE adj. et n. (lat. *avarus*, avide). Qui aime à accumuler l'argent et craint de le dépenser. || Qui ne prodigue pas une chose, économe : *avare de son temps*.

Avare (l'), comédie, en cinq actes et en prose, de Molière (1668), sur la trame de l'*Aulularia* de Plaute, mais plus dans la lignée des rapaces du théâtre élisabéthain que dans celle de la comédie française préclassique : la passion de thésauriser devenue manie obsessionnelle et relevant non de la condamnation morale, mais de l'étude clinique de la folie. Le rôle de l'Avare, Harpagon, a tenté tous les grands acteurs, de Molière à Dullin.

AVARICE n. f. (lat. *avaritia*). Attachement excessif aux richesses.

AVARICIEUX, EUSE [avarisjø, øz] adj. et n. Litt. Qui montre de l'avarice dans les petites choses.

AVARICUM → BOURGES.

AVARIE n. f. (it. *avaria*, mot ar.). Dommage survenu à un navire, à un véhicule ou à sa cargaison.

AVARIER v. t. Endommager, gâter : *l'eau a avarié les provisions; marchandises avariées*.

AVARS, peuple ancien, originaire de l'Asie centrale. Les Avars pénétrèrent en Europe au VIe s. et furent arrêtés par Charlemagne en 796.

AVATAR n. m. (sanskrit *avatâra*, descente du ciel sur la terre). Nom donné aux différentes incarnations des dieux dans l'Inde, surtout à celles de Visnu. || Changement, le plus souvent en mal, accident : *subir des avatars*.

AVE ou **AVE MARIA** [avemarja] n. m. inv. (mots lat., « salut, Marie »). Prière à la Vierge, dont les premiers mots sont *ave Maria*.

AVEC prép. (lat. *ab hoc*, de là). Marque l'accompagnement, la simultanéité, la manière, le moyen : *sortir avec un ami; avancer avec peine; ouvrir avec une clef*. ◆ adv. Fam. Marque l'accompagnement : *il a pris sa canne et s'en est allé avec*. ◆ loc. prép. D'avec, indique un rapport de différence, de séparation : *divorcer d'avec sa femme*.

AVED (Jacques), peintre français (Douai ? 1702-Paris 1766). Élevé à Amsterdam, ami de Chardin,

il est un portraitiste exact et agréable, saisissant l'intimité de ses modèles.

AVEDON (Richard), photographe américain (New York 1923). Après avoir subi l'influence d'Alexeï Brodovitch, il acquiert rapidement une écriture très personnelle, où alternent l'extrême sophistication (photographie de modes) et la vision brutale et incisive de la réalité (série des portraits de son père âgé et malade).

AVEIRO, v. du Portugal, sur la lagune d'Aveiro, au S. de Porto; 20 000 hab.

AVELINE n. f. (lat. *nux abellana*, noisette d'Abella). Grosse noisette, fruit de l'avelinier.

AVELINIER n. m. Variété de noisetier à gros fruits.

AVELLANEDA, agglomération industrielle de la banlieue sud-est de Buenos Aires; 338 000 hab.

AVELLINO, v. d'Italie, en Campanie, ch.-l. de prov., à l'E. de Naples; 54 000 hab.

AVEMPACE → IBN BÂDJDJA.

AVEN [aven] n. m. (mot du Rouergue). Dans une région calcaire, puits naturel, aux parois abruptes, formé par dissolution ou par effondrement de la voûte de cavités karstiques.

AVENANT n. m. Dr. Acte écrit qui constate les modifications apportées aux clauses primitives d'un contrat.

AVENANT (À L') loc. adv. En accord, en harmonie avec ce qui précède; pareillement : *de jolis yeux, un teint à l'avenant*.

AVENANT, E adj. (anc. fr. *avenir*, convenir). Qui plaît par son air, sa bonne grâce : *des manières avenantes*.

AVÈNEMENT n. m. (anc. fr. *avenir*, arriver). Élévation à une dignité suprême : *avènement à l'empire, à la papauté*. || Venue, établissement de qqch : *avènement d'une ère nouvelle*. ● *Avènement du Messie*, sa venue sur terre.

AVENIR n. m. (lat. *advenire*, arriver). Temps futur : *prévoir l'avenir*. || Situation future : *assurer l'avenir d'un enfant, se préparer un bel avenir*. || La postérité : *l'avenir lui rendra justice*. ● *À l'avenir*, à partir de ce jour : *à l'avenir, avertissez-moi*.

AVENIR n. m. ou **À-VENIR** n. m. inv. Sommation adressée par un avoué à l'avoué de l'adversaire de comparaître à l'audience à un jour fixé.

Avenir (l'), journal éphémère (16 oct. 1830-15 nov. 1831) de Félicité de La Mennais*, d'un catholicisme libéral combatif, prophétique, mais incompris.

Avenir d'une illusion (l'), essai de S. Freud (1927), où celui-ci rattache les religions monothéistes au meurtre symbolique du Père et au sentiment de culpabilité.

Avenir de la science (l'), ouvrage de E. Renan (écrit en 1848, publié en 1890). La rénovation politique et morale de l'Europe confiée non plus à la religion, mais à la science, fondée conjointement sur la philosophie et l'érudition allemandes ainsi que sur l'esprit français de liberté (la science de Renan est surtout celle du philologue et de l'historien).

AVENT n. m. (lat. *adventus*, arrivée). Période de l'année liturgique de quatre semaines, qui précède et prépare la fête de Noël.

AVENTIN (mont), une des sept collines de Rome. Exclue du consulat, la plèbe menaça, en 494 av. J.-C., de faire sécession : elle se retira sur la colline de l'Aventin, située en dehors du *pomœrium* (enceinte religieuse de la cité). Après cette sécession, les plébéiens obtinrent le droit d'élire des tribuns*.

AVENTURE n. f. (lat. *adventura*, choses qui doivent arriver). Événement imprévu, surprenant : *un roman plein d'aventures étranges*. || Entreprise hasardeuse : *aimer les aventures*. ● *À l'aventure*, sans dessein, sans but fixé. || *Dire la bonne aventure*, prédire l'avenir. || *Par aventure, d'aventure* (Litt.), par hasard.

AVENTURÉ, E adj. Hasardeux : *hypothèse aventurée*.

AVENTURER v. t. Exposer au hasard, au danger : *aventurer sa vie, sa réputation*. ◆ **s'aventurer** v. pr. Courir un risque; se hasarder, s'exposer.

AVENTUREUSEMENT adv. De façon aventureuse.

AVENTUREUX, EUSE adj. Qui aime l'aventure, qui hasarde : *esprit aventureux*. || Plein de risques, d'aventures : *existence aventureuse*.

AVENTURIER, ÈRE n. Personne qui cherche les aventures; individu sans scrupule.

AVENTURINE n. f. Pierre fine et d'ornementation constituée par du quartz à inclusions de micas, qui lui donnent un aspect pailleté.

AVENTURISME n. m. Tendance à prendre des décisions hâtives et irréfléchies.

AVENU, E adj. (anc. fr. *avenir*, arriver). *Nul et non avenu*, se dit de quelque chose qu'on doit considérer comme inexistant.

AVENUE n. f. (anc. fr. *avenir*, arriver). Allée plantée d'arbres qui conduit à une habitation. || Grande voie urbaine. ● *Les avenues du pouvoir*, les voies qui permettent d'accéder au pouvoir.

AVERCAMP (Hendrik), peintre hollandais (Amsterdam 1585 - Kampen 1634). Ses paysages d'hiver sont animés de petits personnages dont il évoque la vie sur un mode intimiste et spirituel.

AVÉRÉ, E adj. Reconnu vrai : *fait avéré*.

AVÉRER (S') v. pr. (lat. *verus*, vrai) [conj. 5]. Se révéler, apparaître : *l'entreprise s'avéra difficile*.

AVERESCU (Alexandru), maréchal et homme politique roumain (Ismaïl 1859 - Bucarest 1938). Chef d'état-major pendant les guerres balkaniques (1912-13), il commanda la IIe armée roumaine (1916-1918) et fut chef du gouvernement en 1918, en 1920 et en 1926.

AVERROÈS (Abū al-Walīd Muḥammad ibn Aḥmad ibn Muḥammad ibn Ruchd, connu sous le nom d'), philosophe, savant et médecin arabe (Cordoue 1126 - Marrakech 1198). Cadi (1171), puis grand cadi (1182) de Cordoue, Averroès fait une carrière administrative jusqu'à ce que sa philosophie le fasse tomber en disgrâce sous les accusations des partisans de l'« orthodoxie » coranique.

Il s'efforce de placer la pensée islamique sous l'autorité des raisonnements attribués à Aristote* et de concilier la conception aristotélicienne de l'être et de l'univers avec le Dieu du Coran (*Grands Commentaires*). Quoi qu'en disent ses détracteurs dogmatiques, il maintient néanmoins la tradition exégétique qui interprète le Coran en des sens exotérique et ésotérique. Contrairement aux tenants de l'averroïsme latin, la vérité du Coran est, selon Averroès, une et non double. Cette vérité est, cependant, susceptible d'être interprétée à trois niveaux distincts — philosophie, théologie et foi —, d'après le degré de savoir et d'imagination de chacun (*Découverte de la méthode*). Bien que condamnée par les autorités catholiques en 1240 et en 1513, la philosophie d'Averroès a exercé une profonde influence sur l'Occident médiéval chrétien, notamment en lui faisant connaître Aristote.

AVERROÏSME n. m. Doctrine philosophique d'Averroès.

AVERS [aver] n. m. (lat. *adversus*, qui est en

AVEYRON

chef-lieu de département ◇ chef-lieu d'arrondissement
● chef-lieu de canton
— limite d'arrondissement
-- limite de canton
●● localités classées selon leur population
— v. ferrée route
courbes : 300 600 900 m
0 km 10 km 20

AVANTS-SONLOUP (Les), station touristique de Suisse (Vaud), au-dessus de Montreux.

AVANT-TOIT n. m. (pl. *avant-toits*). Toit faisant saillie sur la façade d'un bâtiment.

AVANT-TRAIN n. m. (pl. *avant-trains*). Partie avant d'une voiture, qui comprend la suspension, le mécanisme de direction et, parfois, les organes moteurs et tracteurs. || Véhicule hippomobile à deux roues qui servait à la traction des canons et des caissons d'artillerie.

AVANT-TROU n. m. (pl. *avant-trous*). Trou provisoire, percé à l'endroit où sera usiné ultérieurement un trou de plus grand diamètre et de meilleure précision.

AVANT-VEILLE n. f. (pl. *avant-veilles*). Le jour qui est avant la veille.

face). Côté face d'une monnaie, d'une médaille, qui contient l'élément principal (par oppos. à REVERS).

AVERSE n. f. (de *à verse*). Pluie subite et abondante.

AVERSION n. f. (lat. *aversio*). Répugnance extrême, horreur : *prendre en aversion.* ● *Thérapie d'aversion* (Psychol.), technique de thérapie comportementale visant à faire disparaître un comportement désadapté (toxicomanies diverses) en lui associant des stimuli désagréables.

AVERTI, E adj. Instruit, compétent : *un critique averti.*

AVERTIR v. t. (lat. *advertere*). Informer, attirer l'attention de : *avertir qqn d'un danger.*

AVERTISSEMENT n. m. Action d'avertir : *un avertissement salutaire.* ‖ Réprimande, remontrance : *recevoir un avertissement.* ‖ Petite préface placée en tête d'un livre. ‖ Avis adressé aux contribuables pour le paiement de l'impôt.

AVERTISSEUR, EUSE adj. et n. m. Se dit d'un dispositif destiné à donner un signal : *un avertisseur d'incendie.*

AVESNES-LE-COMTE (62810), ch.-l. de cant. du Pas-de-Calais, à 21 km à l'O. d'Arras; 1839 hab. Église de style gothique flamboyant.

AVESNES-LÈS-AUBERT (59129), comm. du Nord, à 11 km à l'E. de Cambrai; 4031 hab. Église du XVIe s.

AVESNES-SUR-HELPE (59440), ch.-l. d'arr. du Nord, sur la *Grande Helpe,* affl. de la Sambre (r. dr.); 6502 hab. *(Avesnois).* Église gothique (XIIIe et XVIe s.). Textile.

Avesta, livre sacré du mazdéisme. Il est divisé en plusieurs sections : 1° le *Yasna,* recueil de textes liturgiques dans lequel sont inclus les *Gâthâs* (hymnes); 2° le *Visprat,* ou *Vispered,* textes rituels récités à l'occasion des fêtes; 3° le *Vendidâd,* ou *Vidêvdât,* traité de pureté rituelle; 4° le *Sirôzat,* ensemble de prières aux divinités protectrices des mois de l'année; 5° les *Yasht,* recueil d'hymnes à la gloire des anges et des héros; 6° le *Petit Avesta,* livre de dévotions privées à l'usage des laïques. Le texte actuel paraît avoir été rédigé à l'époque sassanide*, mais certains Gâthâs peuvent remonter aux Achéménides*.

AVESTIQUE n. m. Langue iranienne de l'Avesta.

AVEU n. m. (de *avouer*). Déclaration par laquelle on reconnaît être l'auteur de qqch : *faire l'aveu de ses fautes.* ‖ Déclaration : *faire l'aveu de son amour.* ● *De l'aveu de,* au témoignage de. ‖ *Homme sans aveu* (Litt.), homme sans foi ni loi, intrigant. ‖ *Passer aux aveux,* avouer.

AVEUGLANT, E adj. Qui aveugle, éblouit : *une lumière aveuglante; une preuve aveuglante.*

AVEUGLE adj. (lat. *ab oculis,* privé d'yeux). Privé de la vue. ‖ Celui à qui un sentiment violent enlève le jugement : *la colère rend aveugle.* ‖ Se dit de la passion même : *haine aveugle.* ‖ Qui n'admet ni objection ni jugement : *soumission aveugle.* ‖ *Archit.* Se dit d'une baie ou d'une arcade simulées (non ajourées), d'un mur sans fenêtres et aussi du vaisseau central d'une église qui ne reçoit le jour que par ses bas-côtés. ● *Point aveugle* (Anat.), zone de la rétine dépourvue de cellules visuelles, en face du nerf optique. ‖ *Vallée aveugle,* en relief calcaire, vallée dont les eaux pénètrent dans le sol et qui est fermée par un mur vers l'aval. ◆ n. Personne privée de la vue.

AVEUGLEMENT n. m. Perte du jugement provoquée par une passion violente : *un étrange aveuglement.*

AVEUGLÉMENT adv. Sans discernement, sans réflexion : *obéir aveuglément.*

AVEUGLE-NÉ, E adj. et n. (pl. *aveugles-nés, -nées*). Qui est aveugle de naissance.

AVEUGLER v. t. Priver de la vue. ‖ Éblouir : *les phares m'ont aveuglé.* ‖ Priver de lucidité : *la colère l'aveugle.* ● *Aveugler une voie d'eau,* la boucher provisoirement avec des moyens de fortune. ◆ **s'aveugler** v. pr. [**sur**]. Manquer de discernement, se tromper à propos de qqn ou qqch.

AVEUGLETTE (À L') loc. adv. À tâtons, sans y voir : *marcher à l'aveuglette.* ‖ Au hasard : *agir à l'aveuglette.*

AVEULIR v. t. *Litt.* Rendre veule, sans volonté.

AVEULISSEMENT n. m. *Litt.* Le fait de s'aveulir.

AVEYRON, riv. née dans le sud du Massif central, dans la région des Causses, qu'elle entaille en gorges avant de traverser le Rouergue (passant à Rodez, puis à Villefranche-de-Rouergue) et de rejoindre le Tarn (r. dr.) au N.-O. de Montauban; 250 km.

AVEYRON (12), départ. de la Région Midi-Pyrénées; 8735 km²; 278654 hab. *(Aveyronnais).* Ch.-l. *Rodez.* Ch.-l. d'arr. *Millau* et *Villefranche-de-Rouergue.*

Le département occupe la partie sud-ouest du Massif central, ouverte aux influences atlantiques, qui expliquent notamment l'abondance des précipitations, presque toujours supérieures à 700 mm et souvent à 1000 mm, notamment dans l'est, plus élevé (partie occidentale de l'Aubrac, plateau de la Viadène, Lévezou). Au S.-E., la région calcaire des Causses (Saint-Affrique, Larzac) est plus sèche, mais partout le climat est rude l'hiver, s'adoucissant seulement dans l'ouest, aux confins du bassin d'Aquitaine. Le paysage dominant — celui de plateaux — est aéré par les vallées de la Truyère, du Lot, de l'Aveyron, du Tarn, sites d'aménagements hydroélectriques (surtout sur la Truyère) et aussi des principales villes, dont aucune, en réalité, n'est très importante.

Cette faiblesse de l'urbanisation, à rapprocher des conditions naturelles souvent défavorables, explique la basse densité d'occupation, de l'ordre du tiers seulement de la moyenne nationale. L'agriculture emploie encore environ le quart de la population active; la culture du blé est développée dans le Ségala, autour de Rodez, mais, généralement, l'élevage domine (bovins dans l'Aubrac, ovins dans les Causses), notamment pour la fabrication du fromage de Roquefort. L'industrie n'occupe guère plus d'actifs, malgré la production d'électricité (exportée en majorité à l'extérieur du département); le travail du cuir anime encore Millau. La faiblesse du secteur tertiaire est liée à l'absence de grande ville et est loin d'être compensée par un certain essor du tourisme. À l'écart des grandes voies de communication, loin des pôles de développement et des métropoles régionales, le département, comme la Lozère voisine, se dépeuple; l'exode rural, commencé il y a déjà plus d'un siècle, se poursuit, la situation étant aggravée par la crise de certaines des rares industries urbaines (charbon, industrie du cuir).

AVIAIRE adj. Relatif aux oiseaux.

AVIATEUR, TRICE n. Personne qui pilote un avion.

AVIATION n. f. (lat. *avis,* oiseau). Mode de locomotion utilisant les avions; ensemble d'avions. ● *Aviation commerciale,* ensemble des avions, des installations et du personnel employés au transport des voyageurs et des marchandises. ‖ *Aviation générale,* toute forme d'aviation qui n'est ni militaire ni commerciale (aviation de tourisme, aviation d'affaires). ‖ *Aviation militaire,* celle qui est conçue et employée à des fins militaires.

■ Depuis les temps les plus reculés, le rêve de l'homme a été de se déplacer librement dans les airs. Après l'ère du ballon, les frères Wright* donnaient, le 17 décembre 1903, l'impulsion initiale à un mode de locomotion qui allait révolutionner le XXe s., l'aviation. Les progrès furent extrêmement rapides, puisque des vitesses doubles de celle du son sont désormais atteintes, même par des avions* de transport. Les applications de l'aviation peuvent se répartir dans trois domaines : l'aviation commerciale, l'aviation générale et l'aviation militaire.

● *L'aviation commerciale,* pratiquement inexistante vers 1920, a connu un développement extrêmement rapide, tant sur le plan du trafic que sur celui des performances. Depuis 1950, un certain nombre de progrès décisifs ont été enregistrés : introduction de la propulsion par réaction, mise au point des techniques de gui-

AVIATION

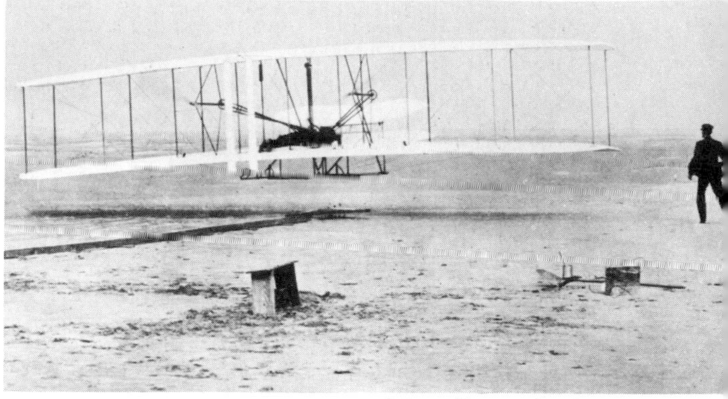

Premier vol de l'avion biplan des frères Wright, le 17 décembre 1903, à Kitty Hawk, aux États-Unis.

Science Museum, Londres

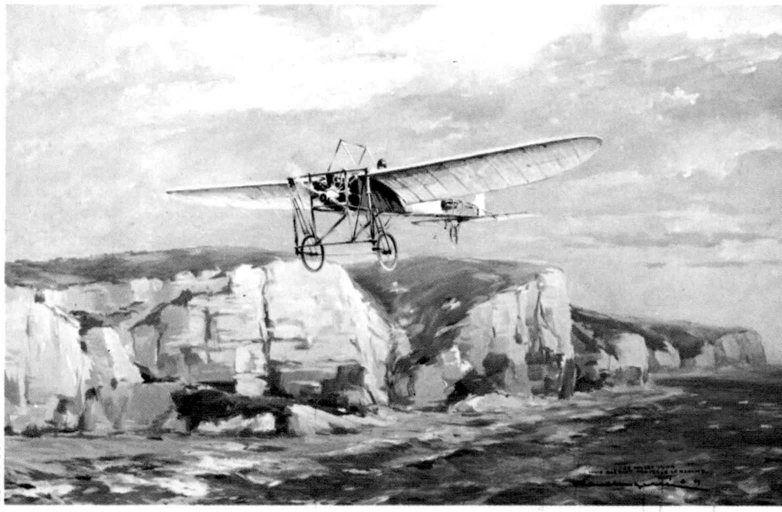

Monoplan type XI à bord duquel, le 25 juillet 1909, Blériot effectua la première traversée de la Manche. Aquarelle de Paul Langellée. (Coll. part., Paris.)

Larousse

les grandes étapes de l'aviation

1890 Premier soulèvement (9 oct.) d'un aéroplane équipé d'un moteur à vapeur, l'*Éole* de Clément Ader, à Armainvilliers, sur 50 m à 0,20 m du sol.

1903 Premier vol (17 déc.) d'un avion à moteur piloté par les frères Wright, à Kitty Hawk (Caroline du Nord), sur 284 m.

1906 Premier soulèvement (13 sept.) d'un aéroplane en Europe par Alberto Santos-Dumont à Bagatelle. — Premier vol prolongé d'un avion en Europe (23 oct.) par Santos-Dumont, qui, à Bagatelle, couvre 220 m. — Premier record de vitesse homologué (12 nov.), réalisé par Santos-Dumont avec 41,29 km/h.

1907 Premier vol (13 nov.) d'un hélicoptère, qui, piloté par le Français Paul Cornu (1881-1944) à Lisieux, se soulève de 1,5 m.

1908 Premier vol officiel (13 janv.) sur 1 km en circuit fermé par Henri Farman* à Issy-les-Moulineaux.

1909 Première traversée de la Manche (25 juill.), de Calais à Douvres (durée de vol, 37 mn), par Louis Blériot.

1910 Premier vol à plus de 1000 m d'altitude (7 janv.) par Hubert Latham. — Premier vol d'un hydravion (28 mars) sur l'étang de Berre par Henri Fabre. — Premier vol à plus de 100 km/h (9 sept.) par Léon Morane à Reims.

1911 Premier voyage Londres-Paris sans escale (12 avr.) par le Français Pierre Prier (1886-1950).

1912 À Houlgate (6 sept.), premier vol au-dessus de 5000 m, par Roland Garros.

1913 Traversée de la Méditerranée (23-24 sept.), de Saint-Raphaël à Bizerte, par Roland Garros.

1916 Première installation de la radio à bord des avions.

1919 Première traversée de l'Atlantique Nord en hydravion (16-17 mai), de Terre-Neuve à Horta (Açores) et Lisbonne, par le lieutenant-commander américain Albert Cushing Read (1887-1967). — Première traversée de l'Atlantique Nord en avion (14-15 juin), entre Saint John's (Terre-Neuve) et Clifden (Irlande), par les Anglais sir John William Alcock (1892-1919) et sir Whitten Brown (1886-1948).

1922 Première traversée de l'Atlantique Sud en hydravion (30 mars-5 juin), entre Lisbonne et Rio de Janeiro, par les Portugais Sacadura Cabral (1880-1924) et Gago Coutinho.

1923 Premier ravitaillement en vol d'un avion (26 juin) par les Américains Lowell Smith et J. P. Richter à San Diego.

1924 Premier vol de plus de 10 minutes en hélicoptère (29 janv.) par Raoul Pateras Pescara à Issy-les-Moulineaux.

1926 Réalisation du pilote automatique et des instruments de pilotage sans visibilité.

1927 Première traversée de l'Atlantique Nord sans escale (20-21 mai), de New York à Paris, par Charles Lindbergh* sur l'avion *Spirit of St Louis.*

1929 Record de la distance en ligne droite (27-29 sept.) porté à 7905 km par Dieudonné Costes et Maurice Bellonte, de Paris à Tsitsihar (Chine du Nord-Est). — Premier vol, sur 3 km, d'un avion propulsé par un moteur-fusée (30 sept.) par l'Allemand Fritz von Opel (1899-1971).

1930 Première liaison Paris-New York sans escale (1er-2 sept.) par Dieudonné Costes et Maurice Bellonte sur le Breguet *Point-d'Interrogation.*

1934 Premier vol à plus de 700 km/h (24 oct.) par l'Italien Francesco Agello (1902-1942) sur hydravion Macchi.

1939 Premier vol d'un avion propulsé par un turboréacteur (27 août), le Heinkel 178, doté d'un moteur Hans von Ohain de 450 kg de poussée.

1940 Premier vol d'un avion propulsé par un turboréacteur (30 avr.), le Caproni-Campini « CC-I ».

1941 Premier vol à plus de 1000 km/h du Messerschmitt Me 163 « Komet » doté d'un moteur-fusée à liquides, piloté par Heini Dittmar.

1944 (nov.) Premier engagement au combat du biréacteur allemand Messerschmitt « Me-262 ». — Signature, à Chicago, de la Convention relative à l'aviation civile internationale (7 déc.).

1947 Premier vol (14 oct.) du Bell « X-1 », propulsé par un moteur-fusée, piloté par l'Américain Charles Yeager (né en 1923), le premier à dépasser la vitesse du son en vol horizontal.

1949 Premier vol (27 juill.) du De Havilland 106 « Comet », premier avion de transport propulsé par turboréacteur.

1953 Premier vol (15 déc.) du « Djinn », premier hélicoptère propulsé par réaction.

1955 Premier vol (27 mai) de la « Caravelle », qui introduit la formule des réacteurs à l'arrière du fuselage.

1958 Premier vol d'un hélicoptère (13 juin) au-dessus de 10000 m par l'« Alouette III », qui atteint 10984 m.

1962 Record de distance en ligne droite (10-11 janv.) porté à 20169 km, de Okinawa à Madrid, par un Boeing « B-52 ». — Record d'altitude (17 juill.) porté à 95936 m par le North American « X-15 », à moteur-fusée, lancé d'un avion porteur.

1965 Records d'altitude (24462 m) et de vitesse (3331,5 km/h) en vol horizontal (1er mars) battus par le Lockheed « YF-12 A ».

1968 Premier vol (31 déc.) du premier avion de transport supersonique, le Tupolev « TU-144 ».

1969 Premier vol (9 févr.) de l'avion de transport Boeing « 747 ». — Premier vol (2 mars) de l'avion de transport franco-britannique « Concorde ».

1970 Première liaison transatlantique (22 janv.) du Boeing « 747 » entre New York et Londres.

1974 Mise en service, sur Paris-Londres (30 mai), de l'Airbus, construit par l'industrie aéronautique européenne.

1976 Premiers vols commerciaux réguliers (21 janv.) du « Concorde ».

Air France

Quadrimoteur Lockheed « Constellation » Super G. 1943.

Ci-dessous, à gauche : Biréacteur d'affaires américain Cessna « Citation II ». 1977.

rience à l'expansion de l'aviation de ligne. Au contraire, les armées de l'air connaissent une période de stagnation, sauf en Allemagne, où la Luftwaffe, créée en 1935, dispose d'emblée d'un matériel et d'un personnel de haute qualité, dont Hitler fait de 1939 à 1941 un élément décisif de la guerre éclair. Mais l'offensive aérienne allemande de 1940 sur l'Angleterre échoue, et les Alliés acquièrent peu à peu une supériorité aérienne qui leur donnera en 1944-45 une maîtrise de l'air quasi totale. Au cours de ce second conflit, les aviations militaires connaissent une nouvelle évolution technique (radar, engagement à la fin de 1944 du «Me-262» allemand, premier avion à réaction), tandis que s'accroît, suivant la capacité des industries de guerre, le nombre des avions. Cela explique notamment la supériorité écrasante de l'US Air Force (296 000 avions américains seront construits de 1940 à 1945).

Cessna Aircraft

R. Demeulle

Quadriréacteur de transport commercial Boeing « 747 » Cargo « Super Pelican ». 1972.

dage et d'atterrissage par mauvaise visibilité — qui ont considérablement amélioré la régularité et la sécurité des vols —, mise en service, depuis 1970, d'avions gros porteurs offrant de 200 à 400 places; en 1976 est venue s'ajouter la mise en service de l'avion de transport superso- nique « Concorde ».

● L'*aviation générale* englobe l'aviation de tou- risme et l'aviation d'affaires. L'*aviation de tou- risme*, en pleine expansion, a bénéficié des per- fectionnements apportés aux appareils, notam- ment sur le plan des aides au pilotage. L'*aviation d'affaires* utilise de petits avions commerciaux de 6 à 10 places, généralement propulsés par turboréacteurs ou turbopropulseurs.

● L'*aviation militaire*, si son origine lointaine remonte à l'emploi du ballon par les aérostiers à la bataille de Fleurus (1794), n'apparaît qu'au début du XXᵉ s. C'est en France qu'elle connaît le plus grand essor; dès 1910, l'armée française possède une trentaine d'aéroplanes, et la pre- mière escadrille est créée en 1912, date à laquelle des pilotes français font leurs premières expé-

riences de combat dans les Balkans et où l'An- gleterre crée la Royal Flying Corps, ancêtre de la Royal Air Force.

La Première Guerre mondiale donne droit de cité, parmi les armes, à l'aviation, où se dis- tinguent peu à peu les trois branches de l'*obser- vation* (des troupes et des tirs avec emploi de la photographie aérienne), de la *chasse* (pour interdire ces missions à l'adversaire) et du *bom- bardement*. Partie en 1914 avec 216 appareils, la France, devenue en 1918 la première puissance aérienne, en compte alors 3 600 (288 escadrilles en ligne). Illustrées par les exploits de leurs as (Fonck, Guynemer en France, Manfreid et Lothar von Richthofen, Ernst Udet, Max Immelmann en Allemagne), les forces aériennes jouent un rôle important dans les opérations terrestres. En moins de dix ans, les avions sont passés du stade sportif à la production industrielle de série, mais, s'ils ont accru leurs performances, ils demeurent fragiles.

Après 1919, de nombreux appareils militaires sont reconvertis dans le secteur commercial, et d'anciens pilotes de guerre apportent leur expé-

Avion de chasse anglais Supermarine « Spitfire Mk-16 », en service pendant la Seconde Guerre mondiale.

H. Lévy

AVIATION MILITAIRE

« Spad 13 », avion de chasse français en service pendant la Première Guerre mondiale.

Coll. M. Rieussec

Musée de l'Air.

Bombardier allemand en piqué Junkers « Ju-87 Stuka ». 1939.

À partir de 1945, outre la généralisation du moteur à réaction et la multiplication des équipements électroniques, deux facteurs nouveaux, l'arme nucléaire et le missile, bouleversent la physionomie des aviations militaires. Depuis les années 1970, on distingue généralement, d'une part, *l'aviation stratégique* et, d'autre part, *l'aviation tactique*. La première comprend des bombardiers nucléaires, que les grandes puissances ont tenu à conserver car ils ont encore leur place dans le concept de dissuasion («B-52» américains, «TU-26» soviétiques, dits «Backfire», et «Mirage IV» français). Elle comprend aussi des *avions de transport* dont l'emploi s'est révélé capital dans tous les conflits (pont aérien de Berlin, guerres israélo-arabes, crise de Cuba, conflits en Angola et en Afghānistān, guerre des Malouines). Cette aviation de transport stratégique peut être renforcée par des appareils prélevés sur les aviations commerciales. L'aviation tactique comprend essentiellement des avions dits «d'appui» ou «de combat», dotés d'un équipement et d'un armement très sophistiqués, que les projectiles soient nucléaires ou non («F-16» américains, «Mig» soviétiques, «Mirage» ou «Jaguar» français). Ainsi, en dehors des domaines où, comme le transport, l'avion reste irremplaçable, on estime que missiles et avions pilotés demeurent complémentaires. Ces derniers trouvent surtout leur place dans le domaine tactique, requérant une intelligence et une rapidité d'adaptation à l'événement qui resteront encore longtemps le privilège de l'équipage humain. Quelle que soit la mission envisagée, on recherche, sur le plan technique, un décollage court ou vertical pour éviter la sujétion des pistes longues et bétonnées.

Il convient, enfin, de mentionner l'existence d'une *aviation légère*, dont le rôle n'a cessé de croître pour les missions d'observation, de lutte antichar et de transport d'effectifs spécialisés (commandos). En France, *l'aviation légère de l'armée de terre* (A.L.A.T.) a été créée en 1954 pour assurer ces missions. Elle a succédé à *l'aviation d'observation d'artillerie*, apparue au cours de la Première Guerre mondiale. Elle dispose d'avions légers et surtout d'hélicoptères, principalement répartis en *régiments d'hélicoptères de combat* (R.H.C.) et en *groupes d'hélicoptères légers* (G.H.L.).

Bombardier lourd américain Boeing « Superfortress B-29 » 1943.

Monoréacteur polyvalent à aile delta Dassault-Bréguet « Mirage 2000 », 1978.

Monoréacteur chasseur bombardier intercepteur soviétique à aile delta « Mig 21 ». Vers 1956.

AVICENNE (Abū ʿAlī al-Ḥusayn ibn Sinā, connu sous le nom d'), savant, philosophe et médecin iranien (Afchana, près de Boukhara, 980 - Hamadhān 1037). Extraordinairement précoce, Avicenne étudie toutes les connaissances accumulées jusqu'alors, puis s'intéresse plus particulièrement à la médecine et à la philosophie. Il poursuit ses recherches et rédige un *Canon* * *de la médecine*, sur lequel s'appuieront l'enseignement et les pratiques médicales en Occident jusqu'au XVIIe s. et en Iran jusqu'au XXe s. L'ensemble de ses œuvres paraît considérable.

Influencé par Aristote et l'ismaélisme, il élabore une théorie de l'intellect qui fonde sa cosmologie. Il distingue les êtres possibles des êtres nécessaires et pense que les êtres possibles deviennent êtres en acte dans la mesure où leur existence est rendue nécessaire par une cause. Cette nécessité est celle d'un Dieu créateur, qui, en se pensant lui-même, constitue le premier intellect, dont procèdent les êtres et les autres intellects (*Livre de la guérison* [de l'âme], *Livre de la science*).

Introduite en Occident, la pensée d'Avicenne a donné naissance à un avicennisme latin qui, en réalité, respecte beaucoup plus la pensée

Monoréacteur d'appui tactique britannique « V-STOL » Hawker-Siddeley Harrier. Avion de combat à décollage et atterrissage courts. 1969.

Chasseur biréacteur américain à flèche variable Grumman « F-14 Tomcat ». 1970.

Avignon. Le pont Saint-Bénezet, tronqué, sur le Rhône; à droite, le palais des Papes.

Christian Sappa

d'Augustin* que celle d'Avicenne. En Iran, au contraire, elle a exercé une influence importante sur Sohrawardi, sur l'école d'Ispahan au XVIe s. et plus globalement sur le chi'isme* iranien jusqu'à nos jours.

AVICOLE adj. (lat. *avis*, oiseau). Relatif à l'aviculture.

AVICULTEUR, TRICE n. Personne qui élève des oiseaux, des volailles.

AVICULTURE n. f. Élevage des oiseaux, des volailles.

AVIDE adj. (lat. *avidus*). Qui désire avec voracité, avec passion : *avide d'argent; avide d'apprendre.* ‖ Qui exprime l'avidité.

AVIDEMENT adv. De façon avide.

AVIDITÉ n. f. Désir de dévorer, de posséder.

AVIFAUNE n. f. *Écol.* Partie de la faune d'un lieu constituée par les oiseaux.

AVIGNON (84000), ch.-l. du départ. de Vaucluse, à 683 km au S.-S.-E. de Paris, sur la rive gauche du Rhône; 91 474 hab. *(Avignonnais).* Avignon est le centre d'une agglomération d'environ 150 000 habitants.

GÉOGRAPHIE. Dans la ville elle-même prédominent les fonctions administrative, commerciale (au centre de la riche région agricole du Comtat), universitaire et touristique. La banlieue, notamment le long du Rhône (Sorgues, Le Pontet), est le site d'importantes zones industrielles. Les produits réfractaires, les poudres et explosifs, les papiers et cartons, les appareils ménagers sont les principales productions d'une agglomération qui se développe rapidement.

HISTOIRE. Colonie latine, Avignon est évêché au début du Ve s. Cité épiscopale, elle devient le siège d'un puissant consulat vers 1129. Elle prend parti pour les albigeois et est conquise par Louis VIII en 1226. À peine est-elle retombée sous la domination du comte de Provence (1285) qu'elle devient la ville des papes (1309-1376), qui en font une ville active et monumentale; en 1348, Jeanne Ire, reine de Sicile, la vend au pape Clément VI. La ville est, de 1378 à 1417, la résidence des papes dits « d'Avignon », en rupture avec Rome lors du Grand Schisme d'Occident (1378-1417). Elle vote son rattachement à la France le 12 juin 1790. Officiellement annexée le 14 septembre 1791, elle devient le chef-lieu du Vaucluse le 25 juin 1793. Mais ce n'est qu'en 1797 que sa cession par Pie VI est officialisée (traité de Tolentino).

BEAUX-ARTS. Sur le rocher des Doms, cathédrale romane et célèbre palais-forteresse des papes du XIVe s. : austère Palais-Vieux de Benoît XII, complété par le Palais-Neuf, fastueux, de Clément VI (fresques exécutées sous la direction de Matteo Giovanetti, de Viterbe). La ville a un riche capital monumental : restes du pont Saint-Bénezet (XIIe s.); églises gothiques; Petit Palais des légats italiens (XVe s., auj. musée : primitifs italiens et avignonnais); hôtels et chapelles du XVIIe s., dont celle du collège des Jésuites, auj. musée lapidaire; hôtels du XVIIIe s., dont l'un abrite les collections de peinture et d'arts décoratifs du musée Calvet.

ÁVILA, v. d'Espagne (Castille-León), ch.-l. de prov., à l'O. de Madrid; 40 200 hab. Derrière son enceinte restaurée aux quelque quatre-vingts tours de granite, la ville conserve une cathédrale gothique à chevet fortifié — abritant, comme le musée attenant, de nombreuses œuvres d'art —, des églises, des couvents, etc. Plusieurs églises romanes, dont S. Vicente (portail de la fin du XIIe s.), et le couvent S. Tomás, en gothique

tardif (retable de P. Berruguete, cloîtres du XVIe s.), sont hors les murs.

AVILÉS, port d'Espagne, dans les Asturies; 88 000 hab. Sidérurgie.

AVILIR v. t. Abaisser jusqu'à rendre méprisable. ◆ **s'avilir** v. pr. Se dégrader, se déshonorer.

AVILISSANT, E adj. Qui avilit, déshonore.

AVILISSEMENT n. m. État d'une personne avilie; dégradation.

AVINÉ, E adj. En état d'ivresse.

AVINER v. t. *Techn.* Imbiber un tonneau de vin avant de le remplir.

AVION n. m. (nom de l'appareil inventé par Ader; du lat. *avis*, oiseau). Appareil de navigation aérienne plus lourd que l'air, muni d'ailes et d'un moteur à hélice ou à réaction.

■ Un avion comporte essentiellement une aile, un fuselage, des empennages et des gouvernes, un train d'atterrissage et des groupes propulseurs. L'*aile* a pour rôle principal d'assurer la sustentation de l'avion, et sa forme dépend de la vitesse d'utilisation; elle diffère pour les avions subsoniques et les avions supersoniques. Le *fuselage* contient la charge utile : passagers ou fret pour un avion de transport, charges militaires pour les avions d'armes; il reçoit également le poste de pilotage. Sa forme est généralement cylindrique, le diamètre pouvant dépasser 6 m sur les plus gros avions. Les *empennages* assurent la stabilité de l'avion en tangage, en roulis et en lacet. On distingue l'empennage horizontal et l'empennage vertical. Chacun d'eux porte des *gouvernes* : gouvernes de profondeur pour l'empennage horizontal, qui commandent les mouvements de l'avion en tangage, et gouvernes de direction pour l'empennage vertical, qui commandent les mouvements en lacet. Les autres gouvernes sont portées par l'aile; il s'agit des ailerons, qui, montés en bout d'aile au bord de fuite, commandent les mouvements de roulis. Le *train d'atterrissage* comporte deux éléments : un train principal, situé à hauteur de l'aile et qui s'escamote généralement dans cette dernière, et un train avant, situé sous le nez du fuselage, dans lequel il se rétracte; sur les avions géants, l'ensemble du train peut compter jusqu'à vingt roues. Les groupes propulseurs sont soit accrochés à la voilure (cas de la majorité des avions de transport), soit contenus dans le fuselage (cas des avions d'armes monomoteurs); on observe également sur certains avions de transport les réacteurs accolés à l'arrière du fuselage, avec quelquefois un réacteur supplémentaire intégré dans la base de l'empennage vertical. Les avions de transport, qui volent à des altitudes comprises entre 6 000 et 12 000 m (de 15 000 à 18 000 m pour les avions de transport supersoniques), sont pressurisés à une pression correspondant à une altitude fictive de 2 500 m. En outre, un système de conditionnement d'air maintient une température et une humidité convenables, quelles que soient les conditions ambiantes. Sur les avions de combat, qui peuvent atteindre des altitudes très élevées, la pressurisation doit être limitée en fonction de la résistance de la verrière, et le pilote doit porter une combinaison pressurisée. Les avions de combat doivent également permettre l'évacuation de l'équipage en cas de destruction de l'avion en vol. Ils sont alors équipés de sièges éjectables; sur certains avions les plus récents (bombardier américain « B-1 »), on prévoit même l'éjection de l'ensemble de la cabine, qui est

ramenée au sol à l'aide de parachutes. Enfin, pour accroître leurs possibilités de rayon d'action, certains avions d'armes disposent de systèmes de ravitaillement en vol à partir d'avions-citernes; cette technique est notamment utilisée lors de missions de bombardement à longue distance. Qu'ils soient civils ou militaires, mais surtout pour ces derniers, les avions modernes à hautes performances comportent un équipement électronique très complexe, dont le coût intervient pour une part importante dans le prix total de l'avion : centrale de navigation, pilote automatique, systèmes de conduite de tir pour les avions d'armes, etc.

AVION (62210), ch.-l. de cant. du Pas-de-Calais, dans la banlieue sud de Lens; 21 032 hab.

AVION-CARGO n. m. (pl. *avions-cargos*). Avion de gros tonnage destiné uniquement au transport de fret lourd et encombrant.

AVION-CITERNE n. m. (pl. *avions-citernes*). Avion transporteur de carburant destiné à ravitailler d'autres appareils en vol.

AVION-ÉCOLE n. m. (pl. *avions-écoles*). Avion destiné à la formation des pilotes.

AVIONIQUE n. f. Application des techniques de l'électronique au domaine de l'aviation.

AVIONNERIE n. f. Au Canada, usine de constructions aéronautiques.

AVIONNEUR n. m. Constructeur de cellules d'avions.

AVIOTH (55600) Montmédy), comm. de la Meuse; 103 hab. Belle église de pèlerinage des XIVe-XVe s.

AVIRON n. m. (anc. fr. *viron*, tour; de *virer*). Rame légère servant à manœuvrer une embarcation. ‖ Sport du canotage.

AVIRONS (Les) [97425], ch.-l. de c. de la Réunion; 5 150 hab.

AVIS [avi] n. m. (anc. fr. *ce m'est à vis*, cela me paraît bon). Manière de voir, opinion, sentiment : *partager l'avis de qqn; écouter les avis de ses parents.* ‖ Information par voie d'affiche. ‖ *Dr.* Opinion exprimée par une assemblée ou une juridiction en réponse à une question posée et n'ayant pas force de décision : *avis du Conseil d'État.* ‖ Consultation délibérée par des juristes. ● *Avis au lecteur,* sorte de préface en tête d'un livre. ‖ *Être d'avis de,* penser que.

AVISÉ, E adj. Qui a un jugement réfléchi et agit en conséquence; habile : *esprit avisé.*

AVISER v. t. (de *viser*). *Litt.* Apercevoir : *aviser qqn dans la foule.* ◆ v. i. *Litt.* Réfléchir à ce qu'on doit faire, prendre une décision. ◆ **s'aviser** v. pr. [de]. S'apercevoir, se rendre compte d'une chose : *il s'est enfin avisé de ma présence.* ‖ Être assez audacieux, assez hardi pour : *ne vous avisez pas de vous moquer de moi.*

AVISER v. t. (de *avis*). *Litt.* Avertir, informer : *aviser qqn de son départ.*

AVISO n. m. (esp. *barca de aviso*). Autref., petit bâtiment rapide qui portait le courrier. ‖ Auj., bâtiment de faible tonnage destiné à des missions lointaines *(aviso-escorteur)* ou à la lutte anti-sous-marine.

AVITAILLEMENT n. m. Action d'avitailler.

AVITAILLER v. t. Fournir à un navire son approvisionnement, à un avion son carburant.

AVITAILLEUR n. m. Navire, avion chargé d'avitailler.

AVITAMINOSE n. f. Maladie produite par un manque de vitamines. (Syn. MALADIE PAR CARENCE.)

■ Les principales avitaminoses sont le scorbut (vitamine C), le béribéri (vitamine B), le rachitisme (vitamine D), la pellagre (vitamine PP); l'avitaminose A entraîne la xérophtalmie.

AVIVAGE n. m. Action de donner de l'éclat.

AVIVEMENT n. m. *Chir.* Action d'aviver les bords d'une cicatrice ou d'une plaie pour les réunir à l'aide d'une suture.

AVIVER v. t. (lat. *vivus*, ardent). Donner de l'éclat, de la vivacité : *aviver une couleur, le teint.* ‖ Rendre plus vif, augmenter : *aviver des regrets.* ‖ *Méd.* Mettre à nu les parties saines d'une plaie en faisant disparaître les parties nécrosées : *aviver les bords d'une escarre.* ‖ *Techn.* Couper à plus vive arête ou polir davantage : *aviver une poutre, une pièce métallique.*

AVIZ (dynastie d'), dynastie qui régna au Portugal de 1385 à 1580.

AVION

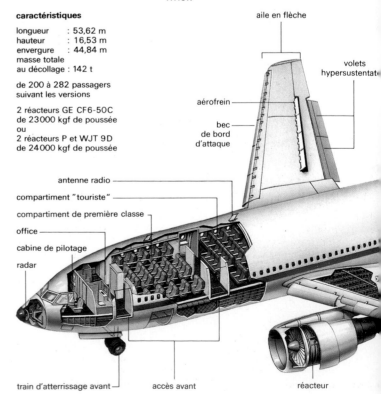

caractéristiques

longueur : 53,62 m
hauteur : 16,53 m
envergure : 44,84 m
masse totale
au décollage : 142 t

de 200 à 282 passagers
suivant les versions

2 réacteurs GE CF6-50C
de 23 000 kgf de poussée
ou
2 réacteurs P et WJT 9D
de 24 000 kgf de poussée

aile en flèche

volets hypersustentateurs

aérofrein

bec de bord d'attaque

antenne radio

compartiment "touriste"

compartiment de première classe

office

cabine de pilotage

radar

train d'atterrissage avant

accès avant

réacteur

La dynastie de Bourgogne, incapable de mettre fin au malaise social et de contenir les ambitions castillanes, disparaît en 1385, quand les Cortes de Coimbra proclament roi le grand maître de l'ordre d'Aviz, Jean Ier (de 1385 à 1433), qui mate la féodalité et prend d'importantes mesures en faveur du petit peuple. Les successeurs immédiats de Jean Ier sont débordés de nouveau par la noblesse et le clergé. Mais Jean II (de 1481 à 1495) et Manuel Ier (de 1495 à 1521) posent les bases de l'absolutisme royal. Dans le même temps, en Afrique, en Amérique et en Asie, se fonde un Empire portugais, auquel reste attaché le nom d'Henri* le Navigateur et qui atteint son apogée sous Alphonse V l'Africain (de 1438 à 1481). Mais l'abandon des places marocaines sous Jean III (de 1521 à 1557) montre les limites des possibilités de conquêtes portugaises. La tentative marocaine de Sébastien (roi de 1557 à 1578) se termine par le désastre d'Alcaçar Quivir. En 1580 à la mort du vieux cardinal roi dom Henri, le Portugal devient, pour soixante ans, possession espagnole.

AVIZE (51190), ch.-l. de cant. de la Marne, à 10 km au S.-E. d'Épernay, en bordure de la côte d'Île-de-France; 2020 hab. Église des XIIe et XVe s. Vignobles.

AVOCAILLON n. m. *Fam.* Avocat sans notoriété.

AVOCASSERIE n. f. Mauvaise chicane d'avocat (vx).

AVOCASSIER, ÈRE adj. Qui a rapport aux mauvais avocats (vx).

AVOCAT, E n. (lat. *advocatus,* appelé auprès). Personne qui fait profession de conseiller et de représenter les parties et de plaider en justice. ‖ Celui qui intercède pour un autre : *se faire l'avocat d'une mauvaise cause.* ● *Avocat commis d'office,* avocat désigné par le bâtonnier pour défendre gratuitement un accusé au cours d'un procès pénal. (Cet avocat est rétribué par l'État.) ‖ *Avocat du diable,* défenseur d'une mauvaise cause. ‖ *Avocat général,* membre du ministère public assistant le procureur général, notamment à la Cour de cassation et dans les cours d'appel. ‖ *Ordre des avocats,* ensemble des avocats inscrits près d'une cour, d'un tribunal, et représentés par un bâtonnier.

AVOCAT n. m. (mot des Caraïbes). Fruit de l'avocatier, en forme de poire, pesant jusqu'à 1 kg.

AVOCATIER n. m. Arbre originaire d'Amérique, cultivé pour son fruit, l'*avocat.* (Famille des lauracées.)

AVOCETTE [avɔsɛt] n. f. (it. *avocetta*). Oiseau échassier du littoral français de l'Océan, à long bec recourbé en l'air, au plumage noir et blanc, et de la taille d'un faisan. (Haut. 45 cm; ordre des charadriiformes.)

AVODIRÉ n. m. Arbre d'Afrique, à bois tendre et blanc utilisé en ébénisterie.

AVOGADRO (Amedeo DI QUAREGNA, *comte*), chimiste italien (Turin 1776 - *id.* 1856), auteur, en 1811, de l'hypothèse selon laquelle il y a toujours le même nombre de molécules dans des volumes égaux de gaz différents; d'où la possibilité d'obtenir les masses moléculaires des corps gazeux. — Le *nombre d'Avogadro* ($6{,}023 \times 10^{23}$) est le nombre de molécules contenues dans une mole.

AVOINE n. f. (lat. *avena*). Céréale dont les grains, portés par des grappes lâches, servent surtout à l'alimentation des chevaux. (Famille des graminacées.) ● *Folle avoine,* avoine sauvage, commune dans les champs, les lieux incultes.

AVOINE (37420), comm. d'Indre-et-Loire, à 0 km au N.-O. de Chinon; 1000 hab. Centrale nucléaire, dite aussi « centrale de Chinon », en bordure de la Loire. Musée du nucléaire.

AVOIR v. t. (lat. *habere*) [v. tableau des conj.]. Posséder : *avoir de la fortune, du mérite.* ‖ Avec un nom sans article, indique une attitude, un état : *avoir faim, peur, mal à la tête; qu'avez-vous?* ‖ *Fam.* Tromper : *il s'est fait avoir.* ● *En avoir après, contre,* éprouver de l'irritation. ‖ *Il y a,* il est, il existe.
■ Verbe auxiliaire, suivi d'un participe passé, il forme les temps composés des verbes transitifs, des impersonnels et de quelques intransitifs; suivi de *à* et l'infinitif, il indique l'obligation.

AVOIR n. m. Ensemble des biens qu'on possède : *voilà tout mon avoir.* ‖ Partie du compte d'une personne où l'on porte les sommes qui lui sont dues. (Contr. DOIT.) ● *Avoir fiscal,* dégrèvement fiscal dont bénéficient les actionnaires ayant touché des dividendes au cours de l'année. (On dit aussi CRÉDIT D'IMPÔT.)

AVOIRDUPOIS n. m. Système de poids appliqué dans les pays anglo-saxons à toutes les marchandises autres que les métaux précieux, les pierreries et les médicaments.

AVOISINANT, E adj. Proche, voisin.

AVOISINER v. t. Être voisin de, être proche (matériellement ou moralement) : *la Belgique avoisine la France; les dégâts avoisinent le million.*

AVON (77210), comm. de Seine-et-Marne, à 3 km à l'E. de Fontainebleau; 15267 hab. *(Avonnais).* Église des XIIe et XVIe s.

AVON, comté de Grande-Bretagne (Angleterre), sur l'estuaire de la Severn; 914000 hab.

AVORD (18800 Baugy), comm. du Cher, à 21 km au S.-E. de Bourges; 3211 hab. Base-école de l'armée de l'air.

AVORIAZ, station de sports d'hiver (alt. 1800-2380 m) de la Haute-Savoie (comm. de Morzine). Festival du film fantastique et étrange.

AVORTÉ, E adj. Qui a échoué.

AVORTEMENT n. m. Action d'avorter.
■ Les *avortements spontanés* peuvent être dus à une maladie générale (tel le diabète), à des anomalies utérines (béance de l'isthme, facilement corrigée, fibromes), à une insuffisance hormonale ou à des anomalies de l'œuf, qui est ainsi rapidement expulsé.

Les *avortements provoqués* peuvent être thérapeutiques, lorsque la vie de la mère est menacée par la poursuite de la grossesse (cardiopathie congénitale), ou volontaires. Les complications des avortements sont surtout le fait des avortements clandestins. Elles peuvent être traumatiques (perforations utérines, hémorragies), infectieuses (infection locale ou généralisée) ou locales (synéchies utérines ou salpingites chroniques, causes de stérilité).

Aux termes de la loi française du 17 janvier 1975 (adoptée définitivement en 1979), l'« interruption volontaire de grossesse » (I.V.G.) cesse, sous certaines conditions, d'être punie par la loi pénale. La loi du 31 décembre 1979 légalise définitivement l'I.V.G.

L'avortement est autorisé jusqu'à la dixième semaine de grossesse lorsque la mère présente une « situation de détresse »; l'interruption de grossesse sera pratiquée par un médecin dans un établissement hospitalier agréé (le médecin pouvant refuser de s'y prêter). La femme doit être avertie des risques médicaux qu'elle encourt et consulter un centre d'information et de conseil familial. Elle doit, si l'avortement est décidé, confirmer par écrit sa décision au médecin. Le consentement de l'une des personnes exerçant l'autorité parentale est requis en cas de mineure célibataire.

L'interruption volontaire de grossesse pour motif thérapeutique peut être pratiquée au-delà de la dixième semaine de grossesse, seulement si deux médecins (dont les qualifications sont prévues par la loi) attestent, après examen et discussion, que la poursuite de la grossesse mettrait gravement en danger la santé de la mère ou que l'enfant à naître risquerait d'être atteint d'une anomalie grave et incurable.

La provocation à l'avortement est punie, même si elle n'a pas été suivie d'effet, ainsi que la publicité pour les établissements qui le pratiquent et les médicaments qui le causent. (V. CONTRACEPTION.)

AVORTER v. i. (lat. *abortare;* de *ab* priv., et *ortus,* né). Expulser un embryon ou un fœtus avant le moment où il devient viable. ‖ Échouer, ne pas réussir, rester sans effet : *la conspiration a avorté.* ◆ v. t. Procéder à un avortement sur une femme.

AVORTEUR, EUSE n. *Péjor.* Celui, celle qui pratique un avortement.

AVORTON n. m. Plante ou animal venu avant terme. ‖ Petit homme mal fait.

AVOUABLE adj. Qui peut être honnêtement avoué : *motif avouable.*

AVOUÉ n. m. (lat. *advocatus,* appelé auprès). Officier ministériel qui avait le monopole de la représentation des plaideurs devant les tribunaux de grande instance et les cours d'appel. (Depuis 1972, les avoués près les tribunaux de grande instance sont intégrés dans la profession d'avocat. Seuls subsistent les avoués exerçant leur ministère auprès des cours d'appel.)

AVOUER v. t. (lat. *advocare,* recourir à). Reconnaître que l'on a dit ou fait qqch de mal, de regrettable : *avouer une faute.* ‖ Reconnaître comme vrai, réel : *avouez qu'il a raison.* ◆ **s'avouer** v. pr. Se reconnaître : *s'avouer vaincu.*

AVRANCHES (50300), ch.-l. d'arr. de la Manche, près du Mont-Saint-Michel; 10419 hab. *(Avranchins).* Musée (manuscrits du Mont-Saint-Michel). Industrie textile. — Pendant la bataille de Normandie*, les Américains y réussirent, le 31 juillet 1944, une percée décisive du front allemand, par où passèrent les blindés de Patton, lancés en direction de la Bretagne et du Bassin parisien.

AVRE, riv. des confins méridionaux de la Normandie, affl. de l'Eure (r. g.); 72 km.

AVRE, riv. de Picardie, affl. de la Somme (r. g.); 59 km.

AVRIEUX (73500 Modane), comm. de Savoie, à 10 km à l'E. de Modane, dans la Maurienne; 285 hab. Église du XVIIe s. Centrale hydraulique et souffleries.

AVRIL n. m. (lat. *aprilis*). Le quatrième mois de l'année. ● *Poisson d'avril,* attrape, plaisanterie traditionnelle du 1er avril.

AVRILLÉ (49240), comm. de Maine-et-Loire, banlieue d'Angers; 10892 hab. Menhirs.

AVULSION n. f. (lat. *avulsus,* arraché). *Méd.* Action d'arracher, extraction.

AVUNCULAIRE [avɔ̃kylɛr] adj. (lat. *avunculus,* oncle maternel). Relatif à l'oncle, à la tante : *puissance avunculaire.*

AVUNCULAT n. m. *Anthropol.* Relation particulière entre l'oncle maternel et le neveu, propre aux sociétés matrilinéaires et dans laquelle la responsabilité paternelle est assumée par cet oncle.

AVVAKOUM, archiprêtre et écrivain russe (Grigorovo v. 1620 - Poutozersk 1682). Curé de campagne, puis archiprêtre d'une paroisse de Moscou, Avvakoum se fait le défenseur des rites traditionnels russes, que Nikon* voulait aligner sur ceux de l'Église grecque (v. RASKOL). Il est exilé en Sibérie en 1652, puis en 1666-67, à l'issue du concile qui l'excommunie. Il poursuit sa propagande et est brûlé sur un bûcher en 1682. Le récit de sa *Vie* (1672-1675) est la première œuvre littéraire russe écrite en langue vulgaire.

G. Boutin-Atlas-Photo

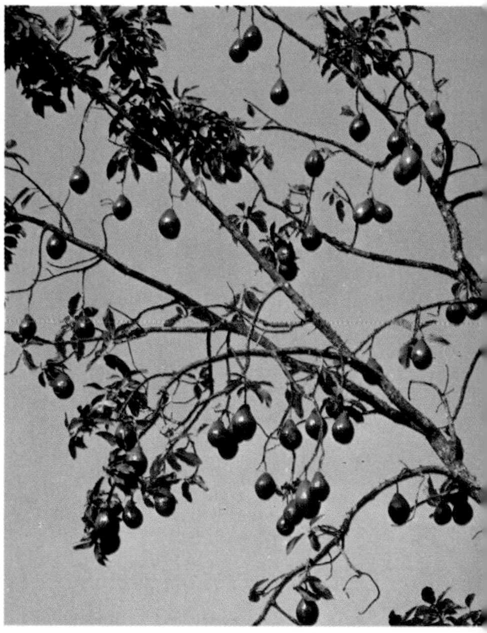

avocats

Avventura *(L'),* film italien de Michelangelo Antonioni (1959). Cette œuvre austère, déroutante, d'une rigueur quasi mathématique déchaîna des polémiques passionnées à sa sortie sur les écrans. En négligeant volontairement de s'intéresser aux péripéties mêmes de l'intrigue (un homme et une femme, qui tentent de retrouver à travers la Sicile une jeune et riche Romaine disparue sur un îlot désert au cours d'une croisière, abandonnent peu à peu leurs recherches et poursuivent une autre quête : celle de leur propre identité), Antonioni s'efforça de traduire en images le thème de l'incommunicabilité entre les êtres et l'angoisse de vivre du monde moderne. Il ouvrit également la voie à un nouveau langage cinématographique.

AWACS, sigle américain de *Airborne Warning And Control System* (système aéroporté de détection et de contrôle), système de surveillance électronique américain fondé sur l'utilisation de radars et mis en œuvre à bord d'aéronefs spécialisés. ‖ L'avion doté de ce système.

AWRANGZIB → AURANGZEB.

AXAT (11140), ch.-l. de cant. de l'Aude, à 11 km au S.-E. de Quillan, sur l'Aude; 1025 hab.

AXE n. m. (lat. *axis,* essieu). Ligne qui passe par le centre d'une chose, d'un objet. ‖ Ligne droite sur laquelle a été choisi un sens particulier. ‖ Pièce servant à articuler une ou plusieurs autres pièces qui décrivent autour d'elle un mouvement circulaire. ‖ Route importante reliant deux régions. ‖ Direction générale : *rester dans l'axe du parti.* ‖ Ligne idéale autour de laquelle gravite la politique de deux ou de plusieurs pays. ● *Axe cérébrospinal,* ensemble de la moelle épinière et de l'encéphale. (Syn. NÉVRAXE.) ‖ *Axe du*

avion commercial Airbus A-300 B2

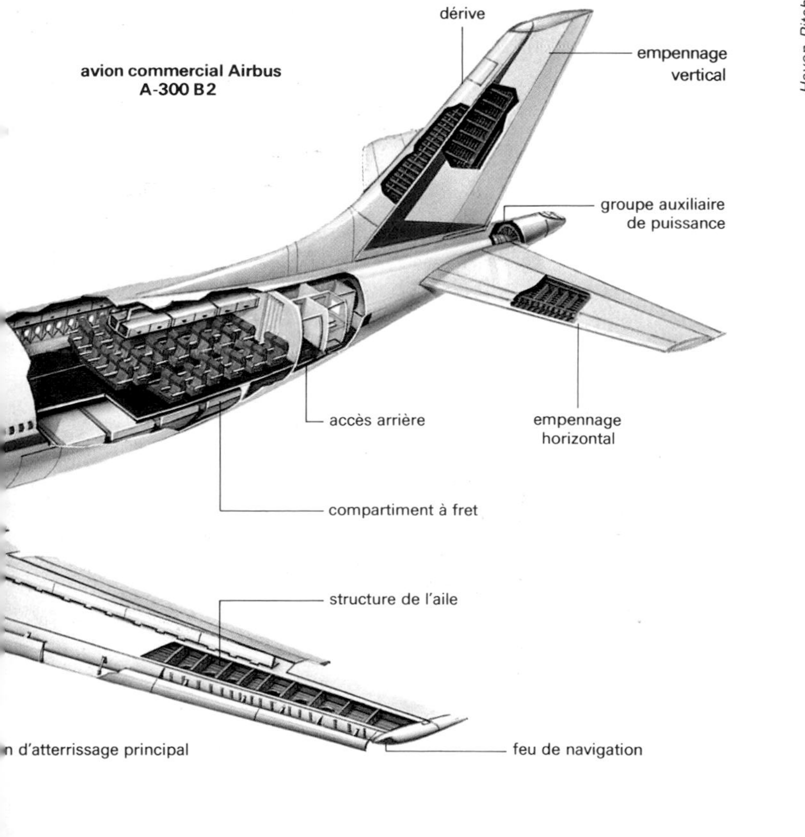
dérive
empennage vertical
groupe auxiliaire de puissance
accès arrière
empennage horizontal
compartiment à fret
structure de l'aile
n d'atterrissage principal
feu de navigation

Hayon-Pitch

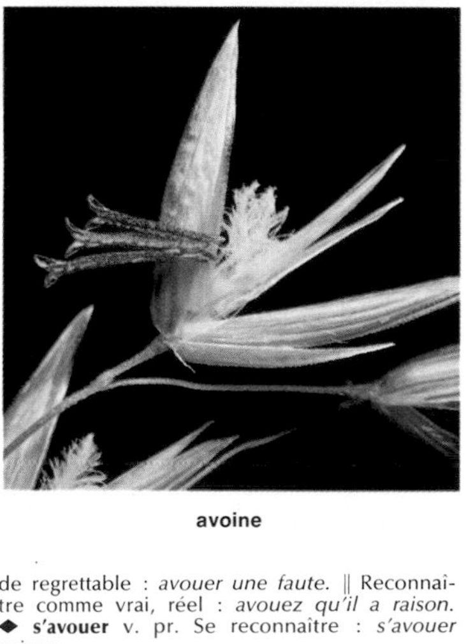

avoine

monde, diamètre joignant les pôles de la sphère céleste, et perpendiculaire à l'équateur céleste. ‖ *Axe optique d'une lentille,* droite joignant les centres de courbure de ses deux faces. ‖ *Axes de référence,* droites qui se coupent et par rapport auxquelles on peut fixer la position d'un élément variable. ‖ *Axe de répétition* ou *de symétrie d'ordre n d'une figure,* droite telle que la figure coïncide avec sa position primitive après rotation de $\frac{1}{n}$ tour autour de cette droite. ‖ *Axe de révolution,* droite autour de laquelle une figure de révolution se superpose à elle-même par rotation. ‖ *Axe de rotation,* droite autour de laquelle peut tourner une figure ou un corps solide. ‖ *Axe de symétrie,* droite par rapport à laquelle les points d'une figure sont deux à deux symétriques.

Axe *(Puissances de l'),* groupement constitué, durant la Seconde Guerre mondiale, par l'Allemagne, l'Italie, et leurs alliés : Japon, Hongrie, Roumanie, Bulgarie.

Axel, drame en prose et en quatre parties de Villiers de L'Isle-Adam (publié en 1890, représenté en 1894). Poème inspiré des légendes germaniques et de la dramaturgie wagnérienne : deux âmes trop grandes pour la réalité du savoir et de la richesse choisissent la mort pour ne pas briser leur rêve.

AXÉNIQUE adj. Se dit d'un être vivant placé en milieu stérile dès sa naissance et exempt de tout germe bactérien ou parasitaire.

AXER v. t. Orienter suivant un axe. ‖ Organiser autour d'une idée essentielle : *axer un roman sur des préoccupations sociales.*

AXÉROPHTOL n. m. Syn. de VITAMINE A.

AXIAL, E, AUX adj. Qui a lieu suivant un axe; relatif à un axe : *éclairage axial.* • *Symétrie axiale,* correspondance entre deux points tels que le segment qui les joint rencontre en son milieu et à angle droit une droite fixe.

AXILE adj. Qui forme un axe, relatif à un axe. ‖ *Bot.* Se dit d'un mode de placentation dans lequel les graines paraissent groupées sur l'axe de l'ovaire.

AXILLAIRE adj. (lat. *axilla,* aisselle). Relatif à l'aisselle : *nerf axillaire.* • *Bourgeon axillaire* (Bot.), bourgeon latéral placé à l'aisselle d'une feuille.

AXIOLOGIE n. f. (gr. *axios,* valable, et *logos,* science). Théorie des valeurs morales.

AXIOLOGIQUE adj. Relatif à l'axiologie.

AXIOMATIQUE adj. Qui concerne les axiomes. • *Théorie axiomatique* (Log.), forme achevée d'une théorie déductive construite à partir de propositions primitives *(axiomes)* et développée au moyen de règles d'inférence.

AXIOMATIQUE n. f. Ensemble de notions premières *(axiomes)* admises sans démonstration et formant la base d'une branche des mathématiques, le contenu de cette branche se déduisant de l'ensemble par le raisonnement. • *Axiomatique formelle* (Log.), théorie axiomatique où l'on ne donne pas de sens aux termes primitifs de la théorie.

■ Une *loi,* ou *opération, interne,* pour un ensemble E, permet, à partir de deux éléments de E, d'en obtenir un troisième. Ainsi, l'addition dans l'ensemble ℤ des entiers relatifs associe à deux de ces entiers leur somme, qui est aussi un entier relatif. Par exemple,

$$2 + (-3) = 2 - 3 = -1 \in \mathbb{Z}$$

comme $2 \in \mathbb{Z}$ et $-3 \in \mathbb{Z}$. Une loi interne peut posséder certaines propriétés que l'on pose, au départ, comme axiomes. À l'aide de ces propriétés, on en démontre d'autres, et dans ces démonstrations ainsi que dans leurs résultats se manifeste la méthode axiomatique, qui permet de construire, à partir de prémisses, certains ensembles dotés de telle ou telle structure. Par exemple, une loi interne dans E est *associative* si, quels que soient *a, b,* et *c* de l'ensemble E, la loi est notée comme la multiplication ordinaire, on a $a . (b . c) = (a . b) . c$. Il peut exister un élément neutre *e* dans E tel que, quel que soit l'élément *x* de E, on ait $xe = ex = e$. Enfin, il se peut que, pour certains éléments de E, il existe un *inverse* : ainsi, *x'* est l'inverse de *x* dans E si $xx' = x'x = e$. Si l'inverse existe pour tout élément de l'ensemble de E, E muni de la loi considérée est un groupe.

La méthode axiomatique permet de construire des théories de façon rigoureuse. Aussi est-elle de plus en plus utilisée en mathématiques.

Si on la considère comme un mode idéal d'exposition d'un traité mathématique, la méthode axiomatique remonte aux *Éléments* d'Euclide. Pourtant, l'axiomatique moderne (à partir du XIXe s.) se différencie nettement du mode d'exposition euclidien : depuis la constitution des géométries non euclidiennes, les axiomes ne sont plus conçus comme expressifs de propriétés du monde réel, et l'on s'attache principalement à la cohérence interne de la théorie en étudiant des propriétés telles que l'indépendance d'un axiome par rapport aux autres, etc. Dans l'axiomatique « formelle », l'interprétation des termes primitifs est laissée indéterminée : on peut choisir arbitrairement les objets désignés par les termes primitifs, pourvu qu'ils vérifient les axiomes.

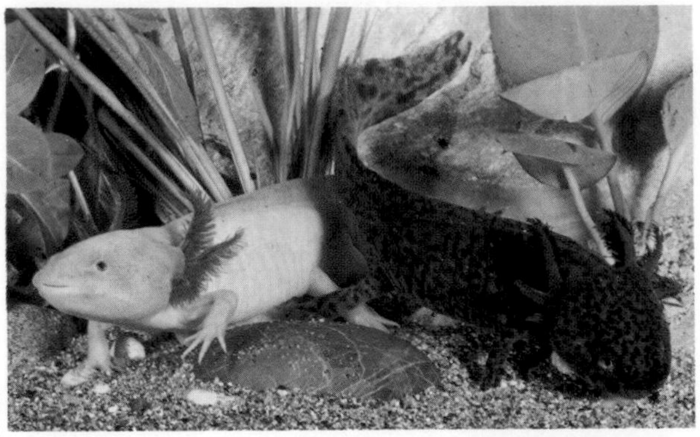

J. Six

axolotl :
larve albinos
et larve pigmentée
de l'amblystome

AXIOMATISATION n. f. Procédé qui consiste à poser en principes indémontrables les propositions primitives dont sont déduits les théorèmes d'une théorie déductive.

AXIOMATISER v. t. Transformer en axiomes. • *Axiomatiser une théorie déductive,* poser comme axiomes les propositions primitives de cette théorie.

AXIOME n. m. (gr. *axiôma,* estimation). Proposition primitive ou évidence non susceptible de démonstration et sur laquelle est fondée une science. ‖ *Log.* Principe posé hypothétiquement à la base d'une théorie déductive.

AXIS [aksis] n. m. (mot lat.). *Anat.* Deuxième vertèbre cervicale.

AX-LES-THERMES (09110), ch.-l. de cant. de l'Ariège, à 42 km au S.-E. de Foix, sur l'Ariège; 1 510 hab. *(Axéens).* Station thermale aux eaux sulfurées sodiques, chaudes (de 18 °C à 78 °C), utilisées dans le traitement des rhumatismes, des affections des voies respiratoires et des névralgies. Sports d'hiver (alt. 1 400-2 300 m) sur le plateau du Saquet.

AXOLOTL n. m. (mot mexicain). Vertébré amphibien urodèle des lacs mexicains, capable de se reproduire à l'état larvaire et qui prend rarement la forme adulte (dite *amblystome*).

AXONE n. m. Prolongement du neurone, dont la longueur peut atteindre plusieurs décimètres et que parcourt l'influx nerveux en allant du corps cellulaire vers la périphérie. (Syn. CYLINDRAXE.)

AXONGE n. f. (lat. *axungia,* graisse à essieu). Syn. savant de SAINDOUX.

AXONOMÉTRIE n. f. Mode de représentation graphique d'une figure à trois dimensions dans lequel les arêtes du trièdre de référence sont projetées suivant des droites faisant entre elles des angles de 120°.

AXONOMÉTRIQUE adj. Relatif à l'axonométrie.

AY [ai] n. m. Vin produit par la commune d'Ay (Champagne).

AY ou **AŸ** [ai] (51160), ch.-l. de cant. de la Marne, à 3 km au N.-E. d'Épernay, sur la Marne; 4 773 hab. Église des XVe-XVIe s. Vignobles.

AYACUCHO, v. du Pérou, sur le versant est de la Cordillère occidentale, célèbre par la victoire que Sucre y remporta en décembre 1824 sur le vice-roi du Pérou et qui consacra l'indépendance de l'Amérique espagnole.

AYANT CAUSE n. m. (pl. *ayants cause*). *Dr.* Celui à qui les droits d'une personne ont été transmis.

AYANT DROIT n. m. (pl. *ayants droit*). *Dr.* Personne qui a des droits à qqch.

AYATOLLAH n. m. (ar. *āyat allāh,* signe d'Allāh). Titre honorifique donné aux principaux chefs religieux de l'islām chi'ite.

AYDAT (63970), comm. du Puy-de-Dôme, à 22 km au S.-O. de Clermont-Ferrand, sur le *lac d'Aydat;* 1 107 hab. Centre touristique.

AYDIN, v. de la Turquie occidentale, au S.-E. d'Izmir; 71 600 hab.

AYE-AYE [ajaj] n. m. (pl. *ayes-ayes*). Mammifère primate arboricole de Madagascar, à grands yeux, de mœurs nocturnes. (Long. sans la queue : 40 cm; sous-ordre des lémuriens.)

AYEN (19310), ch.-l. de cant. de la Corrèze, à 23 km au N.-O. de Brive-la-Gaillarde; 704 hab.

AYLESBURY, v. de Grande-Bretagne (Angleterre), au N.-O. de Londres, ch.-l. du comté de Buckingham; 28 000 hab.

AYLMER, v. du Canada (Québec); 25 714 hab.

AYMARA [aimara] n. m. Famille de langues indiennes de l'Amérique du Sud.

AYMARAS, Amérindiens de la région du lac Titicaca au Pérou et en Bolivie.

AYMÉ (Marcel), écrivain français (Joigny 1902-Paris 1967). Sa peinture ironique et désabusée que donnent de la société française — notamment celle de l'Occupation — ses nouvelles (*le Passe-Muraille,* 1942), ses romans (*la Table-aux-Crevés,* 1929; *la Jument verte,* 1933; *Travelingue,* 1941) et son théâtre (*Clérambard,* 1950; *la Tête des autres,* 1952), rend plus sensible la fraîcheur de ses *Contes* * *du chat perché* (1934-1958).

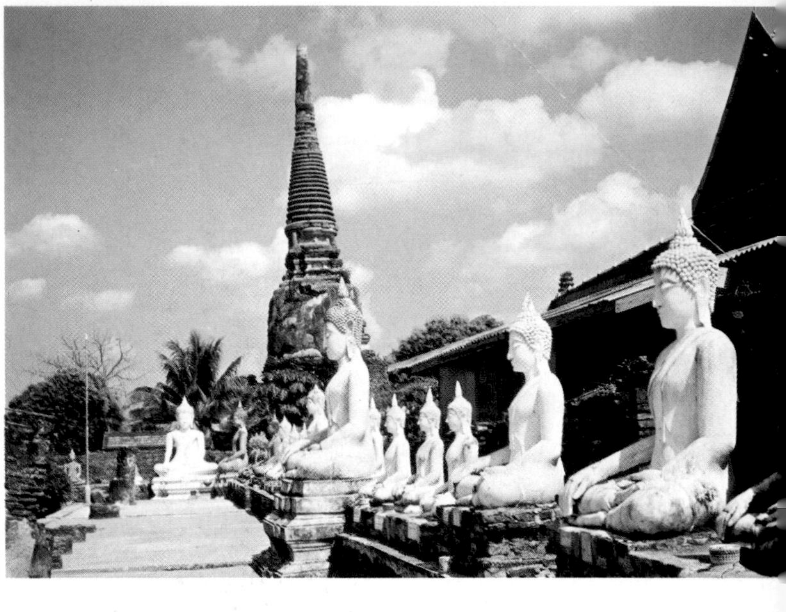

H. Hede

Ayuthia.
Le Stūpa du Pra
Chedi Chai Mongkon
et ses abords,
ensemble élevé
en 1593, par
Naresuen le Grand.

Aymeri de Narbonne, chanson épique de Bertrand de Bar-sur-Aube (v. 1210-1220), qui fait partie du *cycle* * *de Garin de Monglane* et qui inspira à Hugo le poème « Aymerillot » de *la Légende des siècles.*

Aymon *(les Quatre Fils)* → QUATRE FILS AYMON *(les).*

AYR, v. de Grande-Bretagne (Écosse), au S.-O. de Glasgow; 48 000 hab.

AYTRÉ (17440), comm. de la Charente-Maritime, à 4 km au S.-E. de La Rochelle; 7 381 hab.

AYUNTAMIENTO [ajuntamjɛnto] n. m. En Espagne, le corps des conseillers municipaux d'une commune, d'une cité.

AYUTHIA, v. de Thaïlande, capit. de l'ancien royaume du Siam entre 1350 et 1767. Après plusieurs attaques des Birmans (1569, 1767), la ville, très ruinée, garde de nombreux témoignages de sa splendeur : sanctuaires avec tour reliquaire (Wat Budhaisavan, 1353; Wat Pra Ram, 1369; Wat Pra Mahathat, 1374) ou stūpa, plus fréquent vers la seconde moitié du XVe s. (Wat Pra Si Sanpet, XVe et XVIIe s.; Pra Chedi Chai Mongkon, 1593).

AYYŪBIDES, dynastie musulmane fondée par Saladin*, qui règne aux XIIe-XIIIe s. sur l'Égypte, la Syrie et une grande partie de la Mésopotamie et du Yémen. La famille a pour éponyme le Kurde Ayyūb, gouverneur zangide de la région de Damas. Chirkūh, le frère de ce dernier, parvient, avec son neveu Saladin, à s'imposer en Égypte. Vizir en 1169, Saladin dépose le calife fāṭimide* (1171) et restaure le sunnisme en Égypte. La grande entreprise de son règne (de 1171 à 1193) est la constitution d'un vaste empire : soumission du Hedjaz et du Yémen (1174), élimination des Zangīdes* de Syrie (1183), victoire de Ḥaṭṭīn sur les croisés et prise de Jérusalem (1187). Les différents territoires sont confiés aux frères et aux fils de Saladin, et forment une « fédération familiale semi-féodale » (C. Cahen). Al-Malik al-'Ādil (de 1198 à 1218) réunit sous son autorité presque tout l'empire de Saladin, et al-Malik al-Kāmil (de 1218 à 1238) rend Jérusalem aux Francs (1229). Leur politique de coexistence pacifique avec les Francs favorise la relance de l'économie et du commerce syro-égyptiens. Les Mamelouks* s'emparent du pouvoir en Égypte en 1250, mais les Ayyūbides se maintiennent à Alep et à Damas jusqu'en 1260, et à Hamā jusqu'en 1341.

AYYŪB KHĀN (Muḥammad), homme d'État pakistanais (Province du Nord-Ouest 1907 - Islāmābād 1974). Commandant en chef de l'armée pakistanaise (1951), ministre de la Défense (1954), il reçoit en 1958 les pleins pouvoirs et le commandement suprême, devenant à la fois Premier ministre et président de la République, puis (1959) maréchal. Il instaure un régime autoritaire, s'efforce de relever l'économie pakistanaise, mais ne peut empêcher le déclenchement d'une guerre avec l'Inde (1965-66). L'agitation estudiantine l'oblige, en 1968, à proclamer la loi martiale, qu'il lève en 1969, peu avant de démissionner.

AZALÉE n. f. (gr. *azalos,* sec). Arbuste venant des montagnes d'Asie et dont on cultive diverses variétés pour la beauté de leurs fleurs. (Famille des éricacées.)

AZAÑA Y DÍAZ (Manuel), homme politique espagnol (Alcalá de Henares 1880 - Montauban 1940). Président du Conseil de 1931 à 1933 et de 1934 à 1936, il est président de la République de 1936 à 1939, date de la victoire du général Franco; il doit alors se réfugier en France.

AZANDÉS ou **ZANDÉS,** ethnie du Soudan oriental, de l'Empire centrafricain et du Zaïre.

AZAY-LE-RIDEAU (37190), ch.-l. de cant. d'Indre-et-Loire, à 21 km au N.-E. de Chinon, sur l'Indre; 2 915 hab. Église à façade carolingienne. Château exemplaire de la première Renaissance (1518-1529). Industrie du bois.

AZEGLIO (Massimo TAPARELLI, *marquis* D'), homme politique et écrivain italien (Turin 1798-*id.* 1866). Ses romans historiques, notamment *Ettore Fieramosca* (1833), font de lui un des chefs modérés du *Risorgimento**. Son œuvre capitale, *les Derniers Événements de Romagne* (1846), contient son programme : la création d'une confédération italienne libérale autour de Charles-Albert. Mais, devenu président du Conseil piémontais après les désastres de 1848, Azeglio est vite débordé par Cavour.

AZÉOTROPE ou **AZÉOTROPIQUE** adj. (gr. *zein,* bouillir, et *tropos,* action de tourner). Se dit d'un mélange de deux liquides qui distille à température constante en produisant, sous une pression donnée, une vapeur de composition fixe.

AZERBAÏDJAN, région de l'Asie occidentale, aujourd'hui divisée entre l'U. R. S. S. et l'Iran.

Province de la Perse achéménide*, cette région est érigée en province d'Atropatène après la conquête d'Alexandre le Grand, puis fait partie du domaine des Arsacides* et enfin de celui des Sassanides*. Conquise par les Arabes vers 642, elle échappe peu à peu au contrôle des 'Abbāsides* (IXe-Xe s.). Des hordes de Turcs commandés par les Seldjoukides* l'occupent à partir du XIe s. Ainsi s'amorce la transformation de l'Azerbaïdjan en région turcophone, qui sera favorisée par le repli des Turkmènes de l'Anatolie aux XIVe-XVe s. Les Mongols*, lors de leur occupation de l'Iran (1251-1335), ont pour capitale Marāгha, puis Tabriz*, qui connaît un grand essor. Les Séfévides* unifient l'Iran au XVIe s. et se disputent avec les Ottomans l'Azerbaïdjan. La Russie acquiert l'Azerbaïdjan septentrional à l'is-

Les *maisons des Corporations*,
sur la Grand-Place de Bruxelles,
furent rénovées à la fin du XVIIe s.
dans un style baroque très orné.

Belgique

Traversé par la Meuse et l'Escaut —
dont l'estuaire, depuis des siècles, a fait la fortune d'Anvers —,
extraordinairement urbanisé, seulement éclairci par les étendues
encore sauvages de la Campine et de l'Ardenne,
cet étroit royaume (329 km d'Arlon à Ostende) a chèrement payé
sa situation privilégiée de carrefour européen.
Tour à tour gauloise, romaine, franque, bourguignonne,
espagnole, autrichienne, annexée par la France et l'Allemagne,
la Belgique a conservé dans l'architecture de ses cités,
dans ses monuments, les témoignages souvent splendides
et toujours vivants d'un tumultueux passé qui, par ailleurs,
n'évoque pas que des périodes heureuses.
Fleurus, Waterloo, Ypres, Bastogne, dans la mémoire belge
ce sont des souvenirs cruels : ruine, deuil, pillage.
Pourtant, malgré une langue et une culture différentes,
et sans se départir de leur goût pour les fêtes et
les réjouissances, Flamands et Wallons ont su assurer à leur pays
la prospérité économique et ce prestige certain que lui confère
la présence sur son sol de quelques-unes des plus hautes
instances internationales : C.E.E., O.T.A.N., Euratom, etc.

Certaines manifestations
folkloriques belges
ont une origine très ancienne :
la tradition
du carnaval des *Gilles* de Binche
remonterait au XVIᵉ siècle.

Principal port de pêche belge,
Ostende,
sur le littoral de la mer du Nord,
est une station balnéaire
et thermale réputée.

Au sud de Bruxelles,
sur cette partie
de la fertile plaine du Brabant,
se déroula une des plus fameuses
batailles de l'histoire,
la bataille de Waterloo.

La vallée de la Semois en Ardenne.
Faiblement peuplée,
essentiellement agricole,
l'Ardenne a su préserver le charme
de ses vallées encaissées
et de ses plateaux couverts de forêts,
de landes et de tourbières (fagnes).

Les canaux qui la sillonnent
sont un des charmes de Bruges.
La ville possède aussi
de très beaux monuments hérités
de l'époque où elle était une des
grandes places marchandes de l'Europe
et un centre artistique florissant
(XIIIe-XVe s.).

C'est le déclin de Bruges
qui fit d'Anvers la capitale économique
de l'Occident au XVe s.
Le port est aujourd'hui
l'un des tout premiers d'Europe,
au cœur d'une région active de la
Communauté économique européenne.

azalées

sue de deux guerres avec l'Iran (1813 et 1828). Après l'effondrement de l'armée impériale russe, les Alliés, puis les Turcs occupent Bakou (1918) et favorisent la constitution d'une république indépendante d'Azerbaïdjan. Un gouvernement soviétique est instauré en 1920, et l'Azerbaïdjan fait partie de la Fédération transcaucasienne, de 1922 à 1936, avant de devenir une république fédérée de l'U.R.S.S. Les Soviétiques occupent l'Azerbaïdjan iranien de 1941 à 1946 et aident à la formation d'un gouvernement autonome à Tabriz, que l'armée iranienne élimine en décembre 1946.

AZERBAÏDJAN, région constituant l'extrémité nord-ouest de l'Iran. V. princ. *Tabriz.*

AZERBAÏDJAN, république fédérée de l'U.R.S.S., sur la mer Caspienne; 86600 km²; 6 297 000 hab. Capit. *Bakou.* L'extrémité orientale du Caucase, au N., et les montagnes de l'Arménie, au S., encadrent la large dépression ouverte par la Koura, dont les eaux (et celles de ses affluents), par l'irrigation, ont transformé l'économie rurale, fondée aujourd'hui sur le coton, les cultures fourragères et maraîchères, les vergers. La production du pétrole (dont Bakou est un centre historique) a décliné, mais demeure notable.

AZERBAÏDJANAIS, E adj. et n. De l'Azerbaïdjan.

AZERBAÏDJANAIS ou **AZÉRI** n. m. Langue turque parlée au Caucase, dans l'Azerbaïdjan.

AZERGUES, riv. de la bordure orientale du Massif central, qui rejoint la Saône (r. dr.) au S. de Villefranche; 64 km.

AZEROLE n. f. (esp. *acerola,* mot ar.). Fruit de l'azerolier, ressemblant à une petite cerise jaune et dont on fait des confitures.

AZEROLIER n. m. Grande aubépine cultivée dans le Midi pour ses fruits. (Famille des rosacées.)

AZEVEDO (Aluízio), écrivain brésilien (São Luís do Maranhão 1857 - Buenos Aires 1913), auteur du premier roman naturaliste de son pays (*le Mulâtre,* 1881).

AZILIEN, ENNE adj. et n. m. (du *Mas-d'Azil,* dans l'Ariège). Se dit d'un faciès culturel épipaléolithique caractérisé par des grattoirs courts et des canifs en segments de cercle, succédant au magdalénien vers le VIIIe millénaire.

AZIMUT [azimyt] n. m. (ar. *al-samt,* le droit chemin). Angle d'un plan vertical avec un autre plan vertical choisi pour plan d'origine. ‖ *Astron.* Angle dièdre orienté à arête verticale, que fait le plan vertical passant par un point donné avec le plan méridien du lieu. ● *Azimut magnétique,* angle formé par une direction avec le nord magnétique. ‖ *Défense tous azimuts,* théorie stratégique visant à assurer la défense d'un pays contre toute agression, quel que soit son point de départ. ‖ *Tous azimuts* (Fam.), dans toutes les directions.

AZIMUTAL, E, AUX adj. Qui représente ou qui mesure les azimuts.

AZINCOURT (62310 Fruges), comm. du Pas-de-Calais, à 14 km au N.-É. d'Hesdin; 228 hab. Le 25 octobre 1415, la chevalerie française de Charles VI y fut écrasée par les archers anglais d'Henri V.

AZOÏQUE adj. (de azote). Se dit de certains composés organiques azotés.

AZOÏQUE adj. (gr. *zôon,* animal). Se dit d'un milieu privé d'animaux ou d'un terrain privé de fossiles.

AZOOSPERMIE [azɔɔspɛrmi] n. f. (gr. *zôon,* animal, et *sperma,* semence). Absence de spermatozoïdes dans le sperme, cause de stérilité masculine.

AZORÍN (José Martínez Ruiz, dit), écrivain espagnol (Monóvar 1874 - Madrid 1967). Ses récits (*Castille,* 1912; *Don Juan,* 1924) et ses essais (*Lectures espagnoles,* 1912; *le Licencié de verre,* 1913) cherchent à traduire le sentiment de l'éphémère et de la mort à travers la peinture des types curieux de la vie quotidienne et de l'histoire de l'Espagne.

AZOTATE n. m. *Chim.* Syn. de NITRATE.

AZOTE n. m. (gr. *zôê,* vie). *Chim.* Corps simple gazeux (N), n° 7, de masse atomique 14,006, incolore, inodore et insipide.

■ L'azote a une densité de 0,97 par rapport à l'air; son point d'ébullition sous la pression atmosphérique est − 195°C, et sa solubilité est très faible.

À basse température, l'azote est sans activité chimique, ce qui explique son nom. Toutefois, il s'unit à l'hydrogène à chaud et sous pression pour donner de l'ammoniac NH_3, et, à la température de l'arc électrique, il donne, avec l'oxygène, de petites quantités de l'oxyde NO; il s'unit à divers métaux pour donner des nitrures.

Il existe à l'état libre dans l'air, dont il constitue 78 p. 100 en volume, et on le prépare industriellement par distillation de l'air liquide. On le trouve combiné dans les nitrates et les sels ammoniacaux; l'azote entre enfin dans la constitution des protéines, qu'on rencontre dans tous les tissus vivants.

Ses composés, surtout l'ammoniac et l'acide nitrique HNO_3, ont une grande importance dans l'industrie des engrais, des explosifs et des colorants. (V. CYCLE BIOSPHÉRIQUE.)

AZOTÉ, E adj. *Chim.* Qui contient de l'azote.

AZOTÉMIE n. f. Quantité d'azote contenue dans le sang, notamment sous forme d'urée, d'acides aminés, de polypeptides.

AZOTÉMIQUE adj. Relatif à l'azotémie.

AZOTEUX adj. m. Syn. de NITREUX.

AZOTHYDRIQUE adj. Se dit de l'acide HN_3.

AZOTIQUE adj. Syn. de NITRIQUE.

AZOTITE n. m. Syn. de NITRITE.

AZOTOBACTER [azotobaktɛr] n. m. Bactérie vivant libre dans le sol et pouvant fixer l'azote de l'atmosphère.

AZOTURE n. m. Sel de l'acide azothydrique.

AZOTURIE n. f. Quantité d'azote éliminée dans les urines.

AZOTYLE n. m. Nom du radical univalent —NO_2.

AZOV (mer d'), golfe peu profond (moins de 200 m), formé par la mer Noire, enclavé dans le territoire de l'U.R.S.S. (Ukraine et R.S.F.S. de Russie), qui reçoit le Don et communique avec la mer Noire par le détroit de Kertch.

AZTÈQUE adj. Relatif aux Aztèques.

AZTÈQUES, peuple autochtone de l'Amérique centrale. Longtemps établis à Aztlán (IIe-XIIe s. apr. J.-C.), les Aztèques descendent ensuite vers

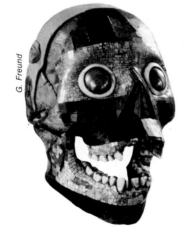

G. Freund

Crâne incrusté de turquoises et de coquillages, représentant Tezcatlipoca, le dieu de la Nuit. (British Museum, Londres.)

le sud, dans la région de Tula, où ils s'imprègnent des mœurs de la civilisation toltèque. En 1325, ils fondent Tenochtitlán (Mexico). Organisés en cités-États, ils constituent en 1428 un véritable empire par l'association des royaumes de Tenochtitlán, de Texcoco et de Tlacopan. L'Empire aztèque s'étend peu à peu sur l'ensemble du Mexique. Extrêmement prospère, très hiérarchisé, cet État, né de la démocratie tribale, devient une monarchie aristocratique dominée par la religion. Des onze souverains aztèques, Moctezuma II (1502-1520) et Cuauhtémoc (1520-1525) furent tués par les Espagnols de Cortés qui mit fin à l'empire.

La civilisation et l'art des Aztèques, marqués par l'assimilation de certains caractères des cultures voisines (toltèque*, mixteca-puebla [v. MIXTÈQUES], huaxtèque*), n'en constituent pas moins un ensemble original par son syncrétisme religieux et sa symbolique ésotérique. En architecture, si ce n'est le complexe de Mali-

nalco et la juxtaposition de deux temples au sommet d'une pyramide unique (Grand Teocalli de Mexico*-Tenochtitlán, avec les sanctuaires de Huitzilopochtli et de Tlaloc), les Aztèques n'innovent pas; leur architecture militaire est importante, alors que leurs édifices civils ont disparu. Leur vocation religieuse s'exprime aussi par la sculpture, où un puissant réalisme et une implacable sévérité sont associés à une accumulation de symboles et à un indéniable sens de la matière (monolithe de Coatlicue, musée de Mexico; calendrier aztèque; statue de Quetzalcóatl, musée de l'Homme, Paris). L'art du masque, déjà en faveur durant l'époque classique de l'art précolombien (Teotihuacán*, Ve-VIIIe s.), atteint une grande perfection, tout comme la ciselure des pierres précieuses, les arts mineurs et la peinture, dont on conserve quelques fragments de fresques et surtout de très intéressants manuscrits enluminés qui portent les empreintes mixtèque et mixteca-puebla.

AZUELA (Mariano), écrivain mexicain (Lagos de Moreno 1873 - Mexico 1952). Médecin des troupes de Pancho Villa, il a écrit le premier roman sur la révolution mexicaine (*Ceux d'en bas,* 1916), qui en donne une peinture réaliste et désenchantée.

Détail d'un feuillet du calendrier aztèque dit *Codex borbonicus.* XIVe-XVIe s. (Bibliothèque de l'Assemblée nationale, Paris.)

AZTÈQUES

AZULEJO [azuleʒo] n. m. (mot esp.; de l'adj. *azul,* bleu). Carreau de revêtement en faïence émaillée, originellement de fabrication arabe et de couleur bleue.

AZUR n. m. (ar. *lãzaward,* lapis-lazuli). Couleur bleue. ‖ Le ciel bleu. ‖ *Verre* ou *émail coloré* en bleu par l'oxyde de cobalt. (On l'appelle aussi *smalt, bleu d'émail, bleu de Saxe.*) ● *Pierre d'azur,* lapis-lazuli.

AZURAGE n. m. Opération effectuée au cours du rinçage des tissus pour en aviver l'éclat par addition en faibles quantités d'un colorant bleu.

AZURANT n. m. Produit utilisé pour l'azurage.

AZURÉ, E adj. De couleur d'azur.

AZURÉEN, ENNE adj. Relatif à la Côte d'Azur.

AZURER v. t. Teindre en couleur d'azur. ‖ Exécuter l'azurage pour le linge.

AZURITE n. f. Carbonate naturel de cuivre, de couleur bleue.

AZYGOS [azigɔs] n. f. et adj. (gr. *zugos,* paire). Veine qui établit la communication entre les deux veines caves.

AZYME adj. et n. m. (gr. *zumê,* levain). *Pain azyme,* pain sans levain, utilisé rituellement pour la Pâque juive (*fête des Azymes*).

azulejos céramique portugaise du XVIIIe s. (*Quinta* [villa] *dos Azulejos* à Carnide près de Lisbonne.)

B

B n. m. Deuxième lettre de l'alphabet et la première des consonnes : *« b » est une labiale sonore*. ‖ **B** *Mus.* Nom de la note *si* naturel en anglais, et de la note *si* bémol en allemand. ‖ Symbole chimique du *bore*. ‖ **b,** symbole du *barn*.

Ba, symbole chimique du *baryum*.

B. A. [bea] n. f. Bonne action (dans le langage des scouts).

BAADE (Walter), astronome américain d'origine allemande (Schröttinghausen 1893-Göttingen, 1960). Il a découvert dans la Galaxie l'existence de deux populations d'étoiles d'âges différents et a révisé l'échelle de mesure des distances des galaxies.

BAAL, mot sémitique signifiant « Seigneur » appliqué à nombre de divinités patronnes de ville et en particulier à Hadad, dieu de l'orage.

BAALBEK, v. du Liban; 18 000 hab. Importantes ruines romaines des IIᵉ-IIIᵉ s. (notamment le grand temple de Jupiter Héliopolitain).

BAAR, comm. de Suisse (cant. de Zoug), au N. de Zoug; 14 074 hab.

Baath, parti socialiste de la Résurrection (*Ba'th*) arabe, né, en 1953, en Syrie, de la fusion du parti de la Résurrection arabe (fondé v. 1940 par Michel Aflak et Ṣalāḥ al-Biṭār) avec le parti socialiste arabe d'Akram al-Hawrānī*. Il se propose d'unir tous les États arabes en un seul État socialiste et laïque. Au pouvoir en Syrie depuis 1963 et en Iraq depuis 1968, il connaît une grave crise à cause de l'opposition des deux principales tendances qui le composent.

BĀB ('Alī Muḥammad, dit **le**), chef religieux persan (Chirāz 1819 ou 1820 - Tabriz 1850). Il se déclare en 1844-*Bāb* (« porte de la vérité divine »). Les insurrections de ses nombreux adeptes (1848-1850) sont durement réprimées, et lui-même est fusillé.

B. A.-BA [beaba] n. m. Connaissance élémentaire : *apprendre le B. A.-Ba.*

BABA adj. *Fam.* Frappé d'étonnement, stupéfait : *rester baba.*

BABA n. m. (mot polon.). Gâteau fait avec une pâte levée mélangée de raisins secs et imbibé, après cuisson, de rhum ou de kirsch.

BABA COOL [babakul] ou **BABA** n. (de l'hindī *bābā*, papa, et de l'angl. *cool*, calme) [pl. *babas cool*]. Nom donné à ceux qui, dans les années 1970, ont perpétué la mode hippie.

BĀB AL-MANDAB ou **BAB EL-MANDEB** (la « porte des pleurs »), détroit, large de 25 km, entre l'Arabie et l'Afrique, reliant l'océan Indien (golfe d'Aden) à la mer Rouge.

BABEL, nom de Babylone* dans la Bible. Dans l'épisode biblique de la *tour de Babel*, la grande ziggourat* de Babylone (tour à étages surmontée d'un temple) symbolise l'orgueil de l'homme qui veut escalader le ciel (thème que l'on retrouve dans la mythologie grecque). Le châtiment (dispersion de l'humanité) est une explication populaire de la diversité des nations et des langues.

BABEL (Issaak Emmanouilovitch), écrivain soviétique (Odessa 1894 - ? 1941), auteur de nouvelles (*Cavalerie rouge*, 1926; *Contes d'Odessa*, 1931) et de drames (*le Couchant*, 1928; *Maria*, 1935) qui peignent, à travers des figures réalistes et truculentes, les épisodes de la guerre civile et la nouvelle société née de la révolution.

BABENBERG, famille franconienne, qui a connu son apogée au XIIᵉ et au XIIIᵉ s., notamment avec : Henri II (1141-1177), premier duc héréditaire d'Autriche (1156); Léopold V (1157-1194), duc d'Autriche, qui livra Richard Cœur de Lion à l'empereur Henri VI; Léopold VI (1198-1230), vicaire d'empire. La famille s'éteignit avec Frédéric II en 1246.

BĀBER ou **BĀBUR** (Zāhir al-Dīn Muḥammad) [1483 - Âgrā 1530], fondateur de l'Empire moghol de l'Inde. Descendant de Tīmūr Lang, il part de Kaboul pour conquérir l'Inde (1526-1530). Souverain fastueux, il est aussi un poète brillant.

BABEUF (François Noël, dit **Gracchus**), révolutionnaire et socialiste français (Saint-Quentin 1760 - Vendôme 1797). Il remplit de modestes

babouins

Gracchus **Babeuf**. Estampe. (Bibliothèque nationale, Paris.)

emplois avant de devenir commissaire à terrier à Roye. Ses lectures (Rousseau, Mably, Morelly) et son expérience quotidienne le convainquent de l'injustice du système foncier de l'ancienne France et de la nécessité d'une collectivisation des terres. La Révolution venue, ses idées s'affirment, notamment dans *le Tribun du peuple*, qu'il fonde en octobre 1794 et où il démontre qu'une administration commune des richesses est possible. Durant le dur hiver de 1795-96, qui avive les souffrances du peuple, il forme la « conjuration des Égaux », ce qui provoque son arrestation (10 mai 1796) et sa condamnation à mort par la haute cour de Vendôme (26 mai 1797). Le « babouvisme » sera connu et influencera le blanquisme au XIXᵉ s. par l'intermédiaire d'un des compagnons de Babeuf, le communiste Philippe Buonarotti (1761-1838), auteur de l'*Histoire de la conspiration de l'Égalité, dite « de Babeuf »* (1828).

BABEURRE n. m. (de *bas* et *beurre*). Résidu liquide de la fabrication du beurre.

BABIL [babil] n. m. (de *babiller*). Bavardage continuel, enfantin ou futile.

BABILÉE (Jean GUTMANN, dit **Jean**), danseur et chorégraphe français (Paris 1923), créateur du *Jeune Homme et la Mort* (de R. Petit, 1946), du *Fils prodigue* (de J. Lazzini, 1966) et de *Life* (de M. Béjart, 1979).

BABILLAGE n. m. Action de babiller.

BABILLARD, E adj. et n. *Litt.* Qui parle beaucoup, bavard.

BABILLER v. i. (onomat.). Parler beaucoup et à propos de rien; bavarder.

BABINES n. f. pl. (de *babiller*). Lèvres pendantes de certains animaux. ‖ *Fam.* Lèvres d'une personne (gourmande) : *s'essuyer les babines.*

BABINET (Jacques), physicien et astronome français (Lusignan 1794 - Paris 1872). On lui doit un polariscope, le goniomètre à prisme pour la mesure des indices de réfraction, un hygromètre et, en cartographie, un type de projection homographique.

BABINSKI (Joseph), médecin français (Paris 1857 - *id.* 1932). Élève et successeur de Charcot, il a décrit les signes permettant de distinguer les affections organiques du système nerveux central des affections d'origine psychique. En particulier, il limite l'hystérie*, qu'il appelle *pithiatisme*, à l'ensemble des phénomènes pouvant être produits ou supprimés par la suggestion.

Babinski (*signe de*), inversion du réflexe cutané plantaire, caractéristique des atteintes de la voie nerveuse motrice. (Il se voit dans les paralysies affectant le faisceau pyramidal.)

BABIOLE n. f. (it. *babbola*). *Fam.* Bagatelle, chose de peu de valeur.

BABIROUSSA n. m. (malais *babi*, porc, et *rusa*, cerf). Porc sauvage des Célèbes, à canines supérieures très recourbées. (Haut. au garrot : 50 cm; ordre des ongulés, famille des suidés.)

BABISME n. m. Doctrine enseignée par le Bāb. (C'est une tentative de réforme de l'islām dans un sens moins rigoriste et plus ouvert.)

BABITS (Mihály), écrivain hongrois (Szekszárd 1883 - Budapest 1941). Il collabora, dès sa fondation, à la revue *Nyugat* *, avant d'en devenir le directeur (1929). Peintre, dans ses romans, de la « psychologie des profondeurs » (*le Calife Cigogne*, 1910; *le Fils de Virgil Timar*, 1922), il passa, en poésie, d'une inspiration symboliste à un lyrisme classique (*le Livre de Jonas*, 1941).

BÂBORD n. m. (néerl. *bakboord*). Côté gauche d'un navire, dans le sens de la marche en avant. (Contr. TRIBORD.)

BÂBORDAIS n. m. Homme de l'équipage d'un navire, faisant partie de la deuxième bordée de veille (bordée de bâbord).

BABOUCHE n. f. (ar. *bābūch*, empr. au persan). Chaussure en cuir sans quartier ni talon.

BABOUIN n. m. (de *babine*). Singe catarrhinien d'Afrique, du genre cynocéphale, vivant en troupes nombreuses.

BABOUVISME n. m. Doctrine de Babeuf et de ses disciples, qui visait à instaurer une sorte de communisme égalitaire.

BĀBUR → BĀBER.

BABY-BEEF [bebibif] n. m. inv. (mot angl.). Bovin nourri intensivement, destiné à la production de viande.

BABY-FOOT [babifut] n. m. inv. (mot angl.). Football de table comportant des figurines que l'on actionne à l'aide de tiges mobiles.

BABYLONE, cité de basse Mésopotamie, qui a été, au XVIIIᵉ s. puis aux VIIᵉ-VIᵉ s. av. J.-C., la capitale d'un puissant empire et le centre d'une des plus belles civilisations du Moyen-Orient.

HISTOIRE. Babylone entre dans l'histoire au début du IIᵉ millénaire, lorsque s'installe dans la cité un chef amorrite*, Sou-aboum (de 1894 à 1881), qui prend le titre de roi. Le sixième souverain amorrite, Hammourabi* (de 1792 à 1750), fait de cette cité, jusqu'ici modeste, la capitale d'un empire qui s'étend sur la basse et presque toute la haute Mésopotamie, mais que les successeurs ne sauront pas maintenir. En 1595, la dynastie amorrite disparaît sous les coups conjugués des Hittites* et des Élamites*.

Pendant quatre siècles (1595-1153), Babylone, gouvernée par des souverains kassites*, ne joue qu'un rôle politique assez effacé; la prise de la cité par les Assyriens et les expéditions des pillards élamites mettent fin au règne de la dynastie kassite. Mais, au XIIᵉ s., Babylone connaît une période brillante avec Nabuchodono-

babiroussa

sor Ier (de 1129 env. à 1106), qui tient en échec les Assyriens et détruit la puissance élamite. La mort de celui-ci sera suivie d'une longue période de troubles (XIIe-VIIIe s.) : le traditionnel conflit avec l'Assyrie est aggravé par la menace que font peser les Araméens*, et le royaume est morcelé entre une multitude de cités au pouvoir de chefs araméens dont le roi de Babylone est le suzerain théorique. En 729, l'aggravation de l'anarchie amène Téglat-Phalasar III à occuper Babylone, à laquelle, durant un siècle, les rois assyriens imposeront leur autorité.

Une dynastie chaldéenne rend à la cité son prestige. Nabopolassar (de 626 à 605), mettant à profit les troubles qui éclatent en Assyrie, s'empare du trône de Babylone et, allié aux Mèdes, détruit l'Empire assyrien (prise de Ninive en 612); ensuite, s'attaquant à l'Égypte, il assure son pouvoir sur la haute Mésopotamie. Son fils Nabuchodonosor II (de 605 à 562) soumet la Syrie et la Palestine (prise de Jérusalem en 587) et enlève Suse* aux Élamites. Après sa mort, son vaste empire s'effrite; son dernier successeur, Nabonide (de 556 à 539), féru de religion, délaisse son royaume, que les intrigues et les rivalités des clergés babyloniens livrent à Cyrus* II, qui se rend maître de Babylone en 539. Babylone, désormais, va suivre la destinée des empires auxquels elle sera soumise (Achéménides, Alexandre le Grand, Séleucides, Parthes) pour s'enfoncer peu à peu dans l'obscurité, d'où la tireront les archéologues à la fin du XIXe s.

ARCHÉOLOGIE. Les premières fouilles systématiques ont été menées par une mission allemande (1889-1917); le Service des antiquités d'Iraq les poursuit actuellement. La ville mise au jour est surtout néo-babylonienne. De plan rectangulaire, la cité du Ier millénaire était entourée de fortifications colossales. Ouvrant la voie processionnelle, la porte d'Ishtar (reconstituée à Berlin) était la plus importante. Un revêtement de briques émaillées en formait le décor. D'autres monuments étaient célèbres dans l'Antiquité : ziggourat (tour à étages), palais et jardins de Sémiramis.

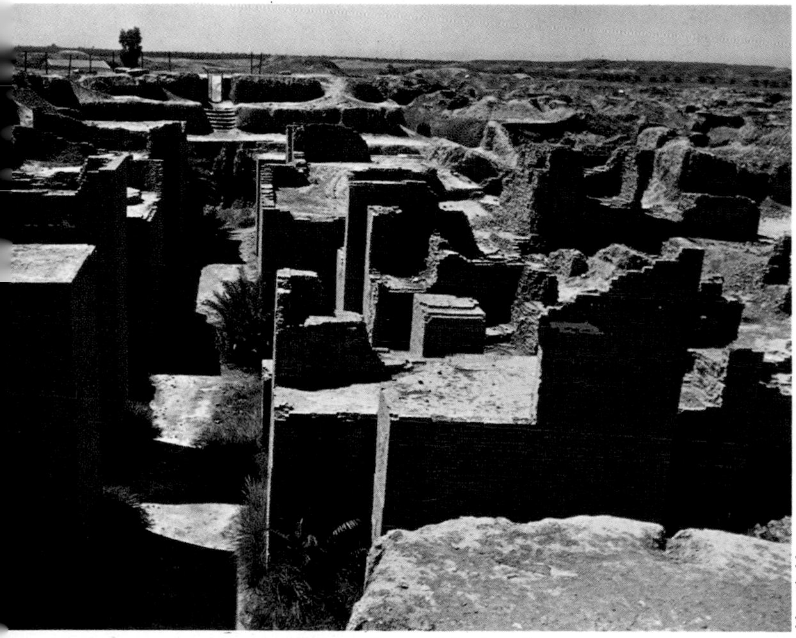

Morath-Magnum

Babylone. Vue partielle des ruines.

BABYLONIEN, ENNE adj. et n. De Babylone ou de Babylonie.

BABY-SITTER [bebisitœr] n. (angl. *baby,* et *to sit,* s'asseoir) [pl. *baby-sitters*]. Personne payée pour garder occasionnellement un enfant en l'absence de ses parents.

BABY-SITTING [bebisitiŋ] n. m. Activité du baby-sitter.

BABY-TEST [bebitɛst] n. m. (mot angl.) [pl. *baby-tests*]. Test destiné à apprécier le niveau de développement neurologique et psychique dans la première enfance.

BAC n. m. (néerl. *bak,* auge). Bateau large et plat servant à passer personnes et véhicules d'une rive à l'autre d'un cours d'eau. ‖ Grand baquet de bois. ‖ Auge pour divers usages : *bac d'accumulateur.* • *Bac à glace,* dans un réfrigérateur, récipient cloisonné utilisé pour permettre la formation de cubes de glace.

BAC n. m. *Fam.* Abrév. de BACCALAURÉAT.

BACANTES n. f. pl. → BACCHANTES.

BACĂU, v. de Roumanie, en Moldavie, sur la Bistrita; 149 000 hab. Industries alimentaires et textiles. Centrale hydraulique.

BACCALAURÉAT n. m. (bas lat. *baccalaureatus;* de *baccalarius,* jeune homme, d'après le lat. *bacca lauri,* baie de laurier). Examen sanctionnant la fin du second cycle de l'enseignement du second degré et donnant droit au titre de bachelier.

BACCARA n. m. Jeu de cartes qui se joue entre un *banquier* et des joueurs, appelés *pontes.*

BACCARAT n. m. Cristal de la manufacture de Baccarat.

BACCARAT (54120), ch.-l. de cant. de Meurthe-et-Moselle, à 25 km au S.-E. de Lunéville, sur la Meurthe; 5 437 hab. Église de 1957. Cristallerie.

BACCHANALE [bakanal] n. f. (lat. *Bacchanalia* fêtes de Bacchus). Débauche bruyante, orgie. ◆ pl. Fêtes romaines de Bacchus et des mystères dionysiaques, marquées par la débauche ou le crime.

BACCHANTE [bakɑ̃t] n. f. (de *Bacchus*). Prêtresse de Bacchus. (Syn. MÉNADE.)

BACCHANTES ou **BACANTES** n. f. pl. *Pop.* Moustaches.

Bacchantes *(les),* tragédie d'Euripide (405 av. J.-C.). Le roi de Thèbes, Penthée, qui s'est opposé à l'introduction du culte de Dionysos* dans son pays, est mis en pièces par les femmes de Thèbes transformées en bacchantes. Sous l'aspect d'une bacchanale rituelle (le meurtre de Penthée se déroule suivant les règles du sacrifice dionysiaque, le *sparagmos,* ou lynchage collectif de la victime), Euripide pose le problème de la violence humaine et du sacrifice destiné à la conjurer en la détournant sur un individu chargé des fautes de la communauté : par là, il porte un regard critique à la fois sur l'illusion qui attribue à la divinité l'origine de la violence, et sur l'institution religieuse qui apparaît comme un mal nécessaire — ce qui explique les interprétations contradictoires (le poète est-il un sceptique ou un mystique?) données de la pièce dès l'Antiquité.

BACCHUS, nom sous lequel les Romains adoptèrent Dionysos*, l'assimilant au dieu italique *Liber Pater.* Virgile montre en lui le dieu du Vin et de la Vigne. Il fut vénéré par quelques initiés qui célébraient en son honneur les « bacchanales* ».

Bacchus et Ariane, ballet en deux actes, argument de A. Hermant, musique de A. Roussel (1930). De cet ouvrage ont été tirées deux suites d'orchestre, parmi lesquelles se distingue la bacchanale, au rythme effréné; qui constitue une des réussites de la musique symphonique française.

BACCHYLIDE, poète lyrique grec, né dans l'île de Céos v. 500 av. J.-C. Auteur d'odes triomphales, de péans et de dithyrambes, il fut, dans un style plus précieux, le rival de Pindare.

BACCIFORME [baksifɔrm] adj. *Bot.* Qui ressemble à une baie (fruit).

BACH, nom d'une célèbre dynastie de musiciens saxons, dont le plus illustre, JEAN-SÉBASTIEN (Eisenach 1685 - Leipzig 1750), a recueilli en plein XVIIIe s. tout l'héritage du monde polyphonique.

L'arrière-grand-père de Jean-Sébastien, Johannes (1580 - v. 1626), avait eu trois fils musiciens : Johannes (1604-1673), Christoph (1613-1661) et Heinrich (1615-1692). Johann Ambrosius (1645-1695), fils de Christoph et père de Jean-Sébastien, avait été musicien de la Cour et de la ville d'Eisenach.

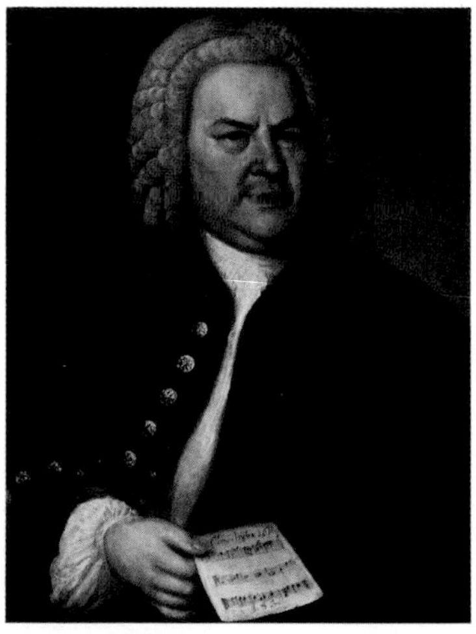

de Biazi-Lauros

Jean-Sébastien **Bach.** Portrait peint par E. G. Haussmann en 1746. (Musée de Leipzig.)

Jean-Sébastien, organiste de métier (Arnstadt, Mühlhausen, Weimar), dirige l'orchestre du prince Léopold d'Anhalt à Köthen à partir de 1717 et devient en 1723 cantor à la Thomasschule de Leipzig.

Son œuvre d'orgue (préludes, toccate, fantaisies et fugues, sonates, 150 chorals), bréviaire de tous les organistes, marque le sommet d'une histoire du contrepoint en Europe. Dans son œuvre pour le clavier, Jean-Sébastien cultive surtout les préludes et fugues *(Clavier* bien tempéré)* — sous toutes formes —, les suites ou partitas de danses qui aboutissent à la sonate. Violoniste, chef d'orchestre, il écrit nombre de recueils de musique de chambre (sonates pour violon seul, pour violon et clavecin, suites pour cello, sonates pour gambe, concertos brandebourgeois [1721], suites d'orchestre). Cantor d'une haute spiritualité, il compose pour le culte luthérien, auquel il se réfère, outre un *Magnificat* (1723) célèbre, quatre *Passions* (notamment celle selon saint Jean en 1723 et celle selon saint Matthieu en 1729), un *Oratorio de Noël* (1734), une *Messe en « si » mineur* (1733-1740), plusieurs cycles de cantates s'adaptant aux quatre fêtes de l'année liturgique, en lesquels se font mutuellement valoir récitatif psalmodié ou dramatique, ariosi lyriques, arie da capo, chœurs d'une intensité dynamique et d'une écriture inégalée. Au théoricien que fut Bach, on doit l'*Offrande musicale* (1747), dont les différents fragments ont été écrits sur le thème de Frédéric II, et *l'Art* de la fugue* (1749-50), véritable synthèse de toutes ses recherches contrapuntiques.

Des vingt enfants de Jean-Sébastien, quatre ont laissé un nom dans la musique : WILHELM FRIEDEMANN (Weimar 1710 - Berlin 1784), organiste à Dresde, à Halle, auteur de sonates, de fantaisies, de polonaises pour le clavier; CARL PHILIPP EMANUEL (Weimar 1714 - Hambourg 1788), directeur de la musique à Hambourg, l'un des créateurs de la forme « sonate », de la symphonie, l'un des premiers maîtres de la musique de chambre; JOHANN CHRISTOPH FRIEDRICH (Leipzig 1732 - Bückeburg 1795), dit le « Bach de Bückeburg » (musique de chambre et d'orchestre); JOHANN CHRISTIAN *(Jean Chrétien)* [Leipzig 1735-Londres 1782], dit le « Bach de Londres », qui, après un séjour comme organiste à Milan, s'installa à Londres, écrivant quantité de partitions lyriques ou d'orchestre annonciatrices du style galant (concertos, sonates, symphonies).

BACH (Alexander, *baron* VON), homme d'État autrichien (Loosdorf 1813 - Schönberg 1893). Ministre de l'Intérieur de 1849 à 1859, il personnifie un système de gouvernement néo-absolutiste, bureaucratique, policier et clérical.

BÂCHAGE n. m. Action de bâcher.

BACHCHAR IBN BURD, poète arabo-irakien (Bassora v. 714 - v. 784). Panégyriste des gouverneurs de Bassora, célèbre pour ses élégies amoureuses et ses épigrammes féroces, il forme la transition entre la tradition bédouine et le lyrisme d'Abū* Nuwās.

BÂCHE n. f. (lat. *bascauda,* mot celtique). Grosse toile qui sert à recouvrir des marchandises exposées aux intempéries. ‖ Caisse à châssis vitrés, abritant les jeunes plantes. ‖ Réservoir contenant l'eau d'alimentation des chaudières. ‖ Carter d'une turbine hydraulique.

BACHELARD (Gaston), philosophe français (Bar-sur-Aube 1884 - Paris 1962). Employé dans les Postes, il passe une licence de mathématiques (1913), puis poursuit des études de philosophie et devient professeur d'histoire et de philosophie des sciences à la Sorbonne (1940).

Il élabore une épistémologie historique — où il s'efforce de rendre compte des obstacles épistémologiques que rencontrent les sciences dans leur développement — et une « psychanalyse de la connaissance objective ». L'analyse qu'il fait de l'imagination commune aux sciences et à la poésie le conduit à dresser un inventaire de l'imaginaire poétique. Bachelard a notamment publié *la Formation de l'esprit scientifique, l'Eau et les rêves* (1942), *le Rationalisme appliqué* (1949), *la Poétique de l'espace* (1957), *la Poétique de la rêverie* (1960).

BACHELIER n. m. (lat. *baccalarius*). Au Moyen Âge, jeune homme aspirant à être fait chevalier.

BACHELIER, ÈRE n. (lat. *baccalarius*). Personne qui a été reçue au baccalauréat.

BACHELIER (Nicolas) → TOULOUSE.

BÂCHER v. t. Couvrir d'une bâche.

BACHI-BOUZOUK [baʃibuzuk] n. m. (pl. *bachi-bouzouks*). Soldat irrégulier de l'ancienne armée ottomane.

BACHIQUE adj. De Bacchus : *fête bachique.* • *Chanson bachique,* chanson à boire. ‖ *Poésie bachique,* poésie qui célèbre les plaisirs de la vie.

BACHKIRIE, république autonome de l'U.R.S.S. (R.S.F.S. de Russie), dans le sud de l'Oural; 3 848 000 hab. *(Bachkirs).* Capit. *Oufa.* Importants gisements de pétrole.

BACHMANN (Ingeborg), femme de lettres autrichienne (Klagenfurt 1926 - Rome 1973). Son œuvre lyrique (*Die gestundete Zeit,* 1953), romanesque (*la Trentième Année,* 1961; *Malina,* 1971) et dramatique (*Die Zikaden,* 1955) est marquée par l'influence de Heidegger et par son expérience de la Seconde Guerre mondiale.

BACHOT n. m. *Fam.* Baccalauréat.

BACHOT n. m. Petit bac; petite barque.

BACHOTAGE n. m. *Fam.* Action de bachoter.

BACHOTER v. i. *Fam.* Préparer rapidement et avec intensité un examen, un concours.

BACHOTTE n. f. Tonneau de forme particulière, pour transporter les poissons vivants.

BACILLAIRE adj. Produit par un bacille : *maladie bacillaire.*

BACILLE n. m. (lat. *bacillus,* bâtonnet). Microbe en forme de bâtonnet. (De nombreux bacilles sont pathogènes : *bacille d'Eberth* [typhoïde], *de Koch* [tuberculose].) ‖ Insecte herbivore du midi de la France, ressemblant à une brindille. (Long. 10 cm; ordre des chéleutoptères.)

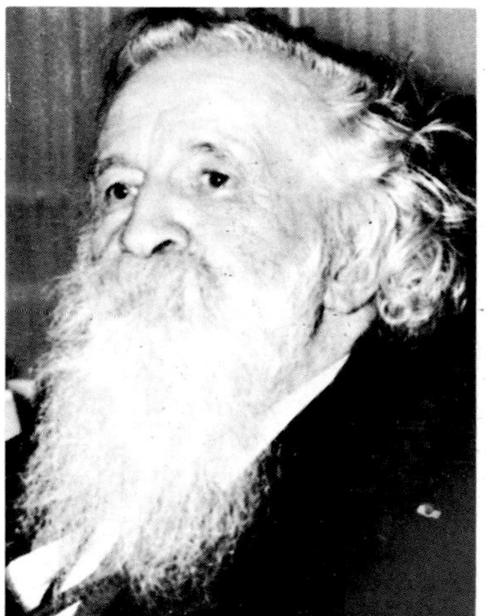

Keystone

Gaston **Bachelard**

BACILLIFORME adj. En forme de bacille.

BACILLOSE n. f. Toute maladie due à un bacille, en particulier tuberculose.

BACK (*sir* George), amiral anglais (Stockport 1796 - Londres 1878). Il conduisit plusieurs expéditions dans le Nord-Ouest canadien (*Back River*) et dans l'archipel arctique, et y étudia les aurores boréales et le pôle magnétique.

BACKGAMMON [bakgamɔn] n. m. (mot angl. d'origine galloise). Jeu de dés proche du jacquet.

BACKHUYZEN (Ludolf), peintre néerlandais de marines, né à Emden (1631-1708).

BÂCLAGE n. f. *Fam.* Action de bâcler; exécution rapide et peu soignée.

BÂCLE n. f. Pièce de bois ou de métal qui maintient une porte fermée.

BÂCLER v. t. (lat. pop. *bacculare,* de *baculum,* bâton). *Fam.* Faire à la hâte et sans précaution : *bâcler un travail.*

BACOLOD, port des Philippines, sur la côte nord-ouest de l'île de Negros; 222 700 hab.

BACON [bekœn] n. m. (mot angl.). En Angleterre, lard fumé maigre. ‖ En France, morceau de filet de porc salé et fumé.

BACON (Roger), moine franciscain, philosophe et savant anglais (Ilchester ou Bisley v. 1220-Oxford 1292). Esprit ouvert aussi bien aux mathématiques et à la philosophie qu'à l'astronomie et à l'alchimie, Bacon est l'un des premiers à commenter l'œuvre d'Aristote en dépit de l'interdiction de l'Église (v. ARISTOTÉLISME). Dans son *Opus majus* (1268), il propose une organisation des différentes sciences de l'époque afin de promouvoir leur étude et leur progrès. Il s'inscrit en faux contre la scolastique en soutenant que la science expérimentale de son époque est la science maitresse. Bien que son opposition à l'obscurantisme de certains catholiques s'inscrive dans une perspective théologique où toute vérité procède du Verbe divin, son œuvre est condamnée par un syllabus de 1277, et lui-même est emprisonné jusqu'à sa mort.

Il s'était aperçu, le premier, que le calendrier julien était erroné et avait signalé les points vulnérables du système de Ptolémée. En optique, il avait indiqué les lois de la réflexion et les phénomènes de réfraction, et donné une théorie de l'arc-en-ciel. On lui doit la description de plusieurs inventions mécaniques : bateaux, voitures et machines volantes.

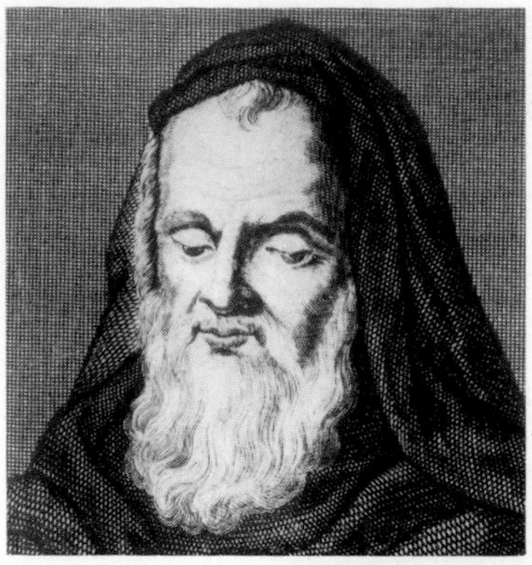

Roger **Bacon**

Larousse

BACON (Francis), baron **Verulam,** chancelier d'Angleterre et philosophe (Londres 1561-*id.* 1626). Élevé à la Cour, puis à Cambridge, où il étudie le droit et la philosophie scolastique, Bacon fait une carrière politique. Élu à la Chambre des communes en 1584, en 1589 et en 1593, il prend soin de se concilier les faveurs du comte d'Essex, de Jacques Ier, puis du duc de Buckingham. Il parvient ainsi à se faire nommer grand chancelier en 1618. Accusé de vénalité par le Parlement en 1621, il se retire de la vie publique et s'adonne définitivement à l'étude. Hormis les *Essais de morale et de politique* (1597) et l'*Histoire d'Henri VII* (1622), l'œuvre de Bacon consiste principalement en une théorie empiriste de la connaissance. Dans son *Instauratio magna* (*la Grande Reconstitution,* 1623), Bacon soutient qu'on ne peut connaître la nature qu'en l'observant et tente de dégager des lois de l'induction, où il voit la méthode de toute connaissance.

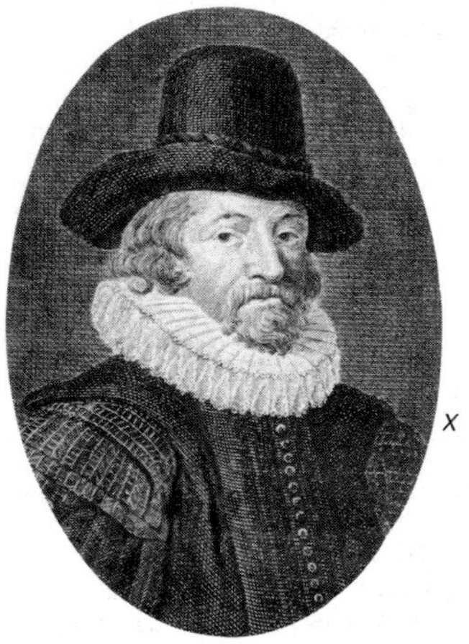

Francis **Bacon** (1561-1626)

X

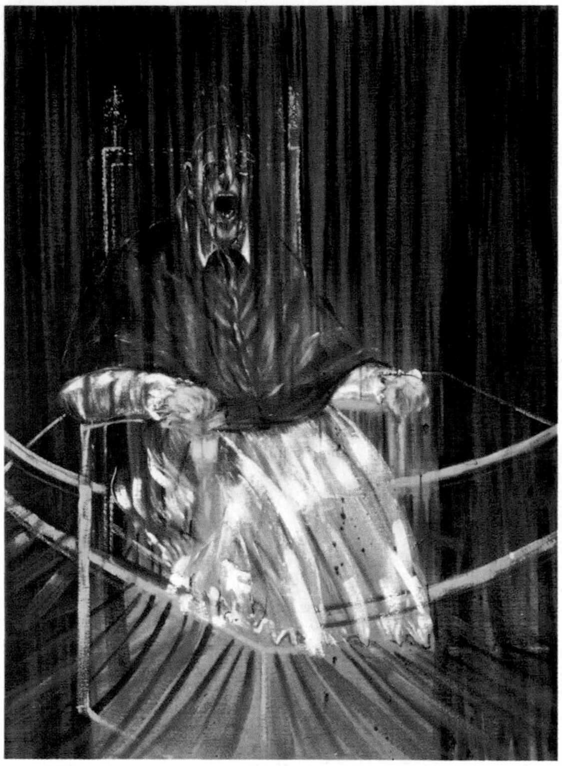

Francis **Bacon** : *Étude d'après le portrait du pape Innocent X par Velázquez,* 1953. (Coll. part., New York.)

Lauros-Giraudon

BACON (Francis), peintre britannique (Dublin 1909). Exprimant, depuis 1944, l'inadaptation et le malaise des êtres par de violentes déformations, des stridences de couleurs, des « tremblés » de l'image, il a influencé, notamment, la « nouvelle figuration* » internationale.

BACQUEVILLE-EN-CAUX (76730), ch.-l. de cant. de la Seine-Maritime, à 19 km au S.-S.-O. de Dieppe; 1733 hab.

BACTÉRICIDE adj. et n. m. Se dit d'une substance qui tue les bactéries, comme l'eau de Javel, l'ozone, l'alcool, certains antibiotiques.

BACTÉRIDIE n. f. Bactérie immobile, comme celle du charbon.

BACTÉRIE n. f. (gr. *baktêria,* bâton). Nom général donné aux microbes unicellulaires de forme allongée *(bacilles),* sphérique *(cocci)* ou spiralée, sans membrane nucléaire et se nourrissant selon le mode végétal.

■ Les *eubactéries* comprennent la majorité des germes pathogènes. Aux *mycobactéries* appartient le bacille tuberculeux. Les *protozoobactéries,* tels les leptospires et les tréponèmes, se rapprochent des protozoaires. L'étude des bactéries, ou *bactériologie,* permet, dès l'examen direct au microscope, de distinguer trois formes principales : des éléments sphériques, les *cocci,* qui regroupent les streptocoques, les entérocoques, les staphylocoques et les pneumocoques; des éléments allongés en forme de bâtonnets, les *bacilles* (salmonelles, colibacilles); des éléments *spiralés,* les tréponèmes et les leptospires. L'examen direct permet aussi d'apprécier si les bactéries sont mobiles (vibrion cholérique, tréponème) ou non (streptocoque). La coloration précise certains détails des bactéries et les affinités de celles-ci pour les colorants : certaines prennent la coloration de Gram (Gram + [positif]), alors que d'autres ne la prennent pas (Gram − [négatif]). Les cultures mettent en évidence des colonies visibles à l'œil nu et permettent l'étude morphologique des germes. Les milieux de culture sont très variés : certains nécessitent l'oxygène de l'air libre (pour les germes *aérobies*); d'autres doivent être à l'abri de l'oxygène de l'air libre (pour les bactéries *anaérobies*). L'inoculation aux animaux permet de distinguer quelques bactéries (bacille tuberculeux) et d'apprécier leur pouvoir pathogène. Certaines bactéries sont pathogènes pour l'homme seul; d'autres le sont pour les animaux ou pour l'homme et les animaux. Certaines espèces sont commensales des milieux intérieurs de l'homme ou des animaux ou peuvent même intervenir dans leur métabolisme : ainsi, le bacille *amylobacter* du tube digestif des mammifères permet aux herbivores d'utiliser la cellulose. Quant aux bactéries du sol*, la plupart d'entre elles assurent la minéralisation des excréments et des cadavres (nitrification, par ex.), fermant ainsi les cycles* biochimiques, tandis que quelques espèces (bacilles tétanique, botulique, perfringens, etc.) peuvent devenir pathogènes.

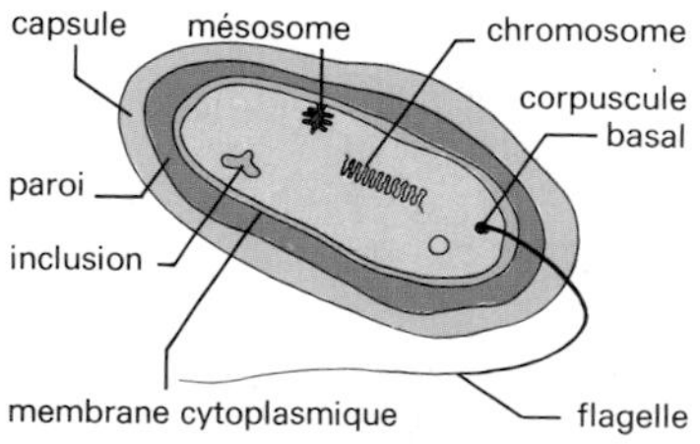
capsule
mésosome
chromosome
corpuscule basal
paroi
inclusion
membrane cytoplasmique
flagelle

bactérie

BACTÉRIÉMIE n. f. Décharge passagère de bactéries dans le sang à partir d'un foyer infectieux et se manifestant par des frissons et un clocher thermique.

BACTÉRIEN, ENNE adj. Relatif aux bactéries.

BACTÉRIOLOGIE n. f. Partie de la microbiologie qui concerne les bactéries.

BACTÉRIOLOGIQUE adj. Relatif à la bactériologie. ‖ *Mil.* Qui utilise les bactéries.

BACTÉRIOLOGISTE n. Spécialiste de bactériologie.

BACTÉRIOPHAGE n. m. Virus qui détruit activement certaines bactéries.

BACTÉRIOSTATIQUE adj. et n. m. Se dit d'une substance qui arrête la multiplication des bactéries sans les tuer.

BACTRIANE, anc. région de l'Asie centrale, dans la partie nord de l'Afghānistān sur la route de la soie. Sa capitale était Bactres (auj. Balkh). Elle fut conquise par Cyrus II. Premier foyer du zoroastrisme*.

BADAJOZ, v. d'Espagne, en Estrémadure, ch.-l. de prov., sur le Guadiana, près du Portugal; 111500 hab. Monuments anciens.

BADALONA, v. d'Espagne, dans la banlieue nord-est de Barcelone, sur la Méditerranée; 229800 hab. Industries textiles et chimiques.

BĀDĀMI, site archéologique du Deccan, qui, comme Aihole, fut une ancienne capitale des Cālukya occidentaux. Architecture rupestre et décor peint et sculpté — d'inspiration bouddhique et brahmanique — représentent le renouveau caractéristique de cette dynastie, héritière de la tradition gupta.

BADAUD, E n. et adj. (prov. *badau;* de *badar,* regarder bouche bée). Passant, promeneur qui passe son temps à regarder longuement tout ce qu'il voit.

BADAUDERIE n. f. *Litt.* Caractère du badaud.

BADE, en allem. **Baden,** anc. État de l'Allemagne rhénane. Margraviat, le pays de Bade, agrandi d'une partie du Palatinat (1803) et du Brisgau (1805), est érigé en grand-duché en 1806. Membre de la Confédération du Rhin (1806), puis de la Confédération germanique (1815) et de l'Empire allemand (1871), il devient république en 1919. En 1949-1951, lors de la fondation de la R. F. A., Bade et Wurtemberg sont réunis en un seul *Land* (Bade-Wurtemberg*).

BADEGOULIEN, ENNE adj. et n. m. (de *Badegoule,* en Dordogne). Se dit d'un faciès industriel paléolithique correspondant à la première phase du magdalénien.

BAD EMS → EMS.

BADEN, v. de Suisse (Argovie), sur la Limmat, au N.-O. de Zurich; 13900 hab. Vieille ville haute. Château des baillis, des XIVe-XVe s. (musée). Station thermale. Constructions électriques.

BADEN-BADEN, v. de l'Allemagne fédérale (Bade-Wurtemberg), à proximité du Rhin; 39000 hab. Station thermale.

BADEN-POWELL (Robert, *baron*), général anglais (Londres 1857-Nyeri, Kenya, 1941). En 1908, il fonde l'organisation, bientôt internationale, des *boy-scouts,* ou *scouts.* (V. SCOUTISME.)

BADERNE n. f. *Vieille baderne* (Fam.), personne attachée à des idées ou à des habitudes d'un autre âge.

BADE-WURTEMBERG, État occupant le sud-ouest de l'Allemagne fédérale; 35750 km²; 9154000 hab. Capit. *Stuttgart.* Le paysage dominant est celui de plateaux et de moyennes montagnes (Jura souabe et Forêt-Noire), mais l'essentiel de la population et des activités industrielles se concentre dans la vallée du Rhin (plaine de Bade), jalonnée notamment par les villes de Fribourg-en-Brisgau et de Karlsruhe, et surtout dans celle du Neckar, de Stuttgart à Heidelberg, ce qui explique, malgré l'extension des surfaces boisées, la densité élevée de la population, proche de la forte moyenne fédérale.

BADGASTEIN, v. d'Autriche, dans les Alpes, à l'E. des Hohe Tauern; 6500 hab. Grande station thermale et de sports d'hiver (alt. 1083-2246 m).

BADGE [badʒ] n. m. (mot angl.). Insigne des scouts et guides attestant la réussite à une épreuve. ‖ Insigne muni d'une inscription ou d'un dessin.

BAD HOFGASTEIN, localité d'Autriche (prov. de Salzbourg), dans la *vallée de Gastein;* 5300 hab. Sports d'hiver (alt. 1083-2246 m).

BADIANE n. f. Arbuste originaire du Viêt-nam dont le fruit, appelé « anis étoilé », contient une essence odorante utilisée pour la fabrication de boissons anisées. (Famille des magnoliacées.)

BADIGEON n. m. Lait de chaux généralement additionné d'un colorant que l'on applique sur un mur de façade, un mur de cave, etc.

BADIGEONNAGE n. m. Action de badigeonner. ‖ Ouvrage de celui qui badigeonne.

BADIGEONNER v. t. Peindre avec du badigeon. ‖ Enduire d'une préparation pharmaceutique : *badigeonner la gorge.*

BADIGEONNEUR n. m. Celui qui badigeonne. ‖ *Péjor.* Mauvais peintre.

BADIN, E adj. et n. (mot prov., *sot*). *Litt.* Qui aime la plaisanterie légère.

BADIN n. m. (du nom de l'inventeur). *Aéron.* Indicateur de vitesse relative par rapport à l'air ambiant.

BADINAGE n. m. Action de badiner.

BADINE n. f. Baguette mince et flexible que l'on tient à la main.

BADINER v. i. Plaisanter avec enjouement. ● *Ne pas badiner sur qqch,* ne pas la prendre légèrement.

BADINERIE n. f. Ce qu'on dit, ce qu'on fait en plaisantant.

BADINTER (Robert), avocat et homme politique français (Paris 1928). Ministre de la Justice de juin 1981 à février 1986, il a fait voter l'abolition de la peine de mort et la suppression de la Cour de sûreté de l'État. En 1986, il est nommé président du Conseil constitutionnel.

BAD KREUZNACH, v. de l'Allemagne fédérale (Rhénanie-Palatinat), sur la Nahe (affl. du Rhin), au S.-O. de Mayence; 43000 hab. Pneumatiques.

BAD-LANDS [badlɔ̃ds] n. f. pl. (angl. *bad,* mauvais, et *land,* terre). Terres argileuses disséquées par le ruissellement torrentiel en de multiples ravins qui ne laissent entre eux que des crêtes aiguës.

BADMINTON [badmintɔn] n. m. (mot angl.). Jeu de volant apparenté au tennis.

BAD NAUHEIM ou **NAUHEIM,** v. de l'Allemagne fédérale (Hesse), au N. de Francfort-sur-le-Main; 15000 hab. Station thermale.

BADOGLIO (Pietro), maréchal italien (Grazzano Monferrato 1871-*id.* 1956). Gouverneur de la Libye de 1928 à 1933, puis vice-roi d'Éthiopie (1938) après sa victoire d'Addis-Abeba, il est nommé chef d'état-major général en 1939 et négocie l'armistice avec la France (1940). Chef du gouvernement après l'arrestation de Mussolini en 1943, il traite avec les Alliés, déclare la guerre à l'Allemagne, mais quitte le pouvoir avec le roi Humbert II en 1944.

BADOIS, E adj. et n. De Bade.

BADONVILLER (54540), ch.-l. de cant. de Meurthe-et-Moselle, à 32 km à l'E.-S.-E. de Lunéville; 1812 hab.

Badr *(bataille de),* victoire remportée en 624 par Mahomet* à Badr, au S.-O. de Médine, sur une troupe mecquoise beaucoup plus nombreuse que la sienne.

BAD RAGAZ, en fr. **Ragaz-les-Bains,** comm. de Suisse (cant. de Saint-Gall), dans la vallée du Rhin; 3 713 hab. Station thermale.

BAD REICHENHALL, v. de l'Allemagne fédérale, en Bavière, au S.-O. de Salzbourg; 15 000 hab. Station thermale et de sports d'hiver (alt. 470-1 614 m).

BAEKELAND (Leo Hendrik), chimiste belge, puis américain (Gand 1863 - Beacon, New York, 1944), inventeur, en 1906, de la *Bakélite,* première résine de synthèse, obtenue par condensation du phénol avec le formol.

BAEYER (Adolf VON), chimiste allemand (Berlin 1835 - Starnberg, Bavière, 1917). Il a découvert les phtaléines (1871) et réalisé en 1880 la synthèse de l'indigo. (Prix Nobel de chimie, 1905.)

BAFFE [baf] n. f. *Pop.* Gifle.

BAFFIN (William), navigateur anglais (Londres 1584 - Ormuz 1622). À la recherche d'un passage maritime vers la Chine, il est le premier à franchir le détroit de Davis.

BAFFIN *(mer* ou *baie de),* étendue d'eau marine au N. du cercle polaire, limitée par la *terre de Baffin,* les îles Devon et Ellesmere et le Groenland, communiquant avec l'Atlantique, au S., par le détroit de Davis.

BAFFIN *(terre de),* île la plus étendue de l'archipel Arctique canadien (Territoires du Nord-Ouest), séparée du Groenland par la *mer de Baffin* et de la province du Québec par le détroit d'Hudson.

BAFFLE [bafl] n. m. (mot angl., *écran*). Écran rigide sur lequel est monté le haut-parleur afin d'obtenir la restitution des sons graves. ‖ *Fam.* Enceinte acoustique.

BAFOUER v. t. (onomat. *baf,* bruit fait avec la langue). Railler sans pitié, ridiculiser : *être bafoué devant tout le monde.*

BAFOUILLAGE n. m. *Fam.* Propos incohérents, paroles sans suite.

BAFOUILLE n. f. *Pop.* Lettre.

BAFOUILLER v. t. et i. (onomat. *baf*). *Fam.* Parler d'une manière inintelligible, embarrassée.

BAFOUILLEUR, EUSE n. *Fam.* Personne qui bafouille.

BÂFRER v. t. et i. (onomat. *baf*). *Pop.* Manger avidement et avec excès.

BÂFREUR, EUSE n. *Pop.* Glouton.

BAGAD n. m. (mot breton). Formation musicale à base de binious et de bombardes, instruments traditionnels de la Bretagne.

BAGAGE n. m. (anc. fr. *bagues,* paquets). Objets qu'on emporte avec soi en voyage, en expédition. ‖ Ensemble de connaissances acquises : *avoir un petit bagage littéraire.* ● *Avec armes et bagages,* sans rien laisser. ‖ *Plier bagage* (Fam.), s'enfuir; mourir.

BAGAGISTE n. m. Employé dans un hôtel, une gare, un aéroport, chargé de porter les bagages.

BAGARRE n. f. (prov. *bagarro,* rixe). Querelle violente accompagnée de coups, entre plusieurs personnes. ‖ Match ardent entre des équipes, des concurrents.

BAGARRER v. i. *Fam.* Lutter, combattre : *bagarrer pour une opinion.* ◆ **se bagarrer** v. pr. Se quereller, se battre.

BAGARREUR, EUSE adj. et n. *Fam.* Qui est toujours prêt à se battre.

BAGASSE n. f. (esp. *bagazo,* marc). Partie ligneuse de la canne à sucre, restant dans les moulins après l'extraction du jus sucré.

BAGATELLE n. f. (it. *bagatella,* tour de bateleur). Chose de peu de prix et peu nécessaire : *elle dépense tout son argent en bagatelles.* ‖ Chose frivole, de peu d'importance; baliverne : *il s'amuse à des bagatelles.* ‖ *Mus.* Pièce facile, de style léger, le plus souvent destinée au piano. ● *La bagatelle* (Fam.), l'amour physique. ‖ *Pour la bagatelle de,* pour la somme considérable de.

Bagatelle, petit château situé à la limite du bois de Boulogne. Construit en 1777 par Bélanger, il est auj. propriété de la ville de Paris.

BAGAUDES n. m. pl. Groupes de paysans gaulois dont les révoltes furent plusieurs fois écrasées par les Romains (IIIe-Ve s.).

BAGDAD, capit. de l'Iraq, sur le Tigre; 3 205 000 hab.

GÉOGRAPHIE. Bien située au point de franchissement le plus facile du Tigre et de l'Euphrate, au N. des marais de Mésopotamie, la ville a, cependant, longtemps vécu sous la menace d'inondations, ce qui explique les déplacements d'un site anciennement habité. Capitale de l'Iraq depuis 1930, elle a connu une extraordinaire croissance démographique (sa population a décuplé durant le dernier demi-siècle), hors de rapport avec un développement économique bien plus modeste. L'agglomération concentre environ le quart de la population du pays.

HISTOIRE. Bagdad est choisie comme capitale par le calife 'abbāsside al-Manṣūr (v. 760). Elle devient la métropole économique, intellectuelle et artistique du monde musulman. À partir du

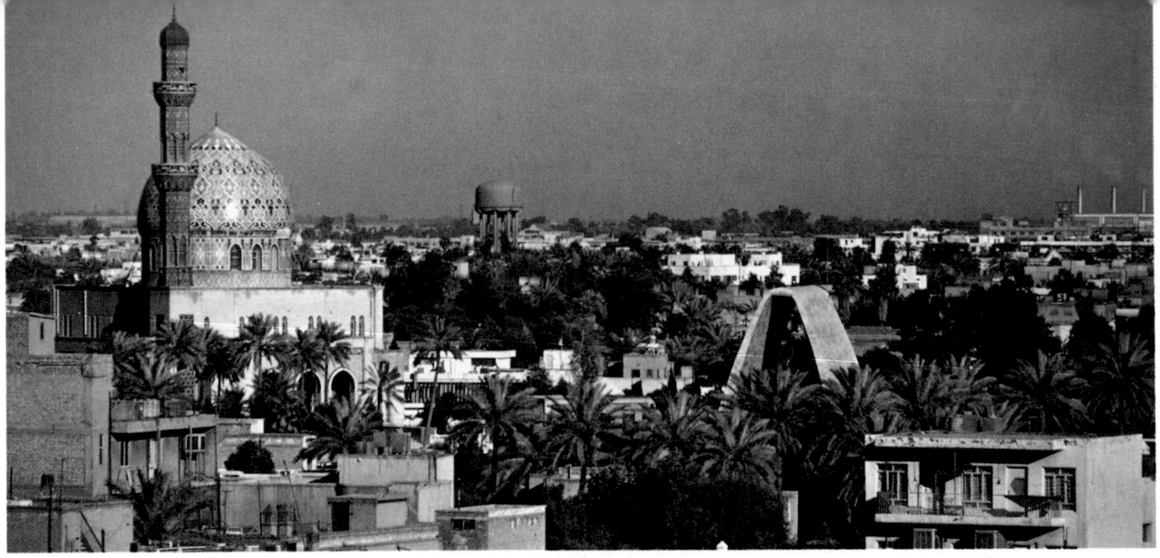

Marthelot-A. A. A.-Photo

Bagdad. Vue générale.

Xe s., le mauvais entretien des canaux est responsable de nombreuses inondations. La ville, détruite par les Mongols en 1258, turque à partir du XVe s., ne retrouve une certaine prospérité qu'au XVIIIe s.

BEAUX-ARTS. Très peu de vestiges subsistent de la grande période 'abbāsside (VIIIe-IXe s.). Les principaux monuments laissés par l'islām* datent des XIIIe et XIVe s. (madrasa al-Mustanṣiriyya, madrasa Mirdjāniyya). À la fin du XIIe s. et au début du XIIIe, une école de miniaturistes s'épanouit dans la ville. Elle eut pour chef de file Yaḥyā al-Wāsiṭī, dont on possède plusieurs œuvres signées. Celles-ci révèlent une fermeté de trait et une richesse de palette alliées à une certaine liberté et à une nouvelle complexité de la composition. Important musée d'archéologie mésopotamienne et islamique.

Bagdad *(pacte de)* → CENTO.

BÂGÉ-LE-CHÂTEL (01380), ch.-l. de cant. de l'Ain, à 9 km à l'E. de Mâcon; 717 hab.

BAGHLAN ou **BARHLĀN,** v. d'Afghānistān, au N. de Kaboul, ch.-l. de prov.; 106 000 hab.

BAGNARD n. m. Forçat.

BAGNE n. m. (it. *bagno,* établissement de bains). Lieu où s'exécutait la peine des travaux forcés. (Les bagnes coloniaux ont été supprimés en 1938 et les travaux forcés remplacés par la réclusion.) ● *C'est un bagne,* c'est un lieu où l'on est astreint à un travail pénible.

BAGNEAUX-SUR-LOING (77167), comm. de Seine-et-Marne, à 4 km au S. de Nemours; 1 439 hab. Verrerie.

BAGNÈRES-DE-BIGORRE (65200), ch.-l. d'arr. des Hautes-Pyrénées, à 21 km au S. de Tarbes, sur l'Adour; 9 850 hab. *(Bagnérais).* Musée. Station thermale, aux eaux sulfatées calciques et ferrugineuses, utilisées dans le traitement des affections rénales et de certaines anémies. Industries mécaniques et textiles.

BAGNÈRES-DE-LUCHON ou **LUCHON** (31110), ch.-l. de cant. de la Haute-Garonne, à 46 km au S.-S.-O. de Saint-Gaudens, sur la Pique, dans la *vallée de Luchon;* 3 602 hab. *(Luchonnais).* Station thermale, aux eaux sulfureuses, utilisées dans le traitement des rhumatismes et des affections des voies respiratoires supérieures.

BAGNEUX (92220), ch.-l. de cant. des Hauts-de-Seine, à 6 km au S. de Paris; 40 390 hab. *(Balnéolais).* Église remontant aux XIIe-XIIIe s. Cimetière parisien.

BAGNOLE n. f. *Pop.* Automobile.

BAGNOLES-DE-L'ORNE (61140), comm. de l'Orne, à 48 km au N.-O. d'Alençon; 783 hab. Station thermale, aux eaux sulfureuses radioactives, utilisées dans le traitement des maladies des veines (varices, hémorroïdes, suites de phlébites).

BAGNOLET (93170), ch.-l. de cant. de la Seine-Saint-Denis, limitrophe (à l'E.) de Paris; 32 557 hab.

BAGNOLI, localité d'Italie, en Campanie, dans la banlieue de Naples. Sidérurgie.

BAGNOLS-LES-BAINS (48190), comm. de la Lozère, à 20 km à l'E. de Mende, au pied des Cévennes, sur le Lot (près de sa source); 240 hab. Station thermale.

BAGNOLS-SUR-CÈZE (30200), ch.-l. de cant. du Gard, à 10 km à l'O. de Marcoule; 17 777 hab. *(Bagnolais).* Musée (peintures de Renoir à Matisse dans l'hôtel de ville, du XVIIe s.). Électrométallurgie.

BAGOU ou **BAGOUT** n. m. (anc. fr. *bagouler,* parler à tort et à travers). *Fam.* Grande facilité de parole : *avoir du bagou.*

BAGRATION (Petr Ivanovitch, *prince*), général russe (Kizliar 1765 - Sima 1812). Il s'illustra contre les Français à Austerlitz, Eylau et Friedland et fut mortellement blessé à la Moskova.

BAGRJANA (Elisaveta BELCEVA, dite), poétesse bulgare (Sofia 1893). Ses recueils lyriques tentent de concilier l'image traditionnelle de la femme orientale et son désir d'émancipation dans la société moderne (*l'Éternelle et la Sainte,* 1927; *Cœur humain,* 1936; *Contrepoints,* 1972).

BAGUAGE n. m. Pose d'une bague à la patte d'un oiseau pour l'identifier en vue de l'étude des migrations ou, en aviculture, pour la sélection. ‖ Incision annulaire faite sur une tige pour arrêter la descente de la sève.

BAGUE n. f. (néerl. *bagge,* anneau). Anneau que l'on met au doigt et qui peut être orné d'un motif décoratif ou de pierres. ‖ Anneau de papier qui entoure les cigares. ‖ Anneau que l'on met à la patte d'un oiseau pour l'identifier. ‖ *Archit.* Moulure ceinturant une colonne. ‖ *Techn.* Pièce métallique cylindrique, servant d'embase, d'entretoise ou de frette. ‖ Instrument pour contrôler la dimension du diamètre extérieur d'une pièce cylindrique. ● *Bague tuberculinique* (Méd.), bague munie de fines pointes, servant à pratiquer la cuti-réaction.

BAGUENAUDE n. f. (prov. *baganaudo,* du lat. *baca,* baie). Fruit du baguenaudier.

BAGUENAUDER v. i. *Fam.* Flâner en perdant son temps. ◆ **se baguenauder** v. pr. *Fam.* Se promener sans but.

BAGUENAUDIER n. m. Arbrisseau des régions méditerranéennes, à fleurs jaunes et à gousses renflées en vessie. (Famille des papilionacées.)

BAGUER v. t. (anc. fr. *baguer,* attacher). *Cout.* Faire des points allongés, invisibles à l'endroit, pour maintenir deux épaisseurs de tissu.

BAGUER v. t. Garnir d'une bague. ‖ Pratiquer le baguage d'un oiseau, d'un arbre.

BAGUETTE n. f. (it. *bacchetta*). Petit bâton mince, plus ou moins long et flexible. ‖ Pain de forme très allongée. ‖ Ornement linéaire dans un bas, une chaussette. ‖ *Archit.* Petite moulure arrondie. ‖ *Arm.* Tige d'acier ou de bois servant jadis à charger par la bouche le canon d'un fusil ou d'un pistolet, aujourd'hui à le nettoyer. ● *Baguette divinatoire,* bâton de coudrier au moyen duquel certaines personnes prétendent découvrir les sources d'eau cachées, les mines, les trésors enfouis, etc. ‖ *Baguettes de tambour,* petits bâtons courts terminés en forme d'olive et à l'aide desquels on bat du tambour; et, *fam.,* cheveux raides. ‖ *D'un coup de baguette magique,* comme par enchantement. ‖ *Marcher à la baguette,* obéir sans discuter. ‖ *Mener qqn à la baguette,* le conduire durement.

BAGUETTISANT n. m. Syn. de SOURCIER.

BAGUIER n. m. Petit coffret, écrin, coupe, pour serrer des bagues et autres bijoux.

BAGUIO [bagjo] n. m. Typhon des Philippines.

BAGUIO, v. des Philippines, dans le nord de l'île de Luçon; 100 000 hab. Station d'altitude (1 500 m), siège du gouvernement en été.

BAH! interj. (onomat.). Marque l'étonnement, le doute, l'insouciance.

BAHAMAS, État membre du Commonwealth formé par un archipel de l'Atlantique situé au S.-E. de la côte de la Floride; 13 864 km^2; 250 000 hab. Capit. *Nassau,* dans l'île de New Providence qui rassemble plus de la moitié de la population de l'archipel sur seulement 55 km^2. Étirées sur 1 000 km de part et d'autre du tropique du Cancer, les Bahamas ont un climat chaud, sans être torride (la température moyenne est de 23 °C, avec de faibles variations saisonnières), et ensoleillé qui explique, avec la proximité des États-Unis, le développement spectaculaire du tourisme (environ 1,5 million de visiteurs), devenu — de loin — la principale ressource de l'archipel et compensant largement le lourd déficit de la balance commerciale. — Les Bahamas, qui furent découvertes par Christophe Colomb en 1492 et occupées par les Anglais au début du XVIIe s., sont indépendantes depuis 1973.

BAHÂWALPUR, v. du Pākistān, sur la Sutlej; 133 800 hab.

BAHIA, État du nord-est du Brésil; 561 026 km^2; 9 594 000 hab. Capit. *Salvador.* Un peu plus vaste que la France, l'État est assez peu peuplé. En fait, s'opposent le littoral, humide, portant des cultures de canne à sucre et de cacao, et l'intérieur, plus aride, domaine d'un élevage bovin extensif.

BAHÍA BLANCA, port d'Argentine, au S.-O. de Buenos Aires, près de la *baie de Bahía Blanca;* 182 000 hab. Raffinage du pétrole.

BAHRÂM II, IV, V → SASSANIDES.

BAHREÏN ou **BAḤRAYN** *(îles),* État insulaire du golfe Persique, relié depuis 1986 à l'Arabie Saoudite par un pont; 662 km^2; 400 000 hab. Capit. *Manāma.* Formé d'une vingtaine d'îles (dont la plus grande, *Bahreïn,* couvre 543 km^2), l'archipel, au climat désertique, a pour ressource essentielle le pétrole (2,2 Mt). Outre les activités financières, des industries se sont développées (cimenteries, produits alimentaires, etc.).

HISTOIRE. Connues dès l'époque assyrienne sous le nom de Dilmoun, les îles de Bahreïn ont joué de tout temps un rôle de centre de pêche perlière, de relais commercial et de point stratégique dans le golfe Persique. Occupées par les Portugais au XVIe s., elles sont gouvernées par les Persans de 1602 à 1783, date à laquelle la dynastie régnante des Āl Khalifa, originaire du Nadjd, s'empare de l'archipel à partir du Qaṭar. En 1820 est conclu avec le gouvernement britannique le premier d'une série de traités qui aboutissent au protectorat de 1914. Le pays devient indépendant en 1971.

BAHR EL-ABIAD, autre nom du NIL BLANC.

BAHR EL-AZRAK, autre nom du NIL BLEU.

BAHR EL-GHAZAL, cours d'eau du Soudan méridional, exutoire vers le Nil d'une cuvette marécageuse formée surtout par le Bahr el-Arab (riv. du Soudan, née dans le Darfour).

BAḤRITES → MAMELOUKS.

BAHRO (Rudolf), économiste est-allemand (Löwenberg, auj. Lwówek Śląski, Pologne, 1935). Marxiste, il récuse la société productiviste, même de type socialiste. Il a écrit *l'Alternative* (1977).

BAHT n. m. Unité monétaire principale de la Thaïlande.

BAHUT n. m. Coffre de bois à couvercle bombé, servant autrefois à ranger des vêtements. ‖ Sorte de buffet. ‖ *Constr.* Mur bas portant une arcature, une grille, etc.; chaperon de mur, de forme bombée. ‖ *Arg.* Taxi, automobile. ‖ *Arg. scol.* Lycée, collège.

BAI, E adj. (lat. *badius,* brun). Se dit d'un cheval dont la robe est composée de poils fauves, roussâtres, avec les crins et les extrémités noirs.

BAIA MARE, v. du nord-ouest de la Roumanie; 117 800 hab. Industries métallurgiques et chimiques.

BAIE n. f. (esp. *bahía*). Échancrure d'un littoral : *la baie de Saint-Brieuc.*

BAIE n. f. (lat. *baca*). Nom général donné aux fruits charnus à pépins (raisin, groseille, melon).

BAIE n. f. (de *béer*). Ouverture de porte, de fenêtre.

BAIE-COMEAU, v. du Canada (Québec), sur la rive nord de l'estuaire du Saint-Laurent; 11 911 hab. Métallurgie.

BAIE-MAHAULT (97122), ch.-l. de cant. de la Guadeloupe; 10 727 hab.

BAÏF (Jean Antoine DE), poète français (Venise 1532 - Paris 1589), fils de l'humaniste Lazare de Baïf (1496-1547). Défenseur systématique des doctrines de la Pléiade*, il tenta d'acclimater en France le vers de la poésie antique et de réformer l'orthographe. Il fonda en 1570, avec le musicien Thibault de Courville, une académie de poésie et de musique.

BAIGNADE n. f. Action de se baigner. || Endroit d'une rivière où l'on peut se baigner.

BAIGNER v. t. (lat. *balneare*). Plonger et tenir dans l'eau ou dans un autre liquide : *baigner un enfant.* || Humecter, mouiller : *visage baigné de larmes.* || Toucher, traverser de ses eaux : *l'Océan et la Méditerranée baignent les côtes de France; la Seine baigne Paris.* || *Litt.* Pénétrer, imprégner : *paysage baigné de lumière.* ◆ v. i. Être entièrement plongé : *ces cerises baignent dans l'eau-de-vie.* ● *Baigner dans son sang* (Litt.), être étendu couvert de son propre sang. ◆ **se baigner** v. pr. Prendre un bain.

BAIGNES-SAINTE-RADEGONDE (16360), ch.-l. de cant. de la Charente, à 13 km au S.-O. de Barbezieux-Saint-Hilaire; 1 427 hab. Laiterie.

BAIGNEUR, EUSE n. Personne qui se baigne.

BAIGNEUR n. m. Petite poupée nue.

BAIGNEUX-LES-JUIFS (21450), ch.-l. de cant. de la Côte-d'Or, à 27 km à l'E. de Montbard; 273 hab.

BAIGNOIRE n. f. Appareil sanitaire de fonte d'acier émaillé, de grès ou de céramique, alimenté en eau chaude et froide, dans lequel on prend des bains. || Au théâtre, loge située un peu au-dessus du parterre. || Partie supérieure du kiosque d'un sous-marin, servant de passerelle pendant la navigation en surface.

BAÏKAL *(lac)*, grand lac de la Sibérie méridionale, qui se déverse dans l'Ienisseï par l'Angara; 31 500 km^2. Long de 640 km et large de 60 à 85 km, le lac, occupant un fossé tectonique, a une profondeur presque toujours supérieure à 1 000 m (profondeur maximale : 1 741 m), qui explique l'énorme volume d'eau retenu, supérieur à 22 000 km^3 (près de 250 fois le volume du lac Léman).

BAÏKONOUR, v. de l'U. R. S. S., dans le centre du Kazakhstan, au N.-E. de la mer d'Aral. Principale base soviétique de lancement des engins spatiaux et d'expérimentation des missiles balistiques intercontinentaux.

BAIL [baj] n. m. (de *bailler*) [pl. *baux*]. Contrat par lequel on cède la jouissance d'un bien meuble ou immeuble pour un prix et un temps déterminés. ● *Bail commercial,* bail d'un local à usage artisanal, commercial ou industriel. || *Il y a, ça fait un bail* (Fam.), il y a longtemps.

BAILÉN, v. d'Espagne (Andalousie), où, en 1808, le général Pierre Dupont de l'Étang (1765-1840) dut capituler avec 18 000 hommes.

BAILLAIRGÉ ou **BAILLARGÉ,** famille de sculpteurs et d'architectes canadiens-français des XVIIIe et XIXe s.

BAILLE n. f. (lat. *bajulus,* porteur). *Mar.* Grand baquet en bois. ● *La baille* (Arg.), l'eau, la mer; surnom de l'École navale.

BÂILLEMENT n. m. Action de bâiller.

BAILLER v. t. (lat. *bajulare,* porter). *Vx.* Donner. ● *La bailler belle* (Litt.), en faire accroire.

BÂILLER v. i. (lat. *batare,* tenir la bouche ouverte). Ouvrir largement et involontairement la bouche. || Être entrouvert, mal fermé : *la porte bâille.*

BAILLEUL (59270), ch.-l. de cant. du Nord, à 12 km au N.-O. d'Armentières; 13 412 hab. *(Bailleulois).* Musée (céramiques de Bailleul, etc.). Industries alimentaires et textiles.

BAILLEUL-SUR-THÉRAIN (60930), comm. de l'Oise, à 12 km au S.-E. de Beauvais; 1 523 hab. Métallurgie.

BAILLEUR, ERESSE n. Personne qui donne à bail. ● *Bailleur de fonds,* celui qui fournit de l'argent pour une entreprise.

BÂILLEUR, EUSE n. Personne qui bâille.

BAILLI n. m. (anc. fr. *baillir,* administrer). Agent du roi qui était chargé de fonctions administratives et judiciaires. (D'abord chargés de missions temporaires, les baillis devinrent, à la fin du XIIe s., des officiers sédentaires, établis dans des circonscriptions délimitées, les bailliages; à partir du XVe s. leurs pouvoirs s'amenuisèrent.)

BAILLIAGE n. m. Tribunal jugeant au nom et sous la présidence d'un bailli. || Juridiction d'un bailli.

BAILLIF (97123), comm. de la Guadeloupe; 5 612 hab.

BÂILLON n. m. (de *bâiller*). Bandeau ou objet quelconque qu'on met sur ou dans la bouche pour empêcher de crier.

BÂILLONNEMENT n. m. Action de bâillonner.

BÂILLONNER v. t. Mettre un bâillon. || Mettre dans l'impossibilité de s'exprimer, museler : *bâillonner la presse.*

BAILLOT (Pierre), violoniste et compositeur français (Passy 1771 - Paris 1842). Professeur de violon au Conservatoire, il a fait profiter ses élèves de la technique italienne, a fondé un quatuor célèbre et a publié, en 1834, un *Art du violon.*

BAILLY (Jean Sylvain), savant et homme politique français (Paris 1736 - *id.* 1793). Astronome, il est élu député de Paris aux États généraux de 1789. Maire de Paris du 15 juillet 1789 au 12 novembre 1791, il est condamné à mort et exécuté durant la Terreur.

BAIN n. m. (lat. *balneum*). Eau ou autre liquide dans lequel on se baigne : *faire chauffer un bain.* || Immersion du corps ou d'une partie du corps dans l'eau : *prendre un bain.* || Liquide dans lequel on plonge une substance pour la soumettre à une opération quelconque. ● *Bain de bouche,* solution antiseptique pour l'hygiène et les soins de la bouche. || *Bain de foule,* contact qu'une personnalité prend de façon directe avec la foule. || *Bain linguistique,* milieu dans lequel on entend parler constamment une langue que l'on est en train d'apprendre. || *Bain de mousse,* bain préparé avec des produits moussants, ayant sur la peau un effet tonique ou astringent. || *Bain de soleil,* exposition du corps au soleil pour le bronzer. || *Dans le bain* (Fam.), engagé dans une situation, plongé dans une ambiance ou compromis dans une affaire : *être, se remettre dans le bain.* ◆ pl. Établissement dans lequel on prend des bains.

Bain *(ordre du),* ordre de chevalerie civil et militaire britannique, créé par George Ier en 1725.

BAIN-DE-BRETAGNE (35470), ch.-l. de cant. d'Ille-et-Vilaine, à 32 km au S. de Rennes; 5 316 hab. Maisons anciennes.

BAIN-MARIE n. m. (de *Marie,* sœur de Moïse) [pl. *bains-marie*]. Eau chaude dans laquelle on met un récipient contenant ce qu'on veut faire chauffer. || Le récipient contenant l'eau chaude.

BAINS-LES-BAINS (88240), ch.-l. de cant. des Vosges, à 27 km au S.-S.-O. d'Épinal; 1 792 hab. Église du XVIIIe s. Station thermale (traitement des affections artérielles).

BAINVILLE (Jacques), écrivain français (Vincennes 1879 - Paris 1936). Sa pensée et son œuvre historique (*Histoire de deux peuples,* 1916-1933; *Napoléon,* 1931) se situent dans la ligne du maurrassisme et de l'Action* française.

BAÏONNETTE n. f. (de *Bayonne,* où cette arme fut mise au point au XVIIe s.). Sorte de petite épée pouvant se fixer au bout du fusil. ● *Douille à baïonnette,* dispositif de fixation d'un objet qui rappelle celui d'une baïonnette.

BAÏRAM ou **BAYRAM** [bairam] n. m. (mot turc). Chacune des deux fêtes musulmanes suivant le ramaḍān.

BAIRD (John Logie), ingénieur et physicien écossais (Helensburgh 1888 - Bexhill 1946). L'un des pionniers de la télévision, il y introduisit l'emploi de films cinématographiques, puis imagina des procédés de télévision en couleurs.

BAIRE (René), mathématicien français (Paris 1874 - Chambéry 1932). Considéré, aux mêmes titres que Borel* et Lebesgue*, comme l'un des chefs de file de l'école mathématique française au début du XXe s., il a ouvert une ère nouvelle de la théorie des fonctions de la variable réelle.

BAIS (53160), ch.-l. de cant. de la Mayenne, à 20 km à l'E.-S.-E. de Mayenne; 1 457 hab.

BAISE n. f. En Belgique, syn. de BAISER : *donner une baise.* || *Pop.* Relation sexuelle.

BAÏSE (la), riv. de Gascogne, qui passe à Mirande et Nérac, avant de rejoindre la Garonne (r. g.); 190 km.

BAISE-EN-VILLE n. m. inv. *Pop.* Petite valise avec un nécessaire de nuit.

BAISEMAIN n. m. Geste de politesse consistant à baiser la main d'une dame. || *Féod.* Honneur que le vassal rendait à son seigneur.

BAISEMENT n. m. *Relig.* Action de baiser qqch de sacré.

BAISER v. t. (lat. *basiare*). Appliquer, poser ses lèvres sur : *baiser le crucifix avant de mourir.* || *Pop.* Duper. || *Pop.* Avoir des relations sexuelles.

BAISER n. m. Action de baiser. ● *Baiser de Judas,* baiser de traître.

BAISOTER v. t. *Fam.* Donner de petits baisers.

BAISSE n. f. (de *baisser*). Action de mettre à un niveau inférieur; abaissement, diminution.

BAISSER v. t. (lat. *bassus,* bas). Mettre plus bas, faire descendre : *baisser un store.* || Incliner vers le bas : *baisser la tête.* || Diminuer la force, l'intensité, la hauteur : *baisser la voix.* ● *Baisser pavillon,* céder. ◆ v. i. Venir à un niveau inférieur : *cette rivière baisse en été.* || Diminuer de valeur, de prix : *les actions, les prix baissent.* || S'affaiblir, décliner : *ses facultés intellectuelles baissent.* ◆ **se baisser** v. pr. Se courber.

BAISSIER n. m. Celui qui, à la Bourse, spécule sur la baisse des valeurs mobilières.

BAISSIÈRE n. f. Enfoncement où séjourne l'eau de pluie, dans une terre labourée.

Bajazet, tragédie de Racine (1672), tirée d'un épisode contemporain de la cour ottomane. Racine justifia son manquement au choix du sujet antique imposé à toute tragédie « dans les règles » : « L'éloignement des pays répare en quelque sorte la trop grande proximité des temps : car le peuple ne met guère de différence entre ce qui est à mille ans de lui et ce qui en est à mille lieues. » En réalité, le sérail lui offrait une image parfaite du lieu tragique.

BAJOUE n. f. (de *bas* et *joue*). Partie de la tête d'un animal, particulièrement du veau et du cochon, qui s'étend de l'œil à la mâchoire. || Parfois syn. de ABAJOUE. || *Fam.* Joue humaine pendante.

BAJOYER [baʒwaje] n. m. Mur consolidant les rives d'un cours d'eau de part et d'autre d'un pont pour empêcher le courant d'attaquer les culées. || Chacun des deux murs latéraux du sas d'une écluse.

BAKCHICH [bakʃiʃ] n. m. (mot persan). *Fam.* Pourboire, pot-de-vin.

BAKÉLITE n. f. (nom déposé). Résine synthétique obtenue par condensation d'un phénol avec l'aldéhyde formique et employée comme succédané de l'ambre, de l'écaille, etc.

BAKER (*sir* Samuel White), voyageur anglais (Londres 1821 - Sandford Orleigh, 1893). Au cours d'un voyage dans les pays du haut Nil, il découvre le lac Albert (1864).

BAKER (Joséphine), artiste de music-hall américaine (Saint Louis 1906 - Paris 1975). Elle a été découverte en 1925 à Paris dans la *Revue nègre,* et elle a connu depuis cette date une renommée mondiale comme chanteuse (*J'ai deux amours,* de V. Scotto), danseuse, actrice de cinéma et surtout comme animatrice de revues.

BAKI (Abdulbaki Mahmud, dit), poète turc (Istanbul 1526 - *id.* 1600). Son *Ode funèbre de Soliman le Magnifique* est un classique de la poésie ottomane.

BAKLAVA n. m. (mot turc). Gâteau oriental, au miel et aux amandes.

BAKONY *(monts),* ligne de hauteurs de la Hongrie occidentale, au N. du lac Balaton; 704 m.

BAKOU, v. de l'U. R. S. S., capit. de la république de l'Azerbaïdjan, sur la côte occidentale de la Caspienne, dans la péninsule d'Apchéron, prolongement du Caucase; 1 550 000 hab. Université. Extraction et raffinage du pétrole. Industries métallurgiques et chimiques.

BAKOU (Second-), nom de la principale région pétrolifère de l'U. R. S. S., s'étirant sur plus de 1 000 km du N. au S., correspondant approximativement au bassin de la moyenne et de la basse Volga.

BAKOUMA, localité de l'est de la République centrafricaine. Extraction et concentration de l'uranium.

BAKOUNINE (Mikhaïl Aleksandrovitch), révolutionnaire russe et théoricien anarchiste (Priamoukhino, gouvern. de Tver, 1814 - Berne 1876). Participant activement aux mouvements révolutionnaires européens de 1842 à 1872 et militant au sein de la Ire Internationale jusqu'à son exclusion en 1872, Bakounine pose les bases de l'anarcho-syndicalisme. Ses idées libertaires et antiétatiques, qu'il développe dans *l'État et l'anarchie* et l'influence réelle qu'elles ont exercée dans le mouvement ouvrier en ont fait un adversaire politique de Marx et des marxistes.

BAKR (Aḥmad Ḥasan al-), général et homme d'État irakien (Tikrit 1914 - Bagdad 1982), vice-président (1963-1966) puis président de la république d'Iraq de 1968 à 1979.

Bakufu (« gouvernement de la tente »), nom appliqué au gouvernement shōgunal japonais inauguré en 1185 à Kamakura par Yoritomo.

BAKWANGA, → MBUJI-MAYI.

BAL n. m. (anc. fr. *baller,* danser) [pl. *bals*]. Réunion, lieu où l'on danse. ● *Bal de têtes,* bal où l'on se présente avec des têtes à la ressemblance de personnages connus.

BALADE n. f. (de *ballade*). *Fam.* Promenade : *faire une balade.*

BALADER v. t. *Fam.* Promener : *balader des enfants aux Tuileries.* ◆ v. i. Fam. *Envoyer balader,* rejeter, laisser tomber qqn, qqch. ◆ **se balader** v. pr. *Fam.* Se promener.

BALADEUR, EUSE adj. *Fam.* Qui se balade, aime se balader. ● *Micro baladeur,* micro muni d'un long fil permettant le déplacement. || *Train baladeur,* pièce du mécanisme d'un changement de vitesse.

BALADEUR n. m. Pièce mécanique qui coulisse le long d'un arbre porteur tout en restant entraînée par lui au moyen de cannelures. || Roue montée sur un support pouvant tourner autour d'un axe et prendre deux positions. || Terme préconisé par l'Administration pour éviter l'angl. *Walkman.*

BALADEUSE n. f. Lampe électrique munie d'un long fil qui permet de la déplacer.

BALADIN n. m. (mot prov.). Farceur de place publique.

BALAFON n. m. (mot guinéen). Xylophone de l'Afrique noire.

BALAFRE n. f. (anc. fr. *leffre,* lèvre). Longue blessure au visage; la cicatrice qui en reste.

BALAFRÉ, E adj. et n. Qui a une balafre.

BALAFRER v. t. Faire une balafre.

BALAGNE (la), région du nord-ouest de la Corse.

BALAGNY-SUR-THÉRAIN (60250 Mouy), comm. de l'Oise, à 27 km au S.-E. de Beauvais; 1 301 hab. Papiers peints.

BALAGUER (Joaquín), homme d'État dominicain (Santiago de los Caballeros 1907). Président de la république Dominicaine de 1960 à 1962, de 1966 à 1978 et depuis 1986.

BALAI n. m. (mot gaul.). Brosse munie d'un long manche et dont on se sert pour nettoyer le sol. || Pièce conductrice destinée à assurer, par contact glissant, la liaison électrique d'un organe mobile avec un contact fixe. || Dernier véhicule de la journée, sur une ligne de transport. || *Zool.* Queue des oiseaux de proie. ● *Balai d'essuie-glace,* raclette en caoutchouc qui se déplace sur une partie vitrée pour la nettoyer. || *Balai mécanique,* balai à brosses roulantes, monté sur un petit chariot. || *Coup de balai,* renvoi de personnes gênantes ou indésirables. || *Manche à balai,* levier actionnant les organes de stabilité longitudinale et latérale d'un avion.

BALAI-BROSSE n. m. (pl. *balais-brosses*). Brosse très dure montée sur un manche à balai, pour nettoyer le sol.

BALAIS [balɛ] adj. m. *Rubis balais,* rubis de couleur rouge violacé ou rose.

BALAISE adj. et n. → BALÈZE.

BALAÏTOUS, sommet granitique des Hautes-Pyrénées, à la frontière espagnole; 3 144 m.

BALAKIREV (Mili Alekseïevitch), compositeur russe (Nijni-Novgorod 1837 - Saint-Pétersbourg 1910). Chef spirituel du « groupe des Cinq », qui a favorisé l'éclosion d'une école nationale basée sur le folklore, il a laissé des pages symphoniques et de musique de chambre, ainsi qu'une célèbre fantaisie orientale pour piano, *Islamey* (1868).

BALAKLAVA, port de l'U. R. S. S. (Crimée), sur la mer Noire. Combat de la guerre de Crimée* (1854) demeuré célèbre par la « charge de la brigade légère » de cavalerie anglaise.

BALAKOVO, v. de l'U. R. S. S. (R. S. F. S. de Russie), sur la Volga; 152 000 hab.

Lauros

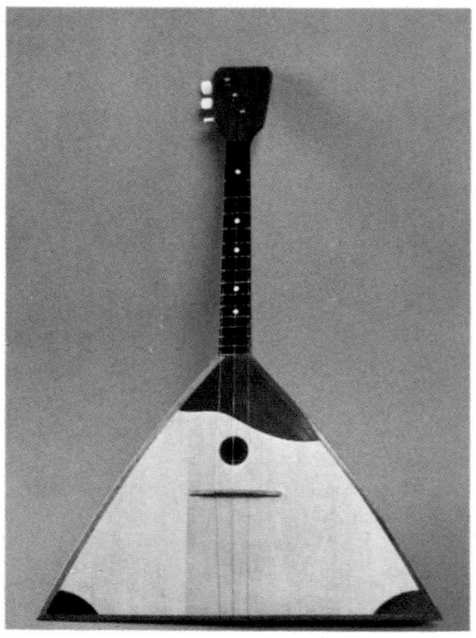

balalaïka

BALALAÏKA n. f. Luth de forme triangulaire, à trois cordes, employé en Russie.

BALAN (01120 Montluel), comm. de l'Ain, à 24 km au N.-E. de Lyon; 2 856 hab. Industrie chimique.

BALANCE n. f. (lat. *bis,* deux fois, et *lanx,* bassin). Instrument servant à comparer des masses (la balance est généralement constituée d'un fléau mobile et de plateaux portant l'un le corps à peser, l'autre les masses marquées). || Filet pour pêcher les écrevisses, les crevettes. || Emblème de la Justice. || Montant représentant la différence entre la somme du débit et la somme du crédit que l'on ajoute à la plus faible des deux pour égaliser les totaux. || Circuit de commande de l'équilibre acoustique entre les voies gauche et droite d'un amplificateur stéréophonique. || Équilibre en général : *la balance des forces.* || ● *Balance automatique,* appareil dont le fléau commande une aiguille qui indique sur un cadran le poids et souvent le prix des marchandises pesées. || *Balance commerciale,* compte des importations et des exportations de biens et de services d'un pays. || *Balance des comptes,* document retraçant les mouvements de marchandises, de capitaux et de revenus, intervenus pour des raisons économiques, entre un pays et un ou plusieurs autres. || *Balance des paiements,* document retraçant l'ensemble des règlements entre un pays ou un groupe de pays et un autre pays ou le reste du monde. || *Balance romaine,* appareil manuel dans lequel la pesée est obtenue par le déplacement d'un poids sur le bras de levier. || *Faire pencher la balance,* faire prévaloir, l'emporter. || *Jeter dans la balance,* faire qqch qui entraîne un résultat. || *Mettre en balance,* peser le pour et le contre. || *Tenir la balance égale,* se montrer impartial.

BALANCE, constellation* zodiacale. — Septième signe du Zodiaque dans lequel le Soleil entre à l'équinoxe d'automne.

BALANCÉ, E adj. Équilibré, harmonieux : *une phrase bien balancée.* ● *Bien balancé* (Pop.), se dit de qqn qui a le corps bien fait ou fort.

BALANCELLE n. f. Siège de jardin, à plusieurs places, suspendu à un montant fixe et permettant de se balancer.

BALANCEMENT n. m. Mouvement par lequel un corps penche tantôt d'un côté, tantôt de l'autre : *balancement des épaules, d'une barque.* ‖ État de ce qui est en équilibre : *le balancement harmonieux de ses phrases.*

BALANCER v. t. (de *balance*) [conj. **1**]. Mouvoir tantôt d'un côté, tantôt de l'autre : *balancer les bras, les jambes.* ‖ Fam. Se débarrasser de qqn ou de qqch. ◆ v. i. Osciller pendant un certain temps : *lampe qui balance.* ‖ Litt. Être indécis, hésiter : *balancer entre deux décisions.* ◆ *se balancer* v. pr. Se placer sur une balançoire et la mettre en mouvement. ‖ Aller d'un côté et d'autre d'un point fixe. ● *S'en balancer* (Pop.), s'en moquer.

BALANCHINE (Gueorgui Melitonovitch BALANCHIVADZE, dit **George**), danseur et chorégraphe d'origine russe, naturalisé américain (Saint-Pétersbourg 1904 - New York 1983). Une des révélations des Ballets russes de Diaghilev, il est le fondateur (1934) de la School of American Ballet, berceau de la troupe qui porte depuis 1948 le nom de « New York City Ballet ». Initiateur du ballet abstrait (sans argument), musicien, créateur fécond, il compte dans son œuvre plusieurs pièces maîtresses du ballet contemporain (*Concerto Barocco, The Four Temperaments, Agon, Liebeslieder Walzer, Jewels, Davidsbündlertänze...*).

BALANCIER n. m. Pièce animée d'un mouvement d'oscillation régulier, qui règle la marche d'une machine : *le balancier d'une horloge.* ‖ Machine pour frapper les monnaies. ‖ Presse à dorer utilisée pour décorer les couvertures de livres. ‖ Long bâton des danseurs de corde, qui leur sert à tenir l'équilibre. ‖ Organe stabilisateur des diptères, qui remplace chez ces insectes les ailes postérieures.

BALANCINE n. f. Ensemble des cordages qui soutiennent les vergues.

BALANÇOIRE n. f. (de *balancer*). Siège suspendu sur lequel on se balance. ‖ Longue pièce de bois mise en équilibre sur un point d'appui, et sur laquelle se balancent deux personnes placées chacune à un bout.

BALANDIER (Georges), sociologue et anthropologue français (Aillevillers [auj. Aillevillers-et-Lyaumont] 1920). Après *Afrique ambiguë* (1957), qui ressortit à l'anthropologie, Balandier s'efforce d'utiliser pour les sociétés modernes et industrielles les méthodes expérimentales pour l'étude de sociétés sinon plus simples, du moins peu engagées encore dans la voie du développement industriel (*Sens et puissance, les dynamiques sociales,* 1971; *Anthropo-logiques,* 1974; *le Détour, pouvoir et modernité,* 1985; *le Désordre, éloge du mouvement,* 1988).

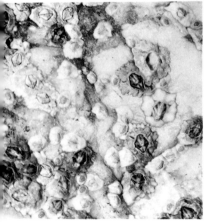

balane

BALANE n. f. Petit crustacé fixé sur les rochers littoraux ou sur les coquillages, entouré de plaques calcaires blanches formant une sorte de cratère. (Taille 1 cm; sous-classe des cirripèdes.)

BALANITE n. f. (gr. *balanos,* gland). Méd. Inflammation du gland de la verge.

BALANOGLOSSE n. m. Animal vermiforme des plages, de l'embranchement des stomocordés, où il forme à lui seul la classe des *hémicordés* ou *entéropneustes.*

BALARD (Antoine Jérôme), chimiste français (Montpellier 1802 - Paris 1876). Il tira le sulfate de sodium de l'eau de mer et découvrit le brome,

en 1826, dont il montra les analogies avec le chlore et l'iode.

BALARUC-LES-BAINS (34540), comm. de l'Hérault, sur l'étang de Thau, à 5 km au N. de Sète; 4 369 hab. Station thermale. Industrie chimique.

BALASSA ou **BALASSI** (Bálint), poète hongrois (Zólyom 1554 - Esztergom 1594). S'inspirant de Pétrarque, des poésies populaires hongroises et persanes, de la Bible, il est le premier poète classique hongrois.

BALATA n. f. Gomme tirée d'un arbre de l'Amérique tropicale (*balata,* n. m.), et utilisée pour la fabrication d'isolants, de courroies de transmission, etc.

George **Balanchine**

BALATON, grand lac de la Hongrie occidentale, au pied méridional des monts Bakony, à l'O. du Danube; 596 km². Très peu profond (3 à 12 m), il est, par sa superficie, le plus grand lac d'Europe (après ceux de l'U.R.S.S. et de la Scandinavie).

BALAYAGE n. m. Action de balayer.

BALAYER v. t. (conj. **2**). Nettoyer avec un balai : *balayer une chambre.* ‖ Chasser, faire disparaître : *le vent balaye les nuages.* ‖ Passer sur (une surface) : *les projecteurs balaient le ciel.* ‖ Explorer une zone à l'aide d'un faisceau radar. ‖ Électron. Parcourir avec un faisceau électronique la surface de l'écran luminescent d'un tube cathodique.

BALAYETTE n. f. Petit balai.

BALAYEUR, EUSE n. Personne qui est préposée au balayage des rues.

BALAYEUSE n. f. Machine à balayer.

BALAYURES n. f. pl. Ordures ramassées avec le balai.

BALÁZS (Béla), théoricien du cinéma et scénariste hongrois (Szeged 1884 - Budapest 1949). Dramaturge, librettiste (pour Béla Bartók), scénariste (notamment pour G.W. Pabst), il est surtout l'auteur de livres fondamentaux sur la force créatrice du cinéma, l'art du montage et l'esthétique des films (*l'Homme invisible,* 1924; *l'Esprit du film,* 1930).

BALBO (Italo), maréchal de l'Air italien (Ferrare 1896 - Tobrouk 1940). Un des artisans de la marche sur Rome avec Mussolini (1922), ministre de l'Air de 1926 à 1935, il participa à la croisière Rome-New York (1935) et fut nommé gouverneur de la Libye en 1939. Son avion fut abattu par méprise par la D.C.A. italienne.

BALBOA n. m. Unité monétaire principale de la république de Panama.

BALBOA (Vasco NÚÑEZ DE), conquistador espagnol (Jerez, Estrémadure, 1475 - Acla, Panamá, 1517). En 1513, il franchit l'isthme de Darién et découvre ainsi l'océan Pacifique.

BALBUTIEMENT n. m. Action de balbutier.

BALBUTIER [balbysje] v. i. (lat. *balbutire,* de *balbus,* bègue). Articuler insuffisamment, avec hésitation et faiblesse vocale : *l'émotion fait balbutier.* ‖ En être à ses débuts. ◆ v. t. Prononcer en balbutiant : *balbutier un compliment.*

BALBUZARD n. m. (angl. *bald,* chauve, et *buzzard,* rapace). Oiseau de proie piscivore, qu'on rencontre sur les côtes et les étangs. (Envergure 60 cm; ordre des falconiformes.)

BALCON n. m. (it. *balcone,* estrade). Plateforme de faible largeur munie de garde-corps en surplomb, devant une ou plusieurs baies. ‖ Dans les salles de spectacle, première galerie au-dessus de l'orchestre. ‖ Mar. Rambarde de sécurité en tube arrondie placée à l'une des extrémités d'un yacht.

Balcon (le), pièce de Jean Genet (1956). Dans une « maison d'illusions », des habitués viennent jouer au juge, au policier, à l'évêque, au géné-

ral, jusqu'à ce qu'une révolution les amène à projeter leurs fantasmes dans le monde réel.

BALCONNET n. m. (nom déposé). Soutien-gorge découvrant le haut de la poitrine.

BALDAQUIN n. m. (it. *baldacchino,* étoffe de soie de Bagdad). Ouvrage de tapisserie, sorte de dais au-dessus du lit. ‖ Archit. Dais à colonnes au-dessus d'un trône, d'un autel.

BALDOVINETTI (Alessio), peintre et mosaïste italien (Florence 1425 - id. 1499). Élève de Domenico Veneziano, il se rapproche dans sa maturité d'Andrea del Castagno (*Annonciation* de San Miniato al Monte).

BALDUNG (Hans), dit **Grien**, peintre et graveur allemand (Gmünd 1484 ou 1485 - Strasbourg 1545). Il travaille auprès de Dürer à Nuremberg, puis se fixe à Strasbourg (1509). Dans ses tableaux, au coloris précieux, il aime associer des nus sensuels à des allégories macabres ou fantastiques. Son chef-d'œuvre est le polyptyque du *Couronnement de la Vierge* à la cathédrale de Fribourg (1512-1516).

BALDWIN (Stanley, *comte*), homme politique britannique (Bewdley 1867 - Stourport 1947). Député conservateur (1908), Premier ministre (1923, 1924-1929, 1935-1937), il est affronté aux difficultés économiques nées de la Première Guerre mondiale.

BALDWIN (James), écrivain américain (New York 1924 - Saint-Paul-de-Vence 1987). Fils d'un pasteur noir, il veut démontrer par son œuvre romanesque et dramatique que la solution des conflits raciaux se trouve non dans les lois, mais dans le cœur des hommes (*les Élus du Seigneur,* 1953; *Un autre pays,* 1962; *Chassés de la lumière,* 1972; *Harlem Quartet,* 1978).

BÂLE, v. de Suisse, ch.-l. d'un demi-canton, urbain (*Bâle-Ville;* 37 km²; 203 900 hab.); 118 900 hab. (*Bâlois*).

GÉOGRAPHIE. Sur le Rhin, Bâle est un important port fluvial, avec un trafic de l'ordre de 15 millions de tonnes, assurant une part essentielle (au moins en volume) du commerce extérieur suisse. La ville est le centre d'une agglomération comptant environ 365 000 habitants; débordant le territoire national (elle englobe l'extrémité sud-orientale de l'Alsace et les localités allemandes de la rive droite du Rhin), elle possède de notables fonctions industrielles (chimie en tête, puis constructions mécaniques et alimentation) et tertiaires (universités, banques, Bourse). Le demi-canton de Bâle-Campagne a 428 km² et 219 800 hab. Ch.-l. *Liestal.*

HISTOIRE. Ancienne cité romaine, siège d'un évêché dès 620, Bâle entre dans la Confédération en 1501 et adopte la Réforme en 1529. La ville tombe alors des mains de l'évêque dans celles de l'oligarchie marchande; dotée d'une université en 1460, elle joue un rôle capital dans la diffusion de l'humanisme. En 1833, à la suite d'une guerre civile entre paysans et citadins, le canton est divisé en deux demi-cantons : Bâle-Ville et Bâle-Campagne.

BEAUX-ARTS. Cathédrale romane et gothique. Églises du XIIIe au XVe s. Ruelles anciennes, hôtel de ville du XVIe s., demeures du XVIIIe s. aux belles ferronneries. Musées, dont le Musée historique (dans l'église des Cordeliers : orfèvrerie religieuse et civile) et celui des Beaux-Arts (peintres anciens, Witz*, Holbein*, Baldung*, Grunewald*, et modernes, de Böcklin* et de l'école française du XIXe s. à l'art contemporain).

Bâle (concile de), XVIIe concile œcuménique convoqué par le pape Martin V (1431). À la suite

Baldung Grien : *les Trois Âges et la Mort.* (Musée du Prado, Madrid.)

balbuzard

baldaquin surmontant le maître-autel de l'église Saint-Bruno-les-Chartreux à Lyon, dessiné par G. N. Servandoni

d'un conflit, qui provoque l'élection de l'anti-pape Félix V, il est transféré par Eugène IV à Ferrare en 1438, à Florence en 1439, enfin à Rome en 1443. Au cours de ce concile a été réalisée l'union, en fait passagère, entre catholiques romains et les orientaux.

Bâle (traités de), traités conclus par la France en 1795 avec la Prusse (5 avril) puis l'Espagne (22 juillet). Ils marquent la dislocation de la première coalition et le début de l'installation des Français sur la rive gauche du Rhin.

longueurs de 35 m, des poids (calculés) de 150 t ont été parfois observés.

La baleine est un mammifère marin; elle respire donc par des poumons tandis qu'elle nage en surface. Si elle échoue, elle meurt étouffée, n'ayant pas la force de soulever son énorme masse pour respirer. En revanche, elle peut réaliser des plongées durables (jusqu'à une heure) et des remontées rapides. Elle évite la surpression intrapulmonaire en plongée en ne conduisant que tardivement le gaz carbonique jusqu'à ses poumons (arrêt momentané de la moitié droite du cœur). La dissolution de l'azote dans sa graisse cutanée lui évite les accidents de décompression, et cette même graisse la protège du froid. Sa nourriture exclusive est le *krill*, c'est-à-dire les bancs du minuscule crustacé *Euphausia superba*. L'allaitement du jeune a lieu sous les eaux, mais il est extrêmement bref, les mamelles étant pourvues de muscles qui injectent dans la bouche du baleineau un lait hautement nutritif.

À ces remarquables adaptations physiologiques s'ajoute une convergence générale de formes avec les poissons, la principale différence étant que la nageoire caudale est horizontale. La capture du krill est réalisée par un ensemble de 600 lamelles cornées, les *fanons*, qui pendent à la mâchoire supérieure.

On distingue plusieurs types de baleine : baleine franche (sans aileron dorsal); rorquals, ou balénoptères (le bleu, le commun et le boréal); mégaptère, ou baleine à bosse (dite aussi *jubarte*); etc. Tous ces animaux sont mena-

Bâle.
Le port sur le Rhin.

Lauros-Atlas-Photo

Iles **Baléares**.
La baie de Palma
de Majorque.
Au premier plan,
le château de Bellver
(XIVᵉ s.).

Funk-Rapho

BALÉARES, archipel de la Méditerranée occidentale, constituant une communauté autonome, correspondant à une province, d'Espagne; 5014 km²; 709000 hab. *(Baléares)*. Ch.-l. *Palma de Majorque.*

GÉOGRAPHIE. L'archipel est formé de quatre îles principales (Majorque, Minorque, Ibiza et Formentera), allongées du S.-O. au N.-E., juxtaposant paysages montagneux et bassins intérieurs ou plaines littorales. L'ensemble jouit d'un climat doux l'hiver (les moyennes mensuelles sont toujours supérieures à 10 ⁰C), chaud et ensoleillé l'été. Ces conditions ont d'abord favorisé certaines cultures d'affinités méditerranéennes (olivier, vignoble, amandier) et, plus récemment, le tourisme international. Né vers les années 1930, il est devenu — de loin — la principale ressource de l'archipel et est à la base de son essor démographique récent; le nombre annuel des visiteurs étrangers est de l'ordre de deux millions.

HISTOIRE. Occupé très anciennement, et notamment par les Puniques, l'archipel est arabe de 902 à la reconquête chrétienne par les Aragonais (1229-1286). En léguant les Baléares à son fils Jacques II, Jacques Iᵉʳ fait de lui un roi de Majorque* (de 1276 à 1311). Mais, à partir de 1343, Pierre IV d'Aragon reprend l'archipel, dont le commerce continue à prospérer. L'union de l'Aragon et de la Castille et la découverte de l'Amérique entraînent la décadence des îles. Minorque connaît une histoire mouvementée, devenant momentanément anglaise (1708-1756, 1763-1782, 1798-1802, 1805-1808) et française (1756-1763), avant de redevenir territoire espagnol.

BALEINE [balɛn] n. f. (lat. *balaena*). Mammifère marin, le plus grand des animaux. (Long. 30 m; poids 150 t; ordre des cétacés.) ‖ Lamelle flexible de métal ou de matière plastique utilisée pour renforcer certaines pièces de vêtements ou certains accessoires : *baleine de parapluie*. ● *Rire comme une baleine* (Fam.), à gorge déployée.

■ Jamais, à aucune époque géologique, la nature n'a produit un animal approchant, même de loin, le volume et le poids d'une baleine. Des cés de disparition — bien qu'ils bénéficient d'une législation internationale très rigoureuse (allant jusqu'à l'interdiction mondiale de toute campagne baleinière en 1986) —, à cause des énormes profits tirés de leur chasse, qui se fait surtout au canon lance-harpon.

BALEINE, constellation équatoriale contenant l'étoile variable *Mira* * *Ceti.*

BALEINÉ, E adj. Garni de baleines.

BALEINEAU n. m. Petit de la baleine, qui, à sa naissance, mesure 5 m et pèse jusqu'à 6 t.

baleine (rorqual commun)

Raymond

BALEINIER, ÈRE adj. Relatif à la chasse de la baleine.

BALEINIER n. m. Navire équipé pour la chasse des gros cétacés et le traitement de leur chair. ‖ Celui qui chasse la baleine.

BALEINIÈRE n. f. Embarcation légère et pointue aux deux extrémités, servant à la chasse de la baleine. ‖ Embarcation de service des grands bâtiments, ayant une forme analogue.

BALEN, comm. de Belgique, dans l'est de la province d'Anvers; 18200 hab.

BALÉNOPTÈRE n. m. Mammifère marin voisin de la baleine, mais à face ventrale striée, et possédant une nageoire dorsale. (La plus grande espèce atteint 25 m de longueur.) [Syn. RORQUAL.]

BALESTRON n. m. *Mar.* Petite bôme placée le long de la bordure d'un foc.

BALÈVRE n. f. Petite saillie accidentelle d'un élément de construction sur un autre. ‖ Bavure de ciment ou de mortier à un joint.

BALÈZE ou **BALAISE** adj. et n. *Pop.* Personne grande et forte.

BALFOUR (Arthur James, *comte*), homme politique britannique (Whittingehame 1848 - Fishers Hall 1930). Député conservateur, il devient Premier ministre, à la tête d'un gouvernement unioniste (1902-1906). Ministre des Affaires étrangères en 1916, il attache son nom à la *Déclaration*, qui jette les bases de l'établissement, en Palestine, d'un foyer national juif (1917). Il se retire en 1922.

BALGACH, comm. de Suisse (cant. de Saint-Gall), à l'E. de Saint-Gall; 3356 hab. Instruments de précision.

BALI, île d'Indonésie, à l'E. de Java, dont elle est séparée par le *détroit de Bali*; 5561 km²; 2469000 hab. *(Balinais).* V. princ. *Singaraja*. Montagneuse et volcanique, l'île vit principalement des cultures du riz et du maïs, en dehors de sa fonction touristique internationale.

BEAUX-ARTS. Quelques objets attestent les cultures préhistoriques et protohistoriques. Mais c'est avec l'arrivée du bouddhisme que se développe un art proche de celui de l'Indonésie* et de l'Inde*. La période indianisée «classique» (VIIIᵉ-XVᵉ s.) est divisée en trois phases. La première, indo-balinaise, est influencée par le style post-gupta (images en haut relief sur fond de stèle, au modelé moins parfait et à la décoration abondante). Au cours de la deuxième phase, entre le Xᵉ et le XIIᵉ s., la marque de l'Inde est assimilée; les sanctuaires rupestres apparaissent au XIᵉ s. (Gunnung Kawi et grotte de Goa Gajah). Le courant réaliste s'accentue en sculpture durant la troisième phase (XIIIᵉ-XVᵉ s.), de même que la surcharge décorative.

BALIKESIR, v. de la Turquie occidentale, au N.-E. d'Izmir; 124100 hab.

BALIKPAPAN, port d'Indonésie, sur la côte orientale de Bornéo; 137000 hab.

BALINT (Michael), médecin et psychanalyste britannique d'origine hongroise (Budapest 1896-Londres 1970). Il s'est surtout intéressé aux phases précoces du développement de l'enfant et il est l'initiateur des «groupes Balint». On lui doit : le *Médecin, le malade et la maladie* (1957) et les *Techniques thérapeutiques en médecine* (en coll. avec Enid Balint, 1961).

Balint *(groupe)* [Psychol.], groupe de médecins ou de travailleurs sociaux se réunissant régulièrement sous la direction d'un psychanalyste afin de se sensibiliser à l'abord psychologique de leurs patients à partir de discussions de cas exposés au groupe.

BALIOL, famille des marches d'Écosse, d'origine normande. Son fondateur en Angleterre, Gui de Baliol, est inféodé dans le Nord par Guillaume* le Roux. Son fils, Bernard, construit dans le Durham un château, principale forteresse des marches. Cette famille jouera un rôle important dans les relations anglo-écossaises aux XIIIᵉ et XIVᵉ s. Elle accédera au trône d'Écosse en 1292.

BALISAGE n. m. Action de disposer des balises : *le balisage d'une passe.* ‖ Ensemble des signaux disposés pour signaler des dangers à éviter, et indiquer la route à suivre.

BALISE n. f. (orig. inconnue). Dispositif mécanique, optique, sonore ou radioélectrique, destiné à signaler un danger ou à délimiter une voie de circulation maritime ou aérienne. ‖ Marque indiquant le tracé d'un canal, d'un chemin de fer, d'une piste d'aviation.

BALISE n. f. Fruit du balisier.

BALISER v. t. Munir de balises.

BALISEUR n. m. Personne chargée de la surveillance et de l'entretien des balises et des bouées, ainsi que du ravitaillement des phares. ‖ Bateau spécial, muni d'une grue, utilisé pour ces travaux.

BALISIER n. m. Plante originaire de l'Inde et cultivée dans les régions chaudes pour son rhizome, riche en féculents. (Certaines espèces ont des fleurs décoratives.) [Famille des cannacées; nom scientifique : *canna*.]

BALISTE n. f. (lat. *ballista*). Machine de guerre romaine servant à lancer des traits ou d'autres projectiles.

BALISTE n. m. Poisson des récifs coralliens.

BALISTIQUE adj. Relatif à l'art de lancer des projectiles. ● *Trajectoire balistique*, trajectoire d'un projectile soumis aux seules forces de gravitation.

BALISTIQUE n. f. Science qui étudie les mouvements des corps lancés dans l'espace et plus spécialement des projectiles.

BALISTITE n. f. Poudre sans fumée et brûlant avec une flamme vive, chaude et brillante, utilisée dans les armes à feu.

BALIVAGE n. m. Choix et marquage des baliveaux.

BALIVEAU n. m. (anc. fr. *baïf*, qui regarde attentivement). Arbre réservé dans la coupe d'un bois taillis, pour qu'il puisse croître en futaie. ‖ Longue perche utilisée comme support vertical dans les échafaudages.

BALIVERNE n. f. Propos futile; occupation sans intérêt.

BALKAN (mont), longue chaîne montagneuse de la Bulgarie centrale; 2 376 m au *pic Botev*.

BALKANIQUE adj. Des Balkans.

BALKANISATION n. f. (de *Balkans*). Processus qui aboutit à la fragmentation en de nombreux États de ce qui constituait auparavant une seule entité territoriale et politique.

BALKANISER v. t. Morceler par balkanisation.

BALKANS (péninsule des), la plus orientale des péninsules de l'Europe méridionale, s'étendant sur la Yougoslavie, l'Albanie, la Grèce, la Turquie d'Europe et la Bulgarie.
GÉOGRAPHIE. La péninsule balkanique est essentiellement montagneuse. Les massifs cristallins anciens du Rhodope et de l'Olympe (2 911 m), hachés de failles, séparent deux systèmes montagneux récents, de type alpin. À l'O., les chaînes sédimentaires dinariques (Karst, Pinde) constituent la terminaison méridionale des Alpes alors que, à l'E., la chaîne du Balkan prolonge l'arc des Carpates. Les régions basses sont très peu étendues : bassins intérieurs (bassins de Sofia, de Thessalie), vallées du Vardar, de la Marica et étroites plaines côtières. Le climat, de type méditerranéen près des côtes, devient rapidement continental vers l'intérieur avec des étés orageux et des hivers rudes.
La péninsule des Balkans est marquée par ces conditions naturelles peu favorables. Le cloisonnement du relief explique la difficulté des communications. Le peuplement, essentiellement slave, est faible, et les montagnes ont servi de refuge à des populations persécutées qui se sont refermées sur elles-mêmes, ce qui explique l'actuel morcellement politique. La vie moderne a peu touché la majorité des habitants, qui pratiquent la polyculture vivrière (blé) et l'élevage ovin. Des cultures commerciales se sont développées dans les plaines (coton, tabac, vigne, arbres fruitiers), mais l'extraction de richesses minières (plomb, lignite, bauxite, etc.) n'a guère favorisé le développement industriel des États balkaniques, qui comptent parmi les moins développés de l'Europe.
HISTOIRE. Unifiée sous les Romains, puis sous les Byzantins, la péninsule balkanique tomba sous la domination turque après la bataille de Mohács (1526). À partir du début du XVIIIe s. l'Europe chrétienne se ligua pour reconquérir les Balkans.
Dans le dernier quart du XIXe s. et dans la première moitié du XXe s., le problème posé par la rivalité des grandes puissances, la lutte menée par les différents peuples balkaniques contre la domination turque et les dissensions qui les opposèrent entre eux donnèrent lieu à de nombreux conflits, dont certains s'imbriquèrent dans les deux guerres mondiales. On citera notamment :
— les *guerres serbo-turque* (1876) et *russo-turque* (1877-78), au cours desquelles les Serbes et les Monténégrins, révoltés contre les Turcs, ne furent sauvés que par l'intervention de la Russie (bataille de Plevna), d'où résulta la création d'une grande Bulgarie consacrée par le traité de San Stefano (1878);
— la *guerre serbo-bulgare* (1885), à la suite de l'union de la Roumélie à la Bulgarie qui fut maintenue par le traité de Bucarest (1886);
— la *guerre gréco-turque* (1897), provoquée par la révolte des Crétois contre le Sultan; sauvée par l'intervention des grandes puissances, la Grèce perdit une partie de la Thessalie;
— les *guerres balkaniques* (1912-13), lorsque, profitant du conflit italo-turc, la Bulgarie, la Grèce, le Monténégro et la Serbie déclarèrent la guerre à la Turquie; celle-ci, par le traité de Londres (mai 1913), dut céder à ses vainqueurs la plupart de ses possessions en Europe; la répartition de ces territoires et les intrigues de l'Autriche amenèrent les Bulgares à prendre les armes contre leurs anciens alliés, soutenus cette fois par les Roumains. Vaincue en cette deuxième guerre balkanique, la Bulgarie dut céder les territoires qu'elle venait de conquérir (traité de Bucarest, août 1913);

Giacomo **Balla** : *Petite Fille courant sur un balcon*, 1912.
(Galerie municipale d'Art moderne, Milan.)

— durant la *Première Guerre* mondiale*, les campagnes de Serbie (1914), des Dardanelles (1915) et de Macédoine* (1916-1918);
— la *guerre gréco-turque* (1921-22), au cours de laquelle les Grecs, débouchant de Smyrne, furent battus à Inönü, ce qui provoqua l'abdication du roi Constantin. Le traité de Lausanne (1923) mettra fin aux revendications grecques sur Constantinople et l'Asie Mineure par échanges de population;
— durant la *Seconde Guerre* mondiale*, l'attaque de la Grèce par l'Italie (1940), la conquête de la Yougoslavie par la Wehrmacht (1941), la résistance des forces de Mihajlović et de Tito, l'offensive soviétique en Roumanie, en Bulgarie et en Yougoslavie (1944), les combats de la Grèce évacuée par les Allemands et occupée par les Anglais.

BALKHACH, grand lac de l'U.R.S.S., dans l'est du Kazakhstan; 17 300 km². Sur la rive nord du lac, la ville de *Balkhach* (79 000 hab.) est un centre de la métallurgie du cuivre.

BALLA (Giacomo), peintre italien (Turin 1871 - Rome 1958). Illustrateur et peintre divisionniste, il est signataire, en 1910, des manifestes du futurisme*, dont il devient bientôt l'un des animateurs par ses études de décomposition de la lumière et du mouvement. Après la guerre, il s'intéresse aux arts appliqués, tandis que sa peinture tend à une abstraction puriste et décorative. Vers 1930, il cède à l'académisme figuratif du temps.

BALLADE n. f. (prov. *ballada*, danse). Au Moyen Âge, poème lyrique d'origine chorégraphique, d'abord chanté, puis destiné seulement à la récitation. ‖ À partir du XIVe s., poème à forme fixe, composé de trois strophes suivies d'un envoi de demi-strophe. ‖ Dès la fin du XVIIIe s., petit poème narratif en strophes, qui met généralement en œuvre une légende populaire ou une tradition historique. ‖ *Mus.* À l'origine, chanson à danser; pièce instrumentale ou vocale de forme libre, remise en honneur par les romantiques.

BALLANCHE (Pierre), écrivain français (Lyon 1776 - Paris 1847). Ami de Mme Récamier. Sa philosophie de l'histoire, inspirée de Vico, s'allie à une sociologie mystique qui influença les catholiques libéraux (*Du sentiment considéré dans ses rapports avec la littérature et les arts*, 1801; *Essais de palingénésie sociale*, 1829).

BALLANCOURT-SUR-ESSONNE (91610), comm. de l'Essonne, à 6 km au N.-E. de La Ferté-Alais; 5 549 hab.

BALLANT, E adj. (de *baller*). Qui pend et oscille nonchalamment : *aller les bras ballants*.

BALLANT n. m. Mouvement d'oscillation : *véhicule qui a du ballant*.

BALLARAT, v. d'Australie (Victoria), au N.-O. de Melbourne; 60 700 hab. Métallurgie du cuivre. Industries textiles et alimentaires.

BALLARD, dynastie officielle d'imprimeurs de musique parisiens, qui ont joui d'un certain monopole en France depuis la fin du XVIe s. jusqu'à la fin du XVIIIe s.

Ballarino (*Il*) [« le Danseur »] (1581), de Fabrizio Caroso (1526 - fin du XVIe s.), un des premiers ouvrages connus décrivant les danses.

BALLAST [balast] n. m. (mot angl.). Ensemble de pierres concassées qui maintiennent les traverses d'une voie ferrée et les assujettissent. ‖ Réservoir dont le remplissage à l'eau de mer et la vidange permet à un sous-marin de plonger ou de revenir en surface et à un bâtiment de commerce d'ajuster son équilibre longitudinal et transversal à sa cargaison.

BALLASTAGE n. m. Action de ballaster.

BALLASTER v. t. Répartir du ballast sur une voie de chemin de fer. ‖ Remplir ou vider les ballasts d'un navire afin de rechercher son meilleur équilibre.

BALLASTIÈRE n. f. Carrière d'où l'on extrait le ballast.

BALLE n. f. (it. *palla*). Petite pelote ronde pouvant rebondir, utilisée dans de nombreux jeux et sports. ‖ Masse métallique fixée à l'étui de la cartouche et constituant le projectile des armes à feu portatives. ● *Enfant de la balle*, celui qui a été élevé dans le métier d'artiste de son père (comédien, acrobate, etc.). ‖ *Prendre, saisir la balle au bond*, saisir immédiatement l'occasion. ‖ *Renvoyer la balle*, riposter vivement. ‖ *Se renvoyer la balle*, se rejeter mutuellement une responsabilité.

BALLE n. f. (anc. fr. *baller*, vanner). Enveloppe du grain dans l'épi des céréales.

BALLE n. f. (francique *balla*). Gros paquet de marchandises.

BALLE n. f. *Fam.* Franc : *donne-moi cent balles*.

BALLER v. i. (anc. fr. *baller*, danser). *Litt.* Osciller, pendre : *sa tête ballait en arrière*.

BALLERINE n. f. (it. *ballerina*). Danseuse classique; soliste de classe internationale. ‖ Chaussure de femme légère et plate.

BALLEROY (14490), ch.-l. de cant. du Calvados, à 16 km au S.-O. de Bayeux; 780 hab. Château en schiste et pierre blanche, construit de 1626 à 1636 (sur plans de F. Mansart?) pour un fonctionnaire du roi, typique du style Louis XIII.

BALLET n. m. (it. *balletto*). Composition chorégraphique destinée à être représentée au théâtre, avec ou sans accompagnement musical, et interprétée par un ou plusieurs danseurs. ‖

BALLET *Ivan le Terrible*, chorégraphie de Iouri Grigorovitch, musique de S. Prokofiev, avec C. Atanassoff et D. Khalfouni. (Opéra de Paris, 1976.)

Le Jardin de Villandry, par le Crowsnest Trio. (Théâtre de la Ville, 1981.)

Birgit

Bernand

La Nuit transfigurée, chorégraphie de Roland Petit, musique d'A. Schönberg, avec G. Thesmar et D. Ganio. (Opéra de Paris, 1976.)

La Passion selon saint Matthieu, chorégraphie de John Neumeier, par le Ballet de l'Opéra de Hambourg. (Théâtre de la Ville, 1983.)

fable poésie qui suscite l'enthousiasme. La création de *Giselle* (1841), ballet dont le livret est en partie dû à Théophile Gautier, révèle Carlotta Grisi (1819-1899). Une troisième « grâce » est incarnée par l'Autrichienne Fanny Elssler.

Le succès du ballet romantique est de courte durée... La technique et la virtuosité intéressent de nouveau le public (*Coppélia*, mus. de Léo Delibes, chorégr. d'A. Saint-Léon). À Saint-Pétersbourg, Marius Petipa*, secondé par Enrico Cecchetti*, fait revivre la tradition classique et forme les futures étoiles du Théâtre Marie et des Ballets* russes de Diaghilev. La révolution artistique qu'apportent les Ballets russes marque le début d'une ère nouvelle pour le ballet, qui sort régénéré de cette confrontation. Des troupes se créent; leur itinérance de fraîche date fait connaître œuvres et artistes dans le monde entier. La compagnie de ballet est désormais un des grands vecteurs de la modernité en matière artistique. Parallèlement, avec Isadora Duncan et sa danse libre, avec l'expressionnisme allemand, avec les « pionniers » de la danse moderne en Amérique, le ballet connaît un autre grand courant (v. MODERN DANCE).

C. Masson

La Fille aux cheveux blancs, par le Ballet de Chang-hai. (Théâtre des Champs-Élysées, Paris, 1977.)

BALLET

Voyage organisé, chorégraphie de Dominique Bagouet. (Maison de la culture de Créteil, 1975.)

Bernand

C. Masson

Chants et danses de la révolution russe, spectacle de Iossif Toumanov. (Leningrad, 1977.)

C. Masson

Pièce de théâtre mêlée de chansons et de pantomimes. ‖ Suite instrumentale composée pour illustrer ou créer une action dramatique dansée. ‖ Troupe fixe ou itinérante donnant des spectacles chorégraphiques. (On dit aussi COMPAGNIE DE BALLET.) ● *Ballet abstrait*, ballet sans argument ni livret. ‖ *Ballet d'action*, ballet avec argument. (Syn. BALLET-PANTOMIME.) ‖ *Ballet blanc* ou *ballet romantique*, ballet caractérisé par le port du tutu long de mousseline blanche. ‖ *Ballet de chambre*, troupe restreinte qui peut se produire en tous lieux, sans grands besoins de mise en scène et de décors. ‖ *Ballet de cour*, ballet dansé à la fin du XVIᵉ s. et au XVIIᵉ s. par les rois et leurs courtisans. ‖ *Ballet à entrées*, forme prise, vers 1621, par le ballet de cour, qui se composa alors de plusieurs parties indépendantes. ‖ *Ballet expérimental*, œuvre chorégraphique composée sur une partition inédite issue des recherches d'un compositeur, et utilisant tous les moyens scéniques et scénographiques

contemporains. ‖ *Corps de ballet*, ensemble des danseurs d'un théâtre qui ne sont ni solistes ni étoiles; à l'Opéra de Paris, ensemble de tous les danseurs. ‖ *Maître de ballet*, technicien qui fait répéter les danseurs et qui assume la réalisation des œuvres dansées par le corps de ballet.

■ La danse* primitive est un moyen de communication; sous sa forme élaborée, elle devient spectacle. Dès la plus haute antiquité, elle s'intègre dans la vie des hommes. Les danses religieuses, guerrières et théâtrales des Grecs, les jeux dansés du Moyen Âge aboutissent aux intermèdes des fêtes somptueuses de la Renaissance (surtout en Italie), dont est issu à son tour le *ballet de cour*, fusion de la danse, de la musique, du chant, de la peinture. Divertissement, le ballet de cour est aussi un instrument de la puissance royale : Louis XIV danse en « vedette » et maintient son prestige auprès des grands du royaume... Sous son règne, le musicien italien Lully* joue un rôle considérable.

Auteur de la musique de nombreux ballets (*Ballet de la nuit*), il collabore avec Molière* pour les livrets et avec Beauchamp* pour la danse dans les comédies-ballets (*le Bourgeois* *gentilhomme*, 1670). Vient ensuite la tragédie-ballet, où la danse intervient au cours de l'action (*Cadmus et Hermione*) et à laquelle succède l'opéra-ballet, composé de plusieurs actes indépendants chantés et dansés (*Europe galante*, de Campra, 1697).

Avec l'apparition des danseurs professionnels (1681, *Triomphe de l'amour*), la création de l'École de danse de l'Opéra (1713), l'élaboration de règles (l'en-dehors*, les cinq positions* fondamentales), l'enrichissement de la technique et du vocabulaire des pas, le ballet passe à la scène. L'illusion optique, les décors, les lumières, tout concourt désormais au spectacle théâtral. La vogue de l'opéra italien (qui avait introduit en France les « grandes machines ») s'estompe, et le ballet français fait école. Après Beauchamp, de grands danseurs illustreront l'histoire du ballet : Pécourt, Blondy, Ballon, Dupré, Duport, Dauberval, les Vestris, les Gardel, Perrot. Les danseuses s'imposent à leur tour : Mˡˡᵉ Fontaine (ou La Fontaine), la Camargo, Marie Sallé, Mˡˡᵉ Prévost... Le ballet de cour disparu, le théâtre lyrique connaît une mutation profonde. La réforme de Jean Georges Noverre* donne au ballet une esthétique nouvelle. Très controversé, le ballet sans action cède la place au ballet d'action (où la pantomime joue un rôle primordial), innové en France par Noverre qui, par ailleurs, supprime masques, robes à paniers et perruques. Le ballet d'action rayonne, s'implante en Russie grâce aux disciples de Noverre. Le drame dansé de l'Italien Salvatore Vigano ajoute un élément émotionnel au ballet.

À l'époque romantique, le ballet devient l'expression d'une âme, de l'imaginaire. L'action se situe sur deux plans : l'un terrestre, l'autre surnaturel. Pour donner l'impression d'immatérialité, la danseuse utilise les pointes, qui rendent sa danse « aérienne », et le long tutu de mousseline blanche. Le ballet romantique, ou ballet blanc, est né. À cette époque, Carlo Blasis* fait le point sur l'évolution de la technique. La virtuosité, autrefois désavouée par Noverre, acquiert une importance primordiale. En 1832, *la Sylphide*, de Filippo Taglioni*, est créée par sa fille Maria (ou Marie). C'est une révélation : le style de l'interprète, sa technique, le langage chorégraphique en font une œuvre tragique à l'inef-

À la fin de la Seconde Guerre mondiale, la jeune génération libère des aspirations longtemps refoulées. Roland Petit et Janine Charrat apportent au ballet un sang neuf. Les problèmes de l'homme moderne sont plus brutalement posés par Jerome Robbins (*Age of Anxiety*, 1950) aux États-Unis ou par Maurice Béjart (*Symphonie pour un homme seul*, 1955) en France — qui, depuis, s'est installé en Belgique (Bruxelles) avec le Ballet du XXᵉ siècle, puis en Suisse (Lausanne).

Les grandes compagnies américaines (New York City Ballet, Ballet Theatre, Joffrey Ballet, Harlem Dance Theatre), canadiennes (Ballet national du Canada, Royal Winnipeg Ballet) ou européennes (London's Festival Ballet, Grand Ballet du marquis de Cuevas, Grand Ballet classique de France) ont maintenu ou maintiennent la tradition classique comme le font les ballets des grands théâtres nationaux (Royal Ballet, Ballet de l'Opéra de Paris, Ballet de l'Opéra de Hambourg, Ballet de l'Opéra de Stuttgart, Ballet royal danois, Ballet royal suédois, Ballets du Bolchoï et du Kirov, Ballet de la Scala).

Le ballet, comme tous les arts, a ses grands noms. Ce sont des interprètes (v. DANSE) ou des créateurs (v. CHORÉGRAPHIE).

La « modern dance » a pris un grand essor aux États-Unis, sans toutefois y supplanter le ballet classique. Elle s'est installée un peu partout dans le monde et son apport a enrichi le ballet traditionnel, donnant naissance à un genre hybride, dans lequel certains chorégraphes contemporains semblent parfaitement à l'aise (Maurice Béjart, John Butler). Le génie inventif d'une Martha Graham, la profondeur de ton d'un José Limón, l'humour d'un Paul Taylor ou la magie d'un Alwin Nikolais sont à l'origine de moments artistiques d'une incomparable qualité.

Langage universel, le ballet s'adresse à tous. Par la décentralisation artistique, la multiplication des spectacles de ballet, des festivals, par l'intermédiaire de la télévision et des publications spécialisées ou de vulgarisation, il a élargi son audience et est devenu un art complet.

Ballet comique de la reine (le), premier ballet de cour créé en France, représenté en 1581 à Paris, œuvre de Balthazar de Beaujoyeux (début du XVIᵉ s.-1587).

BALLETOMANE n. Amateur de ballets.
BALLET-PANTOMIME n. m. (pl. *ballets-pantomimes*). Syn. de BALLET D'ACTION.

Ballets russes, compagnie de ballet créée en 1909, à Saint-Pétersbourg, par Serge de Diaghilev. Issus de deux courants de rénovation — pictural et chorégraphique —, les Ballets russes, pendant vingt ans, associèrent des danseurs et des chorégraphes (T. Karsavina, O. Spessivtseva, A. Danilova, B. Nijinska...; M. Fokine, S. Lifar, G. Balanchine, L. Massine, V. Nijinski...), des peintres (A. Benois, L. Bakst, Picasso, Matisse, M. Larionov, Braque, Derain...). Sur le plan musical, Diaghilev popularise les chefs-d'œuvre des compositeurs russes (Moussorgski, Borodine, Rimski-Korsakov) ou fait découvrir de grands musiciens (Igor Stravinski, S. Prokofiev, Henri Sauguet, Georges Auric, Erik Satie, Francis Poulenc). Les « danses polovtsiennes » du *Prince Igor, Schéhérazade, Petrouchka, l'Oiseau de feu, le Spectre de la rose, le Sacre du printemps, l'Après-midi d'un faune, Daphnis et Chloé, les Noces, le Coq d'or, le Fils prodigue* sont parmi les productions les plus remarquables de la troupe.

BALLIN, orfèvres parisiens : CLAUDE I (1615-1678) exécuta pour Louis XIV le mobilier d'argent (fondu à la fin du règne) de la galerie des Glaces de Versailles. — Son neveu, CLAUDE II (1661-1754), cisela la couronne du sacre de Louis XV et eut de nombreuses commandes des cours étrangères.

BALLON n. m. (it. *pallone*). Grosse balle à jouer, le plus souvent ronde, généralement une vessie de caoutchouc gonflée d'air recouverte de cuir. ‖ Sphère en caoutchouc gonflée de gaz. ‖ Verre sphérique destiné à contenir un liquide, un gaz; son contenu. ‖ Verre à ballon destiné à être sphérique. ‖ Syn. de BULLE (de bandes dessinées). ‖ *Chorégr.* Qualité physique qui permet au danseur de s'élever aisément quand il saute, de paraître retarder sa retombée et de rebondir plus haut lors du second saut. ● *Ballon captif,* aérostat de taille variable, utilisé à des fins scientifiques ou militaires. ‖ *Ballon dirigeable,* v. DIRIGEABLE. ‖ *Ballon d'essai,* expérience que l'on fait pour sonder le terrain, l'opinion. ‖ *Ballon d'oxygène,* ce qui a un effet bienfaisant en ranimant.

BALLON n. m. (all. *Belchen*). Sommet dans les Vosges.

Ballons des Vosges (parc naturel régional des), parc régional englobant la partie méridionale, la plus élevée, du massif des Vosges.

BALLON (72290), ch.-l. de cant. de la Sarthe, à 21 km au N. du Mans; 1269 hab. Donjon du XVᵉ s.

BALLONNÉ, E adj. Gonflé, distendu. ‖ Se dit du style du danseur qui exécute ses pas très au-dessus du sol et qui se reçoit à terre avec souplesse.

BALLONNEMENT n. m. Distension du ventre par des gaz.

BALLONNER v. t. Enfler, distendre par l'accumulation de gaz.

BALLONNET n. m. Petit ballon.

BALLON-SONDE n. m. (pl. *ballons-sondes*). Ballon muni d'appareils enregistreurs destinés à l'exploration météorologique de la haute atmosphère.

BALLOT n. m. (de *balle*, paquet). Paquet de marchandises. ‖ *Fam.* Sot, imbécile.

BALLOTE n. f. Plante des décombres, à odeur fétide et à fleurs mauves, dont l'extrait a des propriétés sédatives. (Famille des labiacées.) [Syn. MARRUBE NOIR.]

BALLOTIN n. m. Emballage en carton pour les confiseries.

BALLOTTAGE n. m. Résultat négatif obtenu dans une élection lorsque aucun des candidats n'a réuni la majorité requise, et obligeant à procéder à un nouveau scrutin (*scrutin de ballottage*).

BALLOTTEMENT n. m. Mouvement de ce qui ballotte : *le ballottement d'un navire.*

BALLOTTER v. t. (anc. fr. *ballotte*, petite balle). Agiter en divers sens : *la mer ballotte les navires.* ‖ Tirailler en tous sens : *il est ballotté entre la peur et la curiosité.* ◆ v. i. Remuer, être secoué en tous sens : *ce violon ballotte dans son étui.*

BALLOTTINE n. f. Petite galantine roulée composée de volaille et de farce.

BALL-TRAP [baltrap] n. m. (mot angl.) [pl. *ball-traps*]. Appareil à ressort, lançant en l'air des disques d'argile servant de cibles pour le tir au fusil. ‖ Tir pratiqué avec cet appareil.

BALLUCHON ou **BALUCHON** n. m. (de *balle*, paquet). *Fam.* Paquet de vêtements, de linge. ‖ Petit ballot.

BALLY, localité de l'Inde (Bengale-Occidental), banlieue nord-ouest de Calcutta.

BALLY (Charles), linguiste suisse (Genève 1865 - id. 1947). Il est l'initiateur d'une nouvelle « stylistique », qui étudierait la langue du point de vue de ses moyens d'expression, de ses ressources stylistiques (*Traité de stylistique française,* 1909; *Linguistique générale et linguistique française,* 1932).

BALMA (31130), comm. de la Haute-Garonne, à 5 km à l'E. de Toulouse; 8839 hab.

BALMAT (Jacques), guide français (Chamonix 1762 - vallée de Sixt [Haute-Savoie] 1834). Avec le Dʳ Paccard, il réalisa, le 8 août 1786, la première ascension du mont Blanc et y mena, l'année suivante, l'expédition du naturaliste suisse Horace Benedict de Saussure.

BALME (col de), passage des Alpes, à 2205 m d'alt., à la frontière franco-suisse, entre la haute vallée de l'Arve et celle du Rhône.

BALMER (Johann Jakob), physicien suisse (Lausen 1825 - Bâle 1898). Il étudia les spectres lumineux des gaz incandescents et découvrit en 1885 la formule donnant les longueurs d'onde des raies du spectre visible de l'hydrogène.

BALMONT (Konstantine Dmitrievitch), poète russe (Goumnichtchi, prov. de Vladimir, 1867-Noisy-le-Grand 1942). Créateur de nouveaux rythmes poétiques, il est l'un des meilleurs représentants du symbolisme russe (*Soyons comme le soleil,* 1903; *les Éclairs blancs,* 1908; *Aurore boréale,* 1931).

BALNÉAIRE adj. (lat. *balnearis*). Relatif aux bains de mer : *station balnéaire.*

BALNÉATION n. f. Action de prendre ou de donner des bains.

BALNÉOTHÉRAPIE n. f. Traitement médical par les bains.

BÂLOIS, E adj. et n. De Bâle.

BALOURD, E adj. et n. (it. *balordo*). Grossier et stupide.

BALOURD n. m. *Mécan.* Déséquilibre dans une pièce tournante dont le centre de gravité ne se trouve pas sur l'axe de rotation.

BALOURDISE n. f. Caractère d'une personne balourde; ce qui est fait sans esprit et mal à propos : *raconter des balourdises.*

BALOUTCHI n. m. Langue de la famille iranienne.

BALOUTCHISTAN ou **BALŪCHISTĀN** ou **BÉLOUTCHISTAN,** région montagneuse partagée entre l'Iran (prov. du *Baloutchistan-Sistān*) et le Pākistān (prov. du *Baloutchistan*).

BALSA [balza] n. m. Bois très léger (densité 0,15), provenant de l'Amérique centrale, et utilisé pour les modèles réduits.

BALSAMIER ou **BAUMIER** n. m. Arbre des régions chaudes dont les feuilles possèdent des glandes. (Sa sécrétion a une odeur balsamique et douce. On tire un baume des bourgeons.)

BALSAMINE n. f. (lat. *balsamum,* baume). Plante des bois montagneux, à fleurs jaunes, appelée aussi *impatiente* et *noli-me-tangere* car son fruit, à maturité, éclate au moindre contact en projetant les graines.

BALSAMIQUE adj. et n. m. Qui a les propriétés du baume.

BALTARD (Victor), architecte français (Paris 1805 - id. 1874). Reprenant les idées d'Hector Horeau (1801-1872), il édifia en fer (à la demande de Napoléon III) les Halles centrales de Paris (1854, démolies en 1971-72).

BALTE adj. et n. De la Baltique.

BALTE n. m. Groupe de langues indo-européennes comprenant le lette et le lituanien.

BALTES (pays), nom donné aux trois républiques fédérées de l'U.R.S.S., sur la Baltique : Estonie, Lettonie, Lituanie.

BALTHAZAR n. m. Grosse bouteille de champagne, d'une contenance de seize bouteilles.

BALTHAZAR, fils aîné de Nabonide, tué lors de la prise de Babylone par les Perses en 539. Le récit biblique du livre de Daniel*, qui fait de Balthazar le dernier roi des Chaldéens et le fils de Nabuchodonosor* II, utilise des traditions légendaires.

BALTHUS (Balthasar KLOSSOWSKI, dit), peintre français (Paris 1908). Très construits, mais souvent nimbés d'une lumière pâle ou sourde qui mange la couleur, ses paysages, ses intérieurs avec leurs figures de jeunes filles ont une qualité troublante, à la fois intime et « distanciée ». Il a été directeur de l'Académie de France à Rome de 1961 à 1976.

BALTIMORE, port des États-Unis (Maryland), sur la rive occidentale de la baie de Chesapeake; 786000 hab. (2166000 hab. pour l'aire métropolitaine). Université Johns Hopkins. Musées. Industries métallurgiques et chimiques.

BALTIQUE adj. Se dit des pays, des populations qui avoisinent la mer Baltique.

BALTIQUE, mer bordière de l'Atlantique, qui baigne la Finlande, l'U.R.S.S., la Pologne, les deux Allemagnes, le Danemark et la Suède. Atteignant au maximum − 459 m, la Baltique est une mer peu profonde, correspondant à une portion continentale envahie par les eaux lors de la fusion des glaciers quaternaires. Elle communique avec la mer du Nord par les détroits danois (Sund, Grand- et Petit-Belt). Les nombreux seuils, qui accidentent son fond, expliquent le faible renouvellement des eaux, ce qui entraîne l'absence de marées, la faible salinité (surtout dans sa terminaison septentrionale, le golfe de Botnie) et l'appauvrissement de la faune et de la flore.

BALUCHON n. m. → BALLUCHON.

BALUSTRADE n. f. (it. *balaustrata*). *Archit.* Rangée de balustres, couronnée d'une tablette. ‖ Garde-corps diversement ajouré.

BALUSTRE n. m. (it. *balaustro*). Colonnette ou court pilier renflé et mouluré, généralement employé avec d'autres et assemblé avec eux par une tablette pour former un appui, une clôture, un motif décoratif. ‖ Colonnette qui orne le dos d'un siège. ● *Compas à balustre,* ou *balustre,* compas ayant une tête en forme de balustre.

BALZAC (Jean-Louis GUEZ, dit DE), écrivain français (Angoulême 1597 - id. 1654). Par ses

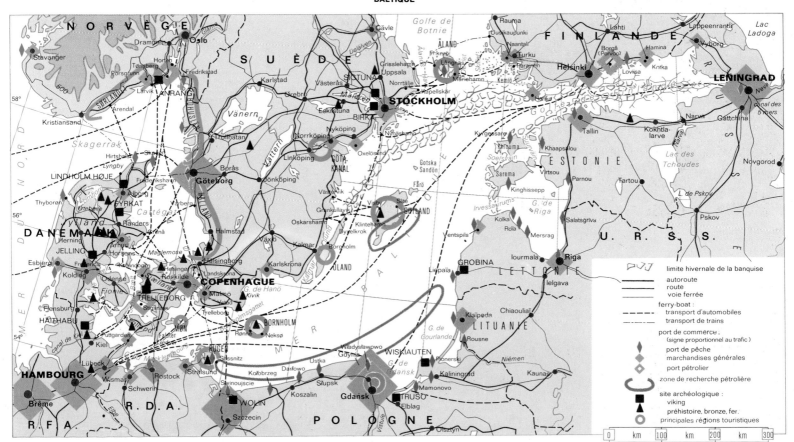

Lettres (qu'il adressa notamment à la société précieuse de l'Hôtel de Rambouillet), ses écrits politiques (*le Prince,* 1631), ses essais critiques (*le Socrate chrétien,* 1652; *Aristippe,* 1658), il a joué un rôle essentiel dans la formation de la prose classique.

BALZAC (Honoré DE), écrivain français (Tours 1799 - Paris 1850). Est-il réaliste ou romantique? « le plus humble des copistes », comme il se veut dans la préface d'*Eugénie Grandet,* ou « l'être qui, pour Théophile Gautier, a le plus créé après Dieu », « visionnaire passionné », comme le voit Baudelaire, insufflant à chacune de ses créatures une parcelle de son génie (« des âmes chargées de volonté jusqu'à la gueule »)?

Dans la préface à la première édition de *la Peau de chagrin,* Balzac fait de l'*observation* et de l'*expression* les deux éléments constitutifs de l'art d'écrire, « une vue et un toucher littéraires ». La réunion de ces deux facultés « fait l'homme complet », mais non le génie, apanage des écrivains « réellement philosophes », qui doivent posséder « une sorte de *seconde vue* qui leur permet de deviner la vérité dans toutes les situations possibles ». Le génie balzacien se fonde sur un sens profond de la réalité, où tout est à double signification. Face aux mystères vieillis de la société religieuse et féodale, à la bonne conscience des libéraux pour qui *la* Révolution est faite et l'histoire terminée, Balzac révèle la dimension tragique de la vie, telle qu'il en a fait l'expérience dans sa poursuite toujours déçue de l'amour et de l'argent. En 1829-1831, lorsqu'il atteint à la célébrité, Balzac fonde son œuvre sur une triple assise : l'analyse scientifique des faits sociaux *(Physiologie du mariage),* la conscience du pathétique moderne *(Scènes de la vie privée),* la vision dramatique de l'existence *(Contes philosophiques).* La cohésion des données fournies par ces différentes expériences sera assurée techniquement par le procédé des « personnages reparaissants » et l'architecture de *la Comédie humaine,* esthétiquement par une philosophie qui remonte aux méditations de son adolescence (cf. *le Traité de la volonté,* rédigé par Louis Lambert, et *la Théorie de la volonté* de Raphaël de Valentin).

Les premiers récits, *le Centenaire* (1822) qui expose une théorie du fluide vital, *la Dernière Fée* (1823) qui traite du problème de la personnalité, sont des romans « philosophiques ». La *Physiologie du mariage,* dont Balzac eut l'idée dès 1820, était le premier élément d'une série d'études qui auraient constitué une *Pathologie de la vie sociale.* La philosophie de Balzac repose sur une vision linéaire et ascensionnelle de l'homme, et cet optimisme prométhéen se fonde non sur un acte de foi, mais sur des études assidues du comportement humain en vue d'en déduire des lois. Balzac interroge les notaires, les chimistes, les médecins : les descriptions de la phtisie de Raphaël de Valentin, de l'hémorragie cérébrale de Benassis, de la névropathie de M. de Mortsauf sont des chefs-d'œuvre d'observation médicale. Mais son meilleur examen clinique porte sur l'élément moteur de la société française de la Restauration et de la monarchie de Juillet : l'argent. Balzac lui confère une fluidité analogue à celle de la société : l'argent circule comme un liquide magique à travers les « sphères » sociales, mêlé inextricablement aux hommes, à leurs actes, à leur être. Les deux faces du génie balzacien sont ainsi inséparables. On ne peut célébrer *le Père Goriot* et considérer *la Peau de chagrin* comme une excroissance : le talisman et la « toute-puissante pièce de cent sous » ne sont que les deux faces d'un même signe; on ne peut faire de Balzac un mystique et le taxer d'exagération dans la peinture de la misère engendrée par la nouvelle société industrielle. Œuvre de lucidité, *la Comédie humaine* se fonde sur une dialectique du vouloir-vivre et de la retraite, du désir et de la sagesse. La réussite se fait par écrasement des autres, c'est-à-dire qu'elle est négation du désir d'affirmation et de liberté qui était à l'origine du désir de réussir. Le réalisme de Balzac tient moins à la peinture scrupuleuse de l'objet ou de l'événement qu'à l'expression des contradictions motrices de son siècle. Rares sont les héros balzaciens qui, comme David Séchard *(Illusions perdues),* sauvent le maximum possible de bonheur au bord de la Charente. À l'exemple de Rastignac, ils lancent à la vie un défi, ils épuisent leur énergie à résister à l'action dissolvante du temps. Énergie et usure, ce double aspect d'une même activité humaine s'incarne dans les « couples » qui unissent une force dominatrice à une obéissance fascinée, une volonté virile à une acceptation femelle, Vautrin à Lucien de Rubempré. Vivant et aimant par personne interposée, Vautrin manifeste un motif balzacien fondamental, celui du « voyeur ». Amant et père, Vautrin unit à l'égard de Lucien les deux aspects du mythe de la création, esquissé dans *le Père Goriot* selon la chair (les filles du vieillard vivent à sa place et le tuent) et selon l'esprit (Vautrin offre à Rastignac de l'aider dans son ascension sociale). Ce désir de la créature façonnée à son image se prolonge chez Balzac dans la longue théorie des « lorettes » qui

Lauros-Giraudon

Balzac. Bronze d'Auguste Rodin, 1898.

forment à l'intérieur de la société parisienne un monde clos avec sa hiérarchie, ses ascensions et ses ruines : les Coralie, les Florentine, les Esther composent l'image exemplaire de l'affrontement de la vie et de la mort. C'est ce destin que l'œuvre de Balzac s'efforce de conjurer, cette séparation entre « la postérité de Caïn et celle d'Abel », comme l'écrit Lucien de Rubempré dans sa dernière lettre à Carlos Herrera, qui s'accompagne de la nostalgie de l'unité perdue, et s'exprime dans le mythe de l'androgyne, dont *Séraphita* offre la version la plus profonde. *La Comédie humaine,* ce titre même implique une épreuve vécue, une distance (ce plébéien qui prétend écrire « à la lumière de deux vérités éternelles, la Monarchie et la Religion » est, comme l'a vu Hugo, « de la forte race des écrivains révolutionnaires »), une ironie; mais il rappelle aussi que Balzac a comme point de mire un poète visionnaire, Dante.

« la Comédie humaine » : plan et œuvres principales

ÉTUDES DE MŒURS

Scènes de la vie privée : la Femme de trente ans (1831-1834), le Colonel* Chabert (1832), le Père* Goriot (1834-35), Modeste Mignon (1844).
Scènes de la vie de province : Eugénie* Grandet (1833), le Lys* dans la vallée (1835), le Cabinet des antiques (1836-1839), Illusions* perdues (1837-1843).
Scènes de la vie parisienne : César* Birotteau (1837), la Maison Nucingen (1838), Splendeurs* et misères des courtisanes (1838-1847), la Cousine* Bette (1846), le Cousin* Pons (1847).
Scènes de la vie politique : Z. Marcas (1840), Une ténébreuse affaire (1841).
Scènes de la vie militaire : les Chouans (1829).
Scènes de la vie de campagne : le Médecin* de campagne (1833), le Curé de village (1838-39), les Paysans* (1844).

ÉTUDES PHILOSOPHIQUES

La Peau* de chagrin (1831), Louis Lambert (1832) Séraphita (1833), la Recherche* de l'absolu (1834).

ÉTUDES ANALYTIQUES

La Physiologie* du mariage (1829).

chronologie

1er prairial an VII (20 mai 1799) : naissance à Tours.

1799 - 1813	En nourrice chez un gendarme. Pensionnaire au collège des Oratoriens de Vendôme. Vit séparé de sa famille.
1816 - 1819	Études de droit. Stage de clerc chez un avoué, puis chez un notaire. Cours de sciences au Muséum et de littérature en Sorbonne.
1819 - 1821	Proclame sa vocation littéraire : travaille à une tragédie en vers *(Cromwell)* et à des récits philosophiques *(Falthurne, Sténie).*
1822 - 1824	Rencontre Mme de Berny, de vingt-deux ans son aînée. Sous divers pseudonymes (lord R'Hoone, Horace de Saint-Aubin), publie une trentaine de romans alimentaires.
1826 - 1828	Tente de faire fortune : prend un brevet d'imprimeur, puis crée une fonderie de caractères. Ruiné, « il retombe dans la littérature ». Liaison avec la duchesse d'Abrantès.
1829	La *Physiologie du mariage :* succès de scandale. *Le Dernier Chouan* (repris en 1834 sous le titre *les Chouans :* c'est le premier roman incorporé à *la Comédie humaine*).
1831 - 1832	Succès de *la Peau de chagrin.* Vie de dandy. Ambitions politiques. Atteint à la célébrité comme inventeur de *la Femme de trente ans.* Première lettre de l'« Étrangère », Mme Hanska.
1833	A l'idée des *personnages reparaissants.*
1835	Travail intensif (Balzac récrit plusieurs fois un livre en corrigeant ses épreuves), soutenu par une consommation abusive de café.
1837	Achète la propriété des Jardies, près de Sèvres, et projette d'y créer des plantations d'ananas.
1838	En Sardaigne, rêve de remettre en activité les mines d'argent jadis exploitées par les Romains.
1842	Mort du comte Hanski. Le mariage avec Mme Hanska devient la grande affaire de sa vie.
1846	Achète un hôtel particulier, rue Fortunée. Naissance et mort de Victor-Honoré, fils de Balzac et de Mme Hanska.
1849	Séjour et maladie en Ukraine, à Wierzchownia. Échec à l'Académie française.
1850	14 mars : mariage avec la comtesse Hanska. 18 août : mort à Paris.

BALZACIEN, ENNE adj. Qui rappelle les personnages ou la conception du roman de Balzac.

BALZAN, E adj. (it. *balzano*). Se dit d'un cheval qui a des balzanes.

BALZANE n. f. Zone de poils blancs aux pieds de certains chevaux.

BAMAKO, capit. de la république du Mali, sur le Niger; 404 000 hab. Industries textiles et alimentaires.

BAMBARA n. m. Langue négro-africaine parlée par les Bambaras.

BAMBARAS, ethnie vivant au Sénégal et au Mali principalement. La société bambara est patrilinéaire.

BAMBERG, v. de l'Allemagne fédérale (Bavière), sur la Regnitz, au N. de Nuremberg; 73 000 hab. Exemplaire de l'urbanisme allemand médiéval et baroque, la ville conserve d'importants monuments, dont sa cathédrale (célèbre ensemble de sculptures du XIIIe s.).

BAMBIN n. m. (it. *bambino*). *Fam.* Petit enfant.

BAMBOCHADE n. f. (it. *bambocciata*). Petit tableau de mœurs pittoresque, dans le genre de ceux que peignit Van Laer, dit *il Bamboccio.*

BAMBOCHARD, E ou **BAMBOCHEUR, EUSE** adj. et n. *Fam.* et *vx.* Qui aime bambocher.

BAMBOCHE n. f. (de *bambochade*). *Fam.* et *vx.* Petite débauche, ripaille.

BAMBOCHER v. i. *Fam.* Mener une vie faite de bons repas, de parties de plaisir.

BAMBOU n. m. (malais *bambu*). Graminacée ligneuse des pays chauds, dont le chaume atteint jusqu'à 25 m de haut. ‖ Canne faite d'une tige de bambou.

BAMBOULA n. f. *Faire la bamboula* (Fam. et vx), faire la noce.

BAMILÉKÉS, ethnie vivant au sud-ouest du Cameroun.

BĀMIYĀN, v. d'Afghānistān dans la province de Kaboul; 46 000 hab. Situé sur la route des caravanes, cet important centre bouddhique (IIe-Ve s.) a été un véritable trait d'union entre la Chine, l'Inde et l'Occident. Au pied de deux bouddhas gigantesques, plusieurs fondations bouddhistes taillées dans la falaise attestent par leurs décorations peintes les influences du Turkestan chinois (Touen-houang*), de l'Inde* et de la Perse sassanide*.

BAMOUMS, ethnie vivant au Cameroun.

BAN n. m. (mot germ.). Applaudissements rythmés : *un ban pour l'orateur!* ‖ *Féod.* Ensemble des vassaux tenus au service des armes envers un suzerain; convocation de ceux-ci dans ce but. ‖ Proclamation officielle et publique (vx). ‖ Règlement de police rurale : *ban de vendange.* ‖ Sonnerie de clairon ou roulement de tambour commençant ou clôturant une cérémonie militaire. ● *Le ban et l'arrière-ban,* les vassaux et arrière-vassaux; la totalité de ceux qui constituent un ensemble, tout le monde possible. ‖ *Mettre qqn au ban de la société,* le déclarer indigne, le dénoncer au mépris public. ‖ *Rupture de ban,* délit qui consiste, pour un banni ou un interdit de séjour, à retourner sur le territoire dont il est banni; état de rupture avec la société, la famille. ◆ pl. Annonce de mariage publiée à l'église et à la mairie.

BAN n. m. Chef d'un banat hongrois.

BĀṆA, écrivain sanskrit du VIIe s. Poète de la cour de l'empereur Harṣa, dont il dépeint la vie quotidienne et les expéditions *(Harṣacaritam),* il est l'auteur d'un roman d'amour et d'aventures merveilleuses *(Kādambarī).*

BANACH (Stefan), mathématicien polonais (Cracovie 1892 - Lvov, Ukraine, 1945). Il s'est surtout intéressé à la topologie et aux espaces métriques.

BANAL, E, AUX adj. (de *ban*). *Féod.* Qui bénéficiait du droit de banalité.

BANAL, E, ALS adj. (de *ban*). Commun, ordinaire : *un drame banal de la jalousie.*

BANALEMENT adv. De façon banale.

BANALISATION n. f. Action de banaliser.

BANALISER v. t. Rendre banal, courant, commun. ‖ Supprimer les caractères distinctifs : *banaliser un véhicule de la police.* ‖ Équiper une voie ferrée pour l'utiliser à la fois comme voie montante et descendante. ‖ Faire conduire une locomotive par des équipes qui se relaient. ‖ Placer sous le droit commun des bâtiments administratifs, des terrains, etc.

BANALITÉ n. f. Caractère de ce qui est banal, platitude : *la banalité d'un récit; dire des banalités.* ‖ *Féod.* Servitude consistant dans l'usage obligatoire et public d'un objet appartenant au seigneur.

BANANE n. f. (portug. *banana,* empr. au guinéen). Fruit du bananier, riche en amidon. ‖ Butoir de pare-chocs. ‖ *Fam.* Coiffure masculine consistant en un gonflement à la brosse de la mèche frontale dans un mouvement souple d'avant en arrière. ● *Fiche banane* (Électr.), fiche électrique mâle du type le plus léger.

BANANERAIE n. f. Plantation de bananiers.

BANANIER n. m. Plante à feuilles longues (jusqu'à 2 m), entières, qu'on cultive dans les régions chaudes pour ses fruits, ou bananes, groupés en régimes. (Famille des musacées.) ‖ Cargo aménagé pour le transport des bananes.

BANAT n. m. Anc. nom de provinces limitrophes de la Hongrie et de la Turquie.

BANAT, région de l'Europe centrale, dans le Bassin pannonien. Occupé par les Ottomans à partir de 1552, restitué aux Habsbourg en 1718, le Banat est alors peuplé d'immigrants allemands. En 1919, la plus grande partie du Banat est attribuée à la Yougoslavie et à la Roumanie.

BANC n. m. (mot germ.). Siège avec ou sans dossier, étroit et long et qui dans les assemblées ou les tribunaux peut être réservé à certaines personnes. ‖ Établi : *banc de tourneur.* ‖ Amas de matière formant une couche de forme allongée : *banc de rocher, d'argile, de sable.* ‖

Le chevalier de **Bamberg.** Cathédrale de Bamberg. V. 1235.

Candelier-Lauros-Giraudon

Hist. Cour ou conseil d'un souverain. ‖ Mar. et Hydrogr. Élévation du fond de la mer ou d'un cours d'eau. ● Banc d'essai, installation permettant de déterminer les caractéristiques d'une machine à différents régimes; première production d'un écrivain, d'un artiste, ce qui permet d'éprouver les capacités de qqn, de qqch. ‖ Banc de neige, au Canada, amas de neige entassée par le vent. ‖ Banc d'œuvre, autref. dans les églises, banc réservé aux marguilliers. ‖ Banc de poissons, troupe nombreuse de poissons de la même espèce. ‖ Banc de reproduction, appareil photographique de grand format utilisé dans les ateliers de photogravure. ‖ Banc de tour, partie horizontale du tour parallèle, munie de glissières sur lesquelles se déplace le trainard.

BANCABLE adj. Se dit d'un effet de commerce pouvant être réescompté par la Banque de France.

BANCAIRE adj. Relatif à la banque.

BANCAL, E, ALS adj. et n. Se dit de qqn qui boite fortement. ‖ Se dit d'un meuble instable, parce qu'à pieds inégaux. ‖ Qui ne repose pas sur des bases solides : projet bancal.

BANCAL n. m. (pl. bancals). Sabre à lame courbe.

BANCHAGE n. m. Procédé de construction de murs consistant à remplir de béton ou de pisé l'espace compris entre deux banches.

du corps, à maintenir un pansement. ‖ Cercle métallique ou bande de caoutchouc qui entoure la jante d'une roue. ‖ Appareil contenant les hernies.

BANDAGISTE n. Personne qui fait ou vend des bandages.

BANDAMA (la), fl. de la Côte-d'Ivoire, sur lequel a été construit le barrage de Kossou, tributaire du golfe de Guinée; 620 km.

BANDAR → MACHILIPATNAM.

BANDARANAIKE (Solomon), homme politique cinghalais (Colombo 1899 - id. 1959). Fondateur, en 1952, du Parti de la liberté, il devint Premier ministre en 1956 et obtint l'évacuation des bases britanniques de Ceylan (1957). Au lendemain de son assassinat par un moine bouddhiste, son épouse, SIRIMAVO **Bandaranaike** (Balangoda 1916), poursuivit son œuvre; Premier ministre de 1960 à 1965, elle revient au pouvoir en 1970 à la tête d'une coalition de gauche. En 1971, elle doit faire face à une insurrection d'extrême gauche, sévèrement réprimée. Battue en 1977, elle est déchue de ses droits civiques de 1980 à 1985. Candidate à l'élection présidentielle de décembre 1988, elle échoue face à R. Premadasa.

BANDAR SERI BEGAWAN, capit. du sultanat de Brunei, sur la mer de Chine méridionale; 37 000 hab.

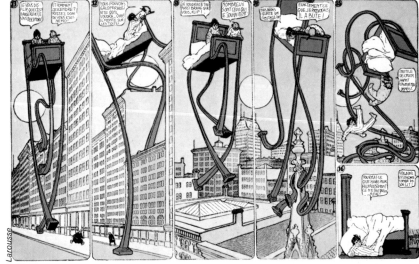

Little Nemo in Slumberland, par Winsor McCay. (Bibliothèque nationale, Paris.)

bambochade : le Départ de l'hôtellerie, par Pieter Van Laar (1599-1642). [Musée du Louvre, Paris.]

bambou

bananier, feuilles et fruits

BANCHE n. f. Panneau de coffrage utilisé pour la construction des murs en béton ou en pisé.

BANCHER v. t. Couler du béton à l'aide de banches. ‖ Mettre en place des banches.

BANCO n. m. (mot it.). Faire banco, à certains jeux, tenir seul l'enjeu contre le banquier.

BANCOULIER n. m. Sorte d'aleurite.

BANC-TITRE n. m. (pl. bancs-titres). Dispositif constitué par une caméra fixe, fonctionnant image par image, et par un plateau perpendiculaire à l'axe de la caméra et sur lequel sont placés les éléments à filmer, tels que les génériques, les sous-titres, etc.; ce procédé.

BANDA (îles), archipel des Moluques (Indonésie), au S. de Céram.

BANDAGE n. m. Action de bander. ‖ Assemblage de bandes servant à protéger une partie

BANDE n. f. (mot francique). Lien plat; lanière étroite qui sert à lier, à maintenir qqch : bande de toile. ‖ Lanière de linge qui sert en chirurgie pour envelopper certaines parties du corps. ‖ Partie longue et étroite d'une surface, qui se distingue du reste de celle-ci : bande colorée. ‖ Ornement plus long que large : bande de velours. ‖ Rebord élastique qui entoure le tapis d'un billard. ‖ Ruban magnétique en matière plastique servant de support pour l'enregistrement des sons au magnétophone, pour l'entrée ou la sortie des données dans les calculateurs électroniques, etc. ‖ Arm. Dispositif d'assemblage de cartouches utilisé pour l'alimentation de certaines armes automatiques. ‖ Hérald. Pièce honorable qui va de l'angle dextre du chef à l'angle senestre de la pointe. ‖ Math. Région d'un plan limitée par deux droites paral-

lèles. ‖ Métall. Produit métallique long, mince et de largeur limitée. ‖ Radio. Ensemble des fréquences comprises entre deux limites : bande réservée à la télévision. ● Bande bimétallique, produit constitué par une bande d'acier doux recouvert d'un alliage non ferreux, déposé par coulée, frittage ou laminage. ‖ Bande dessinée ou B. D., séquence d'images accompagnées d'un texte, relatant une action dont le déroulement temporel s'effectue par bonds successifs d'une image à une autre sans que s'interrompent ni la continuité du récit, ni la présence des personnages. (Enclose dans un espace cerné par un trait, l'image enferme elle-même le texte qui aide à sa compréhension.) ‖ Bandes lombardes (Archit.), dans le premier art roman, jambes faiblement saillantes en répétition sur un mur, réunies à leur sommet par une frise d'arceaux (v. illustr. p. 158). ‖ Bande passante, intervalle de fréquences transmises sans distorsion notable par un filtre, un capteur ou un amplificateur. ‖ Bande perforée, bande de papier dans laquelle les chiffres et des lettres sont enregistrés sous forme de perforations. ‖ Bande publique, terme préconisé par l'Administration pour CITIZEN BAND. ‖ Bande de roulement, partie d'un pneumatique en contact avec le sol. ‖ Bande sonore ou bande-son, partie de la pellicule cinématographique sur laquelle le son est enregistré. ‖ Bande d'usure, partie amovible, rapportée sur une pièce soumise à un frottement pour la préserver de l'usure. ‖ Par la bande (Fam.), indirectement.

■ Bande dessinée. Gratifiée d'origines plus ou moins lointaines (les peintures rupestres, la colonne Trajane, la tapisserie de la reine Mathilde, les enluminures des manuscrits médiévaux, les gravures satiriques anglaises du XVIIIe s.), la bande dessinée ne prend en réalité sa forme et sa fonction que dans sa diffusion de masse par le journal quotidienne ou hebdomadaire d'abord, puis par des supports spécialisés (mensuels, albums, comic-books). Les Histoires en estampes (1846-47) de R. Toepffer, les aventures de Max und Moritz (1865) de Wilhelm Busch, la Famille Fenouillard (1889) de Christophe appartiennent, en fait, à sa préhistoire. Son ère réelle débute avec la lutte que se livrent, au début du siècle, les deux magnats de la presse américaine, J. Pulitzer et W. R. Hearst (65 titres de bandes dessinées entre 1900 et 1904; 165 entre 1905 et 1909), à travers le supplément dominical en couleurs de leurs journaux. Au début simple illustration d'un récit (proche de l'imagerie d'Épinal), la bande dessinée se crée bientôt un espace spécifique : le dessin inclut des taches blanches cernées d'un trait et destinées à recevoir le texte (les « ballons » ou « bulles »). D'abord humoristique (d'où le nom de comics), la bande dessinée traite une grande variété de thèmes, de la contestation enfantine (The Katzenjammer Kids, 1897, de Rudolph Dirks) au domaine du rêve (Little Nemo in Slumberland, 1905, de Winsor McCay) et aux problèmes de la famille (la Famille Illico, 1915, de G. MacManus). Alors que Bud Fisher crée, en 1907, aux États-Unis, la première bande quotidienne (daily strip), l'Europe garde au texte la primauté avec deux bandes d'idéologies diamétralement opposées : Bécassine (1905), de Pinchon et Caumery, et les Pieds Nickelés (1908), de Forton. Cet archaïsme subsistera jusqu'à Zig et Puce (1925) d'Alain Saint-Ogan.

Tandis que certains dessinateurs américains voient dans la bande dessinée, au-delà d'un simple divertissement, un nouveau mode d'expression narrative (Krazy Kat, 1910, de Pat Sullivan), la diffusion s'accroît considérablement par la création d'agences de distribution, les syndi-

Tarzan, créé en 1929 par Hal Foster, repris en 1936 par Burne Hogarth. (Bibliothèque nationale, Paris.)

cates, qui contrôlent financièrement et idéologiquement les dessinateurs (les cartoonists). Ils assurent ainsi le succès parallèle des bandes qui peignent les joies de la famille bourgeoise (family strip) et de celles qui placent l'indispensable part de rêve dans l'aventure policière (Secret Agent X-9), exotique (Jungle Jim) ou d'anticipation (Flash Gordon), trois bandes d'Alex Raymond, tandis que l'héroïsme s'impose dans l'espace avec Tarzan, d'Harold Foster (1929) et Burne Hogarth (1934), et dans le temps avec Prince Valiant (1937).

Mais l'intérêt majeur de la bande dessinée réside dans le fait qu'elle enregistre avec une fidélité remarquable les événements économiques et sociaux contemporains : l'Amérique de la grande dépression et du New Deal se console avec la débrouillardise de Mickey Mouse (1928), la vigueur irrépressible de Popeye (1929) ou les exploits fantastiques de Batman et de Superman (1938). Les héros de bande dessinée combattront contre l'Allemagne ou le Japon avant les G. I. et resteront mobilisés pendant toute la durée de la guerre froide (Malle Call, 1942, et Steve Canyon, 1947, de Milton Caniff). Les Américains cherchent à oublier les bouleversements politiques et culturels de l'après-guerre dans les épisodes mélodramatiques du soap opera (l'« opéra savonneux »), illustré par Stan Drake (The Heart of Juliet Jones, 1953), la crise sociale apparaît d'une part dans les horror comics, rapidement interdits pour leur violence et qui sont à l'origine de législations sévères dans tous les pays du monde (Comics Code américain, loi de 1949 en France, Code Europress Junior de 1966), d'autre part dans les bandes « intellectuelles » (Pogo, 1949, de Walt Kelly; Peanuts, 1950, de Charles Schulz), qu'amplifient le succès du mensuel Mad (2 500 000 exemplaires en 1954) et les publications de l'« underground ». L'Europe connaît, avec un léger retard, une évolution semblable : si Tintin, de Hergé (1929), Spirou, de Rob Vel puis de Franquin, ou Astérix, de Goscinny et

Tintin dans *le Secret de la licorne*, par Hergé.
(Bibliothèque nationale, Paris.)

Froissardey-Atlas-Photo

Bangkok. Vue générale de la ville depuis la Montagne Dorée.

Hubert-Rapho

bandes lombardes
sur le « massif occidental »
(fin Xᵉ - début XIᵉ s.)
de l'église Saint-Philibert à Tournus.

Uderzo, se proposent encore avant tout le divertissement de la jeunesse, la bande dessinée s'adresse à un public adulte avec J.-C. Forest (*Barbarella*, 1962) et devient radicalement contestataire avec l'équipe de *Hara Kiri* (1960) puis, en 1969, de *Charlie-Hebdo* (Reiser, Wolinski, Cabu). Cette évolution du contenu de la bande dessinée s'accompagne de recherches sur le graphisme, qui intègre, dès les années 30, des procédés picturaux et cinématographiques (contre-plongée, gros plans, ellipses) et qui se poursuit aujourd'hui à travers l'organisation d'espaces fantastiques, oniriques (*The Silver Surfer* aux États-Unis; Fred ou Druillet en France) ou fantasmatiques (Marcel Gotlib, Mandryka).

Si l'U.R.S.S. maintient (Congrès international des écrivains pour la jeunesse, 1973) sa condamnation absolue de la bande dessinée, celle-ci n'en apparaît pas moins dans plusieurs publications clandestines et même dans une revue officielle ukrainienne comme le *Poivrier*. Les pays en voie de développement, qui se réclament du socialisme, l'utilisent d'ailleurs, à l'exemple de la Chine (*lianhuanhua* : 20 à 100 pages de format de poche, 1 à 3 images par page accompagnées de légendes; sujets : le passé national ou l'explication d'un objectif fixé par le gouvernement), pour présenter les problèmes économiques et culturels et expliquer la politique gouvernementale à un public vaste et peu cultivé (ainsi à Cuba, en Yougoslavie, en Algérie).

BANDE n. f. (germ. *bandwa*, étendard). Réunion de plusieurs personnes qui vont en groupe ou sont associées dans un dessein quelconque : *une bande d'écoliers; une bande de voleurs.* ● *Faire bande à part* (Fam.), se tenir à l'écart.

BANDE n. f. (prov. *banda*, côté). Mar. Inclinaison que prend un navire sur un bord sous l'effet du vent ou lorsque la cargaison est mal répartie.

BANDE-ANNONCE n. f. (pl. *bandes-annonces*). Extraits d'un film servant à faire sa publicité avant sa présentation.

BANDEAU n. m. Bande pour ceindre le front, la tête, ou pour couvrir les yeux. ‖ *Archit.* Large moulure plate ou bombée. ‖ *Arts graph.* Sorte de frise (texte ou illustration) en tête d'une page. ● *Avoir un bandeau sur les yeux*, être aveuglé par la passion, l'ignorance, etc.

BANDEIRA (Manuel), poète brésilien (Recife 1886 - Rio de Janeiro 1968). Son lyrisme, d'une grande complexité formelle, doit à la simplicité de ses thèmes quotidiens d'avoir touché un public très populaire (*Carnaval*, 1919; *Libertinage*, 1930; *Opus 10*, 1952; *Étoile du soir*, 1958).

BANDELETTE n. f. Petite bande. ‖ Petite moulure plate. (On dit plutôt RÉGLET.)

BANDELLO (Matteo), écrivain italien (Castelnuovo Scrivia v. 1485 - Bassens 1561). Moine, diplomate et courtisan à Ferrare et à Mantoue, il mourra évêque d'Agen. Il est l'auteur de *Nouvelles*, à la manière de Boccace, qui font revivre la société italienne de la Renaissance et que Stendhal admira.

BANDER v. t. Entourer et serrer avec une bande : *bander le bras d'un blessé.* ‖ Couvrir d'un bandeau : *bander les yeux de qqn.* ‖ Raidir en tendant : *bander un arc.* ◆ v. i. *Pop.* Être en érection.

BANDERA n. f. (mot esp.). Compagnie d'infanterie dans l'armée espagnole.

BANDERILLE [bãdrij] n. f. (esp. *banderilla*). Dard orné de rubans que les toreros plantent sur le garrot des taureaux.

BANDERILLERO [banderilero] n. m. Membre d'un quadrille qui plante les banderilles.

BANDEROLE n. f. (it. *banderuola*). Bande d'étoffe, longue et étroite, qu'on attache au haut d'un mât ou d'une hampe.

BANDE-SON n. f. (pl. *bandes-son*). Syn. de BANDE SONORE.

BANDE-VIDÉO n. f. (pl. *bandes-vidéo*). Bande magnétique servant à l'enregistrement des images et éventuellement des sons associés.

BANDINELLI (Baccio), sculpteur italien (Florence 1488 - id. 1560), inspiré par Michel-Ange (*Hercule et Cacus*, place de la Seigneurie, Florence).

BANDIT n. m. (it. *bandito*). Individu qui se livre à des actions criminelles. ‖ Individu malhonnête et sans scrupule.

BANDITISME n. m. Ensemble d'actions criminelles commises dans une région; criminalité.

BANDJERMASSIN → BANJERMASSIN.

BANDOL (83150), comm. du Var, à 19 km à l'O. de Toulon; 6204 hab. Station balnéaire.

BANDONÉON n. m. (du nom de son inventeur, Heinrich *Band*). Petit accordéon hexagonal du XIXᵉ s., utilisé dans les orchestres de tango d'Amérique du Sud.

BANDOULIÈRE n. f. (esp. *bandolera*, de *banda*, écharpe). Bande de cuir ou d'étoffe portée en diagonale sur la poitrine pour soutenir une arme. ● *En bandoulière*, porté en écharpe de l'épaule à la hanche opposée.

BANDUNDU, anc. *Banningville*, v. de l'ouest du Zaïre, ch.-l. de prov.; 74000 hab.

BANDUNG ou **BANDOENG**, v. d'Indonésie dans l'ouest de l'île de Java; 1202000 hab.

Bandung (*conférence afro-asiatique de*), première réunion officielle de vingt-neuf pays asiatiques et africains récemment émancipés (avril 1955). Le racisme et le colonialisme y furent solennellement condamnés.

BANÉR (Johan Gustafsson), général suédois (Djursholm 1596 - Halberstadt 1641). Commandant en chef de l'armée suédoise (1634), il conquiert la Bohême.

BANFF, v. du Canada (Alberta), dans les Rocheuses, à l'O. de Calgary. Centre touristique dans le *parc national de Banff*.

BANG n. m. Bruit violent d'un avion qui franchit la vitesse sonique.

BANGALORE, v. de l'Inde, capit. de l'État de Karnātaka, dans le Deccan; 2912000 hab. Industries textiles et aéronautiques.

BANGE (Charles RAGON DE), officier français (Balignicourt, Aube, 1833 - Le Chesnay 1914). Il mit au point un système de matériels d'artillerie légers et lourds (1877-1881).

BANGKA, île d'Indonésie, à l'E. de Sumatra; 519000 hab. Étain.

BANGKOK, en thaï **Krung Thép** ou **Pra Nakkon**, capit. de la Thaïlande, près de l'embouchure du Ménam Chao Phraya; 4870000 hab. (avec la ville voisine de Thonburi). À 20 km du fond du golfe de Siam, Bangkok est la plus grande métropole de l'Asie du Sud-Est continentale, principal port (exportation de riz et de bois) et cité manufacturière (industries de consommation) de Thaïlande (dont elle est la seule grande ville), escale aérienne et centre touristique internationaux. La ville conserve plusieurs monuments du XVIIIᵉ s., caractérisés par leur richesse et leur raffinement, dont le style rappelle celui d'Ayuthia* (Wat Pra Keo, 1785; Wat Pô, commencé en 1793; palais de Wang Na, 1782, qui abrite le Musée national, etc.).

BANGLADESH (*république du*), État d'Asie correspondant à l'ancien Pākistān oriental; 142776 km²; 101500000 hab. Capit. *Dacca.*
GÉOGRAPHIE. Le pays s'étend sur la majeure partie du delta commun du Gange et du Brahmapoutre. Cette vaste plaine alluviale, très basse, est soumise annuellement, en été, à des inondations lors de la saison des pluies. Les deux fleuves drainent en effet les régions de mousson les plus arrosées du monde. Le total annuel des précipitations dépasse presque partout 2000 mm, alors que les températures moyennes oscillent entre 20 et 30 °C.
Le Bangladesh, à la nature ingrate, est pourtant très fortement peuplé; la densité dépasse 700 habitants au kilomètre carré (chiffre énorme pour un pays presque exclusivement agricole) et s'accroît encore rapidement en raison d'un excédent naturel élevé. Les ressources sont maigres : l'essentiel de la population vit de la culture du riz (15 à 20 Mt), qui sert à l'alimentation, et du jute (1,2 Mt), destiné à l'exportation. Les rares activités industrielles se concentrent à Dacca et Chittagong (travail du jute).
En raison du surpeuplement, la misère est extrêmement préoccupante. Le conflit, qui a abouti à la création de l'État, a ravagé les campagnes. Malgré l'aide étrangère, le pays connaît l'un des plus faibles niveaux de vie du monde et la famine reste menaçante.
HISTOIRE. Sous l'impulsion du mouvement autonomiste dirigé par la ligue Awami, le Bengale*-Oriental s'engage, à partir de mars 1971, dans une véritable guerre civile contre le gouvernement central du Pākistān. Appuyé militairement par l'Inde, ce mouvement aboutit à la création de l'État indépendant du Bangladesh après la victoire de l'Inde* sur le Pākistān* (déc. 1971). Le nouvel État se heurte à des difficultés économiques qu'il ne peut surmonter malgré l'aide apportée par les pays étrangers. Face à l'anarchie politique, le cheikh Mujibur Rahman, leader de la ligue Awami et chef du gouvernement, abolit le système parlementaire et instaure un régime présidentiel appuyé sur un parti unique (janv. 1975). Devenu président de la République, il est renversé en août par un putsch militaire au cours duquel il est tué. Deux nouveaux coups d'État (novembre) témoignent des rivalités qui divisent les forces armées au pouvoir. Le 3 juin 1978, le général Ziaur Rahman est élu chef de l'État. Il trouve la mort au cours d'une tentative de coup d'État (29 mai 1981). Abdus Sattar lui succède, mais est lui-même remplacé, en 1982, à la suite d'un coup d'État militaire, par A. M. Chowdhury puis, en 1983, par le général Ershad.

BANGUI, capit. de la République centrafricaine, sur l'Oubangui; 387000 hab. Port fluvial.

BANGWEULU ou **BANGOUÉLO**, lac marécageux de la Zambie; 5000 km².

BANIAN n. m. (mot tamoul, *marchand*). Membre d'une secte brahmanique. ● *Figuier banian*, ou *banian*, figuier de l'Inde, aux branches portant des racines adventives verticales et retombantes.

BANI SADR (Abol Hassan), homme d'État iranien (Hamadhān 1933). Président de la République islamique d'Iran en février 1980, il est destitué en juin 1981. Il se réfugie en France.

BANIYĀS, port de Syrie, sur la Méditerranée; 11000 hab. Aboutissement d'un pipe-line amenant le pétrole extrait à Kirkūk.

BANJA LUKA, v. de Yougoslavie (Bosnie-Herzégovine), sur le Vrbas (affl. de la Save); 123800 hab.

BANJERMASSIN ou **BANDJERMASSIN**, v. d'Indonésie, dans le sud de Bornéo, près de

M. Viard-Jacana

banian

BANGLADESH

l'embouchure du Barito (dans la mer de Java); 282 000 hab.

BANJO [bɑ̃ʒo *ou* bɑ̃dʒo] n. m. (mot anglo-amér.). Guitare ronde et dont la partie supérieure de la caisse est constituée par une peau tendue.

BANJUL, anc. **Bathurst,** capit. de la Gambie, sur la rive sud de l'estuaire de la Gambie; 45 600 hab.

BANKS, grande île, la plus occidentale, de l'archipel canadien (Territoires du Nord-Ouest).

BANLIEUE n. f. (de *ban,* juridiction, et *lieue*). Ensemble des localités qui environnent une ville et participent à son existence.

BANLIEUSARD, E n. Personne qui habite la banlieue d'une ville.

BANNALEC (29114), ch.-l. de cant. du Finistère, à 15 km au N.-O. de Quimperlé; 5 172 hab. Aux environs, château de Quimerc'h.

Larousse

banjo

BANNE n. f. (lat. *benna*). Panier d'osier. ‖ Toile placée au-dessus d'une devanture pour garantir les marchandises.

BANNERET n. m. (de *ban*). Seigneur qui comptait un nombre suffisant de vassaux pour les conduire à l'armée du suzerain.

BANNETON n. m. Petit panier sans anse dans lequel on fait lever le pain.

BANNETTE n. f. Petite banne d'osier.

BANNI, E adj. et n. Expulsé de sa patrie, proscrit, exilé.

BANNIÈRE n. f. (de *ban*). Étendard d'une église, d'une confrérie. ‖ *Hist.* Enseigne sous laquelle se rangeaient les vassaux d'un seigneur pour aller à la guerre. ● *La croix et la bannière,* le comble des formalités, des difficultés. ‖ *Sous la bannière de qqn,* à ses côtés.

BANNIR v. t. Condamner au bannissement. ‖ *Litt.* Écarter, repousser : *bannir la peur.*

BANNISSEMENT n. m. Peine qui consiste à interdire à un citoyen le séjour dans son pays. (Cette peine est, en France, politique, criminelle, infamante et temporaire [cinq à dix ans]. Elle est tombée en désuétude.)

BANON (04150), ch.-l. de cant. des Alpes-de-Haute-Provence, à 25 km au N.-O. de Forcalquier; 973 hab.

BANQUE n. f. (it. *banca,* table de changeur). Entreprise qui avance des fonds, en reçoit, escompte des effets, prend des participations. ‖ Branche de l'activité économique constituée par de telles entreprises. ‖ À certains jeux, fonds d'argent qu'a devant lui celui qui tient le jeu. ● *Banque d'affaires,* banque dont l'activité principale est, outre l'octroi de crédits, la prise et la gestion de participations dans des entreprises existantes ou en formation. ‖ *Banque de dépôts,* banque dont l'activité principale est d'effectuer des opérations de crédit et de recevoir des dépôts à vue ou à terme, et dont la vocation principale ne consiste pas à investir des sommes importantes dans des entreprises industrielles ou commerciales. ‖ *Banque de données* (Inform.), collection ordonnée d'informations apparentées, traitées par ordinateur, mémorisées, qui peuvent être interrogées à distance et en ligne. ‖ *Banque d'émission,* banque dotée du privilège d'émission des billets de banque. ‖ *Banque du sang, des yeux, d'organes, du sperme,* service public ou privé destiné à recueillir, à conserver et à distribuer aux patients du sang, des cornées nécessaires aux greffes oculaires, etc. ‖ *Faire sauter la banque,* gagner tout l'argent que le banquier a mis en jeu.

■ D'une façon générale, le *prêt* ou *crédit bancaire* est l'objet essentiel du commerce de banque. On peut distinguer les crédits bancaires en fonction de leur durée : *crédit à court terme* (dont la limite se situe à 2 ans), *crédit à moyen terme* (de 2 à 7 ans) et *crédit à long terme* (au-delà de 7 ans).

Les banques interviennent également dans le placement des emprunts de l'État et des collectivités publiques ainsi que dans celui des valeurs mobilières, émises pour le compte des sociétés industrielles et commerciales. Elles apportent leur aide à la vie financière des sociétés, que ce soit pour la formation du capital, l'introduction en Bourse, les augmentations de capital, le placement des obligations, les rapprochements d'entreprises, le service financier des sociétés (paiement des coupons, remboursement des titres amortis), etc.

Dans le cadre des nationalisations décidées par le second gouvernement Mauroy, la loi du 11 février 1982 a transféré à l'État la propriété du capital des principales banques jusqu'alors demeurées privées dans le but d'assurer aux pouvoirs publics une meilleure maîtrise du crédit et de sa distribution aux différents partenaires de l'économie. La loi du 24 janvier 1984 a, par ailleurs, modifié en profondeur le système bancaire, en établissant un cadre juridique unique pour l'ensemble des établissements de crédit. Les lois du 2 juillet et du 6 août 1986 fixent le retour au secteur privé (au plus tard le 1er mars 1991) de 38 établissements bancaires et de 4 compagnies financières.

Banque de France, établissement fondé le 24 pluviôse an VIII (13 février 1800). La Banque de France reçut, à l'origine, le privilège d'émission; elle était dotée d'un gouverneur nommé par l'État (assisté de deux sous-gouverneurs), qui avait un droit de veto sur les décisions du *Conseil de régence,* dont la nomination était assumée par l'assemblée générale des 200 plus forts actionnaires. Une réforme du 24 juillet 1936 fait entrer au *Conseil général* (remplaçant le Conseil de régence) 11 représentants de l'État, et la loi du 2 décembre 1945 nationalise la Banque en transférant les actions à l'État sans toucher fondamentalement au régime antérieur.

La Banque de France a le monopole de l'émission des billets. Opérant sur le marché de l'or et sur celui des devises, elle assure la stabilité des cours du franc. Elle tient le compte courant du Trésor et peut accorder des avances à l'État, à condition que celles-ci soient entérinées par le Parlement. Assurant le refinancement des banques, avant 1971 par le mécanisme du réescompte, elle s'est, depuis cette date, dégagée de ce rôle laissé au marché monétaire, son action se réduisant à la régularisation des taux pratiqués sur ce marché.

Banque internationale pour la reconstruction et le développement (B. I. R. D.), banque essentiellement vouée à des prêts à long terme aux pays en voie de développement. Ses ressources proviennent de son capital apporté par les pays membres, et des emprunts qu'elle émet par ailleurs. L'A. I. D. (Association internationale de développement) et la S. F. I. (Société financière internationale) lui sont associées, la première étant spécialisée dans les prêts aux pays les plus pauvres. L'ensemble de ces trois institutions constitue la Banque mondiale.

BANQUER v. i. *Pop.* Payer.

BANQUEROUTE n. f. (it. *banca rotta,* banc rompu, allusion au vieil usage de rompre le banc, ou comptoir, du banqueroutier). Délit pénal commis par un commerçant, un artisan, ou le dirigeant d'une entreprise privée, qui, à la suite d'agissements irréguliers ou frauduleux, se trouve en état de cessation de paiements. ‖ Échec total d'une entreprise : *la banqueroute d'un parti, d'une politique.* ● *Banqueroute publique,* suspension des paiements d'un État aux porteurs de rente.

BANQUEROUTIER, ÈRE n. Personne qui fait banqueroute.

BANQUET n. m. (it. *banchetto,* petit banc). Grand repas; festin solennel : *donner un banquet d'adieu.*

BANQUETER v. i. (conj. **4**). Prendre part à un banquet. ‖ Faire bonne chère.

BANQUETEUR n. m. Celui qui banquette.

BANQUETTE n. f. (languedocien *banqueta*). Banc rembourré, avec ou sans dossier. ‖ Siège des compartiments de chemin de fer. ‖ Siège d'un seul tenant, occupant toute la largeur d'une voiture automobile. ‖ Épaulement conservé dans les talus des tranchées ou des remblais pour leur donner plus de stabilité. ‖ Chemin pratiqué sur le talus d'une voie ferrée, d'un canal. ‖ *Archit.* Banc de pierre dans l'embrasure d'une fenêtre. ● *Banquette irlandaise,* talus gazonné servant d'obstacle dans les courses de chevaux. ‖ *Banquette de tir,* partie surélevée du sol d'une tranchée, permettant de tirer pardessus le parapet. ‖ *Jouer devant les banquettes,* jouer devant une salle de spectacle à peu près vide.

BANQUIER n. m. Personne qui dirige une banque. ‖ *Jeux.* Personne qui tient le jeu contre tous les autres joueurs.

BANQUISE n. f. (scand. *pakis*). Croûte de glace qui se forme dans les régions polaires par congélation de l'eau de mer.

BANQUISTE n. m. Bateleur, charlatan (vx).

BANQUO, gouverneur sous Duncan, roi d'Écosse (XIe s.). L'un des personnages de *Macbeth* de Shakespeare.

BANSKÁ BYSTRICA, v. de Tchécoslovaquie, ch.-l. de la Slovaquie-Centrale; 66 500 hab.

BANTING (sir Frederick GRANT), médecin canadien (Alliston, Ontario, 1891 - Musgrave Harbor 1941). Il isola l'insuline avec Macleod, Best et Collip. (Prix Nobel de médecine, 1923.)

BANTOU n. m. Ensemble de langues négro-africaines, fortement apparentées et parlées dans toute la moitié sud du continent africain.

BANTOU, E adj. Relatif aux Bantous.

BANTOUS, ensemble de populations de l'Afrique, au sud de l'Équateur, parlant des langues bantoues.

BANTOUSTAN n. m. Nom donné, en Afrique du Sud, à chacun des « foyers nationaux » attribués à la population noire.

BANTRY BAY, baie du sud-ouest de l'Irlande. Port pétrolier sur l'île Whiddy.

BANVILLE (Théodore DE), poète français (Moulins 1823 - Paris 1891). Prônant à la fois l'abandon à la fantaisie et le style, il pouvait, disait Baudelaire, enseigner à devenir poète en vingt-cinq leçons. C'est un des maîtres de l'école du Parnasse* (*Odes funambulesques,* 1857).

BANVIN n. m. (de *ban* et *vin*). *Féod.* Avis public par lequel le seigneur autorisait la vente du vin dans sa seigneurie. ‖ Droit qu'avait un seigneur de vendre son vin avant tous ses vassaux jusqu'à une certaine époque de l'année.

BANYULS-SUR-MER (66650), comm. des Pyrénées-Orientales, sur la côte des Albères; 4 250 hab. *(Banyulencs* ou *Bagnolais).* Monument aux morts par Maillol. Vins. Station balnéaire.

BANZER SUÁREZ (Hugo), homme politique bolivien (Santa Cruz 1921). Président de la République de 1971 à 1978, il s'appuya sur l'armée.

baobab

Champroux-Jacana

BAOBAB n. m. (mot ar.). Arbre des régions tropicales (Afrique, Australie), à tronc énorme (jusqu'à 20 m de circonférence). [Famille des bombacacées.]

BAO DAÏ (Hué 1913), empereur d'Annam (1925-1955). Fils de Khaï Dinh, il prend le pouvoir en 1932, mais le laisse en fait entre les mains des Français. Sa passivité face à la puissance colonisatrice explique son impopularité grandissante et sa déposition en 1955.

BAOULÉS, ethnie habitant la Côte-d'Ivoire.

BAPAUME (62450), ch.-l. de cant. du Pas-de-Calais, à 22 km au S. d'Arras, à la terminaison sud-est des collines de l'Artois; 4 085 hab. *(Bapalmois).*

BAPTÊME [batɛm] n. m. (gr. *baptizein,* immerger). Le premier des sacrements des Églises chrétiennes, celui qui constitue le signe juridique et sacral de l'appartenance à l'Église. ● *Baptême de l'air,* premier vol que l'on fait en avion. ‖ *Baptême d'une cloche, d'un navire,* etc., nom donné à certaines cérémonies et inaugurations solennelles. ‖ *Baptême de la ligne* ou *des tropiques,* coutume burlesque dont est victime une personne qui passe sous l'un des tropiques ou sous l'équateur pour la première fois. (Sur les navires, elle consiste à l'inonder d'eau de mer.) ‖ *Nom de baptême,* prénom qu'on reçoit au moment du baptême. ‖ *Recevoir le baptême du feu,* participer pour la première fois à un combat.

BAPTISÉ, E n. Personne qui a reçu le baptême.

BAPTISER [batize] v. t. (gr. *baptizein,* immerger). Conférer le baptême par l'eau (immersion ou ablution). ‖ Donner un nom de baptême : *baptiser un enfant du nom de Jacques.* ● *Baptiser du vin, du lait* (Fam.), y mettre de l'eau.

BAPTISMAL, E, AUX [batismal, o] adj. Relatif au baptême : *fonts baptismaux.*

BAPTISME [batism] n. m. Église protestante fondée au XVIIe s. par un pasteur anglais et caractérisée par son attachement à la lettre de la Bible et par son esprit missionnaire.

BAPTISTAIRE [batistɛr] adj. et n. m. Se dit d'un acte qui constate le baptême.

BAPTISTE [batist] adj. et n. Relatif au baptisme; adepte du baptisme.

BAPTISTÈRE [batistɛr] n. m. Bâtiment ou annexe d'une église destinés à l'administration du baptême.

BAQUEIRA-BERET (La), station de sports d'hiver (alt. 1 520-2 470 m) des Pyrénées espagnoles (prov. de Lerida), à l'E. de Viella.

BAQUET n. m. (de *bac*). Petit cuvier de bois. ‖ Siège bas et enveloppant d'une voiture de sport.

BAQUETURES n. f. pl. Vin qui tombe d'un tonneau en perce dans le baquet placé sous le robinet.

BAR n. m. (néerl. *baers*). Poisson marin, voisin de la perche, à chair estimée. (Long. 0,50 à 1 m; famille des percidés; autre nom : *loup.*)

BAR n. m. (angl. *bar,* barre). Débit de boissons où l'on consomme presque toujours debout ou assis sur de hauts tabourets devant un comptoir. ‖ Comptoir où l'on sert à boire.

BAR n. m. (gr. *baros,* pesanteur). Unité de mesure de pression (symb. : bar), utilisée en météorologie et pour mesurer les pressions de fluides, et valant 10^5 pascals.

BAR, port de Yougoslavie (Monténégro), sur l'Adriatique; 10 000 hab. Centre touristique.

BAR *(comté de)* → BARROIS.

Bar *(Confédération de),* union formée en 1768 à Bar (Podolie), par des patriotes polonais, en vue de lutter contre la mainmise de la Russie sur la Pologne. Minée par les rivalités personnelles, elle ne put empêcher le premier partage du pays en 1772.

BARABBAS, émeutier et détenu, dont les chefs juifs, selon les Évangiles, réclamèrent la libération au lieu de Jésus, lors du procès de ce dernier par Ponce Pilate.

Bārābudur, grand temple bouddhique de Java central, caractéristique de la phase « Java central » de l'art de l'Indonésie* et dont la construction s'achève vers le IXe s. Chacune des quatre galeries de cet immense sanctuaire à étagement pyramidal est décorée de bas-reliefs d'une harmonieuse beauté, évoquant la vie du Bouddha, tandis que l'ensemble de l'édifice recèle un symbolisme cosmique très complexe illustrant les concepts du mahāyāna (v. BOUDDHISME) tardif. Il a été restauré sous l'égide de l'Unesco et du gouvernement indonésien de 1968 à 1983. (V. ill. p. 160.)

BARACALDO, v. d'Espagne (Biscaye), à l'O. de Bilbao; 118 600 hab. Métallurgie. Chimie.

BARAGOUIN n. m. (breton *bara,* pain, et *gwin,* vin). *Fam.* Langage incompréhensible, charabia.

BARAGOUINAGE n. m. *Fam.* Manière de parler embrouillée, difficile à comprendre.

BARAGOUINER v. t. et i. *Fam.* Parler mal une langue : *baragouiner le français.* ‖ Bredouiller : *baragouiner un discours.*

Bārābudur, dans l'île de Java. IXᵉ s.

L. Frédéric-Rapho

BARAGOUINEUR, EUSE n. *Fam.* Personne qui baragouine.

BARAGUEY-D'HILLIERS (Achille), maréchal de France (Paris 1795 - Amélie-les-Bains 1878). En 1849, il se rallia au futur Napoléon III, qui le mit à la tête de l'armée de Paris et le nomma maréchal après qu'il eut pris la forteresse russe de Bomarsund (île d'Åland) au début de la guerre de Crimée (1854).

BARAKA n. f. (mot ar., *bénédiction*). *Fam.* Chance.

BARANAGAR, v. de l'Inde (Bengale-Occi-dental), dans la banlieue de Calcutta; 137 000 hab.

BARANOVITCHI, v. d'U.R.S.S., en Biélorussie, au S.-O. de Minsk; 131 000 hab. Nœud ferroviaire et centre industriel.

BÁRÁNY (Robert), médecin et physiologiste autrichien (Vienne 1876 - Uppsala 1936), prix Nobel de médecine en 1914 pour ses travaux sur le nystagmus vestibulaire.

BARAQUE n. f. (esp. *barraca*). Local en planches. ‖ Maison en mauvais état, peu solide ou peu confortable.

BARAQUÉ, E adj. *Pop.* De forte carrure.

BARAQUEMENT n. m. Ensemble de constructions provisoires destinées à abriter des soldats, des réfugiés, etc.

BARAQUER v. i. S'accroupir, en parlant du chameau.

BARAQUEVILLE (12160), ch.-l. du cant. de *Baraqueville-Sauveterre*, à 19 km au S.-O. de Rodez, dans l'Aveyron; 2 225 hab.

BARATERIE n. f. Préjudice volontaire causé aux armateurs, aux chargeurs ou aux assureurs d'un navire par le patron ou une personne de l'équipage.

BARATIER (Augustin), général français (Belfort 1864 - sur le front de Reims 1917). Il participa à plusieurs expéditions en Afrique noire, puis à la mission Marchand au Congo (1896).

BARATIERI (Oreste) → ÉTHIOPIE (*campagne d'*) [1896].

BARATIN n. m. *Pop.* Boniment; bavardage intarissable.

BARATINER v. i. et v. t. *Pop.* Raconter des boniments.

BARATINEUR, EUSE adj. et n. *Pop.* Qui sait baratiner.

BARATTAGE n. m. Brassage de la crème du lait pour obtenir du beurre.

BARATTE n. f. (anc. fr. *barate*, agitation). Appareil avec lequel on fait le beurre.

BARATTER v. t. Agiter la crème dans la baratte pour faire du beurre.

BARBACANE n. f. (ar. *barbakkaneh*). *Archit.* Baie étroite donnant de l'air ou du jour à un local; ouverture étroite et verticale ménagée dans la maçonnerie d'un ouvrage d'art pour faciliter l'écoulement des eaux d'infiltration. (Syn. CHANTEPLEURE.) ‖ *Fortif.* Meurtrière pour tirer à couvert; ouvrage assurant la défense extérieure d'une porte ou d'un pont.

BARBADE (la), État membre du Commonwealth, une des Petites Antilles, au S.-E. de la Martinique; 431 km²; 253 000 hab. Capit. *Bridgetown*. C'est l'un des plus petits États indépendants du monde, à la limite du surpeuplement et dont l'économie agricole (en dehors du tourisme) repose sur la canne à sucre.

BARBANÈGRE (Joseph) → HUNINGUE.

BARBANT, E adj. *Fam.* Ennuyeux.

BARBAQUE n. f. (roumain *berbec*, mouton). *Pop.* Viande, le plus souvent de mauvaise qualité.

BARBARE adj. et n. (gr. *barbaros*, étranger). Contraire à l'usage ou au goût, incorrect : *terme barbare*. ‖ Cruel, inhumain : *coutume barbare*. ‖ Nom donné par les Grecs et les Romains aux peuples qui n'appartenaient pas à la civilisation gréco-romaine.

■ Les *peuples barbares* sont essentiellement des Germains* : sur les rives de la mer du Nord vivent les Jutes, les Angles, les Saxons, les Frisons; plus au sud les Francs*, fixés sur le cours inférieur du Rhin, et les Alamans; derrière eux, les Burgondes et les Vandales* (sur le Danube moyen), voisins des Suèves*, localisés sur l'Oder, où ils jouxtent les Lombards*. Les Goths* sont divisés en deux groupes politico-militaires : les Wisigoths* (entre Dniepr et bas Danube) et les Ostrogoths* (entre Volga et Dniepr), soumis à la pression des peuples iraniens, notamment Sarmates* et Alains, qui nomadisent entre l'Oural et le Don. Forts de leurs associations familiales et tribales, ces peuples ne connaissent en revanche ni État ni cité, et leur croissance démographique les condamne à la famine sur des terres peu fertiles. Aussi cherchent-ils à pénétrer dans l'Empire romain, dont ils convoitent les richesses. Rome, prenant conscience du danger germain, organise solidement ses frontières naturelles (Rhin-Danube), qu'elle couvre d'une ligne fortifiée, le *limes*. Les Romains réussissent difficilement à refouler la série d'invasions du IIIᵉ s. La lutte fait apparaître l'insuffisance de l'armée romaine. Le recrutement national étant faible, les empereurs font alors appel à des mercenaires barbares, souvent encadrés par des généraux germains romanisés (Arbogast*), et en viennent même à confier la défense des frontières à des peuples barbares : liés à Rome par un traité *(foedus)*, ceux-ci occupent des terres romaines et fournissent des contingents de soldats (fédérés). Ainsi, lorsque l'empereur Valens* accepta que 200 000 Wisigoths, fuyant devant les Huns*, s'installassent en Thrace (376), il pensait les utiliser comme soldats et comme paysans. Mais, en agissant ainsi, il ouvrait l'ère des «grandes invasions barbares» :
— 378 : victoire des Goths à Andrinople, où Valens est tué;
— 382 : les Wisigoths sont installés par Théodose* entre les Balkans et le Danube;
— 406-443 : Vandales, Suèves et Alains franchissent le Rhin (406), suivis par les Burgondes, qui s'installent entre Worms et Spire (413), et les Alamans, en Alsace. Suèves, Vandales et Alains passent en Espagne (409). Geiséric* mène les Vandales en Afrique (429); les Suèves sont rejetés dans l'Espagne du Nord-Ouest, et les Burgondes sont établis en Savoie (443];
— 410 : sac de Rome par Alaric*;
— 413 : les Wisigoths envahissent la Narbonnaise et l'Aquitaine;
— 450-500 : invasion des Angles, des Jutes et des Saxons en Bretagne;
— 451-453 : les Huns d'Attila* envahissent la Gaule du Nord. Battus à la bataille dite «des champs Catalauniques*», ils ravagent l'Italie du Nord;
— 486-534 : Clovis* et ses fils sont maîtres de la Gaule après les victoires remportées sur le «roi des Romains» Syagrius (Soissons, 486), les Alamans (v. 496), les Wisigoths (Vouillé, 507), les Francs de Cologne (v. 509) et les Burgondes (534];
— 488 : les Ostrogoths passent en Italie : Théodoric Iᵉʳ* étend son royaume à l'Italie du Sud, à la Pannonie et à la Provence;
— 568 : les Avars, peuple d'origine turque, pénètrent en Europe et forcent les Lombards à quitter la Pannonie pour l'Italie.

En ce début du VIᵉ s., l'Empire romain d'Occident a disparu. Un monde gothique, mérovingien, lombard a pris la succession de la Gaule, de l'Espagne et de l'Italie romaines.

barbare en Asie (Un), récit d'Henri Michaux (1933). Une condamnation de l'Europe, à travers la découverte de la religiosité hindoue, du génie esthétique chinois, de la beauté plastique malaise.

LES INVASIONS BARBARES

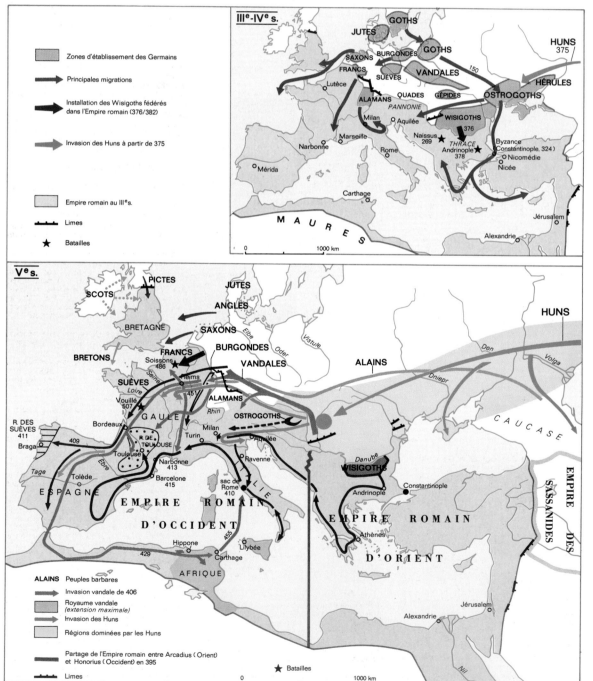

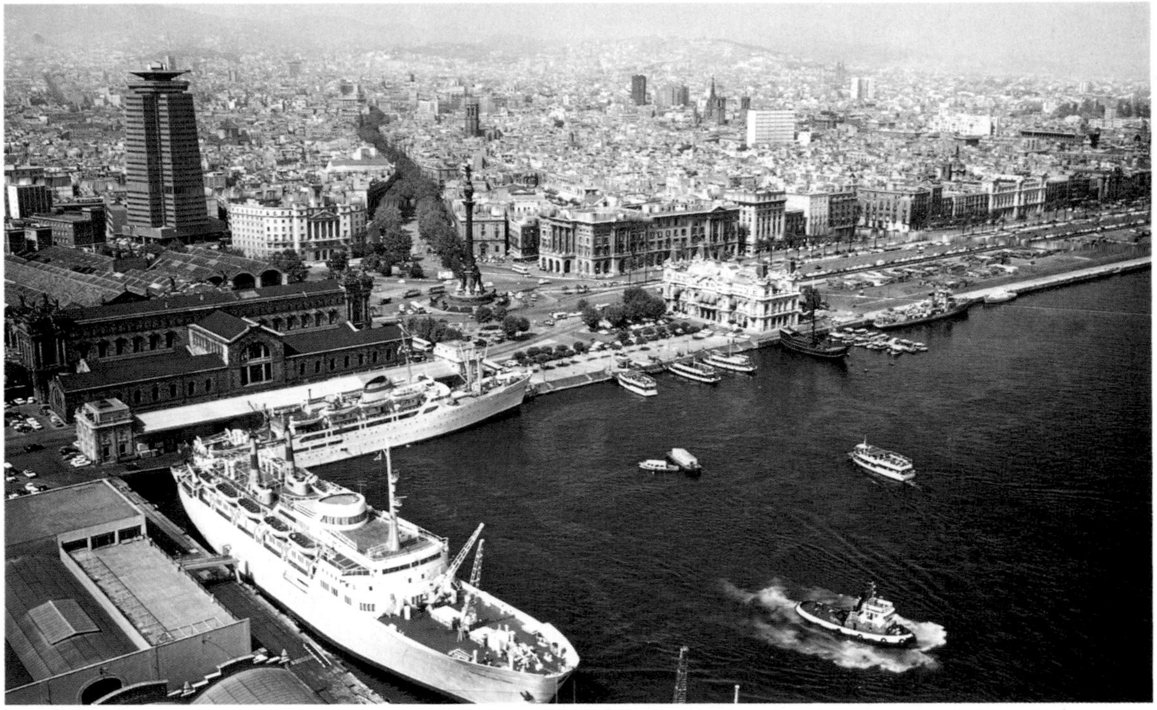

P. Tétrel

Barcelone. Au premier plan, près du port, la place de la Paix et le monument de Christophe Colomb.

BARBARESQUE adj. et n. (it. *barbaresco*). Relatif aux peuples de l'ancienne Barbarie (Afrique du Nord).

BARBARIE n. f. Manque de civilisation, cruauté, férocité : *la guerre est une barbarie.*

BARBARIE ou **ÉTATS BARBARESQUES,** nom donné jadis au Nord-Ouest africain (Maroc, Algérie, Tunisie, régence de Tripoli), et plus spécialement aux États maritimes qui se développèrent sur ses côtes.

BARBARISME n. m. Faute qui consiste à employer des mots inexistants ou déformés.

BARBAZAN (31510), ch.-l. de cant. de la Haute-Garonne, à 14 km au S.-O. de Saint-Gaudens; 386 hab. Station thermale.

BARBE n. f. (lat. *barba*). Poil du menton et des joues. ‖ Longs poils que certains animaux ont sous la mâchoire. ‖ Pointe des épis de céréales. ‖ Bavure sur les bords d'un objet, d'une découpure. ‖ Filets qui tiennent au tuyau des plumes. ‖ *Pop.* Ennui : *quelle barbe!* • *À la barbe de qqn,* en sa présence et en dépit de lui. ‖ *Barbe à papa,* confiserie faite de filaments de sucre enroulés sur un bâtonnet. ‖ *Parler dans sa barbe,* parler bas. ‖ *Rire dans sa barbe,* pour soi-même. ◆ interj. *La barbe!* (Pop.), exclamation pour signifier que qqn ou qqch vous importune.

BARBE adj. et n. m. (it. *barbero*). Se dit d'un cheval de selle originaire de l'Afrique du Nord (Barbarie), très répandu au Maroc.

BARBE *(sainte),* martyre. L'histoire de cette sainte, patronne des artificiers, des artilleurs, des mineurs et des carriers, relève de la légende.

BARBEAU n. m. (lat. *barba,* barbe [à cause de la présence de quatre barbillons à la lèvre supérieure de ce poisson]). Poisson d'eau douce de la famille des cyprinidés, dont la chair est estimée, mais dont les œufs peuvent être toxiques. (L'espèce la plus connue en France atteint 50 cm.) ‖ *Bot.* Bleuet. ‖ *Pop.* Souteneur. ◆ adj. inv. *Bleu barbeau,* bleu clair.

Barbe-Bleue *(la),* conte de Perrault. Le personnage du mari sanguinaire, meurtrier de six épouses et qui tombe sous les coups des frères de la septième, a été rapproché de nombreuses figures historiques ou folkloriques : le roi Komor de la légende bretonne de sainte Trophime, Gilles de Rais, compagnon de Jeanne d'Arc et brûlé pour crimes de sorcellerie, etc. Plus profondément, le récit de Perrault exprimerait à la fois la fatalité destructrice de l'amour perpétuellement déçu et l'idée que la connaissance du secret profond de la destinée humaine ne se paie que du prix de la mort.

BARBECUE [barbǝkju] n. m. (mot anglo-amér., de l'esp. *barbacoa,* d'orig. indienne). Appareil

J. Six

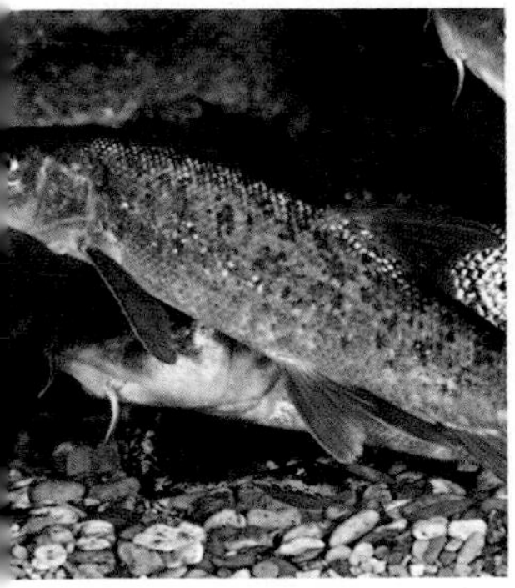

barbeaux

J. Six

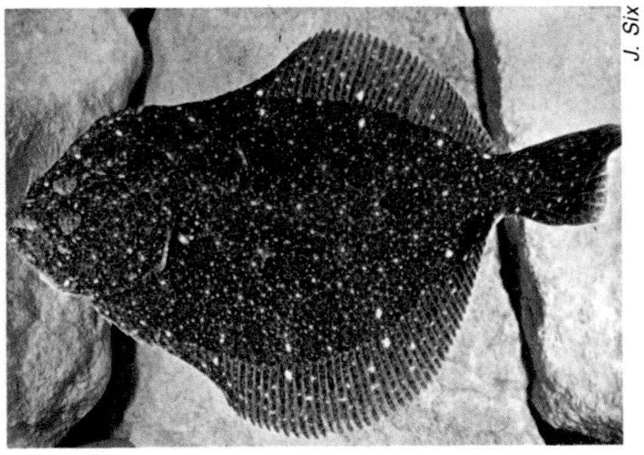

barbue

de cuisson à l'air libre, fonctionnant au charbon de bois, pour griller la viande ou le poisson.

BARBE-DE-CAPUCIN n. f. (pl. *barbes-de-capucin*). Chicorée sauvage amère, qu'on mange en salade.

BARBELÉ, E adj. (de *barbe*). Garni de dents et de pointes : *une flèche barbelée.* • *Fil de fer barbelé,* ou *barbelé* n. m., fil de fer muni de pointes et utilisé comme clôture ou comme moyen de défense.

BARBELURE n. f. État de ce qui est barbelé.

BARBER v. t. *Fam.* Ennuyer.

BARBERINI, famille romaine d'origine florentine, dont la plupart des représentants furent des gens de l'Église, tel le pape Urbain VIII*. Les Barberini étaient de grands mécènes : leur palais, construit en 1630 à Rome sur un projet du Bernin, fut un foyer artistique et un magnifique musée. En politique, leur objectif était d'être les instruments du Saint-Siège pour dominer l'Italie. Cette famille s'éteignit en 1736; ses biens passèrent alors aux Colonna*.

BARBEROUSSE (Khayr al-Dīn, dit), corsaire turc († 1546). Maître d'Alger, il fait hommage de sa conquête à Selim Ier (1518), qui lui confère le titre de *beylerbey.* Nommé grand-amiral de la flotte ottomane (1533), il poursuit la lutte contre Charles Quint (Tunis, 1534-1535; Alger, 1541).

BARBEROUSSE → FRÉDÉRIC Ier.

BARBÈS (Armand), homme politique français (Pointe-à-Pitre, 1809 - La Haye 1870). Révolutionnaire agissant durant la monarchie de Juillet, il est représentant du peuple en avril 1848. Sa participation à la journée insurrectionnelle du 15 mai 1848 brise net sa carrière. Il meurt en exil.

BARBET n. m. Jadis, vaudois du Piémont, puis protestant des Cévennes.

BARBET, ETTE adj. et n. (de *barbe*). Griffon à poil long et frisé, d'un blanc sale ou taché de brun.

BARBETTE n. f. (de *barbe*). Sorte de guimpe qui recouvrait, au Moyen Âge, la poitrine et le cou des religieuses, et le cou des femmes. ‖ *Fortif.* Plate-forme élevée permettant le tir des canons par-dessus le parapet. ‖ *Mil.* L'arme du génie (fam.). ◆ adj. *Tourelle barbette,* tourelle à ciel ouvert d'un cuirassé du XIXe s.

BARBEY D'AUREVILLY (Jules), écrivain français (Saint-Sauveur-le-Vicomte 1808 - Paris 1889). Par son élégance de dandy, ses articles féroces, ses duels, il se composa un personnage de « connétable des lettres », avant de professer un catholicisme intransigeant. Ses romans (*Une vieille maîtresse,* 1851; *le Chevalier Des Touches,* 1864; *Un prêtre marié,* 1865) et ses nouvelles (*les Diaboliques* *, 1874) dessinent un univers mélodramatique et démoniaque où la fascination de Satan parait le meilleur chemin de la découverte de Dieu : par là, il a exercé une profonde influence sur Léon Bloy et Bernanos.

BARBEZIEUX-SAINT-HILAIRE (16300), ch.-l. de cant. de la Charente, à 35 km au S.-O. d'Angoulême; 5 404 hab. *(Barbeziliens).* Église remontant au XIe s. Restes du château du XVe s. (musée). Industries alimentaires.

BARBICHE n. f. Touffe de barbe au menton.

BARBICHETTE n. f. Petite barbiche.

BARBICHU, E adj. et n. Qui porte une barbiche.

BARBIER n. m. Celui dont la profession était de faire la barbe.

Barbier de Séville *(le) ou la Précaution inutile,* comédie en quatre actes et en prose de Beaumarchais (1775). Sur le thème traditionnel du barbon trompé, et après plusieurs tentatives inédites *(le Sacristain)* inspirées d'un « intermède » espagnol, une comédie réaliste qui mêle le rythme de la parade* à la peinture de mœurs du « drame bourgeois ». — D'après cette comédie, G. Rossini a écrit un opéra bouffe en deux actes sur un livret de C. Sterbini, créé à Rome en 1816. Associant l'esprit français à la verve italienne, il réussit là un chef-d'œuvre de gaieté, tant dans le récitatif preste que dans les airs, où domine le bel canto.

BARBILLON n. m. Syn. de BARBEAU, ou petit barbeau. ‖ Filament olfactif ou gustatif placé de chaque côté de la bouche, chez certains poissons. ‖ Repli de la peau de chaque côté du frein de la langue, chez le bœuf et le cheval.

BARBITURIQUE adj. et n. m. Se dit d'un radical chimique (la malonylurée) qui est à la base de nombreux hypnotiques et sédatifs du système nerveux. ‖ Médicament comportant ce radical, et utilisé dans le traitement de l'insomnie et de l'épilepsie.

BARBITUROMANIE n. f. Toxicomanie aux barbituriques.

Barbizon *(école de),* nom donné à un groupe de peintres qui, à partir de 1830, avec Corot* et T. Rousseau* pour guides, réintroduisirent plus de naturel dans la peinture de paysage. Rousseau s'installa en 1835 à Barbizon, dans la forêt de Fontainebleau, où Millet* le rejoignit en 1849 et où l'on vit se fixer tour à tour Narcisse Diaz de la Peña (1807-1878), dont l'œuvre est faite pour une large part de sujets d'inspiration romantique et orientale, précieux de matière et de couleur, Constant Troyon (1810-1865), qui s'inspira des Hollandais pour introduire des animaux dans ses sujets champêtres, d'une belle vigueur, et Charles Jacque (1813-1894), graveur puis peintre de scènes agrestes. P. Huet*, J. Dupré*, C. F. Daubigny* ont également fait évoluer l'art paysagiste dans l'esprit de Barbizon.

BARBON n. m. (it. *barbone,* grande barbe). *Litt.* Homme d'un âge plus que mûr.

BARBOTAGE n. m. Action de barboter dans l'eau. ‖ *Chim.* Passage d'un gaz à travers un liquide. ‖ *Pop.* Vol.

BARBOTAN-LES-THERMES (32150 Cazaubon), localité du Gers (comm. de Cazaubon), à 20 km au N.-O. d'Eauze. Station thermale spécialisée dans le traitement des troubles circulatoires et des arthroses.

BARBOTE ou **BARBOTTE** n. f. Nom usuel de la *loche* (poisson).

BARBOTER v. i. (de *bourbe*). S'agiter dans l'eau ou la boue : *les canards barbotent.* ‖ *Chim.* Traverser un liquide, en parlant d'un gaz. ◆ v. t. Pop. Voler.

BARBOTEUR, EUSE n. Personne qui barbote.

BARBOTEUSE n. f. Vêtement d'enfant d'une seule pièce formant culotte.

BARBOTIN n. m. Couronne en acier sur laquelle les maillons d'une chaîne viennent s'engrener. ‖ Roue dentée reliée au moteur et entraînant la chenille d'un véhicule tout terrain.

BARBOTINE n. f. (de *barboter*). Argile délayée de même composition que la céramique de base, utilisée pour les raccords et les décors, ou pour les pièces obtenues par coulage. ‖ Mortier gâché fluide, à volume égal de sable et de ciment.

BARBOUILLAGE ou **BARBOUILLIS** n. m. Action d'appliquer grossièrement une peinture. ‖ Écriture illisible.

BARBOUILLER v. t. (onomat.). Salir, tacher : *barbouiller ses cahiers, ses livres.* ‖ Peindre grossièrement : *barbouiller un mur.* • *Avoir l'estomac barbouillé,* avoir mal au cœur, avoir mal digéré. ‖ *Barbouiller du papier* (Fam.), mal écrire.

BARBOUILLEUR, EUSE n. Personne qui barbouille.

BARBOUZE n. m. ou f. *Pop.* Policier appartenant à un service secret.

BARBU, E adj. et n. Qui a de la barbe.

BARBUDA → ANTIGUA ET BARBUDA.

BARBUE n. f. (de *barbu*). Poisson marin voisin du turbot, à chair estimée, atteignant 70 cm de longueur.

BARBUSSE (Henri), écrivain français (Asnières 1873 - Moscou 1935). Prix Goncourt en 1916 pour un roman, *le Feu,* qui, en réaction contre les peintures conventionnelles et cocardières, apportait le premier vrai témoignage sur la vie du soldat, il tenta après la guerre, à la direction littéraire de *l'Humanité* et de la revue *Monde,* de susciter l'apparition d'une littérature prolétarienne en France.

BARCARÈS (Le) [66420], comm. des Pyrénées-Orientales, à 18 km au N.-E. de Perpignan; 2 221 hab. Station balnéaire.

BARCAROLLE n. f. (it. *barcarolo,* gondolier). Chanson de batelier, surtout de batelier vénitien. ‖ *Mus.* Pièce vocale ou instrumentale, d'un rythme balancé.

BARCASSE n. f. Grosse barque.

BARCELONA, v. du Venezuela, sur la mer des Antilles; 76 000 hab.

BARCELONE, en esp. **Barcelona,** v. d'Espagne, capit. de la Catalogne et ch.-l. de prov.; 1 828 000 hab. *(Barcelonais).*

GÉOGRAPHIE. Sur la Méditerranée, centre et débouché d'une des grandes régions manufacturières du pays, Barcelone, deuxième ville d'Espagne, est un port notable avec un trafic annuel de l'ordre de 15 millions de tonnes, lié à la fonction industrielle prépondérante. La ville est le noyau d'une agglomération de plus de 2,5 millions d'habitants (avec les banlieues proches d'Hospitalet et de Badalona), rayonnant sur d'autres cités-satellites (Sabadell, Tarrasa) et dominée par les activités de transformation, notamment le textile (coton, laine, fibres artificielles et synthétiques, bonneterie, confection), la métallurgie (biens d'équipement, automobiles), la chimie, l'alimentation, l'édition. La ville est, enfin, un grand centre touristique.

HISTOIRE. Fondée probablement par les Phocéens, Barcelone connaît une grande prospérité sous la domination aragonaise (XIIe-XVe s.) : elle devient alors une métropole méditerranéenne et une place bancaire de premier rang, étendant son influence à tout le Moyen-Orient. La découverte de l'Amérique porte un coup à sa prospérité; elle ne retrouve son rang et son importance qu'à partir du milieu du XIXe s. Durant la guerre civile (1936-1939), Barcelone est le bastion de la résistance républicaine.

BEAUX-ARTS. Nombreux édifices gothiques des XIIIe-XVe s., dont la cathédrale, l'église Santa María del Mar, le monastère de Pedralbes, la Diputación, l'hôtel de ville, le Palacio Real Mayor, la Lonja (Bourse de commerce). Édifices de Gaudí*. Musée archéologique et musée d'Art catalan de Montjuich (peintures romanes; retables de l'école gothique de Barcelone, des frères Serra et de Lluís Borrassà* à Bernat Martorell et Jaume Huguet), Musée maritime, musée des Arts décoratifs dans le palais de la Virreina (fin XVIIIe s.), musées Picasso* et Miró*, etc.

BARCELONNETTE (04400), ch.-l. d'arr. des Alpes-de-Haute-Provence, sur l'Ubaye; 3314 hab. Ancien centre d'émigration vers le Mexique.

BARCILLONNETTE (05110 La Saulce des Alpes), ch.-l. de cant. des Hautes-Alpes, à 28 km au S.-O. de Gap; 83 hab.

BARCLAY DE TOLLY (Mikhaïl Bogdanovitch, *prince*), maréchal russe (Luhde Grosshoff, Livonie, 1761 - Insterburg 1818). Ministre de la Guerre en 1810, il se distingue, de 1812 à 1814, à la tête d'une armée contre Napoléon.

BARDA n. m. (ar. *barda'a,* bât d'âne). *Fam.* Effets, équipement qu'on emporte avec soi, ou bagages encombrants.

BARDAGE n. m. Déplacement et transport des fardeaux très pesants. ‖ Protection en planches aménagée autour d'un ouvrage d'art. ‖ Revêtement de bardeaux.

BARDANE n. f. (lyonnais *bardane,* punaise). Plante commune dans les décombres et dont les fruits, terminés par de petits crochets, s'accrochent aux vêtements et à la toison des animaux. (Haut. 1 m; famille des composées.)

BARDDHAMAN, anc. **Burdwān,** v. de l'Inde (Bengale-Occidental), sur la Dāmodar; 145 000 hab. Université. Centre industriel.

BARDE n. m. (lat. *bardus,* mot gaul.). Poète celte qui chantait les héros. ‖ Poète héroïque et lyrique.

BARDE n. f. (esp. *barde,* mot ar.). Tranche de lard dont on enveloppe une pièce de viande ou une volaille. ‖ *Hist.* Armure du cheval de guerre (XIIIe-XVIe s.).

BARDEAU n. m. (de *barde* n. f.). Planchette mince et courte en bois ou en matériau synthétique, posée à recouvrement et servant à couvrir une toiture ou une façade. ‖ Planchette de bois fixée sur les solives d'un plancher et formant une aire pour recevoir un carrelage ou un parquet. ‖ V. BARDOT.

BARDEEN (John), physicien américain (Madison, Wisconsin, 1908). Il a reçu deux fois le prix Nobel de physique : en 1956, en même temps que W. H. Brattain et W. Shokley, pour la mise au point du transistor à germanium; en 1972, avec L. Cooper et J. R. Schrieffer, pour leur théorie de la supraconductivité.

BARDER v. t. (de *barde* n. f.). Couvrir d'une armure : *barder de fer un chevalier.* ‖ Envelopper une pièce de viande ou une volaille de tranches de lard.

BARDER v. impers. *Pop.* Prendre une tournure violente.

BARDI, célèbre famille florentine. Elle fonde une compagnie marchande qui, de 1250 à 1350, est l'une des plus importantes puissances financières et bancaires d'Europe. Les Bardi financent le roi d'Angleterre dans sa lutte contre la France, et Florence contre Lucques. Une faillite (1345) leur ôte toute importance politique.

BARDIS [bardi] n. m. Cloison longitudinale en planches, établie dans la cale d'un navire pour empêcher le ripage de la cargaison.

Bardo *(traité du),* traité signé en 1881 au Bardo (dans la banlieue de Tunis), établissant le protectorat de la France sur la Tunisie.

BARDONNÈCHE, comm. d'Italie (Piémont), dans les Alpes, à la sortie du tunnel du Mont-Cenis; 2700 hab. Sports d'hiver.

BARDOT ou **BARDEAU** n. m. (it. *bardotto,* bête qui porte le bât). Hybride produit par l'accouplement d'un cheval et d'une ânesse.

BARDOT (Brigitte), actrice de cinéma française (Paris 1934). Lancée par le film de Roger Vadim *Et Dieu créa la femme* (1956), elle sut acquérir une vive popularité qui se confondit, un temps, avec un véritable mythe sociologique. Elle tourna notamment dans *En cas de malheur* (C. Autant-Lara, 1958), *la Vérité* (H. G. Clouzot, 1960), *Vie privée* (L. Malle, 1962), *le Mépris* (J.-L. Godard, 1963), *l'Ours et la poupée* (M. Deville, 1969).

BARÈGES (65120 Luz St Sauveur), comm. des Hautes-Pyrénées, à 25 km au S.-E. d'Argelès-Gazost, près du Tourmalet; 344 hab. Station thermale aux eaux sulfurées sodiques, utilisées dans le traitement des séquelles de traumatismes et des affections rhumatismales. Station de sports d'hiver (alt. 1240-2390 m).

BAREILLY, v. de l'Inde (Uttar Pradesh), à l'E. de Delhi; 326 000 hab.

BARÈME n. m. (de *Barrême,* mathématicien du XVIIe s.). Table ou répertoire de tarifs. ‖ Livre contenant des comptes tout faits.

BARENBOÏM (Daniel), chef d'orchestre et pianiste israélien (Buenos Aires 1942). Successeur (1975) de Georg Solti à la tête de l'Orchestre de Paris, il a été nommé en 1989 directeur musical de l'orchestre symphonique de Chicago.

BARENTIN (76360), comm. de la Seine-Maritime, à 17 km au N.-O. de Rouen; 12 776 hab. *(Barentinois).* Sculptures modernes. Textile. Constructions électriques.

BARENTON (50720), ch.-l. de cant. de la Manche, à 10 km au S.-E. de Mortain; 1696 hab.

BARENTS ou **BARENTSZ** (Willem), explorateur néerlandais (île Terschelling, milieu du XVIe s. - Nouvelle-Zemble 1597). Au cours de deux expéditions polaires il découvre la Nouvelle-Zemble (1594), puis le Spitzberg (1596).

BARENTS *(mer de),* partie de l'océan Arctique, entre le Svalbard et la Nouvelle-Zemble.

BARÈRE DE VIEUZAC (Bertrand), homme politique français (Tarbes 1755 - *id.* 1841). Député aux États généraux (1789) et à la Convention (1792), il devient membre du Comité de salut public et se montre partisan de la Terreur.

BARESTHÉSIE n. f. (gr. *baros,* pression, et *aisthêsis,* sensibilité). Sensibilité aux variations de pression des tissus et des organes (peau, muscles, os, tendons).

BARFLEUR (50760), comm. de la Manche, près de la *pointe de Barfleur,* extrémité nord-orientale du Cotentin; 630 hab. Église du XVIIe s. Station balnéaire.

BARGE n. f. (bas lat. *barga*). Bateau à fond plat, gréé d'une voile carrée. ‖ Grande péniche à fond plat. ‖ Meule de foin rectangulaire.

BARGE n. f. (orig. inconnue). Oiseau échassier ressemblant à la bécasse, mais plus haut sur pattes, qui fréquente les marais et les plages vaseuses. (Long. 40 cm.)

Bargello (le), à Florence, palais du podestat (XIIIe-XIVe s.), puis du chef de la police *(bargello),* auj. riche musée national de sculpture.

BARGUIGNER [bargiɲe] v. i. (francique *borganjan,* emprunter). *Sans barguigner* (vx), sans hésiter.

BAR-HILLEL (Yehoshua), logicien israélien, d'origine polonaise (Vienne 1915 - Jérusalem 1975). Ses travaux concernent les rapports du langage et de la logique et le rattachent au néopositivisme.

BARI, port d'Italie, capit. de la Pouille, sur l'Adriatique; 370 000 hab. Université. Majestueuse basilique S. Nicola et cathédrale (remaniée) typiques du roman de la Pouille (XIe-XIIe s.). Château fort. Musées. Centre industriel (centrale thermique, raffinage du pétrole, industries métallurgiques, textiles et alimentaires).

BARICHNIKOV (Mikhaïl Nikolaïevitch) → BARYCHNIKOV.

BARIGOULE n. f. (prov. *barigoulo*). *À la barigoule,* se dit d'un artichaut farci de lard gras, de champignons, d'oignons et d'échalotes.

BARIL [baril] n. m. Petit tonneau : *mettre en baril; de la lessive en baril; baril de poudre.* ‖ Mesure de capacité (symb. : bbl) valant environ 159 litres, utilisée surtout pour les produits pétroliers.

BARILLET n. m. Petit baril. ‖ Support cylindrique de révolution comportant différents logements identiques régulièrement répartis autour de l'axe de révolution. ‖ Magasin cylindrique et mobile du revolver, destiné à recevoir les cartouches. ‖ Boîte cylindrique qui contient le grand ressort d'une montre, d'une pendule. ‖ Partie cylindrique d'un bloc de sûreté, dans une serrure.

BARIOLAGE n. m. Assemblage disparate de couleurs. (Syn. BIGARRURE.)

BARIOLÉ, E adj. Marqué de bandes ou de taches de couleurs bizarrement assorties.

BARIOLER v. t. (de *barre,* et anc. fr. *rioler,* rayer). Peindre de diverses couleurs qui ne s'harmonisent pas.

BARIOLURE n. f. Réunion de couleurs contrastées : *les bariolures d'une affiche.*

BARISAL, v. du Bangladesh, dans l'est du delta du Gange; 98 100 hab.

BARISAN *(monts),* longue chaîne de montagnes de l'Indonésie, dans l'île de Sumatra.

BARITO (le), le plus long fleuve de l'île de Bornéo, qui se jette dans la mer de Java; environ 900 km.

BARJAC (30430), ch.-l. de cant. du Gard, à 32 km à l'O. de Pont-Saint-Esprit; 1241 hab.

BARJOLS (83670), ch.-l. de cant. du Var, à 27 km au N. de Brignoles; 2016 hab. Église du XVe s.

BARKHANE n. f. Dune en forme de croissant, orientée perpendiculairement au vent.

BARKLA (Charles Glover), physicien anglais (Widnes, Lancashire, 1877 - Édimbourg 1944). Il étudia la propagation des ondes radioélectriques et les propriétés des rayons X, notamment leur polarisation et leur pouvoir pénétrant. (Prix Nobel de physique, 1917.)

BAR-KOKHBA, c'est-à-dire « Fils de l'étoile », surnom de signification messianique donné à Simon Bar Koziba, chef de la deuxième révolte juive (132-135), sous Hadrien. Le caractère religieux de l'insurrection et les prétentions messianiques de son chef sont attestés par les monnaies de cette époque. En 1951, plusieurs lettres de Simon, dont deux qui semblent autographes, ont été retrouvées dans des grottes de la mer Morte*, au sud de Qumrān.

BAROMÈTRES

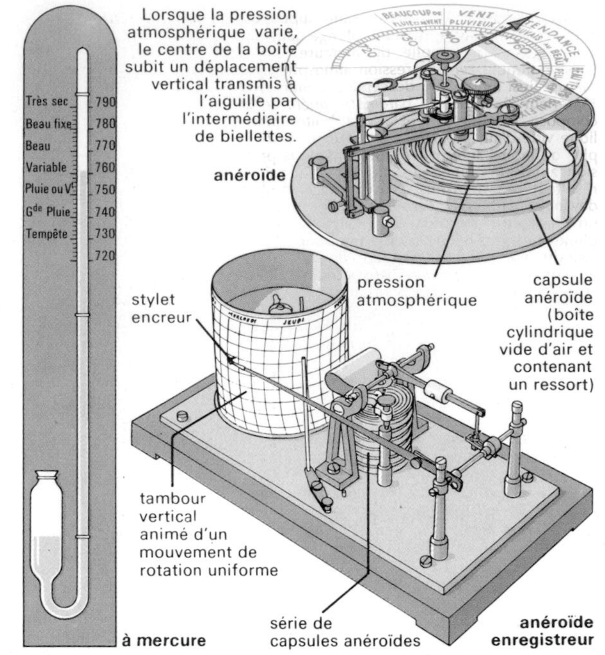
Très sec
Beau fixe
Beau
Variable
Pluie ou V^t
G^de Pluie
Tempête
790
780
770
760
750
740
730
720
à mercure
Lorsque la pression atmosphérique varie, le centre de la boîte subit un déplacement vertical transmis à l'aiguille par l'intermédiaire de biellettes.
anéroïde
pression atmosphérique
capsule anéroïde (boîte cylindrique vide d'air et contenant un ressort)
stylet encreur
tambour vertical animé d'un mouvement de rotation uniforme
série de capsules anéroïdes
anéroïde enregistreur

BARLACH (Ernst), sculpteur, graveur et dramaturge allemand (Wedel, Holstein, 1870 - Rostock 1938). Caractérisé à la fois par la compacité et l'énergie, son expressionnisme allie la stylisation du XXe s. au souvenir des imagiers médiévaux.

BAR-LE-DUC (55000), ch.-l. du départ. de la Meuse, dans le Barrois, sur l'Ornain, à 231 km à l'E. de Paris; 20 029 hab. *(Barrois* ou *Barisiens).* Industries métallurgiques, textiles et alimentaires.

BEAUX-ARTS. Dans la ville haute, bel ensemble de demeures anciennes, château médiéval et classique, église Saint-Pierre (du XVe s.; mausolée du cœur de René de Chalon par L. Richier*). Dans la ville basse, église Notre-Dame (XIIIe-XVIIIe s.), ancien collège Gilles de Trèves (XVIe s.).

BARLETTA, port d'Italie, sur l'Adriatique, dans la Pouille, au N.-O. de Bari; 83 700 hab. Devant l'église gothique S. Sepolcro, « Colosse » en bronze (statue d'un empereur romain de style byzantin). Cathédrale romano-gothique. Imposant château fort. Musée. Cimenterie.

BARLIN (62620), ch.-l. de cant. du Pas-de-Calais, à 10 km au S. de Béthune; 7832 hab. Cimenterie.

BARLONG, ONGUE [barlɔ̃, ɔg] adj. (lat. *bis,* deux fois, et *long*). *Archit.* Se dit d'une pièce, de la voûte d'une travée, plus longues que larges et, en principe, perpendiculaires à l'axe du bâtiment.

BARLOTIÈRE n. f. Traverse de fer qui consolide les plombs dans un châssis de vitraux.

BARLOW (Peter), mathématicien et physicien anglais (Norwich 1776 - Woolwich 1862). Il réussit à compenser l'action des masses métalliques d'un navire sur l'aiguille de la boussole et imagina, en 1828, la *roue de Barlow,* prototype du moteur électrique.

BARMAID [barmɛd] n. f. Serveuse dans un bar.

BARMAN [barman] n. m. (mot angl.) [pl. *barmen* ou *barmans*]. Serveur dans un bar.

BAR-MITSVA n. f. (mot hébreu). Cérémonie juive de la majorité religieuse.

BARN [barn] n. m. (angl. *big as a barn,* grand comme une grange). Unité de mesure de section efficace (symb. : b) employée en physique nucléaire et valant 10^{-28} mètre carré.

BARNABÉ *(saint),* compagnon de mission de l'apôtre saint Paul*. *L'Épître de Barnabé* est apocryphe et date du début du IIe s.; elle est classée parmi les écrits patristiques.

BARNABITE n. m. Religieux appartenant à l'ordre des clercs réguliers de Saint-Paul, ordre fondé en 1530.

BARNAOUL, v. de l'U.R.S.S. (R.S.F.S. de Russie), en Sibérie méridionale, sur l'Ob, au S. de Novossibirsk, ch.-l. du territoire de l'Altaï; 533 000 hab. Industries mécaniques, textiles et chimiques.

BARNARD (Christian), chirurgien sud-africain (Beaufort West, province du Cap, 1922), qui réalisa la première greffe cardiaque en 1967. Depuis, il a expérimenté une technique, dite « de double greffe ».

BARNAVE (Antoine), homme politique français (Grenoble 1761 - Paris 1793). Député du Dauphiné (1789), il exerce une influence déterminante aux États généraux, mais, après avoir combattu les prérogatives royales, il se rapproche de Louis XVI après Varennes (1791), ce qui lui vaudra d'être arrêté et exécuté.

BARNES (Ralph M.), ingénieur-conseil américain (Clifton Mills, Virginie-Occidentale, 1900), auteur d'études sur les mouvements et les temps ainsi que sur les observations instantanées.

BARNET (Boris), cinéaste soviétique (Moscou 1902 - Riga 1965), auteur de *la Jeune Fille au carton à chapeaux* (1927), *la Maison de la rue Troubnaïa* (1928), *Okraina* (1933), *Au bord de la mer bleue* (1936).

BARNEVELT → OLDENBARNEVELT.

BARNEVILLE-CARTERET (50270), ch.-l. de cant. de la Manche, à 36 km au S.-O. de Cherbourg, sur la côte occidentale du Cotentin; 2327 hab. Station balnéaire.

BARNSLEY, v. de Grande-Bretagne (Angleterre), au N. de Sheffield; 75 500 hab. Sidérurgie.

BARNUM (Phineas Taylor), entrepreneur de spectacles américain (Bethel, Connecticut, 1810 - Bridgeport, Connecticut, 1891). Homme d'affaires avisé, il assura sa renommée en exhibant de ville en ville certains « phénomènes » (tels la prétendue nourrice noire de George Washington ou le nain Tom Thumb). Fondateur de l'American Museum en 1841, où il offre à la curiosité des foules une célèbre « galerie de monstres », il est également impresario pour la cantatrice Jenny Lind et promène à travers le monde entier, à partir de 1871, un cirque itinérant, le *Greatest Show on Earth* (dont la ménagerie comporte plusieurs animaux vedettes, comme l'éléphant Jumbo) qui, en 1881, fusionnera avec le cirque de James Anthony Bailey.

BAROCCIO ou **BAROCCI** (Federico FIORI, dit **il**), peintre et graveur italien (Urbino 1535 - *id.* 1612). Maniériste, influencé par le Corrège, il a su trouver dans ses compositions religieuses des harmonies rares, aux accords adoucis.

BARODA, auj. **Vadodara,** v. de l'Inde (Gujerat), au S.-E. d'Ahmadabad; 467 000 hab. Musée. Constructions mécaniques. Raffinage du pétrole et industries chimiques.

BAROGRAPHE n. m. Baromètre enregistreur, traçant la courbe des altitudes successives atteintes par un aviateur.

BAROJA (Pío), écrivain espagnol (Saint-Sébastien 1872 - Madrid 1956). Médecin, il entreprit dans une œuvre immense (soixante-six romans, huit grandes chroniques et neuf recueils de contes et nouvelles) et en usant d'une phrase courte (« la rhétorique du ton mineur ») la peinture d'êtres en marge de la société ou de leur époque (*l'Arbre de la science,* 1911; *Mémoires d'un homme d'action,* 1913-1935; *Hôtel du Cygne,* 1946).

BAROMÈTRE n. m. (gr. *baros,* pesanteur, et *metron,* mesure). Instrument servant à mesurer la pression atmosphérique. ‖ Ce qui est sensible aux variations : *la presse est le baromètre de l'opinion publique.*

■ Inventé en 1643 par Torricelli, le baromètre se compose d'un tube vertical vide d'air, mais rempli de mercure. Son extrémité supérieure est fermée, et l'autre, ouverte, plonge dans une cuve également remplie de mercure, sur la surface duquel agit la pression atmosphérique, faisant ainsi monter ou descendre le mercure à l'intérieur du tube. Le *baromètre anéroïde* se compose essentiellement d'une boîte métallique vide d'air, à paroi mince, qui se déprime plus ou moins suivant les variations de la pression atmosphérique : les mouvements qui en résultent sont transmis à une aiguille, mobile devant un cadran. Le *baromètre enregistreur* est un baromètre anéroïde dont l'aiguille, munie d'une plume, trace une courbe sur le papier d'un cylindre tournant. La longueur de la colonne mercurielle, dite *hauteur barométrique*, représente la pression atmosphérique; elle est en moyenne de 76 cm au niveau de la mer; elle diminue quand l'altitude augmente. En un même lieu, elle varie d'un instant à l'autre selon les conditions atmosphériques.

BAROMÉTRIE n. f. Partie de la physique qui traite des mesures de la pression atmosphérique.

BAROMÉTRIQUE adj. Relatif au baromètre.

BARON, ONNE n. (francique *baro*, homme libre). Autref., grand du royaume. ‖ Possesseur du titre de noblesse entre celui de vicomte et celui de chevalier. ‖ Personne importante dans la finance, la politique. ● *Baron d'agneau*, morceau de mouton comprenant les gigots, les selles et les filets.

BARON (Michel BOYRON, dit), acteur et auteur dramatique français (Paris 1653 - id. 1729). Membre de la troupe de Molière, puis de l'Hôtel de Bourgogne, il est l'auteur de comédies (*l'Homme à bonnes fortunes*, 1680).

BARONET ou **BARONNET** n. m. En Angleterre, titre héréditaire des membres d'un ordre de chevalerie créé en 1611 par Jacques Ier.

BARONNAGE n. m. Qualité de baron. ‖ Le corps des barons.

BARONNIE n. f. *Hist.* Seigneurie, terre d'un baron.

BARONNIES (les), massif des Préalpes du Sud, partie sud-est du départ. de la Drôme, au N. du Ventoux; 1532 m.

BAROQUE adj. Relatif au baroque : *église baroque.* ‖ Qui étonne par sa bizarrerie : *idée baroque.*

BAROQUE n. m. (portug. *barroco*, perle irrégulière). Style artistique et littéraire né en Italie à la faveur de la Contre-Réforme, et qui a régné sur une grande partie de l'Europe au XVIIe s. et dans la première moitié du XVIIIe. ‖ Tendance artistique qui, par opposition au classicisme, donne la primauté à la sensibilité.

■ Le baroque désigne moins un mouvement ou une époque qu'une manière que la modernité, depuis la fin du XIXe s., a de définir certaines formes esthétiques passées qui trouvent dans sa sensibilité une résonance particulière. Le mot s'applique aussi bien à la sculpture hellénistique qu'au délire psychédélique, à la musique qu'à la littérature et au cinéma. À l'origine, il désigne, en joaillerie, une pierre mal taillée; pour Saint-Simon (*Mémoires*, 1711), une entreprise incongrue; pour l'*Encyclopédie méthodique* (1788), «une nuance du bizarre». Jusqu'à Wölfflin (*Principes fondamentaux de l'histoire de l'art*, 1915), qui en fait un concept d'esthétique générale (opposant l'art classique *linéaire et fermé* à l'art baroque *pictural et ouvert*), et Eugenio d'Ors (qui y voit un élément permanent de la vision esthétique), le baroque se définit négativement, et particulièrement en littérature : *il est ce qui n'est pas classique;* il est l'obscur, l'exubérant, le décadent. Illustré en Italie par la poésie raffinée de Marino et l'ironie populaire de Tassoni, en Espagne par la luxuriance de Góngora, en Allemagne par le pathétique d'Andreas Gryphius et l'humour picaresque de Grimmelshausen, en Angleterre par les délicatesses de l'euphuisme, le baroque inspire en France l'hermétisme de Maurice Scève, les raffinements macabres de Jean de Sponde, la mythologie sensuelle de Théophile de Viau et de Saint-Amant, les violences visionnaires d'Agrippa d'Aubigné. Le baroque triomphe dans les poèmes cosmogoniques et métaphysiques, les tragi-comédies, les pastorales, dans la composition maniériste des *Essais* de Montaigne, les premiers poèmes de Malherbe. Art du reflet de l'apparence, fondé sur un système d'antithèses, d'analogies et de symétries, le baroque est un art fortement structuré, où les métaphores et les périphrases jouent le même rôle que les volutes et les spirales dans l'organisation des volumes architecturaux, tout en assurant par les ruptures de style la présence constante de l'imagination et de la surprise.

● Dans le domaine des beaux-arts, l'épithète de baroque a servi à qualifier, dans un sens péjoratif, le style qui, succédant à ceux de la Renaissance* classique et maniériste, a régné sur une grande partie de l'Europe au XVIIe s. et dans la première moitié du XVIIIe. Né à Rome, expression essentielle de la Contre-Réforme*, il s'est surtout imposé dans les pays catholiques (encore que l'architecture française ait plutôt développé

l'esthétique classique), et y a complètement renouvelé l'iconographie et les formes de l'art sacré. Mais ce fut aussi un art de cour, reflétant l'absolutisme des princes dans le faste de la décoration.

Contrairement à l'idéal de sérénité et d'équilibre méthodique de la Renaissance, le baroque se défie de l'intelligence : il veut étonner, éblouir, toucher les sens à une époque où est proclamé le caractère affectif de la foi. Il y parvient par des effets de lumière et de mouvement, de formes en expansion qui s'expriment : en architecture, par l'emploi de l'ordre colossal, de la ligne courbe, des décrochements; en sculpture, par le goût de la torsion, des figures volantes, des draperies tumultueuses; en peinture, par les compositions en diagonale, des jeux de perspective et de raccourci. Mais, surtout, les différentes disciplines tendent à se fondre dans l'unité d'une sorte de spectacle, dont le dynamisme et le scintillement coloré traduisent l'exaltation.

Le baroque trouva sa première expression à Rome, chez les architectes chargés de terminer l'œuvre de Michel-Ange : Maderno* et le Bernin*, auteurs de la façade et de la colonnade de Saint-Pierre. Courbes et contre-courbes, interpénétrations de figures géométriques règnent chez Borromini*; en sculpture, le Bernin triomphe avec le baldaquin de Saint-Pierre, la *Sainte Thérèse*, la fontaine des Quatre-Fleuves, tandis que Lanfranco*, P. de Cortone* ou le P. Pozzo* couvrent les plafonds d'envolées célestes en trompe l'œil. Le style se répand en Italie, dans le Piémont (Guarini*, Juvara*), à Naples (le peintre L. Giordano*), à Gênes, à Lecce, en Sicile au XVIIIe s., sans omettre la Venise de Longhena* et de Tiepolo*.

D'Italie, le baroque s'est propagé en Bohême, en Autriche et en Allemagne, dans les Pays-Bas du Sud, dans la péninsule Ibérique et dans ses colonies d'Amérique, en Russie, etc. Ses capitales germaniques furent Prague (avec les Dientzenhofer), Vienne (Fischer* von Erlach, L. von Hildebrandt*, le sculpteur Georg Raphael Donner [1693-1741]), Munich (les Asam*, Cuvil-

Rome, place Navone : la fontaine du More (1653), du Bernin; à gauche, l'église Sant'Agnese in Agone (1653-1657), de Borromini; à l'arrière-plan, la fontaine des Quatre-Fleuves, du Bernin.

Halin-Rapho

Murcie : la cathédrale. Façade de style rococo dessinée par Jaime Bort en 1737.

Giorcelli

Everts-Rapho

Turin : le palais Carignano, par Guarino Guarini. 1679.

Prague : église Notre-Dame-de-Lorette. Façade (1720-1722) par Kilian Ignaz Dientzenhofer.

Everts-Rapho

Lauros-Giraudon

Wies (Bavière) : chœur de l'église du Christ flagellé, élevée de 1745 à 1754 par Dominikus Zimmermann.

Lauros-Giraudon

Würzburg (Bavière) : Fresque de Giambattista Tiepolo sur une voussure de la « Kaisersaal » de la résidence des princes-évêques (architecte Johann Balthasar Neumann).

Vautier-de Nanxe

Quitó (Équateur) : église du couvent de la Compagnie de Jésus, terminée en 1765.

Rubens : *l'Enlèvement des filles de Leucippe*, 1618-1620. (Alte Pinakothek, Munich.)

ART **BAROQUE**

Andrea Pozzo : *la Gloire de saint Ignace*, v. 1690. Fresque en trompe-l'œil à la voûte de l'église San Ignazio à Rome.

Blauel

Scala

liés*), mais de nombreux châteaux, églises de pèlerinage et abbayes (comme Melk*, Wies, Vierzehnheiligen...) témoignent au premier chef de l'allégresse du *rococo* germanique, qui atteint les terres protestantes de Saxe (Dresde*) et de Prusse (Sans-Souci, à Potsdam). En Espagne, le baroque s'incarne dans les statues pathétiques des processions *(pasos)*, dans la débauche ornementale des grands retables dorés, comme dans le style churrigueresque d'un P. de Ribera*. Cette exubérance, au moins décorative, se retrouve, avec une contagion de l'esprit indigène, au Mexique, sur les lourdes constructions de l'Amérique centrale, faites pour résister aux séismes, au Pérou et en Bolivie; le Brésil a un essor tardif (fin du XVIIᵉ s.), mais l'invention, féconde, dans l'urbanisme comme dans l'articulation des églises, s'y prolonge jusqu'au début du XIXᵉ s. (l'Aleijadinho*). Terre d'élection pour les Jésuites, la Belgique construit au XVIIᵉ s. des églises qui se souviennent de la structure et de l'élan vertical du gothique. Des sculpteurs comme Hendrik Frans Verbruggen (1655-1724) y installent leurs étonnantes chaires à prêcher, où des éléments végétaux se tordent autour des figures sculptées, et Rubens*, surtout, le peintre baroque par excellence, y fait claironner ses grands tableaux d'autels. Décor des fêtes mis à part, la France n'agrée guère la tentation baroque que vers les années 1630-1660 (Vouet*, Le Vau*...) et, dans les arts décoratifs surtout, un siècle plus tard (v. ROCAILLE).

Assimilée aux beaux-arts, la musique reçoit parfois la dénomination de « baroque », qui s'applique notamment aux œuvres italiennes et germaniques du XVIIe s. et de la première moitié du XVIIIe s., aux lignes décoratives et tumultueuses (Vivaldi, Bach).

BAROQUISANT, E adj. De tendance baroque.

BAROTRAUMATISME n. m. (gr. *baros*, pesanteur). État pathologique causé par une brusque variation de pression.

BAROUD [barud] n. m. (mot ar.). *Fam.* Combat. ● *Baroud d'honneur,* combat soutenu seulement pour l'honneur.

BAROUDEUR n. m. *Fam.* Celui qui a beaucoup combattu ou qui aime le combat.

BAROUF n. m. (it. *baruffa,* bagarre). *Pop.* Tapage.

BARQUE n. f. (lat. *barca*). Petit bateau. ● *Bien conduire, bien mener sa barque,* bien conduire son entreprise. || *Mener en barque* (Fam.), induire en erreur.

BARQUETTE n. f. Petite barque. || Petite pâtisserie en forme de barque. || Récipient léger et rigide utilisé dans le commerce pour la vente de plats cuisinés.

BARQUISIMETO, v. du Venezuela, à l'O. de Caracas; 334000 hab.

BARR (67140), ch.-l. de cant. du Bas-Rhin, à 17 km au N. de Sélestat; 4615 hab.

BARRACUDA n. m. (mot esp.). Gros poisson du genre *sphyrène.*

BARRAGE n. m. (de *barre*). Action de barrer une voie; obstacle : *le barrage d'une rue; établir un barrage de police.* || Obstacle artificiel au moyen duquel on coupe un cours d'eau. (Les barrages peuvent servir à la régularisation des voies navigables, à l'alimentation des villes, à l'irrigation des cultures, à la production d'énergie électrique.) || *Psychol.* Arrêt brusque du cours de la pensée ou d'une activité en cours de réalisation. ● *Barrage en enrochement,* barrage constitué d'éboulis de roche, non imperméable dans sa masse et dont la stabilité repose uniquement sur l'étanchéité du masque amont. || *Barrage roulant* (Mil.), rideau de feu tendu par l'artillerie devant une formation d'infanterie ou de chars qui attaque. || *Barrage en terre,* barrage en terre compactée rendu imperméable en surface par un masque étanche, autoréparable et comprenant un noyau central vertical absolument étanche. || *Match de barrage* (Sports), match supplémentaire départageant deux adversaires ou équipes à égalité. || *Tir de barrage,* ancien nom du TIR D'ARRÊT.

■ Un barrage édifié au fond d'une vallée peut avoir pour objet : d'élever le plan d'eau en vue d'irriguer des terres situées en amont; d'exhausser le niveau d'eau en créant une retenue qui permette d'alimenter en eau sous pression une usine hydroélectrique; d'irriguer des terres par gravité à partir du plan d'eau à l'amont du barrage; de créer une réserve d'eau destinée à l'alimentation de villes; de régulariser un cours d'eau; de parer au danger d'inondation des grandes cités par le jeu des réservoirs naturels à remplissage saisonnier; enfin, de créer de vastes plans d'eau mettant en valeur les sites.

● Un barrage édifié en haute montagne est généralement établi au droit de l'exutoire d'un lac. Il permet d'alimenter en eau sous pression une usine hydroélectrique, dite de *haute chute,* qui se trouve dans le fond de la vallée.

● Un barrage mobile, établi entre les différents biefs de cours d'eau navigables, n'occupe en général qu'une partie de la section du lit, car il est presque toujours couplé avec une *écluse de navigation.* Il est le plus souvent constitué par des plaques d'acier mobiles commandées du haut d'une passerelle qui les surmonte; il sert parfois à alimenter en eau un canal latéral, le bief d'une usine, ou une prise d'eau.

Le section *barrage-poids,* en béton, est un massif, de sections triangulaires, dont la face amont est plus raide que la face aval; pour les ouvrages d'une certaine hauteur, le béton utilisé est un béton cyclopéen.

Le *barrage-voûte,* à voûte simple ou à voûtes multiples, est, pour une même hauteur de barrage, beaucoup moins volumineux, plus élancé et surtout beaucoup plus mince. Il se conduit comme un pont-voûte couché, mais il faut tenir compte des différences de pression de la base au sommet, ce qui complique le profil et les calculs.

Le *barrage en enrochements* ou *en éboulis compactés* doit posséder une protection imperméable appliquée sur sa face immergée.

Le *barrage en terre fortement compactée* a des fruits amont et aval très faibles, de l'ordre de 3,5 pour 1 en amont, et 1,5 pour 1 en aval. Il est généralement imperméabilisé par un noyau central étanche. De plus, la face amont doit être rendue étanche.

La stabilité d'un barrage dépend avant tout de la résistance du sol sur lequel il prend appui. Ce sol doit, au besoin, être consolidé par des injections profondes, en amont et latéralement, pour éviter les sous-pressions dangereuses. Pour le calcul d'un barrage-poids, on admet que la pression, en tout point du parement immergé, doit être supérieure à la pression hydrostatique qui règne en ce même point. Pour le barrage-voûte, les conditions de stabilité sont différentes. On suppose que le barrage se comporte comme une voûte ou une série de voûtes inclinées qui prennent leurs appuis sur les pentes de la vallée. Il est indispensable, notamment, que les appuis soient rigoureusement stables sous les pressions qu'ils supportent, sinon l'ouvrage risque d'être emporté.

BARRAGE-POIDS n. m. (pl. *barrages-poids*). *Trav. publ.* Barrage à profil triangulaire résistant à la poussée de l'eau par son seul poids.

BARRAGE-VOÛTE n. m. (pl. *barrages-voûtes*). *Trav. publ.* Barrage à courbure convexe tournée vers l'amont, dans lequel la plus grande partie de la poussée de l'eau est reportée sur les rives par des effets d'arc.

BARRANCABERMEJA, v. de Colombie, sur le Magdelena, au N. de Bogotá; 122700 hab. Extraction et raffinage du pétrole.

BARRANCO n. m. (mot portug.). Ravin entaillé sur les pentes meubles d'un cône volcanique.

BARRANQUILLA, principal port de Colombie, sur l'Atlantique (mer des Antilles), à l'embouchure du Magdalena; 691700 hab. Chimie.

BARRAQUÉ (Jean), compositeur français (Paris 1928-*id.* 1973). Il s'est imposé comme un des principaux représentants des courants postsériels *(Séquence, Sonate pour piano).* Ses œuvres suivantes *(Chant après chant, le Temps restitué, Concerto)* se rattachent d'une façon ou d'une autre au roman *la Mort de Virgile,* de H. Broch.

BARRAS (Paul, *vicomte* DE), homme politique français (Fox-Amphoux, Provence, 1755 - Chaillot 1829). Député du Var à la Convention (1793), représentant en mission à l'armée d'Italie, il contribue directement à la chute et à l'arrestation de Robespierre, en thermidor (juillet 1794). Protecteur de Bonaparte, membre du Directoire dès 1795, il incarne, par son luxe et sa corruption, un régime qui s'écroulera en brumaire an VIII.

BARRAGE

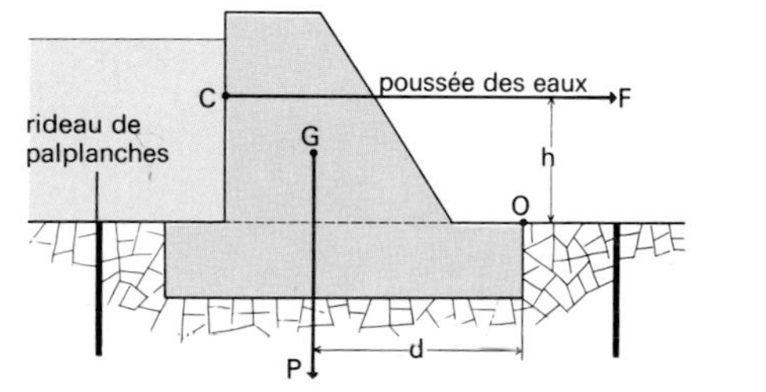

rideau de palplanches
C
G
poussée des eaux
F
h
O
P
d

C centre de poussée des eaux

G centre de gravité du barrage

h distance de l'arête de renversement éventuel à la poussée

O arête aval (arête de renversement éventuel)

d distance de l'arête de renversement éventuel au poids du barrage

P poids du barrage

La condition de stabilité du barrage ou de non-renversement autour de l'arête O est P.d ⩾ F.h.

coupe d'un barrage en terre

schéma d'un barrage-poids

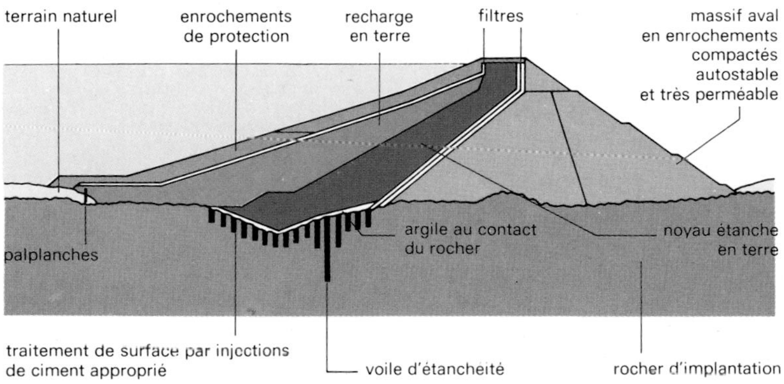

amont (fruit : 3,25/1)
aval (fruit : 1,40/1)
terrain naturel
enrochements de protection
recharge en terre
filtres
massif aval en enrochements compactés autostable et très perméable
palplanches
argile au contact du rocher
noyau étanche en terre
traitement de surface par injections de ciment approprié
voile d'étanchéité
rocher d'implantation

BARRAUD (Henry), compositeur français (Bordeaux 1900). Son art grave et tendu est ennemi de la facilité *(Numance, Une saison en enfer).* Le Grand Prix national de la musique (1969) a couronné également ses activités de pédagogue et de musicographe *(Berlioz, Pour comprendre les musiques d'aujourd'hui).*

BARRAULT (Jean-Louis), acteur et directeur de théâtre français (Le Vésinet, 1910). Élève de Dullin, il entre à la Comédie-Française, où il monte *le Soulier de satin* (1943) de Claudel, auteur qui restera une de ses préoccupations constantes de metteur en scène (*Partage de midi,* 1948; *Sous le vent des îles Baléares,* 1972). Avec sa femme, Madeleine Renaud, il fonde une compagnie installée au théâtre Marigny (1946-1956), prend la direction du Théâtre de France (1959-1968), crée le Théâtre d'Orsay (1972), puis

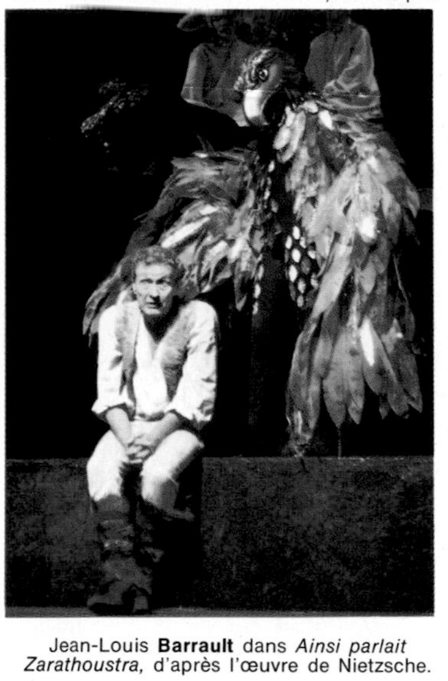

Bernand

Jean-Louis **Barrault** dans *Ainsi parlait Zarathoustra,* d'après l'œuvre de Nietzsche.

le Théâtre du Rond-Point (1981) : à travers l'interprétation d'auteurs classiques (Shakespeare, Molière, Tchekhov) ou contemporains (Beckett, Duras, Genet), il recherche un langage dramatique « corporel » et viscéral, dans la lignée d'Artaud (*la Tentation de saint Antoine,* 1967; *Jarry sur la Butte,* 1970) et sur lequel il réfléchit dans ses articles et essais (*Réflexions sur le théâtre,* 1949; *Souvenirs pour demain,* 1972). Au cinéma, il a joué de nombreux rôles (notamment dans *Drôle de drame* [1937] et *les Enfants* du paradis* [1944] de Marcel Carné).

BARRE [bar] n. f. (mot gaul.). Longue et étroite pièce de bois, de métal, etc., rigide et droite. || Lingot de forme allongée. || Barrière qui, dans un tribunal, sépare les magistrats du public : *se présenter à la barre.* || Trait de plume droit. || Niveau : *relever la barre.* || *Chorégr.* Tringle en bois servant de point d'appui aux danseurs pour leurs exercices d'assouplissement; ensemble de ces exercices. || *Géogr.* Crête rocheuse aiguë, redressée à la verticale. || Banc qui se forme à l'entrée des estuaires au contact des eaux douces et des eaux marines. || Déferlement violent et presque constant qui se produit près de certaines côtes lorsque la houle se brise sur les hauts-fonds. || *Hérald.* Pièce honorable qui va de l'angle senestre du chef à l'angle dextre de la pointe. || *Mar.* Organe de commande du gouvernail. ● *Avoir barre sur qqn,* avoir l'avantage sur

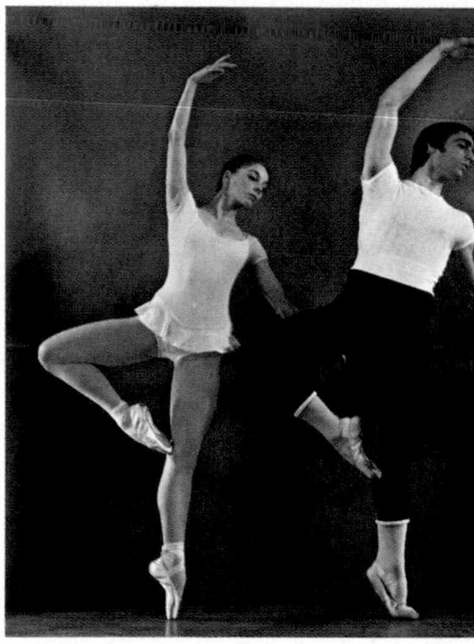

S. Lido

Wilfride Piollet et Jean Guizerix effectuant des exercices à la **barre**

lui. || *Barres asymétriques* (Sports), appareil composé de deux barres, parallèles au sol, mais à des hauteurs différentes, fixées sur des montants verticaux. || *Barre de direction* (Autom.), barre de liaison entre la direction et la roue. || *Barre fixe* (Sports), appareil formé par une traverse horizontale ronde, soutenue par deux montants. || *Barre d'harmonie* (Mus.), petite pièce de sapin collée sous la table des instruments à cordes pour en soutenir la pression. || *Barre de mesure* (Mus.), ligne traversant verticalement la ou les portées, pour séparer les mesures. || *Barres parallèles* (Sports), appareil composé de deux barres fixées parallèlement à la même hauteur sur des montants verticaux. || *Barre de plongée,* organe de commande des gouvernails de profondeur, à bord d'un sous-marin. || *Barre de réaction,* pièce qui, dans un véhicule, permet l'application du couple moteur à l'essieu. || *Barre de torsion,* barre travaillant par torsion élastique autour de son axe et qui remplace un ressort, notamment pour assurer la suspension d'un véhicule. || *Coup de barre,* mouvement brusque donné à un gouvernail; changement brusque dans la conduite d'une affaire; fatigue survenant brusquement. ◆ pl. Espace entre les incisives et les molaires chez le cheval (on y place le mors), le bœuf, le lapin. || Jeu de course pour enfants.

BARRE (Raymond), économiste et homme politique français (Saint-Denis, Réunion, 1924). Spécialiste des questions économiques et financières à la Commission exécutive du Marché commun (1967-1972), il devient ministre du Commerce extérieur en janv. 1976. Nommé Premier ministre en août 1976 (fonction à laquelle est adjointe, de 1976 à 1978, celle de ministre de l'Économie et des Finances), il établit un plan de lutte contre l'inflation. Il démissionne en mai 1981, après l'élection de F. Mitterrand à la présidence de la République. Il est le candidat de l'U.D.F. au premier tour de l'élection présidentielle de 1988. Élu député du Rhône en 1978, il conserve son siège aux élections de 1981, 1986 et 1988.

BARRÉ, E adj. Fermé à la circulation : *rue barrée.* || Marqué d'un ou de plusieurs traits. ● *Dent barrée,* dent dont les racines déviées rendent l'extraction difficile.

BARRÉ n. m. Procédé d'exécution modifiant l'accord des instruments à cordes.

BARREAU n. m. Petite barre de bois, de métal, qui sert de soutien, de fermeture, etc. || Place réservée, autref., aux avocats dans un prétoire. || L'ordre des avocats, auprès d'un tribunal, une cour d'appel; profession d'avocat.

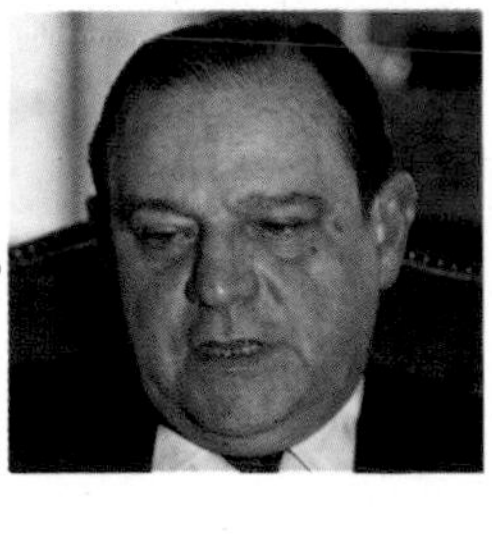

R. Kalvar-Magnum

Raymond **Barre**

BARRE-DES-CÉVENNES (48400 Florac), ch.-l. de cant. de la Lozère, à 14 km au S.-E. de Florac; 214 hab. Église romane et gothique.

BARREIRO, v. du Portugal, sur la rive sud de l'estuaire du Tage, en face de Lisbonne; 54 000 hab. Industrie chimique.

BARRÊME (04330), ch.-l. de cant. des Alpes-de-Haute-Provence, à 24 km au N.-O. de Castellane; 421 hab.

BARREMENT n. m. Action de barrer un chèque.

BARREN GROUNDS [barən grawnts] n. m. pl. (angl. *barren,* stérile, et *ground,* terre). Terme désignant les toundras du Canada septentrional.

BARRER v. t. Obstruer, empêcher le passage : *barrer un chemin.* ‖ Tirer un trait de plume sur, biffer : *barrer une phrase.* ‖ Tracer deux traits parallèles et transversaux sur un chèque. (Un chèque barré ne peut être touché que par un banquier, un agent de change ou un chef de bureau de chèques postaux. Le tireur du chèque peut, en outre, inscrire entre les traits le nom de l'établissement bancaire qui seul pourra toucher le chèque.) ‖ *Mar.* Diriger en tenant la barre d'une embarcation. ◆ **se barrer** v. pr. *Pop.* S'en aller.

BARRÈS (Maurice), écrivain français (Charmes 1862 - Neuilly-sur-Seine 1923). Le 13 mai 1921, les surréalistes firent, dans une mise en scène fameuse, le « procès » de Barrès, qu'ils accusaient de « crime contre la sûreté de l'esprit » pour avoir produit des textes patriotiques en contradiction avec les idées et les œuvres de sa jeunesse. Jugement paradoxal à l'égard du député boulangiste de Nancy (1889-1893), du guide intellectuel du mouvement nationaliste (*les Déracinés,* 1897), du célébrant de la terre et des morts (*la Colline* inspirée,* 1913), du héraut de l'« union sacrée » (*Chronique de la Grande Guerre,* 1920-1924)? André Breton, en réalité, avait su lire la contradiction d'un esprit passionné, hésitant sans cesse entre le culte raffiné du moi (*le Jardin de Bérénice,* 1891), avivé par la séduction des œuvres et des destinées exemplaires (*Du* sang, de la volupté et de la mort,* 1893-1909), et un besoin d'ordre et de discipline, qui s'avouera finalement déçu (*Un jardin* sur l'Oronte,* 1922) et sur lequel Barrès portait un regard lucide et désenchanté (*Mes cahiers,* 1930-1956).

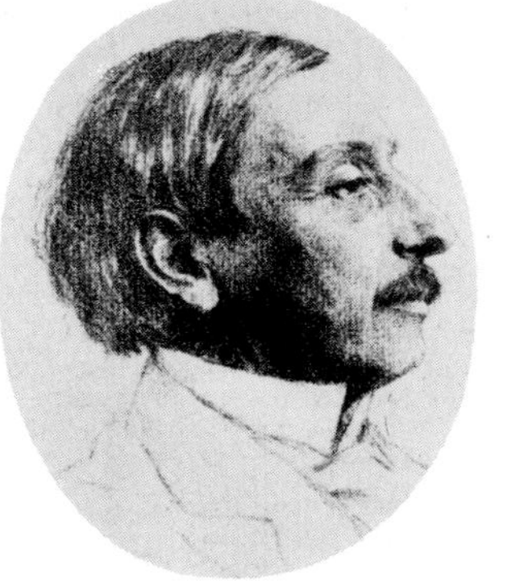
Larousse

Maurice **Barrès.** Portrait par la comtesse de Courville. 1910. (Coll. part.)

BARRETTE n. f. (it. *barretta*). Bonnet carré des ecclésiastiques, noir pour les prêtres, violet pour les évêques, rouge pour les cardinaux.

BARRETTE n. f. Petite barre. ‖ Pince pour tenir les cheveux. ‖ Broche de forme allongée : *une barrette de diamants.* ● *Barrette de décoration,* petit rectangle de ruban fixé à l'uniforme et remplaçant une décoration.

BARREUR, EUSE n. Personne qui manœuvre la barre d'une embarcation. ‖ Personne qui rythme la cadence de battement des avirons.

BARRICADE n. f. (de *barrique*). Obstacle de fortune fait de l'entassement de matériaux divers, pour interdire l'accès d'une rue ou d'un passage. ● *De l'autre côté de la barricade,* du parti opposé.

BARRICADER v. t. Fermer au moyen de barricades : *barricader une rue.* ‖ Fermer solidement : *barricader une porte.* ◆ **se barricader** v. pr. Se fortifier au moyen de barricades. ● *Se barricader chez soi,* s'y enfermer pour ne voir personne.

Barricades *(journée des),* nom donné à deux soulèvements parisiens : celui du 12 mai 1588, qui vit le triomphe d'Henri de Guise sur Henri III; celui du 26 août 1648, qui marqua le début de la Fronde*.

BARRIE, v. du Canada (Ontario), au N. de Toronto; 34 389 hab.

BARRIE (*sir* James Matthew), romancier et auteur dramatique écossais (Kirriemuir, Forfarshire, 1860 - Londres 1937), créateur du personnage de *Peter Pan* (1904).

BARRIÈRE n. f. (de *barre*). Assemblage de pièces de bois ou de métal fermant un passage : *ouvrir, fermer une barrière.* ‖ Obstacle naturel empêchant la circulation. ‖ Ce qui fait obstacle : *barrière douanière.* ‖ *Hist.* Porte d'entrée d'une ville, où étaient établis des bureaux d'octroi. ● *Barrière d'arrêt,* filet de sangle en Nylon que l'on dresse au moment voulu sur une piste d'atterrissage devant un avion pour l'arrêter. ‖ *Barrière de dégel,* interdiction administrative de la circulation des véhicules lourds sur une route pendant le dégel.

Barrière *(traités de la),* traités (1709 et 1715) qui confient aux Provinces-Unies un certain nombre de places fortes des Pays-Bas espagnols pour opposer une « barrière » aux visées conquérantes de la France.

BARRIÈRE (Grande), édifice corallien, bordant la côte nord-est de l'Australie (Queensland), sur plus de 2 000 km.

BARRIQUE n. f. (gascon *barrico*). Futaille ou tonneau d'une capacité de 200 à 250 litres pour le transport des liquides.

BARRIR v. i. (lat. *barrire*). Crier, en parlant de l'éléphant ou du rhinocéros.

BARRISSEMENT n. m. Cri de l'éléphant ou du rhinocéros.

BARROIS, région de l'est du Bassin parisien, entre la Champagne et la Lorraine, entre les vallées de la haute Marne et de l'Ornain. — Fondé vers 959, le comté de Bar, ou Barrois, se reconnait vassal du roi de France en 1301, pour ses biens situés sur la rive gauche de la Meuse (Barrois mouvant). Uni en 1480 à la Lorraine, il est annexé avec celle-ci à la France en 1766.

BARROIS (Charles), géologue français (Lille 1851 - Sainte-Geneviève-en-Caux 1939). Il a étudié la structure du bassin houiller franco-belge, dont il a permis une exploitation rationnelle.

BARROT [baro] n. m. *Mar.* Chacune des poutres transversales supportant les ponts d'un navire et venant s'attacher sur les membrures. (Syn. BAU.)

BARROT (Odilon), homme politique français (Villefort, Lozère, 1791 - Bougival 1873). Chef de la gauche dynastique sous Louis-Philippe, organisateur des banquets réformistes (1847-48), il est débordé par la révolution de février et se laisse par la suite séduire par Louis-Napoléon, qui lui confie la direction du ministère (déc. 1848), avant de retourner à l'orléanisme.

BARROW (Isaac), mathématicien anglais (Londres 1630 - *id.* 1677). Professeur à Trinity College (Cambridge), il eut comme élève Newton, auquel il céda sa chaire en 1669. Il fut l'un de ceux qui préparèrent l'application du calcul différentiel à la géométrie.

BARROW IN FURNESS, port de Grande-Bretagne, dans le nord de l'Angleterre, sur la mer d'Irlande; 72 600 hab. Chantiers navals. Constructions mécaniques. Chimie.

BARRY (Jeanne BÉCU, *comtesse* DU), favorite de Louis XV (Vaucouleurs 1743 - Paris 1793). Maîtresse de Louis XV à partir de 1769, elle est guillotinée le 8 décembre 1793.

BARSAC (33720 Podensac), comm. de la Gironde, sur la rive gauche de la Garonne, à 8 km au N.-O. de Langon; 2 085 hab. Église du XVIIIe s. Vins blancs.

BARSEBACK, localité de la Suède méridionale, au N. de Malmö. Centrale nucléaire.

BAR-SUR-AUBE (10200), ch.-l. d'arr. de l'Aube, à 42 km à l'O.-N.-O. de Chaumont; 7 146 hab. *(Baralbins* ou *Barsuraubois).* Deux églises remontant au XIIe s. Constructions mécaniques.

BAR-SUR-LOUP (Le) [06620], ch.-l. de cant. des Alpes-Maritimes, à 9 km au N.-E. de Grasse; 2 043 hab. Église gothique.

BAR-SUR-SEINE (10110), ch.-l. de cant. de l'Aube, à 33 km au S.-E. de Troyes; 3 851 hab. Église des XVIe-XVIIe s. Textile.

BART (Jean), marin français (Dunkerque 1650-*id.* 1702). Corsaire de la marine royale française, il assure, à l'encontre des flottes anglaise et hollandaise (1692-93), l'entrée à Dunkerque des navires chargés de blé dont la France a besoin.

BARTAS (Guillaume DE SALLUSTE, *seigneur* DU), poète français (Montfort, près d'Auch, 1544-Condom 1590). Huguenot, il entreprit, dans deux poèmes d'inspiration religieuse et encyclopédique, un tableau de la création du monde (*la Semaine*,* 1578) et une histoire de l'humanité (*la Seconde Semaine,* 1585). Disciple de Ronsard, il porta à l'extrême le goût de la Pléiade pour les néologismes.

BARTAVELLE n. f. (prov. *bartavelo*). Oiseau du Jura, des Alpes, des Pyrénées, voisin de la perdrix. (Long. 35 cm.)

BARTH (Karl), théologien calviniste suisse (Bâle 1886 - *id.* 1968), un des théologiens les plus importants de notre époque. Sa *Dogmatique* (1932-1939, 12 vol.) fait découvrir une théologie vivante, pensée non comme un sec enseignement universitaire, mais comme la doctrine du salut dont l'annonce est la raison d'être de l'Église.

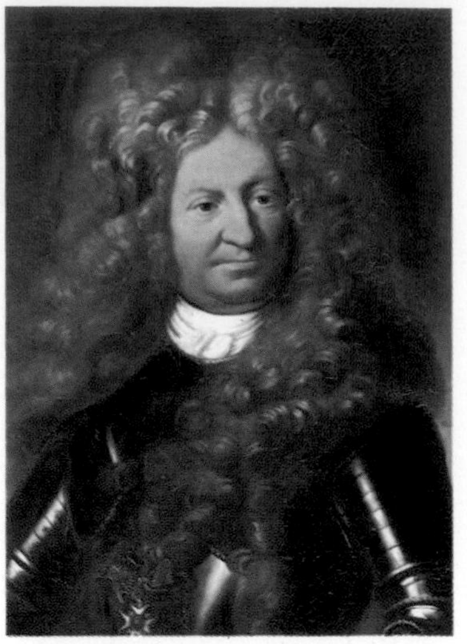
Giraudon

Jean **Bart,** par Tito Marzocchi di Bellucci. (Château de Versailles.)

BARTHE-DE-NESTE (La) [65250], ch.-l. de cant. des Hautes-Pyrénées, dans la vallée d'Aure, à 6 km au S. de Lannemezan; 1 153 hab.

BARTHÉLEMY *(saint),* un des douze apôtres de Jésus, appelé Nathanaël dans l'Évangile de saint Jean.

BARTHÉLEMY (abbé Jean-Jacques), écrivain et numismate français (Cassis 1716 - Paris 1795). Réorganisateur du cabinet des Médailles, il tenta, à partir de documents archéologiques et à la suite du nouvel éclairage porté sur l'Antiquité par les fouilles de Pompéi, une reconstitution de la vie du monde grec au IVe s. av. J.-C. : son *Voyage du jeune Anacharsis en Grèce* (1788) fut un véritable manuel d'initiation historique.

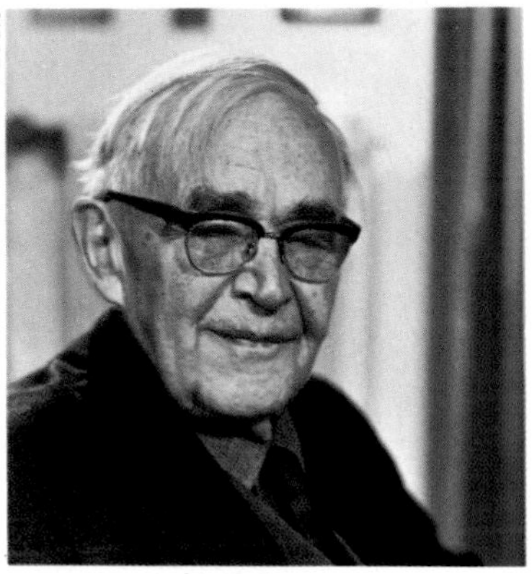
Donner Saint-Louis

Karl **Barth**

BARTHÉLEMY (René), physicien français (Nangis 1889 - Antibes 1954), l'un des créateurs de la télévision en France. Il réalisa l'analyse entrelacée et créa l'*isoscope,* tube de prises de vues perfectionné pour caméras de télévision.

BARTHES (Roland), écrivain français (Cherbourg 1915 - Paris 1980). Du *Degré zéro de l'écriture* (1953) au second degré de la littérature (*Roland Barthes par Roland Barthes,* 1975), son œuvre dessine un des trajets les plus originaux de la « critique » contemporaine. De ses années de formation, marquées par la gêne matérielle, la maladie et la lecture du *Journal* de Gide, Barthes a tiré une philosophie de l'*aise* (saisie immédiate et sensible de choses qu'il adapte à ses humeurs, distance à l'égard des doctrines et des langages constitués), qui sous-tend aussi bien ses contacts avec les objets que ses relations à autrui et son activité intellectuelle. Refusant les trois pressions de l'idéologie, de l'illusion scientifique et de l'engagement militant, il entreprend une exploration des rapports sociaux et de leur expression qui connaît trois étapes principales : une étape *ethnologique,* où domine la critique des attitudes sociales et quotidiennes (*Mythologies,* 1957); une étape *sémiologique,* où la linguistique sert de modèle à l'élaboration d'une science générale des signes (*Éléments de sémiologie,* 1965; *Critique et vérité,* 1966; *Système de la mode,* 1967); une étape *textuelle,* en relation avec les recherches du groupe *Tel quel** et de Jacques Lacan* : il s'efforce de lire et de déchiffrer les inadvertances révélatrices de l'œuvre balzacienne (*S/Z,* 1970), l'étrangeté du Japon saisie dans les correspondances entre ses codes culinaire et poétique (*l'Empire des signes,* 1970), les rapports inattendus entre l'érotisme, le mysticisme et l'imagination utopique (*Sade, Fourier, Loyola,* 1971).

On a fait de Barthes le chef de file de la « nouvelle* critique », puis on lui a reproché de s'abandonner au *Plaisir du texte* (1973) et de manquer de rigueur scientifique. C'est méconnaître la double caractéristique de sa démarche : d'abord une *appréhension plastique* des choses et des notions, qui le fait aller du geste à l'idée; ensuite le *refus de la massification* (dogmatisme, idéologie dominante), qui lui fait prendre les références scientifiques plus comme « emblèmes » que comme modèles. D'où son horreur des classements et sa passion des différences qui fondent une identité sensible; d'où son perpétuel glissement d'une théorie à une autre et sa tendance constante à se situer « en marge »; d'où sa prédilection pour une écriture « courte » (lexies*, fragments, etc.), qui use de la métaphore comme d'un gag ou d'une rengaine (on « pousse » une expression ou une situation jusqu'au moment où elle éclate ou dérive), et qui s'organise selon des schémas plus musicaux que littéraires (cf. son admiration pour les *Pièces brèves* de Webern). Texte de plaisir, qui fait « passer l'écriture par le corps » et qui veut introduire non à une science ou à une pédagogie, mais à un « nouvel art » de l'intelligence et du désir (*Fragments d'un discours amoureux,* 1977).

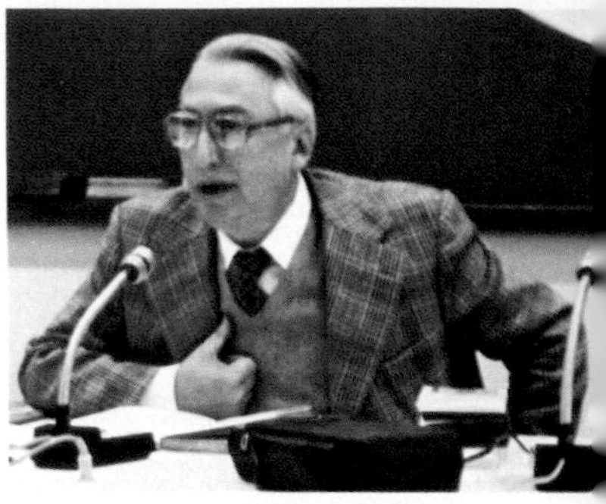
P. Jahan

Roland **Barthes**

BARTHOLDI (Frédéric Auguste), sculpteur français (Colmar 1834 - Paris 1904), auteur du *Lion de Belfort,* taillé dans le roc (1880), et de *la Liberté éclairant le monde* (1886, New York).

BARTHOLIN (Erasmus), physicien et mathématicien danois (Roskilde 1625 - Copenhague 1698). Il découvrit en 1669 la double réfraction dans le spath d'Islande.

BARTHOLINITE n. f. (du nom de Thomas *Bartholin* [1616-1680]). *Méd.* Inflammation des glandes de Bartholin, situées dans les grandes lèvres de la vulve.

BARTHOU (Louis), homme politique français (Oloron-Sainte-Marie 1862 - Marseille 1934). Plusieurs fois ministre, notamment des Travaux publics (1894-1909), Premier ministre du 22 mars au 2 décembre 1913, il attache son nom, comme garde des Sceaux (1922-1929), à une importante réforme judiciaire et, comme ministre des Affaires étrangères (1934), au système de sécurité collective. Il est victime de l'attentat perpétré contre Alexandre Ier de Yougoslavie (1934).

BARTÓK (Béla), compositeur hongrois (Nagyszentmiklós 1881 - New York 1945). Sa position éminente dans la musique du XXe siècle n'est contestée — cas assez rare — ni par l'avant-garde ni par la tradition. Ses recherches

Béla **Bartók.** Peinture anonyme.

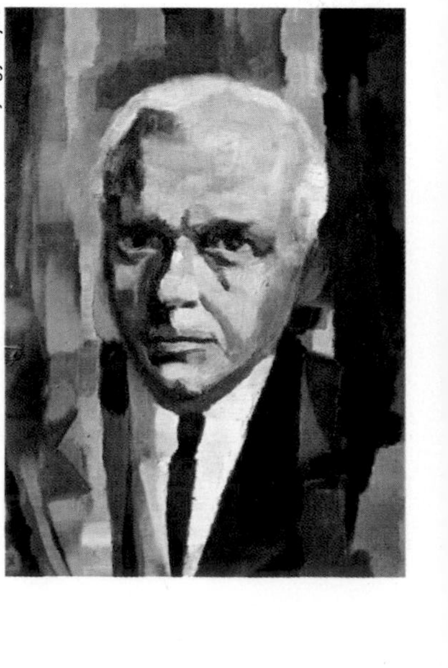
Gyorgy-Lajos

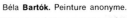

folkloriques lui ouvrirent la voie d'une musique nationale authentique, de portée universelle. Il se livra aussi à de passionnantes expériences dans le domaine des timbres : musique de chambre, dont six quatuors, six concertos (dont trois pour piano); musique symphonique, dont *Musique pour cordes, percussion et célesta* (1936); musique dramatique, dont *le Château de Barbe-Bleue* (1911) et le ballet *le Prince de bois* (1914-1916); musique pour piano, dont *Mikrokosmos* (1926-1937).

BARTOLOMEO (Fra), peintre italien (Florence 1472 - Pian di Mugnone 1517). Dominicain du couvent de Saint-Marc (1500), influencé par le Pérugin et Léonard de Vinci, ami de Raphaël, il expérimenta des jeux d'ombre et de lumière subtils, pour aboutir à un style monumental et naturel (tableaux d'autels, fresques du couvent de Pian di Mugnone).

BARTON (*sir* Derek Harold), chimiste britannique (Gravesend 1918). Il a introduit l'idée de conformation en chimie, qui rend compte des déformations subies par les grosses molécules sous l'action d'un champ électrique ou de groupes d'atomes voisins. (Prix Nobel, 1969.)

BARUCH, disciple et secrétaire du prophète Jérémie*. Le *livre de Baruch,* absent de la Bible hébraïque, est postérieur au Ier s. av. J.-C.

BARYCENTRE n. m. Centre de gravité.

BARYCHNIKOV ou **BARYSHNIKOV** (Mikhaïl Nikolaïevitch), danseur soviétique naturalisé américain (Riga 1948). Virtuose et technicien exceptionnel, il a été directeur artistique de l'American Ballet Theatre de 1980 à 1989.

BARYE [bari] n. f. (gr. *barus,* lourd). Anc. unité C. G. S. de contrainte et de pression (symb. : dyn/cm^2), valant 10^{-1} pascal.

BARYE (Antoine Louis), sculpteur et aquarelliste français (Paris 1796 - *id.* 1875). Fils d'un orfèvre, élève de Bosio et de Gros, il se spécialisa dans l'art du bronze animalier, alliant à une intuition romantique de l'énergie des bêtes sauvages la volonté classique de trouver une vérité qui dépasse l'anecdote (*Lion au serpent,* 1833; *le Centaure et le Lapithe,* 1850).

BARYON n. m. Nom générique des particules élémentaires ayant une masse au moins égale à celle du proton.

BARYTE n. f. (gr. *barus,* lourd). Oxyde de baryum (BaO), de couleur blanchâtre, de densité 5,5. ‖ Hydroxyde $Ba(OH)_2$.

BARYTINE n. f. Sulfate de baryum naturel.

BARYTON n. m. (gr. *barutonos,* dont la voix est grave). Voix d'homme intermédiaire entre le ténor et la basse. ‖ Bugle intermédiaire entre l'alto et la basse, utilisé dans les musiques militaires et les fanfares. ◆ adj. inv. et n. m. *Phon.* Se dit d'un mot dont la finale porte l'accent grave ou ne porte pas d'accent.

BARYUM [barjɔm] n. m. (gr. *barus,* lourd). Métal alcalino-terreux (Ba), no 56, de masse atomique 137,34, blanc d'argent, fondant à 710 °C, de densité 3,7.

BĀRZĀNĪ (Mullā Muṣṭafā **al-**), chef kurde (Bārzān 1903 - Rochester, États-Unis, 1979). À la chute de la République démocratique kurde (1946), il se réfugie en U. R. S. S. Rentré en Iraq en 1958, il est le chef des insurrections des autonomistes kurdes* (1961-1970). Après la défaite de 1975, il quitte l'Iraq.

BARZEL (Rainer), homme politique allemand (Braunsberg 1924). Président de la CDU (1971-1973), il s'oppose à l'*Ostpolitik* de Willy Brandt. Ministre des affaires interallemandes dans le gouvernement Kohl (oct. 1982-mars 1983), puis président du Bundestag, il doit, mêlé à un scandale, démissionner en octobre 1984.

BARZOÏ [barzɔj] n. m. (mot russe). Lévrier russe à poil long.

BAS, BASSE adj. (lat. *bassus*). Qui a peu de hauteur, de valeur, d'intensité ou qui est incliné vers le sol : *fenêtre basse, bas prix, la tête basse* ‖ Inférieur, méprisable : *basse besogne, basse vengeance.* ‖ *Géogr.* Se dit de la section d'un cours d'eau proche de son embouchure ou de son confluent. ● *Avoir la vue basse,* ne voir que de très près. ‖ *Bas âge,* première enfance. ‖ *Bas allemand,* langue du nord de l'Allemagne. ‖ *Bas latin* ou *basse latinité,* latin du Bas-Empire. ‖ *Ce bas monde,* ici-bas, la terre. ‖ *Temps bas,* chargé de nuages. ◆ adv. D'une manière basse : *parler bas, voler bas.* ● *À bas!,* cri exprimant l'hostilité. ‖ *De bas en haut,* dans le sens ascendant. ‖ *En bas,* au-dessous. ‖ *Être bien bas,* être près de mourir. ‖ *Jeter, mettre bas,* abattre, détruire. ‖ *Mettre bas,* faire des petits, en parlant des animaux. ‖ *Mettre bas les armes,* renoncer à la lutte.

BAS n. m. Partie inférieure : *le bas du visage.* ● *Bas de casse,* partie inférieure de la casse des typographes, où se trouvent les lettres minuscules; ces lettres elles-mêmes. ‖ *Des hauts et des bas,* des alternatives de bonne et de mauvaise fortune, de bonne et de mauvaise santé.

BAS n. m. (de *bas-de-chausses*). Pièce de l'habillement, surtout féminin, en textile à mailles, qui gaine le pied et la jambe. ● *Bas de laine* (Fam.), économies.

BASAL, E, AUX adj. Relatif à la base de qqch. ● *Membrane basale,* ou *basale* n. f. (Histol.), membrane formée de cellules épithéliales cubiques, et séparant la face profonde d'un épithélium du tissu conjonctif sous-jacent.

BASALTE n. m. (lat. *basaltes*). Roche volcanique de couleur sombre, constituée essentiellement de plagioclase, de pyroxène et d'olivine, formant des coulées étendues, montrant souvent une structure prismatique (orgues).

BASALTIQUE adj. Formé de basalte; de constitution identique à celle du basalte.

BASANE n. f. (prov. *bazana,* doublure). Peau de mouton tannée et servant à la sellerie, à la maroquinerie, à la reliure, etc. ‖ Peau souple qui recouvrait en partie les pantalons de cavaliers. ‖ *Fam.* La cavalerie.

BASANÉ, E adj. Bronzé par le soleil, le grand air : *teint basané.*

BASANER v. t. Donner la couleur brun foncé.

BAS-BLEU n. m. (pl. *bas-bleus*). Femme pédante, à prétentions littéraires (vx).

BAS-CÔTÉ n. m. (pl. *bas-côtés*). Collatéral d'une église, moins élevé que le vaisseau central. ‖ Voie latérale réservée aux piétons.

BASCULANT, E adj. Qui bascule.

BASCULE n. f. (de *basse,* et anc. fr. *baculer,* frapper le derrière contre terre). Machine dont l'un des bouts s'élève quand on pèse sur l'autre. ‖ Balançoire dont l'un des bouts s'élève quand l'autre s'abaisse. ‖ Balance à plate-forme pour lourds fardeaux.

BASCULEMENT n. m. Action de basculer.

BASCULER v. i. Perdre l'équilibre, tomber. ‖ Changer de façon irréversible : *les partis du centre ont basculé à droite.* ◆ v. t. Culbuter, renverser : *basculer un wagonnet.*

BASCULEUR n. m. Relais électrique pouvant prendre seulement deux positions de travail.

BAS-DE-CHAUSSES n. m. Anc. nom des bas dans l'habillement masculin.

BASE n. f. (gr. *basis*). Partie inférieure d'un corps, sur laquelle il repose : *la base d'une colonne.* ‖ Principe fondamental, assises : *établir les bases d'un accord.* ‖ Ensemble des militants d'un parti, des travailleurs d'une entreprise. ‖ *Chim.* Substance qui, combinée avec un acide, produit un sel et de l'eau. ‖ *Électron.* Jonction centrale d'un transistor comprise entre l'émetteur et le collecteur et qui reçoit généralement le signal à amplifier. ‖ *Géod.* Distance mesurée avec une très grande précision sur le terrain, et sur laquelle repose tout un travail de triangulation. ‖ *Math.* Côté d'un triangle opposé au sommet. ‖ Chacun des côtés parallèles d'un trapèze. ‖ Surface à partir de laquelle on compte perpendiculairement la hauteur. ‖ *Mil.* Zone de réunion et de transit des moyens nécessaires à la conduite d'opérations militaires; organisme chargé de ces missions. ‖ Lieu de stationnement et de mise en œuvre de formations militaires. ● *Base de départ* (Mil.), zone où sont disposées des unités avant l'attaque. ‖ *Base de données* (Inform.), ensemble de données bibliographiques automatisées, renvoyant à des unités documentaires primaires telles que livres, articles de périodiques, de presse, etc. ‖ *Base d'un espace vectoriel* (Math.), famille libre maximale formée avec des vecteurs indépendants faisant partie de cet espace. ‖ *Base de feux* (Mil.), ensemble des moyens de feu destinés à appuyer une opération. ‖ *Base de lancement* (Astronaut.), lieu où sont réunies toutes les installations nécessaires à la préparation, au lancement, au contrôle en vol, et éventuellement au guidage radioélectrique d'engins spatiaux. ‖ *Base d'un système de numération* (Math.), nombre d'unités d'un certain ordre nécessaires pour former une unité de l'ordre immédiatement supérieur. ‖ *Base de vitesse,* points repérés sur une côte et dont la distance exactement mesurée et balisée permet aux navires de calculer leur vitesse.

■ *(Chim.)* Une base, corps capable d'agir sur un acide pour donner un sel et de l'eau, est le plus souvent un hydroxyde métallique, comme la soude NaOH ou la chaux $Ca(OH)_2$. En solution aqueuse, elle fournit des ions OH^-. Plus généralement, on considère maintenant comme base tout corps pouvant fixer des ions H^+.

BASE-BALL [bɛzbol] n. m. (mot angl.). Sport dérivé du cricket, répandu aux États-Unis.

BASEDOW (Karl), médecin allemand (Dessau 1799 - Marsenburg 1854) qui a laissé son nom à une forme d'hyperthyroïdie.

Basedow *(maladie de),* maladie résultant d'un excès de fonctionnement de la glande thyroïde et appelée aussi *goitre exophtalmique.*

BASELLE n. f. (mot d'une langue de l'Inde). Plante des pays tropicaux, rappelant l'épinard.

BAS-EMPIRE, période de l'histoire romaine (284-395). L'Empire romain traverse au IIIe s. une crise où il manque de sombrer : il connaît des invasions barbares*, l'anarchie militaire, l'instabilité du pouvoir. Cette période critique (235-284) constitue une rupture entre deux époques, le Haut-Empire (Ier-IIe s.) et le Bas-Empire. Le nom de « Bas-Empire », donné à la nouvelle civilisation, est fallacieux par l'idée de décadence qu'il évoque. En effet, le Bas-Empire est une période de rétablissement de la grandeur romaine sur une nouvelle base, le christianisme*. Les principaux auteurs de ce redressement sont Dioclétien* (de 284 à 305) et Constantin* (de 306 à 337). Leurs efforts pour sauver l'Empire conduisent à l'établissement d'un nouveau régime, un état totalitaire de type moderne. L'empereur, qui se veut absolu, intervient partout grâce à une bureaucratie militarisée et hiérarchisée. Les *agentes in rebus,* à la fois espions et policiers, effectuent par en haut la surveillance de tout le circuit. Cette bureaucratie accrue a pour conséquences une fiscalité écrasante et un dirigisme totalitaire. Dans son compartimentage et ses obligations, la société reflète une mobilisation générale au service de l'État : les lois attachent le curial à la cité, le naviculaire et l'artisan à son port et à son atelier, et le colon au sol. La rénovation de l'État s'accomplit dans un climat religieux renouvelé : le Bas-Empire est une période dite « de nouvelle religiosité », où apparaît l'idée d'un dieu unique, d'un Transcendant. Cette évolution n'est pas sans intérêt pour l'empereur qui est le reflet du dieu suprême. Influencé par le néo-platonisme*, le paganisme paraît compromis par ses complaisances avec l'occultisme. Après la brève « réaction païenne » sous Julien* (de 361 à 363), l'État sépare son sort de celui du paganisme (379). En 392, Théodose* interdit les sacrifices païens : c'est l'aboutissement de l'évolution dont Constantin prit l'initiative en 313. Avec la conversion de ce prince, l'Empire devient chrétien : c'est là la plus grande transformation que connaît le Bas-Empire. Le christianisme représente le secteur actif de l'atmosphère culturelle du Bas-Empire. Avec Prudence*, Orose*, Paulin* de Nole..., l'idée chrétienne vient rénover les formes usées de la poésie, de l'histoire; la réflexion historique, philosophique apparaît avec saint Jérôme* et saint Augustin*. La civilisation du Bas-Empire est donc une civilisation nouvelle, très brillante et très vivace. Le système inauguré par Dioclétien est lourd, mais efficace : en Orient, le régime se prolonge jusqu'en 1453 et, au IVe s., Rome relève ses ruines. Mais, face aux invasions barbares, l'Occident ne connaît pas de réaction nationale : alors que Rome fait appel à des mercenaires barbares, une réaction nationaliste et antibarbare oriente la politique de Constantinople, qui réussit à former une armée « romaine », nationale. Aussi peut-on dire, avec A. Piganiol, que « c'est d'abord pour avoir renoncé au service militaire obligatoire que Rome a péri » (476).

BAS-EN-BASSET (43210), ch.-l. de cant. de la Haute-Loire, à 26 km au N. d'Yssingeaux; 2 521 hab.

BASER v. t. Appuyer, fonder : *baser son raisonnement sur une hypothèse.* ‖ *Mil.* Établir dans une base militaire : *unité basée en Allemagne.* ◆ **se baser** v. pr. [**sur**]. Se fonder : *se baser sur des calculs exacts.*

BAS-FOND n. m. (pl. *bas-fonds*). Terrain bas. ‖ Élévation du fond de la mer, d'un cours d'eau, telle qu'un navire peut, en tout temps, passer sans danger. ◆ pl. Partie la plus misérable de la société, où l'homme se dégrade (vx).

BASHŌ (MATSUO MUNEFUSA, dit), poète japonais (Ueno 1644 - Ōsaka 1694). Ses journaux, relatant ses voyages à travers les provinces pour répondre à l'admiration de ses disciples (*Oku no Hosomichi* [*la Sente étroite du Bout-du-Monde*], 1689-1692; *Saga-nikki,* 1691), et ses *haibun* (textes en prose illustrés de courts poèmes, les *haïku*) font de lui un des grands classiques de la littérature japonaise.

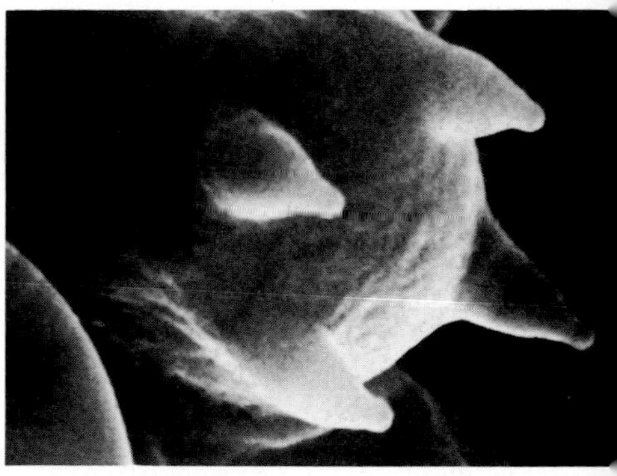

J. Perreau-Lab.-Crypt. Museum

baside : les spores sont en cours de formation.

BASIC n. m. (sigle de l'angl. *Beginner's All purpose Symbolic Instruction Code*). *Inform.* Langage de programmation conçu pour les utilisations conversationnelles à partir de terminaux ou sur des micro-ordinateurs.

BASICITÉ n. f. *Chim.* Propriété qu'a un corps de jouer le rôle de base.

BASIDE n. f. Expansion microscopique portant deux ou quatre spores chez la plupart des champignons supérieurs. (Les spores mûrissent à l'extérieur de la baside qui les a produites, ce qui distingue *baside* et *asque.*)

BASIDIOMYCÈTE n. m. Champignon dont les spores apparaissent sur des basides. (Les *basidiomycètes* forment une classe très nombreuse, et dans laquelle on range les champignons à lames [amanite, agaric], à pores [bolet], certaines formes parasites des végétaux [charbon des céréales].)

BASIDIOSPORE n. f. Spore portée par une baside.

BASIE (William, dit **Count**), pianiste, organiste, compositeur et chef d'orchestre de jazz noir américain (Red Bank, New Jersey, 1904 - Hollywood, Floride, 1984). Fondateur en 1936 d'un grand orchestre, dont la réputation ne devait pas faiblir au fil des ans, il y révéla des individualités comme Buck Clayton, Lester Young, Roy Eldridge, et il s'imposa lui-même comme l'un des noms les plus prestigieux du *middle jazz.*

BASILAIRE adj. *Anat.* Qui sert de base.

BASILAN, île des Philippines, au S.-O. de Mindanao, dont elle est séparée par le *détroit de Basilan.* V. princ. *Basilan* (139 000 hab.).

BASILDON, v. de Grande-Bretagne, au N.-E. de Londres, à proximité de l'estuaire de la Tamise; 152 000 hab. Constructions mécaniques et électriques.

Bashō. Statue en bois de Ran-koo. Fin du XVIIe s. (Musée historique des Tissus, Lyon.)

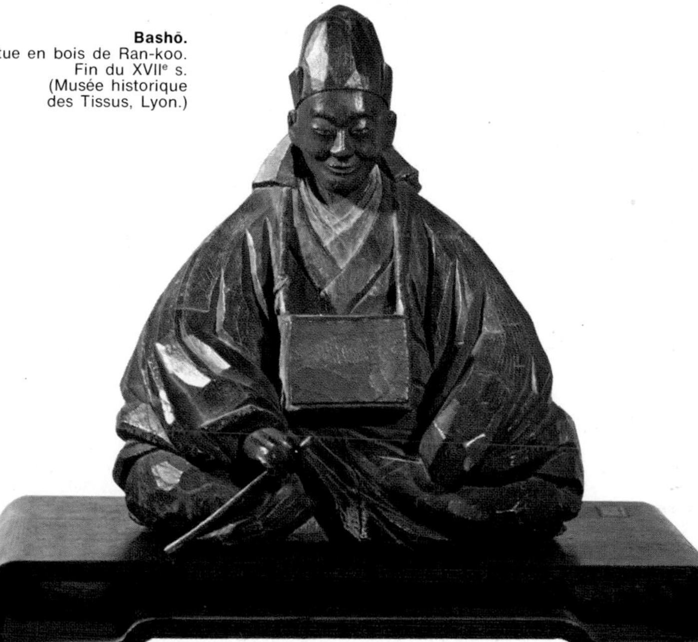

Giraudon

BASILE *(saint),* Père de l'Église grecque, évêque de Césarée de Cappadoce (Césarée v. 329-*id.* 379). En 356, il renonce à la carrière de rhéteur et opte pour la vie monastique; durant cette période, il rédige les deux *Règles monastiques,* dont s'inspireront les deux grands législateurs du monachisme en Occident : Cassien et saint Benoît. Nommé évêque en 370, au plus vif des querelles ariennes, il contribue, avec son frère Grégoire de Nysse et son ami Grégoire de Nazianze, à l'apaisement des esprits et au retour à l'unité de la foi, que réalisera le concile de Constantinople en 381. Ses œuvres principales sont le *Contre Eunomius,* le *Traité sur l'Esprit-Saint,* les *Homélies sur l'Hexaméron* et la *Lettre sur les études grecques.*

BASILE Ier → MACÉDONIENNE *(dynastie).*

BASILE II (957-1025), empereur byzantin (963-1025) de la dynastie macédonienne*. Il doit réprimer les insurrections menées par l'aristocratie militaire et terrienne (976-979 et 987), et repousser les assauts des Fāṭimides* en Syrie, avant de se consacrer à une lutte acharnée (1001-1018) contre les Bulgares. Ayant ainsi assuré la maîtrise de Byzance sur toute la péninsule balkanique, il annexe une partie de l'Arménie et de la Géorgie.

BASILEUS [bazilø̃s] n. m. (mot gr., *roi*). Titre du roi de Perse, puis, après 630, de l'empereur byzantin *(basileus autocrator).*

BASILE VALENTIN, alchimiste du XVe s., né en Alsace. Il employa l'antimoine comme médicament, prépara l'acide chlorhydrique et donna le moyen d'obtenir de l'eau-de-vie en distillant le vin ou la bière.

BASILIC [bazilik] n. m. (gr. *basiliskos,* petit roi). Monstre fabuleux issu d'un œuf pondu par un coq et couvé par un crapaud. ‖ Grand lézard voisin de l'iguane, à crête dorsale écailleuse, de mœurs semi-aquatiques, vivant en Amérique tropicale. (Long. 80 cm.)

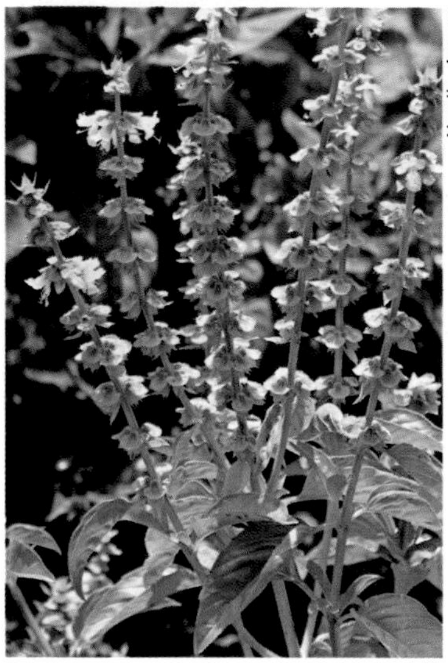

Nardin-Jacana

basilic

BASILIC [bazilik] n. m. (gr. *basilikon,* royal). Plante aromatique originaire d'Asie. (Famille des labiacées.) [Syn. PISTOU.]

BASILICAL, E, AUX adj. *Archit.* Relatif à la basilique.

BASILICATE, région du sud de l'Italie, formée par les provinces de Matera et Potenza; 9 992 km^2; 617 000 hab. Montagneux, entre la mer Tyrrhénienne (golfe de Policastro) et la mer Ionienne (golfe de Tarente), le Basilicate est un pays pauvre, à prépondérance agricole (blé et, localement, vignobles et oliviers ainsi qu'élevage ovin), où persiste une notable émigration.

BASILIQUE n. f. (lat. *basilica*). Édifice romain en forme de grande salle rectangulaire, se terminant en général par une abside. (La basilique abritait les diverses activités publiques des citoyens.) ‖ Église chrétienne bâtie sur le même plan. ‖ Titre donné à une église privilégiée.

BASIN n. m. (anc. fr. *bombasin,* mot it.). Étoffe de coton croisée.

BASINGSTOKE, v. de Grande-Bretagne, au S.-O. de Londres; 67 000 hab.

BASIPHILE adj. Se dit des plantes se développant bien sur les sols alcalins (buis).

BASIQUE adj. Qui a les propriétés d'une base. • *Roche basique,* roche endogène contenant entre 45 et 52 p. 100 de silice. ‖ *Sel basique,* sel qui interagit avec un acide pour donner un sel neutre.

BAS-JOINTÉ, E adj. (pl. *bas-jointés, es*). Se dit d'un cheval aux paturons se rapprochant de l'horizontale.

BASKET-BALL
plan et mesures d'un terrain, avec la disposition des joueurs

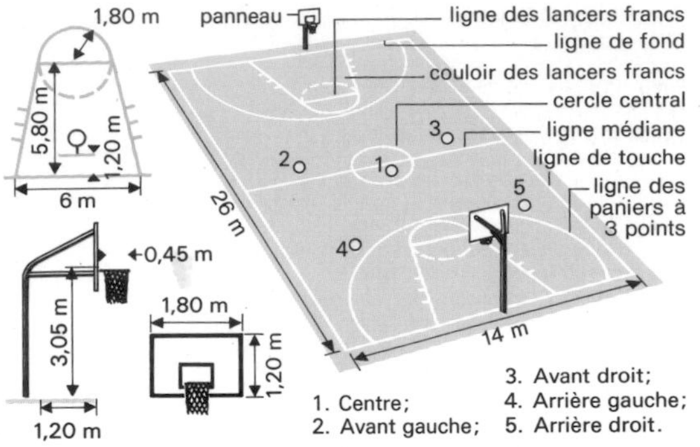
1,80 m
panneau
ligne des lancers francs
ligne de fond
couloir des lancers francs
cercle central
ligne médiane
ligne de touche
ligne des paniers à 3 points
5,80 m
1,20 m
6 m
26 m
14 m
0,45 m
3,05 m
1,80 m
1,20 m
1,20 m
1. Centre;
2. Avant gauche;
3. Avant droit;
4. Arrière gauche;
5. Arrière droit.

BASKET [baskɛt] n. m. ou f. Chaussure de sport en toile légère et à semelle de caoutchouc, montant jusqu'à la cheville.

BASKET-BALL [baskɛtbol] ou **BASKET** n. m. (mot anglo-amér.). Sport d'équipe (deux équipes de cinq joueurs) qui consiste à lancer un ballon dans un panier suspendu.

BASKETTEUR, EUSE n. Joueur, joueuse de basket-ball.

BASOCHE n. f. (lat. *basilica,* portique). Corps et juridiction des anciens clercs de procureur. ‖ Ensemble des gens de loi.

BASOCHIEN, ENNE adj. et n. De la basoche.

BASOPHILE adj. *Histol.* Qui fixe les couleurs basiques, comme la thionine.

BASQUAIS, E adj. Se dit d'une garniture culinaire à base de tomates, de poivrons et de jambon cru.

BASQUE n. f. (prov. *basta,* plis faits à une robe pour la relever). Partie d'un vêtement qui, partant de la taille, recouvre les hanches : *basques d'un habit.* • *Être toujours aux basques de qqn,* le suivre partout.

BASQUE adj. et n. Du Pays basque.

BASQUE n. m. Langue non indo-européenne parlée au Pays basque. • *Tambour de basque,* tambourin garni d'une seule peau et muni de grelots.

BASQUE FRANÇAIS *(Pays),* région du sud-ouest de la France, correspondant à la partie septentrionale du Pays basque. Situé dans les Pyrénées-Atlantiques (arrondissement de Bayonne et ouest de l'arrondissement d'Oloron-Sainte-Marie), le Pays basque français englobe le *Labourd* (bassin de la Nivelle et région de la Nive inférieure), la *Basse-Navarre* (bassin supérieur de la Nive et région de Saint-Palais) et la *Soule* (bassin du Saison). Il compte un peu moins de 200 000 habitants dans un milieu dont l'unité est d'abord linguistique.

BASQUES *(provinces),* en esp. **Provincias Vascongadas,** région de l'Espagne du Nord, correspondant aux provinces de Biscaye, de Guipúzcoa et d'Álava et constituant une communauté autonome; 7 261 km^2; 2 143 000 hab. Peu étendue, la région est fortement peuplée, notamment sur le littoral ou à proximité de celui-ci, là où se situent Saint-Sébastien et surtout la conurbation industrielle de Bilbao (sidérurgie et métallurgie). Dans un bassin, sur la route de la Castille, Victoria est la seule localité importante de l'intérieur, montagneux, boisé et peu peuplé.

HISTOIRE. Les origines du peuple basque sont difficiles à déterminer. En tout cas, ce peuple a un type, une langue, un mode de vie, une tradition orale, un droit coutumier qui lui ont permis de sauvegarder jusqu'à nos jours sa personnalité. Rattachées à la Castille du XIIIe s. au XIVe s., les trois provinces basques (Biscaye, Guipúzcoa, Álava) gardent leurs privilèges *(fueros)* jusqu'au début du XIXe s. Par la suite, elles sont affrontées au centralisme des Bourbons, de Primo de Rivera, puis du franquisme. D'où l'allégeance des Basques au carlisme*, au Front populaire de 1936 et aux républicains durant la guerre civile. La création, en 1959, de l'E. T. A. (Euzkadi ta Askatasuna : le Pays basque et sa liberté) marque une étape importante dans la résistance des Basques au régime de Madrid. En juillet 1979, après une période marquée par une recrudescence de la violence, le parti nationaliste basque et le gouvernement espagnol concluent un accord sur le projet d'autonomie, qui est approuvé par référendum en octobre, malgré l'hostilité de la faction extrémiste de l'E. T. A. En 1980, après l'élection du Parlement basque (1979), un gouvernement autonome est constitué. Mais la fraction extrémiste de l'E. T. A. poursuit sa lutte (attentats) pour parvenir à l'indépendance, même après l'installation des socialistes à Madrid (1982). Le Pays basque français en subit les contrecoups.

BASQUINE n. f. (esp. *basquina*). Jupe régionale des femmes basques.

BAṢRA → BASSORA.

BAS-RELIEF n. m. (pl. *bas-reliefs*). En sculpture, relief dont les motifs sont peu saillants.

BASS *(détroit de),* détroit séparant le continent australien et la Tasmanie. Gissements de pétrole.

BASSANI (Giovanni Battista), compositeur italien (Padoue? v. 1657 - Bergame 1716). Malgré sa réputation comme violoniste et auteur de sonates, il a surtout laissé son nom dans le genre de la cantate, profane ou sacrée.

BASSANO (Jacopo DA PONTE, dit), peintre italien (Bassano v. 1510-1518 - *id.* 1592). Fils d'un peintre local, FRANCESCO **Bassano,** il est l'initiateur d'une formule qui introduit dans les scènes religieuses tous les éléments d'une pastorale naturaliste. Influencé par Venise et par divers courants maniéristes, coloriste somptueux, il a cultivé les effets de luminisme nocturne. De ses quatre fils peintres, FRANCESCO II et LEANDRO, installés à Venise, sont ceux qui ont le mieux diffusé sa manière.

BASSE n. f. (it. *basso*). *Acoust.* Son grave. ‖ *Mus.* Partie, voix, instrument faisant entendre les sons les plus graves. • *Basse chantante,* syn. de BASSE-TAILLE.

BASSE-COUR n. f. (pl. *basses-cours*). Partie d'une maison, d'une ferme, où l'on élève la volaille. ‖ Ensemble des animaux qui y vivent.

BASSÉE (La) [59480], ch.-l. de cant. du Nord, à 13 km à l'E. de Béthune; 6 328 hab. Textile.

BASSE ÉPOQUE, période qui marque la fin de l'Empire pharaonique (1085-332).

À la fin du Nouvel Empire, l'Égypte se trouve pratiquement scindée en deux : au nord les rois de Tanis*, au sud les rois-prêtres d'Amon* de Thèbes (XXIe dynastie, 1085-950), les uns et les autres ne se manifestant pas d'hostilité foncière. Vers 950, le Libyen Chéchanq Ier (XXIIe dynastie, 950-730) restaure l'unité nationale et rétablit le prestige de l'Égypte dans le couloir syrien par une campagne en Palestine, où Jérusalem est prise et le Temple pillé (927). Mais, sous ses successeurs, l'opposition des milieux thébains renaît, attisée par le clergé d'Amon, et le désordre devient anarchie au début de la période que recouvrent les XXIIIe, XXIVe et XXVe dynasties (817-656); une vingtaine de féodaux, dont quatre portent le titre de pharaon, se partagent le pays. Profitant de la confusion, un prince du pays de Koush (Éthiopie ancienne), Piankhi, prend le pouvoir en Haute-Égypte, tandis que Tefnakht, prince de Saïs (Delta oriental), tente de faire l'unité autour de lui. Son fils, Bocchoris* (Bokenranef), ne peut pas empêcher la XXVe dynastie koushite d'étendre sur l'Égypte entière une domination à laquelle, soixante ans après, le puissant Empire assyrien viendra mettre fin. Mais la domination étrangère sera, cette fois, brève. Le fondateur de la XXVIe dynastie (663-525), Psammétik Ier (663-609), descendant de Tefnakht, chasse les Assyriens grâce à l'appui des mercenaires grecs et, par la fondation de colonies grecques, transforme l'économie du pays. Néchao II (609-594) réorganise la flotte égyptienne sur le modèle grec, mais échoue dans sa lutte contre l'expansion babylonienne à Karkémish en 605. La dynastie saïte, que continuent Psammétik II (594-588), Apriès (588-568), Ahmosis (568-525), réussit à édifier une Égypte unie et prospère. En 525, Cambyse*, vainqueur de Psammétik III (six mois de règne), se rend maître de l'Égypte. Les pharaons de la XXVIIe dynastie (525-405) seront achéménides. En 410, Amyrtée, unique pharaon de la XXVIIIe dynastie (405-398), se révolte contre les Perses, et, en 406, le pays retrouve la liberté. Les XXIXe et XXXe dynasties (398-341) maintiennent une indépendance précaire. En 341, Artaxerxès III chasse Nectanibis II, le dernier pharaon. Quand Alexandre pénètre dans la vallée du Nil (332), s'achève l'histoire de l'Égypte des pharaons.

BASSE-FOSSE n. f. (pl. *basses-fosses*). *Vx.* Cachot profond, obscur et humide. (On dit aussi CUL-DE-BASSE-FOSSE.)

BASSEIN, v. de Birmanie, à l'O. de Rangoon; 335 600 hab.

BASSE-INDRE → INDRE.

BASSEMENT adv. De façon basse, vile.

BASSENS (33530), comm. de la Gironde, à 9 km au N.-E. de Bordeaux, sur la rive droite de la Garonne; 6 595 hab. Industries chimiques.

BASSE-POINTE (97218), ch.-l. de cant. de la Martinique; 4 201 hab.

BASSESSE n. f. (de *bas*). Manque d'élévation morale, de noblesse; action vile.

BASSET n. m. Chien courant, à jambes courtes et parfois torses.

BASSE-TAILLE n. f. (pl. *basses-tailles*). Anc. désignation d'une tessiture vocale ou instrumentale intermédiaire entre le baryton et la basse. (On dit aussi BASSE CHANTANTE.)

BASSE-TERRE (97100), ch.-l. de la Guadeloupe, sur la côte nord-ouest de l'île de *Basse-Terre* (partie occidentale de la Guadeloupe); 13 796 hab. *(Basse-Terriens).*

BASSE-YUTZ → YUTZ.

BASSIGNY, région du sud-est du Bassin parisien, au N.-E. du plateau de Langres.

BASSIN n. m. (de *bac*). Récipient portatif large et profond. ‖ Récipient de forme particulière destiné à recevoir les déjections des malades alités. ‖ Plateau de la balance. ‖ Pièce d'eau dans un jardin. ‖ Vaste gisement de houille ou de fer formant une unité géographique et géologique. ‖ Partie d'un port constituée par des quais et des digues, et où les bateaux stationnent à l'abri du vent et de la grosse mer. ‖ *Anat.* Sorte de cuvette osseuse circonscrite, à la partie inférieure de l'abdomen, par la ceinture pelvienne (os du bassin). ‖ *Océanogr.* Dépression étalée du fond océanique. ‖ *Sports.* Syn. de PISCINE. • *Bassin d'effondrement* (Géomorphol.), dépression tectonique résultant de cassures. ‖ *Bassin d'emploi ou de main-d'œuvre* (Géogr. et stat.), espace géographique offrant des caractéristiques spécifiques de disponibilité de main-d'œuvre, en liaison avec l'évolution démographique et économique. ‖ *Bassin d'essai,* bassin servant surtout à déterminer sur des modèles réduits de navire les formes de carène de moindre résistance. ‖ *Bassin d'un fleuve,* le pays drainé par ce fleuve et ses affluents. ‖ *Bassin à flot,* bassin d'un port dans lequel l'eau est retenue par une porte-écluse et reste à un niveau constant quelle que soit la marée. ‖ *Bassin de marée,* bassin portuaire qui reste en libre communication avec la mer et dont le niveau varie avec la marée. ‖ *Bassin de réception,* entonnoir naturel à forte pente, qui rassemble les eaux de ruissellement tombées sur la montagne et qui forme la partie supérieure d'un torrent. ‖ *Bassin sédimentaire,* large cuvette dans un socle où les couches sédimentaires se sont entassées en auréoles concentriques, les plus récentes au centre, les plus anciennes sur le pourtour.

BASSINE n. f. Large récipient circulaire à usages domestiques ou industriels.

BASSINER v. t. Humecter légèrement. ‖ *Pop.* Ennuyer. ‖ Chauffer avec une bassinoire (vx).

BASSINET n. m. Petit bassin, cuvette. ‖ *Anat.* Organe en forme d'entonnoir, aplati, s'ouvrant par sa base dans la concavité du rein, dont il collecte l'urine, et se continuant par l'uretère. ‖ *Arm.* Dans les anciennes armes à feu, cavité extérieure au canon et contenant la poudre d'amorce (XVIe-XIXe s.). ‖ Casque en usage aux XIIIe et XIVe s.

BASSINOIRE n. f. Bassin de métal ayant un couvercle percé de trous et qui, rempli de braises, sert à chauffer un lit.

basson

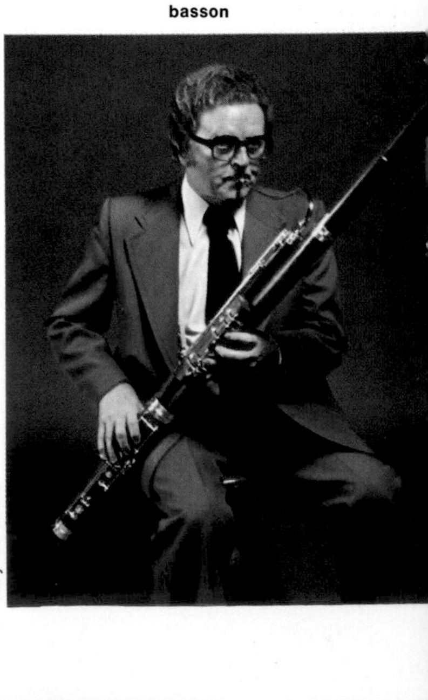

Riby-Larousse

BASSIN ROUGE, région de la Chine, dans l'est du Sseu-tch'ouan. Cuvette entourée de montagnes, c'est la région vitale de la province, intensément mise en valeur (céréales [riz surtout], thé, canne à sucre, etc.).

BASSISTE n. Syn. de CONTREBASSISTE.

BASSON n. m. (it. *bassone*). Instrument de musique en bois, à vent et à anche double, formant dans l'orchestre la basse de la série des hautbois.

BASSON ou **BASSONISTE** n. m. Celui qui joue du basson.

BASSORA ou **BAṢRA,** principal port de l'Iraq, sur le Chaṭṭ al-'Arab; 423 000 hab. Raffinage du pétrole. Industrie chimique. Grande palmeraie. Exportation de dattes.

BASSOV (Nikolaï Guennadievitch), physicien soviétique (Ousman, près de Voronej, 1922). Il a réalisé en 1956 un « oscillateur moléculaire » à ammoniac, puis travaillé sur les lasers à gaz et les lasers semi-conducteurs. (Prix Nobel de physique, 1964.)

BASTIDE-DE-SÉROU (La) [09240], ch.-l. de cant. de l'Ariège, à 16 km au N.-O. de Foix; 962 hab.

BASTIDON n. m. Petite bastide (maison).

BASTIÉ (Maryse), aviatrice française (Limoges 1898 - Lyon 1952), détentrice de dix records internationaux de distance et de durée, elle traversa seule l'Atlantique Sud, le 30 décembre 1936.

BASTILLE n. f. (altér. de *bastide*). Autref., ouvrage de défense à l'entrée d'une ville. ‖ Château fort. ‖ Ancienne prison d'État de Paris, démolie après le 14 juillet 1789 (avec une majuscule).

Bastille *(prise de la),* événement qui se déroula dans la soirée du 14 juillet 1789. La prise, par une foule d'origine populaire, de la forteresse-prison parisienne, fut capitale, moins pour son résultat matériel, que pour son puissant symbolisme : la victoire du peuple sur l'arbitraire royal.

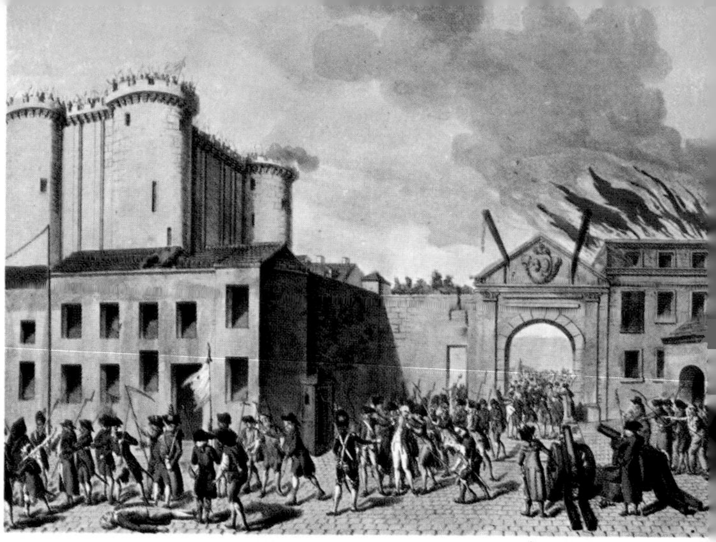

Prise de la **Bastille,** le 14 juillet 1789. Estampe. (Bibliothèque nationale, Paris.)

Larousse

Bastia. Le quartier de la citadelle, le vieux port et le bassin Saint-Nicolas.

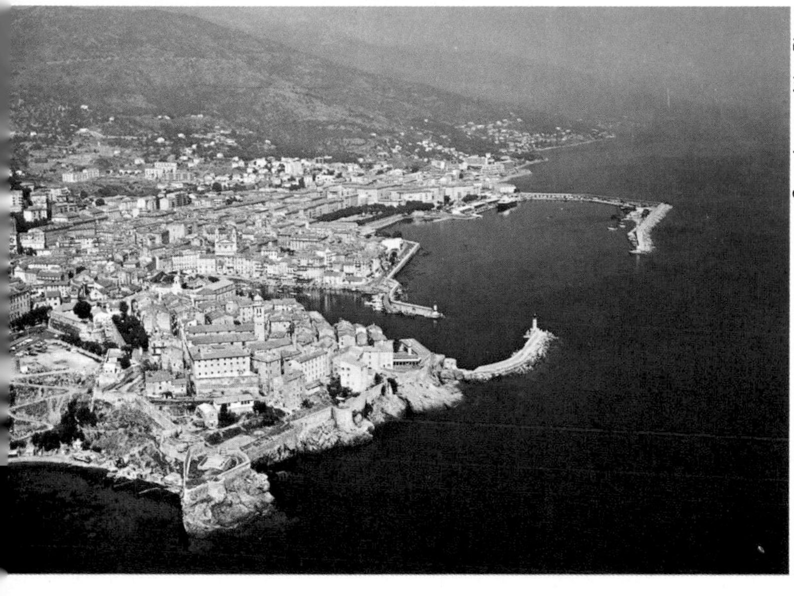

Geay-Lauros-Atlas-Photo

BASTA! interj. (mot it.). Marque l'impatience.

BASTAGUE n. m. *Mar.* Cordage maintenant la mâture d'un voilier aux allures portantes.

BASTAING n. m. → BASTING.

BASTE n. f. (prov. *basto*). Récipient de bois pour le transport de la vendange.

BASTELICA (20119), ch.-l. de cant. de la Corse-du-Sud, à 33 km au N.-E. d'Ajaccio; 796 hab.

BASTERNE n. f. (lat. *basterna*). Char des anciens peuples du Nord, puis des Romains et des Mérovingiens. ‖ Litière portée à dos de mulet.

BASTIA (20200), ch.-l. du départ. de la Haute-Corse, sur la côte nord-est de l'île; 45 081 hab. *(Bastiais).* Citadelle enserrant le palais des Gouverneurs (commencé en 1378) et l'ancienne cathédrale (début du XVIIe s.). Églises et chapelles remontant à la première moitié du XVIIe s. Principal port de l'île, Bastia est surtout une cité de services et un centre commercial (pour la plus grande partie de la plaine orientale); elle est encore peu industrialisée (tabac).

BASTIAN (Adolf), anthropologue allemand (Brême 1826 - Port of Spain 1905). Physicien de formation, professeur d'ethnologie à Berlin, il a publié, avec Virchow, *Zeitschrift für Ethnologie* (1869).

BASTIAT (Claude Frédéric), homme politique et économiste français (Bayonne 1801 - Rome 1850), auteur des *Harmonies économiques.* Ennemi du socialisme, partisan du libre-échange, défenseur d'un optimisme résolu, il appuie ses raisonnements sur l'action de la providence dans la vie des hommes.

BASTIDE n. f. (prov. *bastido,* de *bastir,* bâtir). Maison de campagne, dans le Midi. ‖ Dans le sud-ouest de la France, au Moyen Âge, ville neuve, de plan régulier, en général fortifiée.

BASTIDE (Roger), sociologue français (Nîmes 1898 - Maisons-Laffitte 1974). Il consacre l'essentiel de son œuvre à l'examen des divers phénomènes d'acculturation entre sociétés dites « traditionnelles » et sociétés modernes. La singularité de son approche réside à la fois dans l'accent porté sur les religions et dans le recours constant à la psychanalyse (*les Religions africaines au Brésil,* 1960; *Sociologie des maladies mentales,* 1965; *le Rêve, la transe, la folie,* 1973).

BASTILLÉ, E adj. *Hérald.* Se dit des pièces qui ont les créneaux renversés et tournés vers la pointe de l'écu.

BASTING ou **BASTAING** [bastɛ̃] n. m. Madrier épais et peu large.

BASTINGAGE n. m. (prov. *bastengo,* toile matelassée). Autref., caisson à hamacs placés à l'intérieur des pavois sur les bâtiments de guerre. ‖ Garde-corps sur un navire.

BASTION n. m. (de *bastille*). *Fortif.* Ouvrage dessinant un angle saillant sur un tracé fortifié. ‖ Ce qui forme une défense solide : *cette région est un bastion du socialisme.*

BASTIONNÉ, E adj. *Fortif.* Muni de bastions.

BASTOGNE, v. de Belgique (Luxembourg), dans l'Ardenne; 11 500 hab. Station estivale. Point fort de la résistance américaine dans la bataille des Ardennes* de 1944.

BASTONNADE n. f. (it. *bastonata*). Volée de coups de bâton.

BASTOS [bastos] n. f. *Arg.* Balle d'arme à feu.

BASTRINGUE n. m. *Pop.* Désordre bruyant causé par des danseurs, un orchestre. ‖ *Pop.* Ensemble d'objets hétéroclites. ‖ *Pop.* Bal populaire.

BASUTOLAND → LESOTHO.

BAS-VENTRE n. m. (pl. *bas-ventres*). Partie inférieure du ventre.

BÂT [bɑ] n. m. (gr. *bastazein,* porter un fardeau). Appareil en bois placé sur le dos des bêtes de somme pour le transport des fardeaux.

BATA, port de la Guinée équatoriale, ch.-l. du Mbini; 27 000 hab.

BAŤA (Tomáš), industriel tchèque (Zlín 1876 - Otrokovice 1932). Il fut l'un des premiers industriels à faire participer le personnel de sa manufacture de chaussures de Zlín (auj. Gottwaldov) aux bénéfices, en imaginant l'autonomie comptable des ateliers.

BATACLAN n. m. (onomat.). *Pop.* Attirail embarrassant.

BATAILLE n. f. (lat. *battualia,* escrime). Combat important entre deux forces militaires : *bataille aéronavale; la bataille de Verdun.* ‖ Combat quelconque : *la bataille électorale.* ‖ Jeu de cartes très simple. ● *Cheval de bataille,* sujet favori. ‖ *En bataille,* en travers; en désordre.

BATAILLE (Nicolas) → APOCALYPSE *(tenture de l').*

BATAILLE (Henry), auteur dramatique français (Nîmes 1872 - Malmaison 1922). Il voulut observer les manifestations de l'« instinct » à travers la peinture des mœurs d'une aristocratie finissante ou d'une bourgeoisie prétentieuse (*Maman Colibri,* 1903; *le Phalène,* 1913).

BATAILLE (Georges), écrivain français (Billom 1897 - Paris 1962). Manifestant très tôt des tendances au mysticisme, marqué par l'influence de Hegel, Nietzsche et Heidegger, il est un moment attiré par le surréalisme et fonde plusieurs revues (*Documents,* 1928; *Critique,* 1946). Sa réflexion sur l'art et la littérature (*Lascaux, ou la Naissance de l'art,* 1955; *la Littérature et le mal,* 1957), et leur double rapport à la société et à l'artiste, le conduit à placer le lieu de toute création dans une ascèse inverse où l'homme se dépasse dans la transgression de tous les interdits et notamment des deux tabous majeurs, l'érotisme (*Anus solaire,* 1927; *Madame Edwarda,* 1941; *l'Abbé C...,* 1950; *le Bleu du ciel,* 1957; *l'Érotisme*,* 1957) et la mort (*les Larmes d'Éros,* 1961). Esthétique de « consumation », qui fait d'un même moment où le plaisir et l'intolérable coïncident l'aboutissement de *l'Expérience intérieure* (1943), et qui renverse la finalité des explorations physiques et religieuses (*la Part maudite,* 1949).

BATAILLER v. i. Contester, se disputer, lutter : *batailler sur des riens.*

BATAILLEUR, EUSE adj. et n. Qui aime à batailler, querelleur.

BATAILLON n. m. (it. *battaglione,* escadron). Unité militaire comprenant plusieurs compagnies. ● *Bataillon d'infanterie légère d'Afrique* (Fam. *bat' d'Af'*), corps créé en 1832, où étaient incorporées les recrues ayant subi certaines condamnations.

BATALHA, v. du Portugal (Estrémadure); 7 000 hab. Grandiose abbaye nationale dominicaine, de styles gothique et manuélin (XIVe-XVIe s.).

BATANGAS, v. des Philippines, dans l'île de Luçon, au S. de Manille; 125 300 hab.

BÂTARD, E adj. et n. (mot germ.). Né de parents non légalement mariés. ‖ Se dit d'un animal qui n'est pas de race pure. ‖ Qui participe de deux genres différents et ne peut satisfaire personne : *un compromis bâtard.* ● *Mortier bâtard,* mortier fait d'eau, de sable et d'un mélange de chaux grasse et de ciment.

BÂTARD n. m. Pain de fantaisie court.

BÂTARDE n. f. Écriture qui tient de la ronde et de l'anglaise.

BATARDEAU n. m. (anc. fr. *bastart,* digue). Digue provisoire pour mettre à sec un endroit baigné par de l'eau et où l'on peut exécuter des travaux.

BÂTARDISE n. f. État du bâtard.

BATAVE adj. et n. (lat. *Batavi*). Relatif à la Hollande.

BATAVE *(République),* nom pris par la république des Provinces-Unies à la suite du traité de La Haye du 16 mai 1795. Sa Constitution, démocratique mais unitaire, s'inspirait de celle du Directoire* français. Elle fut érigée en royaume par Napoléon en 1806.

BATAVIA n. f. (de *batave*). Sorte de laitue.

BATAVIQUE adj. *Larme batavique,* goutte de verre terminée par une pointe effilée, que l'on produit en faisant tomber du verre fondu dans de l'eau froide.

BÂTÉ, E adj. *Âne bâté,* personne très sotte ou ignorante.

BATEAU n. m. (anc. angl. *bât*). Nom générique donné aux embarcations de toutes dimensions et de toutes sortes : *un bateau de pêche, un bateau à moteur.* ‖ Dépression du trottoir devant une porte cochère, un garage. ‖ *Fam.* Sujet rebattu, idée banale. ● *Mener qqn en bateau* (Fam.), lui faire croire qqch qui n'est pas vrai. ‖ *Monter un bateau à qqn* (Fam.), inventer une plaisanterie pour le tromper.

BATEAU-CITERNE n. m. (pl. *bateaux-citernes*). Bateau aménagé pour le transport des liquides.

BATEAU-FEU ou **BATEAU-PHARE** n. m. (pl. *bateaux-feux, bateaux-phares*). Bateau portant un phare et mouillé près des endroits dangereux pour la navigation.

BATEAU-LAVOIR n. m. (pl. *bateaux-lavoirs*). Ponton installé au bord d'un cours d'eau, sur lequel les gens venaient laver leur linge. (Nom donné à la maison où se réunissaient les cubistes à Paris.)

BATEAU-MOUCHE n. m. (pl. *bateaux-mouches*). Bateau qui assure un service de promenades d'agrément sur la Seine, à Paris.

BATEAU-PILOTE n. m. (pl. *bateaux-pilotes*). Bateau qui amène un pilote aux navires entrant dans un port.

BATEAU-POMPE n. m. (pl. *bateaux-pompes*). Bateau équipé pour la lutte contre le feu.

BATEAU-PORTE n. m. (pl. *bateaux-portes*). Caisson d'une forme spéciale servant à fermer une cale sèche.

BATÉE n. f. (de *battre*). Écuelle utilisée pour laver les sables aurifères.

BATELAGE n. m. Droit payé à un batelier. ‖ Service de bateaux assurant la communication des navires entre eux ou avec la terre.

BATELET n. m. Petit bateau.

BATELEUR, EUSE n. (anc. fr. *baastel,* marionnette). Personne qui fait des tours d'acrobatie, d'adresse, sur les places publiques (vx).

BATELIER, ÈRE n. Personne dont le métier est de conduire un bateau sur un cours d'eau.

BATELLERIE n. f. Industrie du transport par péniches. ‖ Ensemble des moyens de transport fluvial.

BÂTER v. t. Mettre un bât sur une bête de somme.

BATESON (Gregory), anthropologue américain d'origine britannique (Grantchester 1904 - San Francisco 1980). Il se consacre tôt à l'anthropologie sociale et entreprend plusieurs études sur le terrain, notamment en Nouvelle-Guinée et à Bali, associé pendant un temps à sa première femme, Margaret Mead*. Après la Seconde Guerre mondiale, il s'oriente vers la cybernétique et rencontre Norbert Wiener et John von Neumann. Il applique les concepts mis au jour par la théorie de la communication* au champ psychiatrique. Il travaille alors à l'hôpital de Palo Alto (Californie) et, avec John Weekland, élabore la théorie de la double contrainte, théorie largement reprise par l'antipsychiatrie. À partir de 1964, il complétera ses études sur la théorie de la communication par des travaux sur les poulpes et les dauphins à Hawaii.

BAT-FLANC [baflɑ̃] n. m. inv. Pièce de bois qu'on suspend dans les écuries, pour séparer deux chevaux. ‖ Cloison séparant deux lits dans un dortoir. ‖ Sorte de lit de planches utilisé dans les casernes, les refuges de montagne, les prisons, etc.

BATH [bat] adj. inv. *Pop.* Très beau.

BATH, v. de Grande-Bretagne, au S.-E. de Bristol, sur l'Avon; 83 000 hab. Église de style gothique perpendiculaire. Bel urbanisme du XVIIIe s. Grande station thermale.

BÂTHIE (La) [73540], comm. de la Savoie, à 9 km au S.-E. d'Albertville, près de la rive droite de l'Isère; 1 806 hab. Grande centrale hydroélectrique alimentée par la retenue de Roselend.

BATHOLITE n. m. Intrusion de roches plutoniques, en forme de dôme ou de culot, recoupant les roches encaissantes.

BÁTHORY, famille hongroise qui a fourni notamment un roi à la Pologne, Étienne Ier* (de 1576 à 1586), et deux princes de Transylvanie, Sigismond (1573 - Prague 1613) et Gábor ou Gabriel († 1613).

BATHURST, v. du Canada (Nouveau-Brunswick), sur la baie des Chaleurs; 16 301 hab.

BATHURST, capit. de la Gambie → BANJUL.

BATHYAL, E, AUX [batjal, o] adj. (gr. *bathus,* profond). Relatif à une zone océanique correspondant à peu près au talus continental.

BATHYMÈTRE n. m. Instrument servant à mesurer la profondeur des mers.

BATHYMÉTRIE n. f. Mesure de la profondeur des mers ou des lacs.

BATHYMÉTRIQUE adj. Relatif à la bathymétrie.

BATHYPÉLAGIQUE adj. (gr. *bathus,* profond, et *pelagos,* mer). Se dit d'une zone océanique de grande profondeur (2 000 à 6 000 m), qui forme d'immenses plaines faiblement ondulées.

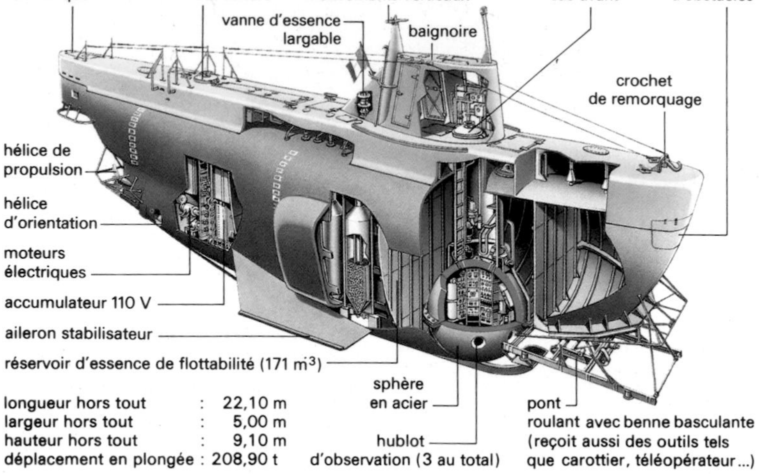
puits à matériel scientifique
panneau du sas arrière
hélice assurant les petits mouvements verticaux
panneau du sas avant
détecteur d'obstacles
vanne d'essence largable
baignoire
crochet de remorquage
hélice de propulsion
hélice d'orientation
moteurs électriques
accumulateur 110 V
aileron stabilisateur
réservoir d'essence de flottabilité (171 m³)
sphère en acier
pont roulant avec benne basculante (reçoit aussi des outils tels que carottier, téléopérateur...)
hublot d'observation (3 au total)
longueur hors tout : 22,10 m
largeur hors tout : 5,00 m
hauteur hors tout : 9,10 m
déplacement en plongée : 208,90 t

BATHYSCAPHE : le bathyscaphe *Archimède.*

BATHYSCAPHE [batiskaf] n. m. (gr. *bathus,* profond, et *skaphê,* barque). Appareil autonome de plongée, permettant d'explorer le fond de la mer. (Le bathyscaphe fonctionne comme un ballon libre : son enveloppe contient un liquide plus léger que l'eau, jouant le même rôle que le gaz d'un ballon, tandis qu'une provision largable de grenaille remplace le lest de sable.)

BATHYSPHÈRE n. f. Sphère très résistante, suspendue à un câble et permettant d'explorer le fond de la mer.

BÂTI n. m. En couture, assemblage à grands points. ‖ Assemblage de pièces de menuiserie ou de charpente. ‖ Support sur lequel sont assemblées les diverses pièces d'un ensemble, d'une machine.

BÂTI, E adj. *Bien, mal bâti* (Fam.), de forte carrure ou difforme.

BÂTIE-NEUVE (La) [05230 Chorges], ch.-l. de cant. des Hautes-Alpes, à 10 km à l'E. de Gap; 837 hab.

BATIFOLAGE n. m. Action de batifoler.

BATIFOLER v. i. (it. *battifolle,* boulevard où l'on s'amuse). S'amuser à des choses futiles; tenir des propos galants.

BATIFOLEUR, EUSE n. Personne qui aime à batifoler.

BATIK n. m. Procédé de décoration d'un tissu par teinture, après en avoir masqué certaines parties avec de la cire; tissu ainsi traité.

BATILLAGE n. m. Succession de vagues contre les berges d'un cours d'eau, produites par le passage d'un bateau.

BÂTIMENT n. m. (de *bâtir*). Construction d'une certaine importance, d'un seul tenant, mettant à couvert un espace habitable. ‖ Terme générique s'appliquant à la plupart des navires, notamment à ceux de fort tonnage. ‖ Ensemble des métiers et industries en rapport avec la construction.

BÂTIR v. t. (francique *bastjan*). Élever ou faire élever sur le sol : *bâtir une maison.* ‖ Assembler à grands points les différentes parties d'un vêtement. ‖ Établir : *bâtir une théorie sur des arguments solides.*

BÂTISSE n. f. Construction sans caractère, dépourvue de style. ‖ Partie en maçonnerie d'une construction.

BÂTISSEUR, EUSE n. Personne qui construit, qui fonde qqch.

BATISTA Y ZALDÍVAR (Fulgencio), officier et homme d'État cubain (Banes, Cuba, 1901-Marbella, Espagne, 1973). Président de la République de 1940 à 1944, puis de 1952 à 1959, il est renversé par le mouvement révolutionnaire de Fidel Castro*.

BATISTE n. f. (du nom de l'inventeur). Toile de lin très fine et très serrée, utilisée en lingerie.

BATNA, v. d'Algérie, ch.-l. de wilaya, au pied nord du massif de l'Aurès; 112 100 hab. Centre commercial. Textile.

BÂTON n. m. (lat. *bastum*). Long morceau de bois rond, qu'on peut tenir à la main et qui sert à s'appuyer, à frapper, etc. ‖ Objet de forme allongée et formé de matière consistante : *bâton de rouge à lèvres, bâton de craie.* ‖ Trait droit que font les enfants qui apprennent à écrire. ‖ Canne aidant le skieur dans son équilibre ou sa progression. ● *À bâtons rompus,* d'une manière discontinue. ‖ *Bâton de maréchal,* insigne de son commandement; réussite suprême. ‖ *Bâton de vieillesse,* personne qui est le soutien d'un vieillard. ‖ *Mettre des bâtons dans les roues,* susciter des obstacles.

BÂTONNAT n. m. Dignité de bâtonnier; durée de cette fonction.

BÂTONNET n. m. Petit bâton. ‖ Prolongement en forme de bâtonnet, caractéristique de certaines cellules visuelles de la rétine.

BÂTONNIER n. m. Chef élu de l'ordre des avocats auprès d'une cour ou d'un tribunal.

BATON ROUGE, v. des États-Unis, capit. de la Louisiane, au N.-O. de La Nouvelle-Orléans, sur le Mississippi; 219 500 hab. Université. Raffinage du pétrole et industrie chimique.

BATOUDE n. f. (it. *battuto*). Tremplin très flexible utilisé par les acrobates.

BATOUMI ou **BATOUM,** v. de l'U.R.S.S. (Géorgie), capit. de la république autonome d'Adjarie, sur la mer Noire; 124 000 hab. Port. Station climatique. Raffinerie de pétrole alimentée par oléoduc depuis Bakou. Chantiers navals.

BATOUTA → IBN BAṬṬŪṬA.

BATRACIEN n. m. Syn. d'AMPHIBIEN.

BATTAGE n. m. Action de battre les céréales, la laine, le coton, la pâte, l'or, etc. ‖ *Fam.* Publicité exagérée. ● *Battage de pieux* ou *de palplanches,* opération consistant à enfoncer un pieu ou une palplanche en frappant sur sa tête au moyen d'un mouton.

BATTAMBANG, v. du Cambodge, ch.-l. de prov., à l'O. du Tonlé Sap; 39 000 hab. Textile.

BATTĀNĪ (al-), dit aussi **Albatenius** ou **Albategni,** astronome et mathématicien arabe du IXᵉ s. Il naquit avant 858 dans le nord-ouest de la Mésopotamie et écrivit un traité d'astronomie très célèbre, le Zīdj. Ses tables de positions planétaires et son catalogue d'étoiles furent très utilisés jusqu'à la Renaissance, aussi bien en Orient qu'en Occident.

BATTANT n. m. Pièce métallique suspendue à l'intérieur d'une cloche, contre les parois de laquelle elle vient heurter. ‖ Partie d'une porte, d'une fenêtre, d'un meuble, mobile autour de gonds. ‖ *Mar.* Partie d'un pavillon qui flotte librement (par oppos. au GUINDANT) le long de la drisse.

BATTANT, E adj. *À une (deux, etc.) heure(s) battante(s),* à une (deux, etc.) heure(s) précise(s). ‖ *Pluie battante,* qui tombe avec violence. ‖ *Porte battante,* qui se referme d'elle-même. ‖ *Tambour battant,* au son du tambour; rondement, sévèrement : *mener une affaire tambour battant.*

BATTANT, E n. Personne combative et énergique.

BATTE n. f. (de *battre*). Outil à long manche servant à battre, à tasser, à écraser, etc. ‖ Au cricket et au base-ball, sorte de bâton avec lequel on frappe la balle.

BATTEMENT n. m. Choc d'un corps contre un autre provoquant un bruit rythmé : *battement des mains, battement du cœur.* ‖ Délai, intervalle de temps dont on dispose avant une action. ‖ Phénomène dû à la superposition de deux vibrations de fréquences voisines. ‖ *Chorégr.* Mouvement, sans parcours, consistant dans le passage d'une jambe d'une position de départ à une position dérivée, le corps restant immobile. (Les battements, simples ou complexes, constituent un groupe important d'exercices de base de la danse.) ● *Battement d'une persienne,* petite pièce métallique qui reçoit le choc d'une persienne en bois et sert à l'arrêter.

BATTERIE n. f. (de *battre*). *Électr.* Groupement de plusieurs appareils (accumulateurs, piles, condensateurs, etc.) disposés en série ou en parallèle. ‖ Ensemble de trains circulant à faibles intervalles sur une même ligne et dans le même sens. ‖ *Chorégr.* Croisement rapide ou choc des jambes au cours d'un pas ou d'un saut; ensemble des sauts et des pas battus exécutés à fin de virtuosité. (La *petite batterie* s'effectue au ras du sol; la *grande batterie* en sautant.) ‖ *Mil.* Réunion de plusieurs bouches à feu pour une même mission; lieu où elles sont rassemblées; rangée de canons sur le pont d'un navire; unité élémentaire d'artillerie composée de plusieurs pièces. ‖ *Mus.* Formule rythmique destinée au tambour; dans un orchestre, ensemble des instruments de percussion. ● *Batterie de cuisine,* ensemble des ustensiles de métal employés dans une cuisine. ‖ *Batterie solaire,* syn. de PHOTOPILE. ‖ *Batterie de tests,* groupement de tests permettant de mesurer diverses aptitudes. ‖ *Mettre une arme en batterie,* la mettre en état de tirer. ◆ pl. *Litt.* Moyens habiles de réussir : *dresser ses batteries.*

BATTEUR n. m. Personne qui bat le grain, les métaux. ‖ Celui qui, dans un orchestre de jazz, tient la batterie. ‖ Appareil ménager servant à mélanger, à battre. ‖ *Agric.* Organe de la batteuse, formé d'un cylindre muni de lattes, tournant à grande vitesse. ‖ *Text.* Machine de filature pour le battage du coton.

BATTEUSE n. f. Machine dont on se sert pour égrener les céréales par l'effet de chocs répétés ou de froissement de l'épi.

BATTHYÁNY, famille hongroise dont les principaux représentants furent LOUIS (Presbourg 1806 - Pest 1849), président du Conseil hongrois lors de la révolution de 1848; CASIMIR (1807-1854), ministre des Affaires étrangères de Kossuth en 1848-49.

BATTITURES n. f. pl. Parcelles d'oxyde de fer qui jaillissent dans le forgeage des pièces de ce métal.

BATTLE-DRESS [batəldrɛs] n. m. inv. (mot angl. signif. *vêtement de combat*). Sorte de blouson de toile.

BATTOIR n. m. Palette de bois utilisée par les lavandières pour essorer le linge une fois rincé.

BATTRE v. t. (lat. *battuere*) [conj. **48**]. Donner des coups à une personne, un animal. ‖ Donner des coups à qqch en vue d'un résultat précis : *battre le blé; battre des œufs.* ‖ Vaincre : *battre un adversaire.* ‖ Heurter, se jeter contre : *la mer bat la falaise.* ‖ *Chorégr.* Exécuter un pas ou un saut battu. ● *Battre les cartes,* les mêler. ‖ *Battre le fer pendant qu'il est chaud,* profiter sans tarder d'une occasion favorable. ‖ *Battre le pavé,* aller et venir par désœuvrement, sans but. ‖ *Battre le pays, la région, les bois,* les parcourir. ‖ *Battre qqn comme plâtre,* le frapper à tour de bras. ◆ v. i. Donner des coups; faire entendre des bruits de choc : *battre des pieds; la pluie bat contre les vitres.* ● *Battre des mains,* applaudir. ‖ *Battre en retraite,* reculer, fuir. ◆ **se battre** v. pr. [**contre**]. Combattre, lutter.

BATTU, E adj. Foulé, durci par une pression répétée : *sol battu.* ● *Avoir l'air d'un chien battu,* avoir l'air accablé. ‖ *Chemin, sentier battu,* banal. ‖ *Pas, saut battu* (Chorégr.), pas, saut exécuté avec un choc ou un ou plusieurs croisements rapides des jambes. ‖ *Yeux battus,* fatigués, au-dessous desquels se voit un demi-cercle bleuâtre.

BATTUE n. f. Action de battre les bois pour en faire sortir le gibier, et, parfois, chasse à l'homme.

BATTURE n. f. Au Canada, partie du rivage découverte à marée basse.

BATŪ KHĀN, prince mongol (1204-1255), petit-fils de Gengis* khān. Il mène la conquête de l'Occident (Russie, 1237-1240; Hongrie, 1241) lorsque, en 1242, averti de la mort d'Ogoday, il repart pour la Mongolie. Il est le fondateur de la Horde* d'Or.

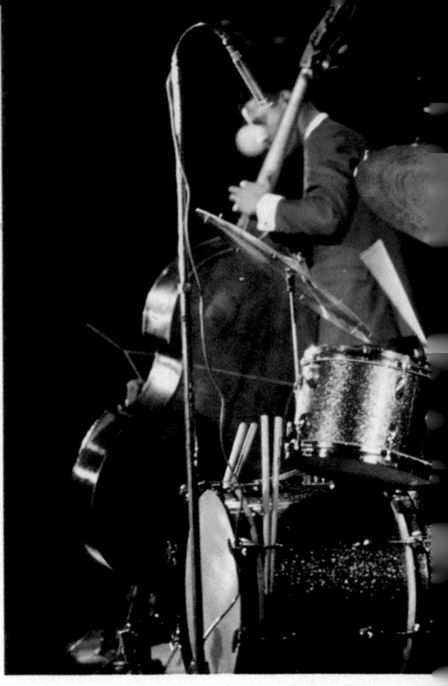
J.-P. Leloir

BATY (Gaston), directeur de théâtre et metteur en scène français (Pélussin, Loire, 1885 - *id.* 1952). Un des animateurs du « Cartel* », influencé par l'expressionnisme allemand et le réalisme thomiste, il a surtout cherché à créer des « atmosphères théâtrales » par sa direction des acteurs et son utilisation des moyens scéniques, notamment des éclairages.

BAT YAM, v. d'Israël, dans la banlieue sud de Tel-Aviv; 126 900 hab.

BATZ *(île de)* [29253], île et comm. du Finistère, dans la Manche, en face de Roscoff; 744 hab. *(Batziens).* Pêche. Station balnéaire.

BATZ-SUR-MER (44740), comm. de la Loire-Atlantique, dans la presqu'île du Croisic; 2 591 hab. Station balnéaire.

BAU n. m. (francique *balk,* poutre) [pl. *baux*]. Chacune des poutres transversales reliant les murailles d'un navire et supportant les ponts. (Syn. BARROT.)

BAUCHANT (André), peintre français (Château-Renault 1873 - Montoire 1958). D'abord pépiniériste, il débute au Salon d'automne en 1921. On lui doit des tableaux de fleurs, des paysages et des compositions empruntées à l'histoire et à la mythologie, d'une sérénité familière.

BAUCIS → PHILÉMON ET BAUCIS.

BAUD [bo] n. m. (de *Baudot*). Unité de vitesse dans les transmissions télégraphiques, correspondant à la transmission d'un point de l'alphabet Morse par seconde. ‖ Unité de rapidité de modulation correspondant à une rapidité d'un intervalle unitaire par seconde.

BAUD (56150), ch.-l. de cant. du Morbihan, à 23 km au S. de Pontivy; 4 962 hab.

BAUDELAIRE (Charles), poète français (Paris 1821 - *id.* 1867). Les manuels de littérature disent du poète des *Fleurs du mal* (1857) qu'il est à la source de la sensibilité moderne. Cela peut paraître curieux si l'on songe à la forme du recueil (composé de sonnets et autres poèmes à forme fixe) et aux motifs qu'il met en œuvre : un sens profond de culpabilité, une fascination manichéenne pour le mal qui révèle un désir d'amour et de salut, une célébration des « paradis artificiels » — par tous ces thèmes, Baudelaire se rattache au romantisme le plus traditionnel. Et ce n'est pas sa vie qui peut contredire le portrait banal de l'artiste, sinon maudit, du moins incompris : révolte précoce contre sa famille (sa mère se remaria au futur général et ambassadeur Aupick); vie de dandy dissipateur; voyage dans l'océan Indien, dont il rapporte non — comme on l'espérait — la sagesse bourgeoise, mais des images exotiques; syphilis qui le conduira à la paralysie finale; tentative de suicide, conseil judiciaire, condamnation en correctionnelle des *Fleurs du mal.*

S'il est moderne, Baudelaire l'est par son esprit critique et sa réflexion esthétique. Sa conception statique de la beauté (le « rêve de pierre »), il la tire d'une étude précise de « mouvements » et de rythmes privilégiés de la littérature (Hoffmann, De Quincey et surtout Edgar Poe, qu'on lit toujours dans sa traduction), de la musique (Wagner) et de la peinture : Baudelaire a été un grand critique d'art *(Curiosités esthétiques; l'Art romantique; les Salons),* comprenant Delacroix dans ses grandes compositions, Catlin dans son génie de coloriste, Constantin Guys dans la vivacité de ses esquisses. Cette modernité le fascine et le rebute à la fois : l'art de Baudelaire ne se satisfait pas plus du joli et de l'éphémère que du gigantesque. Son univers minéral a une répulsion pour le vivant (femme, végétal), le réalisme (il méconnaît au fond Cour-

battement à la seconde, relevé sur la pointe.

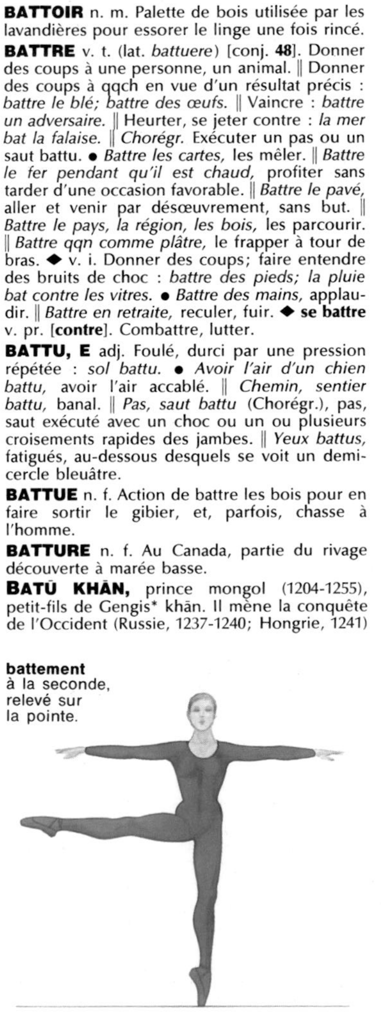

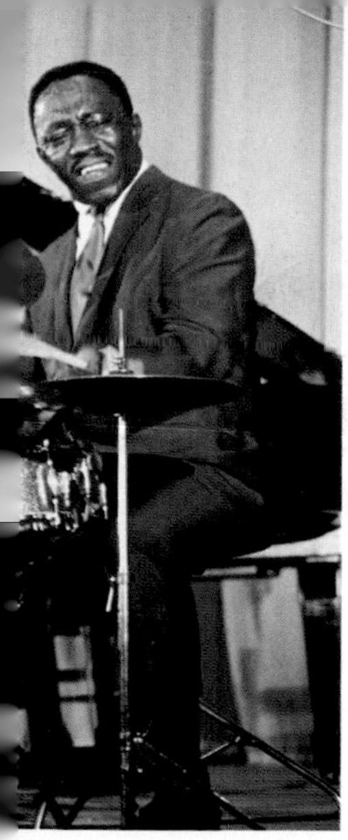

batterie de jazz

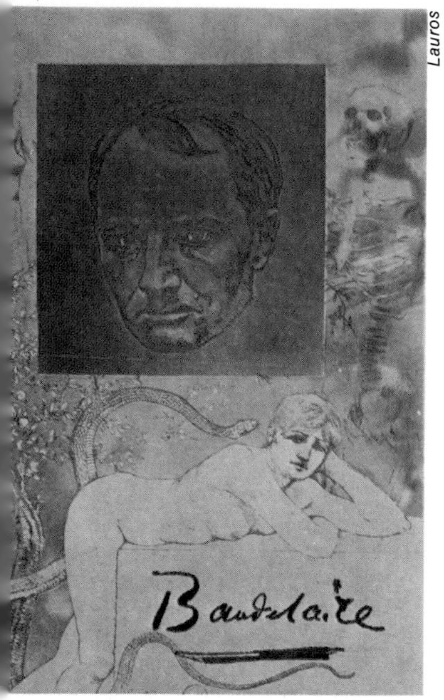

Lauros

Charles **Baudelaire.** Frontispice d'A. Rassenfosse pour *les Fleurs du mal.* (1899-1901.) [Bibliothèque nationale, Paris.]

bet), et les « correspondances » qu'il découvre dans la nature (« Les parfums, les couleurs et les sons se répondent ») sont saisies en dehors de toute appréhension tactile : elles renvoient d'ailleurs beaucoup plus aux antiques rapports entre microcosme et macrocosme qu'au bouleversement des structures scientifiques et mentales que réalisent les mathématiques et la thermodynamique à son époque. L'art le plus moderne de Baudelaire se trouve dans les *Petits* Poèmes en prose,* qui tentent de réaliser l'adéquation absolue entre la sensation et son expression temporelle et spatiale, et dont l'influence sera profonde de Mallarmé à P. J. Jouve.

BAUDELAIRIEN, ENNE adj. Propre à Baudelaire, dans sa manière.

BAUDELOCQUE (Jean-Louis), obstétricien français (Heilly, Picardie, 1746 - Paris 1810), auteur des *Principes de l'art des accouchements, par demandes et par réponses, en faveur des élèves sages-femmes* (1775) et de *l'Art des accouchements* (1781).

BAUDET n. m. (anc. fr. *bald,* lascif). Âne reproducteur. ‖ Âne en général.

BAUDISSIN (Wolf, *comte* VON), général allemand (Trèves 1907). Il est dans la nouvelle Bundeswehr (1955) le promoteur d'un nouveau style de commandement (dit *innere Führung*) du soldat-citoyen. Après avoir servi au Shape, il prend sa retraite (1967) et devient professeur de stratégie à l'université de Hambourg (1968-1979). En 1971, il fonde un institut de recherches sur la paix et les conflits.

BAUDOT (Anatole DE), architecte français (Sarrebourg 1834 - Paris 1915). Élève de Viollet-le-Duc, restaurateur de monuments et pionnier de la construction nouvelle, il a — l'un des premiers —, dans l'église Saint-Jean de Montmartre (1897-1902), utilisé le ciment armé (système de l'ingénieur Cottancin) selon sa logique structurelle (nervures, voûtes en voiles minces).

BAUDOT (Émile), ingénieur français (Magneux, Haute-Marne, 1845 - Sceaux 1903). On lui doit, notamment, le télégraphe multiple, rapide et imprimeur qui porte son nom (1874), un alphabet à cinq signaux élémentaires, ainsi qu'un retransmetteur automatique (1894).

BAUDOUIN Ier (Valenciennes 1171 - † 1205), comte BAUDOUIN VI de Hainaut, comte BAUDOUIN IX de Flandre, empereur latin d'Orient (1204-05). Un des chefs de la quatrième croisade, il est élu empereur du nouvel État latin d'Orient (1204) après la prise de Constantinople. Battu par le tsar bulgare Jean* II Kalojan, appelé par les Byzantins (1205), il meurt en captivité.

BAUDOUIN II Porphyrogénète (1217-1273), empereur latin d'Orient (1240-1261). En 1261, quand Michel VIII Paléologue s'empare de Constantinople, Baudouin s'enfuit en Occident et cède à Charles Ier d'Anjou, roi de Sicile, la suzeraineté de la principauté d'Achaïe (traités de Viterbe, 1267).

BAUDOUIN Ier et **II,** comtes d'Édesse, rois de Jérusalem → ÉDESSE *(comté d')* et JÉRUSALEM *(royaume latin de).*

BAUDOUIN III et **IV,** rois de Jérusalem → JÉRUSALEM *(royaume latin de).*

BAUDOUIN Ier, roi des Belges (Bruxelles 1930). Fils de la reine Astrid* et du roi Léopold* III, il accède au trône le 16 juillet 1951, lors de l'abdication de son père. En 1960, il épouse Fabiola de Mora y Aragón.

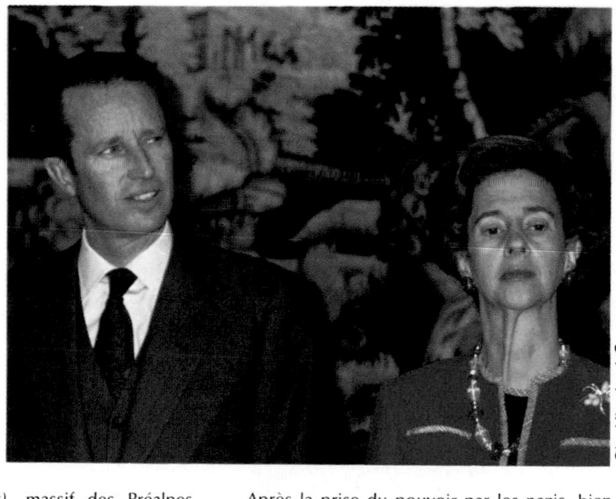

le roi **Baudouin Ier** et la reine Fabiola de Belgique (Bruxelles, nov. 1977)

Ch. Vioujard-Gamma

BAUDOUIN DE COURTENAY (Jan Ignacy), linguiste polonais (Radzymin, région de Varsovie, 1845 - Varsovie 1929). Professeur à Kazan, Cracovie et Saint-Pétersbourg, il est considéré comme le précurseur de la phonologie (*Versuch einer Theorie phonetischer Alternationen,* 1895). Partant du fait que des sons physiquement différents pouvaient être perçus comme une même entité linguistique, il distingue une « physiophonétique » et une « psychophonétique » qui correspondent en gros à la division actuelle entre phonétique et phonologie.

BAUDRIER n. m. (anc. fr. *baldrei*). Bande de cuir portée en bandoulière et qui soutient un ceinturon, une arme, un tambour. ‖ *Alp.* Double anneau de corde formé d'un anneau de ceinture et d'une boucle d'épaule auquel l'alpiniste attache la corde qui le lie à son compagnon de cordée.

BAUDRILLARD (Jean), sociologue français (Reims 1929). Ses recherches portent sur la relation entre la production des objets matériels et les désirs fantasmatiques des consommateurs (*le Système des objets,* 1968; *l'Échange symbolique et la Mort,* 1976; *De la séduction,* 1979; *Amérique,* 1986; *Cool Memories,* 1987; *l'Autre par lui-même,* 1987).

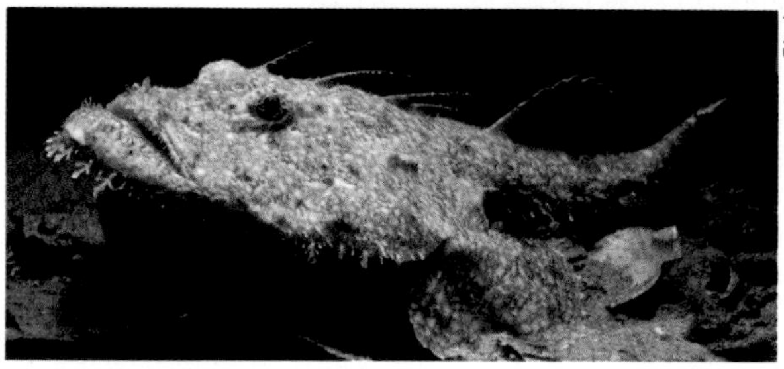

Pitch

baudroie

BAUDRIMONT (Alexandre Édouard), chimiste français (Compiègne 1806 - Bordeaux 1880). Il étudia les colloïdes.

BAUDROIE n. f. (prov. *baudroi*). Poisson comestible, commun sur nos côtes, à tête énorme, couverte d'appendices et d'épines. (Long. jusqu'à 2 m; nom usuel : *lotte de mer;* famille des lophiidés.)

BAUDRUCHE n. f. Pellicule fabriquée avec le gros intestin du bœuf ou du mouton et dont on fait des ballons. ‖ Personne insignifiante.

BAUER (Bruno), critique et philosophe allemand (Eisenberg 1809 - Rixdorf, près de Berlin, 1882). Influencé par l'hégélianisme, il critique le christianisme (*Critique des faits contenus dans l'Évangile de saint Jean,* 1840; *Christianisme dévoilé,* 1843), puis écrit des ouvrages politiques et historiques qui sont violemment combattus par Marx et Engels. Après 1870 Bauer devient l'un des thuriféraires de Bismarck.

BAUER (Eddy), historien suisse (Neuchâtel 1902 - *id.* 1972). Recteur de l'université de Neuchâtel (1947-1949), il fut aussi professeur d'histoire militaire à l'École polytechnique de Zurich et se consacra à l'étude de la Seconde Guerre mondiale, sur laquelle il publia notamment une histoire en sept volumes (1966-67).

BAUGE n. f. (mot gaul.). Gîte fangeux du sanglier. ‖ Lieu très sale. ‖ Retraite de l'écureuil. ‖ Syn. de TORCHIS.

BAUGÉ (49150), ch.-l. de cant. de Maine-et-Loire, à 18 km au S. de La Flèche; 3 906 hab. Château de René d'Anjou (XVe s.).

BAUGES *(massif des),* massif des Préalpes françaises du Nord, en Savoie, au N.-E. de Chambéry; 2 217 m.

BAUGY (18800), ch.-l. de cant. du Cher, à 28 km à l'E. de Bourges; 1 144 hab.

Bauhaus, établissement d'enseignement artistique créé par Gropius* à Weimar en 1919, année de la proclamation de la République allemande, et qui disparaît en même temps que celle-ci, en 1933, à Berlin. Entre-temps, en 1924, un gouvernement réactionnaire élu en Thuringe contraint le Bauhaus à se dissoudre; il est accueilli l'année suivante à Dessau, où il occupe, en 1926, des bâtiments neufs construits par Gropius; il en est chassé en 1932 à la suite d'un changement de majorité au conseil municipal de la ville.

Né de la fusion de l'école des Beaux-Arts et de l'école d'Art appliqué de Weimar — fusion significative et qui ne fut pas sans soulever des protestations —, le Bauhaus (« maison de l'œuvre bâtie ») représente une expérience capitale pour le renouveau tant des méthodes pédagogiques que de certaines des finalités attribuées aux activités artistiques. Sa pédagogie fut, notamment, l'œuvre du peintre suisse Johannes Itten (1888-1967) — illustre en outre par son traité *l'Art de la couleur,* 1961 —, qui dirigea le « cours préliminaire » de l'école de 1919 à 1923, avant d'enseigner en d'autres lieux (Gropius lui reprochant son orientation mystique); elle tendait à substituer à un apport extérieur de connaissances l'éveil global de la personnalité de l'élève au moyen d'expériences menées par lui-même. Moholy-Nagy* et le peintre Joseph Albers (1888-1976) succèdent à Itten au cours préliminaire, le premier insistant sur l'assimilation des données esthétiques du monde contemporain, le second — dont les travaux comme chef de l'atelier du vitrail sont parmi ceux qui annoncent l'art cinétique* — sur l'invention de systèmes d'organisation plastique généralisables aux différentes disciplines.

L'histoire de l'école fut ponctuée par des conflits entre tradition artisanale et nouvelle synthèse art-industrie, entre art pur et produit industriel, conflits qui étaient déjà latents au sein du *Deutscher Werkbund,* association d'industriels et d'artistes fondée en 1907 et à laquelle appartenait Behrens*, maître de Gropius et l'un des premiers créateurs du design* moderne. Sans que ces oppositions aient jamais été résolues, les différents ateliers du Bauhaus eurent une activité féconde : meubles de Breuer*; *Ballet triadique* du peintre Oskar Schlemmer (1888-1943) — exemple de traitement de notre environnement sensoriel comme un tout indissoluble; arts graphiques et typographie vus sous l'angle des problèmes de communication visuelle (maître, l'Autrichien Herbert Bayer, né en 1900); analyse scientifique des données économiques, sociales et techniques de l'architecture (maître, en 1927, le Suisse Hannes Meyer [1887-1954], que Gropius choisit pour le remplacer à la tête de l'école en 1928); analyses picturales de Kandinsky* et de Klee*; etc.

Après la prise du pouvoir par les nazis, bien des maîtres du Bauhaus iront porter leur expérience aux États-Unis : Feininger*, Bayer, Gropius lui-même, qui y enseignera, de même que Breuer, Albers, Mies* van der Rohe et Moholy-Nagy (ce dernier fondera à Chicago le New Bauhaus, devenu l'Institute of Design).

BAUHINIA [boinja] n. f. Genre de papilionacée des tropiques, à grandes fleurs.

BAULE-ESCOUBLAC (La) [44500] ou **LA BAULE,** ch.-l. de cant. de la Loire-Atlantique, à 17 km à l'O. de Saint-Nazaire, sur l'Atlantique; 14 688 hab. *(Baulois).* L'agglomération, étirée le long d'une vaste plage, compte près de 30 000 hab. Grande station balnéaire.

BAUME n. m. (lat. *balsamum*). Résine odoriférante qui coule de certains arbres. ‖ Médicament balsamique : *baume de Tolú.* ● *Baume du Canada,* résine de sapin, employée en optique pour coller les lentilles. ‖ *Verser, mettre du baume au cœur,* apaiser, consoler.

BAUMÉ n. m. Aréomètre dû au chimiste Baumé. ● *Degré Baumé,* élément de la division de l'échelle conventionnelle employée sur cet appareil.

BAUMÉ (Antoine), pharmacien et chimiste français (Senlis 1728 - Paris 1804). Il imagina une graduation des aréomètres pour la mesure des densités des liquides.

BAUME-LES-DAMES (25110), ch.-l. de cant. du Doubs, à 30 km au N.-E. de Besançon, sur le Doubs, en bordure du Jura; 5 696 hab. Anc. abbatiale et église du XVIIe s. Constructions mécaniques.

BAUME-LES-MESSIEURS, comm. du Jura, à 18 km au N.-E. de Lons-le-Saunier; 174 hab. Anc. abbaye des XIIe-XVIe s. (belle église romane, sculptures). Grottes.

BAUMGARTEN (Alexander Gottlieb), philosophe allemand (Berlin 1714 - Francfort-sur-l'Oder 1762). Il est le premier à distinguer sous le nom d'« esthétique » la science du beau, de nature sensible, de la connaissance par entendement et raison (*Aesthetica acroamatica,* 1750-1758).

BAUMIER n. m. Syn. de BALSAMIER.

BAUQUIÈRE n. f. (de *bau*). Ceinture intérieure d'un navire, qui sert à lier les couples entre eux et à soutenir les baux par leurs extrémités.

BAUTZEN, v. de l'Allemagne démocratique, à l'E. de Dresde, sur la Sprée; 48 300 hab. Industries textiles, métallurgiques et électriques. — Victoire de Napoléon sur les Russes et les Prussiens en mai 1813. (V. COALITION [6e].)

BAUWENS (Liévin), industriel belge (Gand 1769 - Paris 1822). Il introduisit en France le procédé de la filature mécanique du coton (mule-jenny), dont le monopole était jalousement gardé par l'Angleterre, et s'attacha à répandre ses procédés de fabrication.

BAUX-DE-PROVENCE (Les) [13520 Maussane les Alpilles], comm. des Bouches-du-Rhône, à 9 km au S.-O. de Saint-Rémy-de-Provence, sur un éperon des Alpilles; 433 hab. Ancien fief puissant, elle conserve les ruines d'un château fort en partie taillé dans le roc, une église romane, des maisons Renaissance. Elle a donné son nom à la *bauxite.* (V. ill. p. 172.)

BAUXITE n. f. (du nom des *Baux-de-Provence*). Roche sédimentaire de couleur rougeâtre, composée surtout d'alumine, avec oxyde de fer et silice, et exploitée comme minerai d'aluminium.

BAVARD, E adj. et n. Qui parle sans mesure. ‖ Qui n'est pas capable de tenir un secret.

BAVARDAGE n. m. Action de bavarder; ragots.

BAVARDER v. i. (de *bave*). Parler beaucoup ou indiscrètement.

BAVAROIS, E adj. et n. De Bavière.

BAVAROISE n. f. ou **BAVAROIS** n. m. Entre-

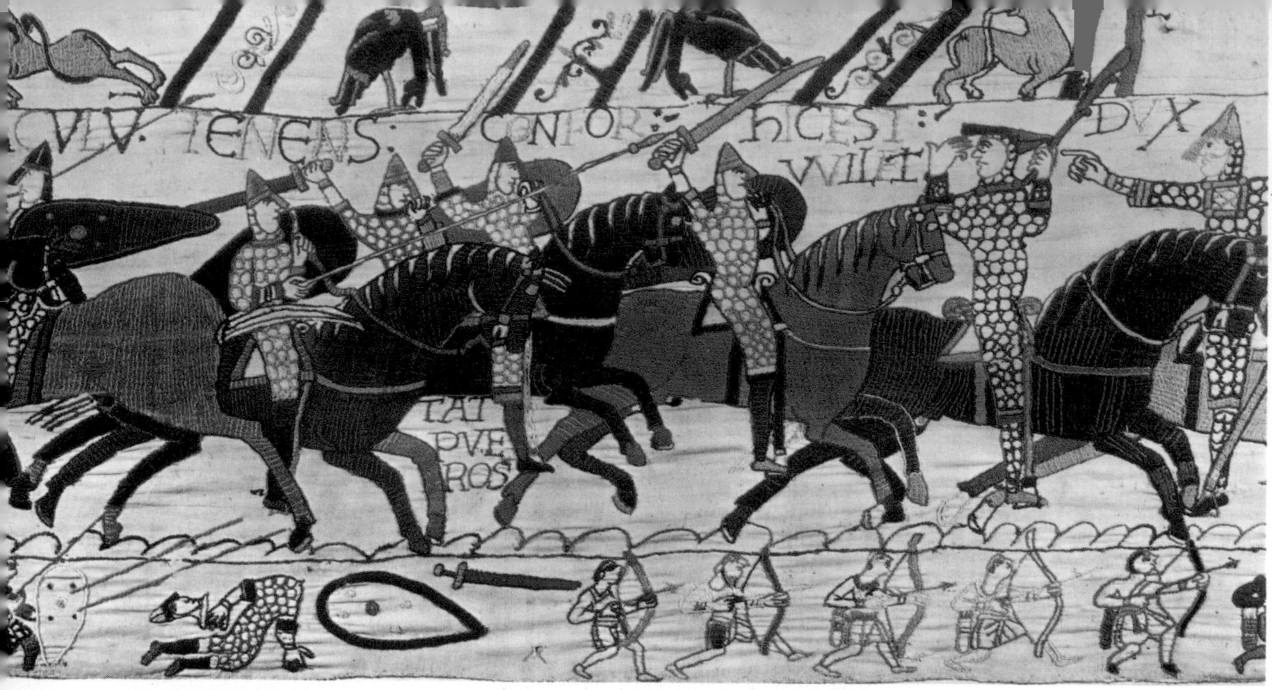

Lauros

Bayeux. Détail de la « tapisserie de la reine Mathilde ». XIe s. (Musée de la Reine-Mathilde, Bayeux.)

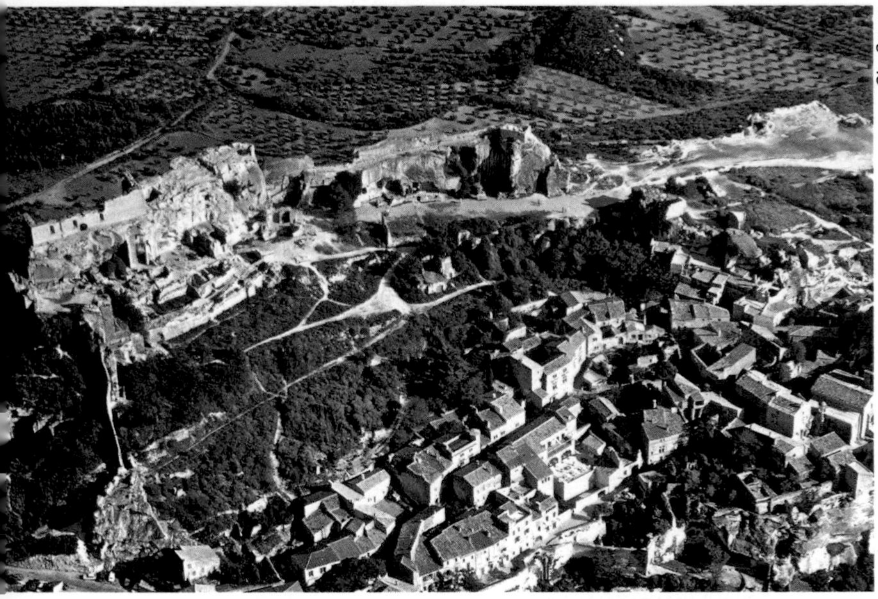

Ch. Sappa

Les **Baux-de-Provence.** La vieille ville que dominent les ruines du château.

mets froid constitué d'une crème anglaise aromatisée et additionnée de gélatine.

BAVASSER v. i. *Péjor.* et *fam.* Bavarder.

BAVAY (59570), ch.-l. de cant. du Nord, à 14 km à l'O. de Maubeuge, dans le Hainaut; 4431 hab. Vestiges gallo-romains; les fouilles ont livré de nombreuses statuettes et des vases (musée).

BAVE n. f. (lat. pop. *baba*). Salive qui s'écoule de la bouche. ‖ Liquide visqueux sécrété par certains mollusques. ‖ *Litt.* Propos ou écrits haineux, venimeux.

BAVER v. i. Laisser couler de la bave. ‖ Être ahuri : *baver d'admiration.* ‖ En parlant d'une encre, d'une couleur, s'étaler largement. ● *Baver sur qqn,* le salir par des calomnies. ‖ *En baver* (Pop.), avoir du mal, avoir des ennuis graves.

BAVETTE n. f. Partie du tablier qui couvre la poitrine. ‖ *Bouch.* Partie inférieure de l'aloyau, près de la tranche grasse. ‖ *Zool.* Repli cutané situé sous le bec de certaines oies. ● *Tailler une bavette* (Fam.), bavarder.

BAVEUX, EUSE adj. Qui bave : *bouche baveuse.* ● *Omelette baveuse,* peu cuite et moelleuse.

BAVIÈRE, en all. **Bayern,** État de l'Allemagne fédérale; 70547 km^2; 10928000 hab. *(Bavarois).* Capit. *Munich.*

GÉOGRAPHIE. La Bavière couvre plus du quart de la superficie du pays, mais ne compte guère que le sixième de sa population. C'est un territoire resté encore assez largement rural, de part et d'autre de la vallée du Danube (Jura franconien au N., plaine molassique en avant des *Préalpes de Bavière* au S.), malgré une industrialisation relativement récente et rapide et la présence de villes souvent anciennes et de vieille tradition manufacturière, comme Nuremberg, Augsbourg, Ratisbonne et surtout Munich, la métropole économique du sud de l'Allemagne, en rapide expansion.

HISTOIRE. La Bavière est l'un des plus importants duchés de l'Empire germanique. La dynastie des Guelfes (1070-1180) est spoliée au profit des Wittelsbach, qui régneront en Bavière jusqu'en 1918. L'unification du pays est gênée par la constitution de puissantes principautés ecclésiastiques (Salzbourg, Augsbourg), et ce n'est qu'au XVIe s., notamment avec Albert IV le Sage (1447-1508), duc de 1467 à 1508, que les ducs s'imposent définitivement à leurs États, qui deviennent alors, face à l'Allemagne protestante, un bastion de la réforme catholique (v. CONTRE-RÉFORME) : l'époque est dominée par la grande figure de Maximilien Ier (de 1597 à 1651), dont le *Codex maximilianeus* (1616) établit une unité juridique dans toute la Bavière. Mais si Maximilien, durant la guerre de Trente* Ans, obtient le titre envié d'« Électeur », la Bavière sort épuisée de cette lutte. Au XVIIIe s., tout en louvoyant entre l'alliance française et l'alliance autrichienne, les Électeurs de Bavière font de leurs États un foyer vivace de renouveau intellectuel et artistique (art baroque*). Allié de Napoléon Ier, membre éminent de la Confédération du Rhin, l'Électeur Maximilien Ier Joseph (de 1799 à 1825) devient roi en 1805; et, tandis que ses territoires s'agrandissent aux dépens de l'Autriche, le ministre Maximilian von Montgelas (1759-1838) pratique un despotisme éclairé efficace. La chute de Napoléon Ier (1814), s'il ramène la Bavière — membre de la Confédération germanique — dans ses limites antérieures, n'arrête pas les Wittelsbach sur la voie du progrès et du mécénat. Adversaires de l'unité allemande à la prussienne, partisans farouches du fédéralisme, les rois de Bavière (en particulier Louis II, de 1864 à 1886), après la victoire de la Prusse sur l'Autriche et ses alliés (dont la Bavière) en 1866 et la défaite française en 1870-71, doivent finalement reconnaître la prépondérance prussienne en Allemagne, encore qu'au sein de l'Empire fédéral, créé en 1871, la Bavière bénéficie de « droits spéciaux ». L'abdication de Louis III, en novembre 1918, fait de la Bavière un simple Land dans la république de Weimar; mais le puissant parti populaire bavarois, chrétien et fédéraliste, ne peut rien contre la montée et l'emprise de l'hitlérisme, qui triomphe en 1933. En 1945, la voie fédéraliste, chère aux Bavarois, est de nouveau libre et la Bavière devient au sein de la R.F.A. un Land (État libre de Bavière) dont les limites respectent l'histoire. L'originalité de la Bavière se marque par la constitution de l'Union chrétienne sociale (CSU), branche autonome de la CDU.

BAVOIR n. m. Pièce de lingerie protégeant la poitrine des bébés.

BAVOLET n. m. (de *bas* et *volet*). Coiffure villageoise. ‖ Morceau d'étoffe ou ruban que l'on fixe derrière un chapeau de femme (vx).

BAVURE n. f. Quantité de métal, de peinture, d'encre, qui déborde. ‖ Conséquence plus ou moins grave, mais toujours fâcheuse d'une action quelconque. ● *Sans bavures* (Fam.), d'une manière irréprochable.

BAYADÈRE n. f. (portug. *bailadeira,* danseuse). Danseuse de l'Inde.

BAYADÈRE adj. Se dit d'un dessin de tissu à rayures multicolores.

Bayadère *(la),* ballet de Marius Petipa, musique de Minkus, créé (au Kammenyï teatr) à Saint-Pétersbourg en 1877. Une version courte de cette œuvre est très populaire en U.R.S.S.

BAYARD *(col),* passage des Hautes-Alpes, entre les vallées du Drac et de la Durance, sur la route Napoléon; 1248 m.

BAYARD (Pierre TERRAIL, *seigneur* DE), dit **le Chevalier sans peur et sans reproche** (château de Bayard, près de Grenoble, 1476 - Romagnano, Sesia, 1524). Successivement au service de Charles VIII, de Louis XII et de François Ier, il se couvre de gloire lors des guerres. Il s'illustre ainsi à la bataille de Fornoue (1495), au siège de Canosa (1502), devant Brescia, Ravenne, Mézières.

BAYARD (Hippolyte), photographe français (Breteuil, Oise, 1801 - Nemours 1887). Il améliore le procédé de W.H.F. Talbot, et réalise les premiers travaux en France sur négatif-papier (chlorure d'argent noirci puis plongé dans l'iodure de potassium, et blanchiment du papier par exposition à la lumière). Dès 1839, il obtient les premiers positifs directs sur papier, mais, victime de la célébrité de Daguerre, sa découverte passe totalement inaperçue.

BAYBARS → MAMELOUKS.

BAYEN (Pierre), chimiste français (Châlons-sur-Marne 1725 - Paris 1798). Avant Lavoisier, il s'attaqua à la théorie du phlogistique. Il isola le premier l'oxygène (1774) et découvrit le fulminate de mercure.

BAYER v. i. (lat. *batare,* bâiller) [conj. **2**]. *Bayer aux corneilles,* regarder niaisement en l'air.

BAYES (Thomas), mathématicien britannique (Londres 1702 - Tunbridge Wells 1761). Il étudia le problème de la détermination des causes par les effets observés, qui, repris par Laplace*, permis à celui-ci et à Condorcet* d'évaluer la probabilité de nombreux événements en s'appuyant sur les résultats d'observations antérieures.

BAYEUX (14400), ch.-l. d'arr. du Calvados, à 27 km au N.-O. de Caen, sur l'Aure; 15237 hab. *(Bayeusains* ou *Bajocasses).* Constructions mécaniques. Centre bancaire.

BEAUX-ARTS. La cathédrale est une des plus belles des styles roman et gothique normands (XIIe-XIIIe-XVe s.). Un musée conserve la broderie dite « tapisserie de la reine Mathilde », longue de 70 m et relatant en 58 épisodes la conquête de l'Angleterre; elle fut exécutée de 1066 à 1077 pour la cathédrale d'alors.

BAYEZID Ier (1354-1403), sultan ottoman de 1389 à 1403. Il soumet les principautés d'Anatolie orientale, poursuit la conquête des Balkans, assiège Constantinople de 1394 à 1402 et bat, à Nicopolis* (1396), les croisés de Sigismond de Luxembourg. Mais il est vaincu en 1402 par Tīmūr Lang* (Tamerlan), qui le fait prisonnier et détruit son empire.

BAYEZID II → OTTOMANS.

BAYLE (Pierre), écrivain français (Carla, Ariège, 1647 - Rotterdam 1706). Protestant converti au catholicisme, il revient à sa foi première et se réfugie à Genève (1670) puis à Sedan et Rotterdam, où il enseigne l'histoire et la philosophie. Sa controverse avec Jurieu* sur l'éventuel retour en France des protestants émigrés lui fait perdre sa chaire (1693). Son esprit de libre examen, qui inspire sa critique des superstitions populaires (*Pensées sur la comète,* 1694), sa volonté de tolérance s'expliquent plus par son appartenance spirituelle et morale au calvinisme que par un parti pris de libre penseur. Son *Dictionnaire historique et critique* (1696-97) met en œuvre une méthode originale : sur chaque thème retenu il expose, en les citant longuement, les différentes théories et opinions soutenues, en les opposant les unes aux autres et en les éclairant par un énorme appareil de notes marginales et de bas de page, de commentaires, qui dessinent un nouvel espace de lecture brisant avec la linéarité des exposés traditionnels. Cette critique systématique fonde l'histoire sur l'étude des documents scientifiquement réunis et observés et permet de dégager la vérité de l'erreur reconnue pour telle (« la seule chose qui me puisse servir, pourvu que je la puisse rectifier »).

BAYLE (Antoine), médecin français (Le Vernet 1799 - Paris 1858). Il identifia la paralysie générale.

BAYON (54290), ch.-l. de cant. de Meurthe-et-Moselle, à 21 km au S.-O. de Lunéville; 1530 hab.

BAYONNE (64100), ch.-l. d'arr. des Pyrénées-Atlantiques, au confluent de l'Adour et de la Nive; 42970 hab. *(Bayonnais).* Fortifications médiévales et classiques. Cathédrale des XIIIe-XVIe s. Musée Bonnat (antiquités, objets d'art, peintures et riche cabinet de dessins) et Musée basque. Plus de 100000 habitants vivent dans une agglomération qui englobe notamment les villes de Biarritz et d'Anglet. Le port, sur l'Adour, exporte surtout du soufre (de Lacq) et du maïs, et importe des phosphates. Les constructions mécaniques (aéronautique) et la chimie (engrais) sont les principales activités industrielles. — C'est à Bayonne qu'en 1808 se tinrent les conférences qui aboutirent à l'abdication des souverains espagnols (Charles IV et Ferdinand VII) en faveur de Napoléon Ier.

BAYONNE, v. des États-Unis (New Jersey), sur la baie de New York; 65100 hab. Raffinage du pétrole. Industrie chimique.

BAYOU n. m. (de *boyau*). En Louisiane, bras secondaire du Mississippi ou lac établi dans un méandre abandonné.

BAYRAM n. m. → BAÏRAM.

BAYREUTH, v. de l'Allemagne fédérale (Bavière), au N.-E. de Nuremberg; 61000 hab. Opéra du XVIIIe siècle. Le théâtre des Festspiele, ce « temple de la musique allemande », fut érigé grâce à Louis II de Bavière, à la demande de R. Wagner qui le destinait à la représentation de ses propres ouvrages. Inauguré en 1876, il demeure, par ses festivals annuels, le lieu de pèlerinage des wagnériens.

BAYRISCHZELL, station de sports d'hiver (alt. 802-1800 m) de l'Allemagne fédérale, en Bavière, au S.-E. de Munich.

BAZAINE (Achille), maréchal de France (Versailles 1811 - Madrid 1888). Commandant en chef au Mexique (1863), promu maréchal (1864), il organise le retrait des troupes françaises (1866-67) puis commande la garde impériale en 1869. Mis, le 12 août 1870, par Napoléon III, à la tête de l'armée de Lorraine, il laisse enfermer ses forces dans Metz, tente de négocier avec l'impératrice, mais doit capituler avec 180000 hommes le 27 octobre. Condamné à mort en 1873, il voit sa peine aussitôt commuée en détention. Il s'évade en 1874 de l'île Sainte-Marguerite et se réfugie à Madrid.

BAZAINE (Jean), peintre français (Paris 1904). L'un des « vingt jeunes peintres de tradition française » qui exposèrent ensemble, à Paris, en 1941 (Beaudin, Lapicque, Manessier, Pignon, Singier...), il vint à la non-figuration vers 1945, développant un chromatisme et des rythmes issus du spectacle de la nature. Des vitraux, surtout, représentent son inspiration religieuse.

BAZAR n. m. (persan *bāzār*). Marché public et couvert, en Orient et en Afrique du Nord. ‖ En Europe, magasin où l'on vend toutes sortes de marchandises (vx). ‖ *Pop.* Objets en désordre. ‖ *Arg. mil.* Élève officier de première année à l'école de Saint-Cyr.

BAZARD (Saint-Amand), saint-simonien français (Paris 1791 - Courtry 1832). Venu du carbonarisme au saint-simonisme, il se brouilla avec Enfantin* en 1831. Il eut une grande influence, notamment sur Stuart Mill*.

BAZARDER v. t. *Fam.* Se débarrasser à n'importe quel prix de qqch.

BAZAS (33430), ch.-l. de cant. de la Gironde, à 15 km au S. de Langon; 5 190 hab. Cathédrale rebâtie à partir du XIIIe s., époque des portails sculptés de la façade. Vignobles.

BAZEILLES (08140 Douzy), comm. des Ardennes, près de la Meuse; 1 709 hab. Célèbres combats du 1er septembre 1870, dont l'anniversaire est devenu la fête traditionnelle des troupes de marine. (V. SEDAN [*bataille de*].)

BAZET (65460), comm. des Hautes-Pyrénées, à 6 km au N. de Tarbes; 1 525 hab. Céramique industrielle.

BAZILLE (Frédéric), peintre français (Montpellier 1841 - tué à l'attaque de Beaune-la-Rolande 1870). D'une famille bourgeoise, très doué, il eut un rôle essentiel dans la formation de l'impressionnisme, tant par son talent que par les relations dont il favorisa l'établissement entre jeunes peintres, à Paris, à partir de 1863. Il a surtout peint des figures en plein air, dans le cadre de la propriété familiale de Méric (musée de Montpellier, Louvre).

BAZIN (René), écrivain français (Angers 1853-Paris 1932). Ses romans célèbrent l'attachement aux vertus ancestrales (*les Oberlé*, 1901).

BAZIN (Jean-Pierre HERVÉ-BAZIN, dit **Hervé**), écrivain français (Angers 1911), petit-neveu du précédent. Sa violence satirique s'exerce contre les oppressions familiales et sociales (*Vipère au poing*, 1948; *l'Huile sur le feu*, 1954; *le Matrimoine*, 1967; *Madame Ex*, 1975).

BAZOCHES-SUR-HOËNE (61400 Mortagne au Perche), ch.-l. de cant. de l'Orne, à 8 km au N.-O. de Mortagne-au-Perche; 797 hab.

BAZOIS, petite région de la Nièvre, à l'O. du Morvan. Élevage (embouche).

BAZOOKA [bazuka] n. m. (mot amér.). Lance-roquettes antichar.

BAZY (Pierre), chirurgien français (Sainte-Croix-de-Volvestre, Ariège, 1853 - Paris 1934) qui précisa la symptomatologie des maladies des voies urinaires.

B. C. B. G. [besebeʒe] loc. adj. inv. *Fam.* Abrév. de BON CHIC BON GENRE.

B. C. G. [beseʒe] n. m. (sigle servant à désigner le vaccin *bilié de Calmette et Guérin*) [nom déposé]. Vaccin contre la tuberculose.
■ Le B. C. G. est un bacille vivant atténué; il est sans aucun pouvoir pathogène et fait apparaître dans l'organisme l'*allergie*, qui est une défense naturelle voisine de l'immunité. Les sujets ayant reçu le B. C. G. ont une cuti-réaction positive; ils sont protégés d'une façon absolue contre la méningite tuberculeuse et les formes aiguës de la tuberculose (granulies), et d'une façon relative contre les formes communes de tuberculose (tuberculose pulmonaire, rénale, etc.).

B. D. [bede] n. f. Abrév. fam. de BANDE DESSINÉE.

Be, symbole chimique du *béryllium*.

BEA (Augustin), prélat et exégète allemand (Riedböhringen, 1881 - Rome 1968). Jésuite, cardinal (1959), il joua un rôle primordial dans l'œcuménisme comme responsable du secrétariat pour l'unité des chrétiens.

BEACONSFIELD, comm. du Canada (Québec), dans la banlieue sud-ouest de Montréal; 20 417 hab.

BEACONSFIELD (Benjamin DISRAELI, *comte* DE) → DISRAELI.

BEADLE (George Wells), biologiste américain (Wahoo, Nebraska, 1903), prix Nobel de physiologie et de médecine, en 1958, avec E. L. Tatum, pour ses travaux sur les mutations et sur les gènes.

BEAGLE [bigl] n. m. (mot angl.). Chien courant anglais, sorte de basset à jambes droites.

BEAMON (Robert), athlète américain (Jamaica, État de New York, 1946). Dans l'histoire de l'athlétisme, Beamon demeurera comme l'homme d'un seul saut, fabuleux : aux jeux Olympiques de Mexico (1968), il pulvérisa le record du monde du saut en longueur en franchissant 8,90 m (performance encore inégalée à ce jour) au premier essai. Un vent favorable à la limite de la vitesse permise, l'altitude (plus de 2 000 m) facilitant la pénétration dans l'air moins dense et naturellement une classe exceptionnelle expliquent cet exploit unique que son auteur n'a plus jamais approché.

BÉANCE n. f. *Philos.* Caractère ouvert d'un objet, d'un problème, etc. ● *Béance du col utérin* (Méd.), ouverture de celui-ci au cours de la grossesse, cause d'accouchement prématuré.

Thames and Hudson

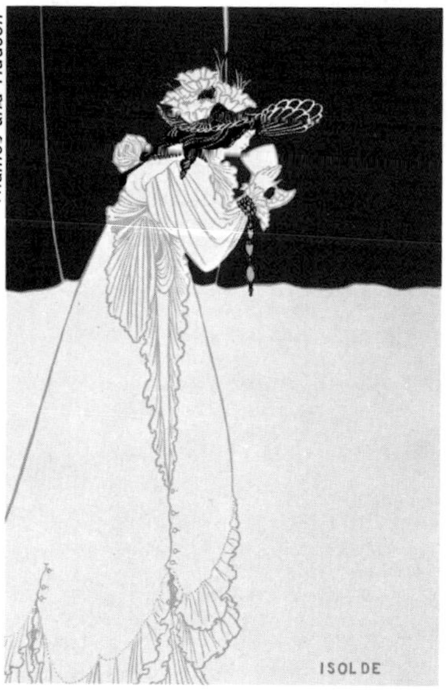

Beardsley : *Isolde*, v. 1895. Lithographie.

BÉANT, E adj. (anc. fr. *béer*, être ouvert). Largement ouvert : *gouffre béant; plaie béante.*

BEARDSLEY (Aubrey), dessinateur et affichiste anglais (Brighton 1872 - Menton 1898). Esthète fiévreux, il s'est acquis une immense célébrité en illustrant la *Salomé* de Wilde (1893), les *Contes* de Poe, le *Volpone* de Ben Jonson, etc., de dessins auxquels une ligne précise donne l'esprit de l'Art nouveau donne toute leur charge de sensualité volontiers sulfureuse.

BÉARN, région du sud-ouest de la France, dans les Pyrénées-Atlantiques, correspondant approximativement aux bassins du gave d'Oloron et du moyen gave de Pau. V. princ. *Pau.*
HISTOIRE. Créée au IXe s., dans le cadre du duché de Gascogne, la vicomté de Béarn a pour capitale Lescar, puis Pau. Elle dépend successivement des dynasties de Centulle, de Gabarret, de Moncade et de Foix-Béarn, cette dernière accédant, en 1481, à la couronne de Navarre. Quand Henri (IV) devient roi de France (1589), le Béarn passe à la Couronne, mais, pays d'état, conserve l'usage de sa langue. Il cesse d'exister en 1790, quand il constitue la partie orientale du département des Basses-Pyrénées.

BÉARNAIS, E adj. et n. Du Béarn. ● *Le Béarnais,* Henri IV. ‖ *Sauce béarnaise,* ou *béarnaise* n. f., sauce à l'œuf et au beurre fondu.

BÉAT, E [bea, at] adj. (lat. *beatus*, heureux). Qui manifeste un contentement et une tranquillité exagérés; qui exprime la béatitude.

BÉATEMENT adv. De façon béate.

Beat generation → BEATNIK.

BÉATIFICATION n. f. Acte par lequel le pape béatifie; cérémonie qui officialise cet acte.

BÉATIFIER v. t. Mettre au nombre des bienheureux.

BÉATIFIQUE adj. *Relig.* Qui rend heureux.

BÉATITUDE n. f. Bonheur parfait. ‖ *Relig.* Félicité éternelle. ● *Les béatitudes*, groupe de huit maximes évangéliques placées au début du Sermon sur la montagne, commençant par le mot « Bienheureux » (*Beati*).

Béatitudes *(les)*, oratorio de César Franck (1869-1879). Groupement de huit cantates, sur un livret de Mme Colomb, inspiré du Sermon sur la montagne, et qui oppose à des chœurs descriptifs, dramatiques, des chœurs célestes et les apaisantes interventions du Christ représenté par une voix de basse.

Beatles *(The)*, quartette vocal et instrumental britannique composé de Ringo Starr, pseudonyme de Richard Starkey (né en 1940) à la batterie, John Lennon (1940-1980) à la guitare d'accompagnement, Paul McCartney (né en 1942) à la guitare basse et George Harrison (né en 1943) à la guitare solo. Les Beatles, dont le succès fut considérable à partir de 1962, furent à l'origine de la vogue que connut dans le monde entier la pop music. Ils jouèrent également dans plusieurs films. Ils se séparèrent en 1971.

BEATNIK [bitnik] n. m. (amér. *beat generation*). Adepte d'un mouvement social et littéraire américain développé en réaction contre le mode de vie et les valeurs des États-Unis et de la société industrielle moderne. ‖ Jeune en rupture avec les traditions.
■ Lancée en 1952 dans le *New York Times*, l'expression « beat generation » désigne, par analogie avec la « génération perdue » des années 20, un mouvement social et littéraire qui prend naissance aux États-Unis, à partir de 1950 : il rassemble des troupes d'adolescents nomades et inadaptés (les *beatniks*, ainsi nommés en 1958 : on ne sait si le suffixe *nik* est emprunté au yiddish ou au *spoutnik* qui inquiétait alors les États-Unis), des écrivains (Allen Ginsberg, Jack Kerouac*, William Burroughs*) et des artistes (les peintres de l'Action Painting) autour d'une exigence de liberté et de spontanéité et, plus particulièrement, d'une maison d'édition (City Lights) fondée à San Francisco par Lawrence Ferlinghetti. Influencée par le surréalisme, les philosophies orientales, les expériences vécues sous l'emprise de la drogue, cette nouvelle vague romantique proclame l'impossibilité de son insertion dans la société moderne (*beat* viendrait de *to beat*, battre : elle serait la « génération battue ») et son désir exaspéré (*beat* évoquerait le rythme du batteur de jazz) d'absolu (*beat* serait l'abréviation de *beatific*). Révolte utopique ou soupape de sûreté d'une société bien programmée, le mouvement reste un signe majeur de l'évolution de la civilisation occidentale.

BÉATRICE ou **BEATRIX,** reine des Pays-Bas (Soestdijk 1938). Sa mère, Juliana, a abdiqué en sa faveur en 1980.

BÉATRICE PORTINARI, Florentine aimée de Dante et célébrée dans la *Vita nuova* et *la Divine Comédie*.

BEATTIE (James), poète et philosophe écossais (Laurencekirk 1735 - Aberdeen 1803), auteur d'une méditation préromantique sur le génie poétique, *le Ménestrel* (1771-1774).

BEATTY (David, *comte*), amiral britannique (Dublin 1871 - Londres 1936). Commandant les croiseurs de bataille à la bataille du Jutland (1916), il remplaça Jellicoe à la tête de la *Grand Fleet* (1916-1918) et fut premier lord de la mer de 1919 à 1927.

BEAU (**BEL** devant une voyelle ou un *h* muet), **BELLE** adj. (lat. *bellus*, joli). Qui éveille un sentiment d'admiration, de grandeur, de noblesse, de plaisir, de perfection, d'intensité : *une belle fortune; un beau visage; il a une belle santé.* ‖ Bienséant, convenable : *il n'est pas beau de se vanter.* ● *Beau joueur*, qui perd de bonne grâce au jeu. ‖ *Beau monde*, société brillante. ‖ *En faire de belles*, faire des sottises. ‖ *Le bel âge*, la jeunesse. ‖ *Un beau jour, un beau matin*, inopinément. ‖ *Un bel âge*, un âge avancé. ◆ adv. *Avoir beau* (et l'infinitif), s'efforcer en vain de : *j'ai beau ne pas faire de bruit, elle se réveille.* ‖ *Bel et bien*, réellement, véritablement. ‖ *De plus belle*, de plus en plus. ‖ *En beau*, sous un aspect favorable. ‖ *Il fait beau*, le temps est clair. ‖ *Il ferait beau voir* (Litt.), il serait étrange de voir. ‖ *Tout beau*, doucement, modérez-vous.

Mc Cullin-Magnum

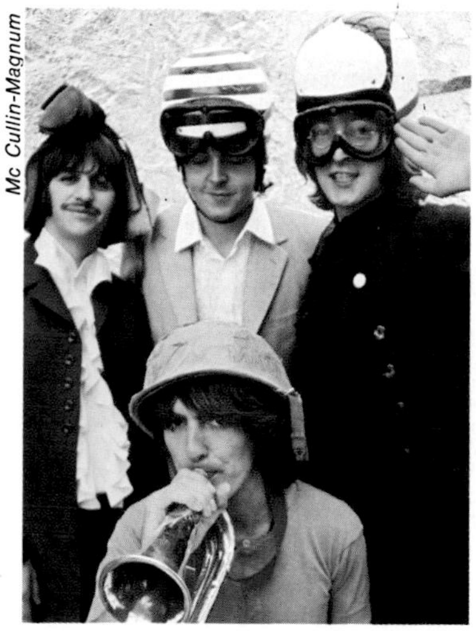

les **Beatles** en 1968

BEAU n. m. Ce qui fait éprouver un sentiment d'admiration et de plaisir : *le goût du beau.* ● *C'est du beau!*, il n'y a pas de quoi être fier! ‖ *Faire le beau*, se pavaner; en parlant d'un chien, se tenir assis sur son arrière-train en levant ses pattes de devant. ‖ *Vieux beau*, vieux galant ridicule.

Beaubourg *(Centre)* → Centre national d'art et de culture Georges-Pompidou.

BEAUCAIRE (30300), ch.-l. de cant. du Gard, sur la rive droite du Rhône, en face de Tarascon; 13 015 hab. *(Beaucairois)*. Château des XIIIe-XIVe s. Hôtel de ville (1679-1683). Belle église du XVIIIe s. Musée. Centrale hydraulique.

BEAUCE, plaine du Bassin parisien, s'étendant de Chartres au N. à la forêt d'Orléans au S., de Châteaudun à l'O. à Étampes à l'E. Région sèche, dénudée, fertilisée par des dépôts de limons, c'est le domaine de la culture mécanisée, du blé notamment, pratiquée dans le cadre de grandes exploitations. On appelle parfois *Petite Beauce* l'extrémité sud-ouest, entre les vallées du Loir et de la Loire.

BEAUCE, région du Canada (Québec), au S. du Saint-Laurent. V. princ. *Beauceville*.

BEAUCERON, ONNE adj. et n. De la Beauce.

BEAUCHAMP (95250), ch.-l. de c. du Val-d'Oise, à 9 km au S.-O. de Pontoise; 8 319 hab. Métallurgie. Chimie.

BEAUCHAMP ou **BEAUCHAMPS** (Charles Louis ou Pierre), danseur et « compositeur » de ballet français (Versailles 1636 - Paris 1719). Maître à danser de Louis XIV, surintendant des ballets royaux, collaborateur de Lully et de Molière, il est l'auteur d'un nombre considérable de « ballets de cour » et de divertissements. Il est à l'origine de la tradition de l'en-dehors et des positions fondamentales qui en dérivent.

BEAUCHAMPS (80770), comm. de la Somme, à 13 km au S.-E. du Tréport; 908 hab. Sucrerie.

BEAUCHASTEL (07800 La Voulte sur Rhône), comm. de l'Ardèche, à 15 km au S.-S.-O. de Valence; 1 614 hab. Centrale hydraulique sur une dérivation du Rhône.

BEAUCOUP adv. (de *beau* et *coup*). Une quantité considérable : *dire beaucoup de choses en peu de mots; travailler beaucoup.* ‖ Un grand nombre de personnes : *beaucoup disent.*

Beaucoup de bruit pour rien, comédie en cinq actes de Shakespeare (1598).

BEAUCOURT (90500), ch.-l. de cant. du Territoire de Belfort, à 7 km à l'E. d'Audincourt; 5 682 hab. Constructions mécaniques et électriques.

BEAUCROISSANT (38140 Rives sur Fure), comm. de l'Isère, à 13 km à l'O.-S.-O. de Voiron; 1 052 hab. Foire annuelle.

BEAU DE ROCHAS (Alphonse), ingénieur français (Digne 1815 - † 1893). En 1862, il imagina le cycle qui porte son nom et qui règle les conditions de la transformation en énergie mécanique de l'énergie calorifique provenant de la combustion d'un mélange carburé air-essence en vase clos.

BEAUDIN (André), peintre, graveur et sculpteur français (Mennecy 1895 - Paris 1979). Son œuvre, harmonieuse, ne s'est jamais écartée des formes du visible, qu'il stylise par une géométrie souple, mais volontaire.

BEAUDOUIN (Eugène) → LODS (Marcel).

BEAU-FILS n. m. (pl. *beaux-fils*). Celui dont on a épousé le père ou la mère en secondes noces. ‖ Gendre.

BEAUFORT n. m. Fromage voisin du gruyère, fabriqué en Savoie.

BEAUFORT (73270), ch.-l. de cant. de la Savoie, à 20 km au N.-E. d'Albertville, dans le *Beaufortin*, sur le *Doron de Beaufort;* 1 976 hab. Station d'altitude.

BEAUFORT ou **BEAUFORT-DU-JURA** (39190), ch.-l. de cant. du Jura, à 15 km au S.-O. de Lons-le-Saunier; 896 hab.

BEAUFORT, famille issue de la liaison, puis du mariage (1396) entre Jean de Gand et Catherine Swynford. Elle est principalement représentée par HENRI (1377? - Winchester 1447), évêque de Winchester, cardinal, légat du pape en Angleterre (1427-1431), chancelier (1413-1417), qui joua un rôle capital au concile de Constance*.

Beaufort *(échelle de)*, échelle codée de 0 à 17 degrés, utilisée pour mesurer la force du vent.

échelle de Beaufort

chiffre Beaufort	*vitesse en km/h*	*effets observés*
0	< 1	calme; la fumée s'élève verticalement
1	1-5	le vent incline la fumée
2	6-11	on perçoit le vent sur la figure
3	12-19	le vent agite les feuilles
4	20-28	le vent soulève poussière et papiers
5	29-38	le vent forme des vagues sur les lacs
6	39-49	le vent agite les branches des arbres
7	50-61	le vent gêne la marche d'un piéton
8	62-74	le vent brise les petites branches
9	75-88	le vent arrache cheminées et ardoises
10	89-102	graves dégâts (tempête)
11	103-117	ravages étendus (violente tempête)
12 à 17	> 117	ouragan catastrophique

BEAUFORT-EN-VALLÉE (49250), ch.-l. de cant. de Maine-et-Loire, à 27 km à l'E. d'Angers; 4 775 hab. Église des XVe-XVIe s. Industrie alimentaire.

BEAUFORTIN, BEAUFORTAIN ou **MASSIF DE BEAUFORT,** massif des Alpes françaises du Nord, en Savoie, à l'E. de la vallée de l'Arly.

BEAUFRE (André), général et écrivain français (Neuilly 1902 - Belgrade 1975). Après avoir participé à la préparation du débarquement allié en Afrique (1942) et avoir servi en Indochine, il commande la force terrestre d'intervention en Égypte (1956) puis représente la France à l'O. T. A. N., à Washington (1960). Ayant quitté le service en 1961, il se consacre à l'étude des problèmes stratégiques et publie de nombreux ouvrages (*Introduction à la stratégie,* 1963; *Dissuasion et stratégie,* 1964; *les Formes nouvelles de la guerre, Stratégie pour demain,* 1972).

BEAU-FRÈRE n. m. (pl. *beaux-frères*). Mari de la sœur ou de la belle-sœur. ‖ Frère du conjoint.

BEAUGENCY (45190), ch.-l. de cant. du Loiret, à 25 km au S.-O. d'Orléans, sur la rive droite de la Loire; 7 339 hab. *(Balgenciens).* Église Saint-Étienne et donjon du XIe s. Château du XVe s. (musée régional), qu'une voûte relie à l'église Notre-Dame, du XIIe s. Hôtel de ville du XVIe s. Matériel de literie et sièges d'automobile.

BEAUHARNAIS, famille originaire de l'Orléanais. ALEXANDRE, vicomte **de Beauharnais** (Fort-Royal de la Martinique 1760 - Paris 1794), fils d'un gouverneur de la Martinique, député aux États généraux de 1789, décapité durant la Terreur; il épousa, en 1779, Joséphine Tascher de La Pagerie, future impératrice des Français. — EUGÈNE (Paris 1781 - Munich 1824), fils d'Alexandre et de Joséphine, fut, sous Napoléon Ier — son beau-père —, prince d'Eichstätt, puis vice-roi d'Italie (1805-1814). — HORTENSE (Paris 1783 - Arenenberg 1837), sœur du précédent, épousa (1802) Louis Bonaparte, roi de Hollande, dont elle eut trois fils : survécut seul Charles Louis Napoléon (1808), le futur Napoléon* III.

Beauharnois, importante centrale hydroélectrique du Canada (Québec), sur le Saint-Laurent.

BEAUHARNOIS ou **BEAUHARNAIS** (Charles DE), officier et administrateur français (Orléans v. 1670 - Paris 1749). Gouverneur général de la Nouvelle-France (1726-1747), il encourage à la pénétration française dans l'Ouest canadien.

BEAUJEU (69430), ch.-l. de cant. du Rhône, à 36 km au S.-O. de Mâcon; 2 013 hab. *(Beaujolais).*

BEAUJOLAIS n. m. Vin du Beaujolais.

BEAUJOLAIS, région cristalline de la bordure orientale du Massif central, entre la Loire et la Saône. On distingue les *monts du Beaujolais* et, à l'E., la *côte beaujolaise,* région viticole, partie de la Bourgogne, fournissant surtout des vins rouges réputés (Moulin-à-Vent, Fleurie, Juliénas, Morgon, Chiroubles, etc.).

Beaulieu *(anc. abbaye de),* dans le Tarn-et-Garonne, au S.-E. de Caylus, auj. centre artistique et culturel.

BEAULIEU-LÈS-LOCHES (37600 Loches), comm. d'Indre-et-Loire; 1 603 hab. Anc. abbaye bénédictine (église à clocher roman, logis abbatial des XVIe-XVIIe s.). Églises et demeures médiévales. (V. MONSIEUR [*paix de*].)

BEAULIEU-SUR-DORDOGNE (19120), ch.-l. de cant. de la Corrèze, à 17 km au N.-O. de Saint-Céré; 1 603 hab. Anc. abbatiale des XIIe-XIVe s. (tympan roman du Jugement dernier, v. 1130-1140; trésor). Industries du bois.

BEAULIEU-SUR-MER (06310), comm. des Alpes-Maritimes, à 10 km à l'E. de Nice; 4 302 hab. *(Berlugans).* Station balnéaire.

BEAUMANOIR (Philippe DE RÉMI, *sire* DE), écrivain français (dans le Beauvaisis ou le Gâtinais v. 1250 - Pont-Sainte-Maxence 1296), auteur des *Coutumes du Beauvaisis.*

BEAUMARCHAIS (Pierre Augustin CARON DE), écrivain français (Paris 1732 - *id.* 1799). Un personnage pittoresque d'abord : inventeur de la montre à échappement, professeur de harpe des filles de Louis XV, agent diplomatique en Espagne pour obtenir le monopole de la traite des nègres, puis en Angleterre pour racheter au chevalier d'Éon des papiers compromettants, trafiquant d'armes (pour armer les *insurgents* d'Amérique, puis les volontaires de 92), fondateur de la Société des auteurs dramatiques, éditeur des œuvres complètes de Voltaire (l'édition de Kehl), trois fois marié, deux fois emprisonné. Il touche à toutes les Bastilles du temps : par ses *Mémoires* (1773-74) contre le conseiller Goëzman, où il dénonce les abus judiciaires et qui lui apportent la célébrité; par l'hôtel magnifique qu'il se fait construire à Paris, près de la prison d'État, à partir de 1787. À travers cette existence endiablée, une passion constante : le théâtre. Si Diderot inspire ses premiers drames, sensibles et bourgeois (*Eugénie,* 1767; *les Deux Amis,* 1770), il sait tirer de la force de situations comiques éprouvées et du tempo allègre des parades* du théâtre de la Foire une comédie à rebondissements et à surprises (*le Barbier* de Séville,* 1775), à l'image d'une époque dont il sut

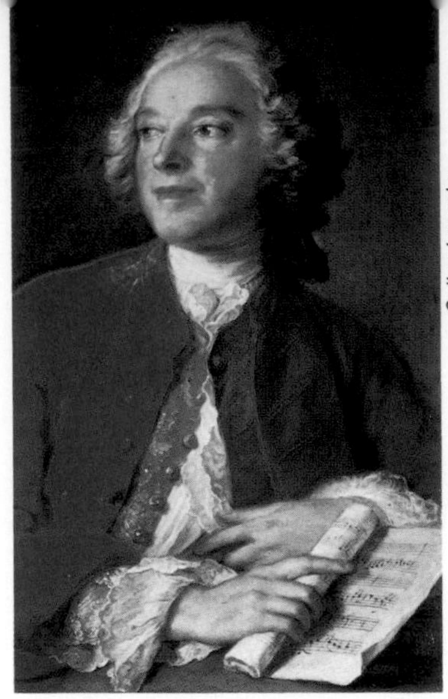
Guiley-Lagache

Beaumarchais, d'après Nattier. (Coll. priv.)

prendre le vent : critique violent d'une société qui applaudissait sa propre dénonciation (*le Mariage* de Figaro,* 1784) et chantre larmoyant de la nouvelle morale révolutionnaire (*la Mère coupable,* 1792). Plus que la Révolution, il annonça le règne de Barras et, grand « rajeunisseur » d'intrigues, la fin du règne de l'esprit.

BEAUMES-DE-VENISE (84190), ch.-l. de cant. de Vaucluse, à 8 km au N. de Carpentras; 1 721 hab. Vins.

BEAUMESNIL (27410), ch.-l. de cant. de l'Eure, à 13 km au S.-E. de Bernay; 526 hab. Château reconstruit v. 1630.

BEAUMETZ-LÈS-LOGES (62123), ch.-l. de cant. du Pas-de-Calais, à 10,5 km au S.-O. d'Arras; 954 hab.

BEAUMONT (24440), ch.-l. de cant. de la Dordogne, à 30 km au S.-E. de Bergerac; 1 302 hab. Bastide du XIIIe s. (église fortifiée).

BEAUMONT (50440 Beaumont Hague), ch.-l. de cant. de la Manche, à 18 km au N.-O. de Cherbourg; 1 381 hab.

BEAUMONT (63110), ch.-l. de cant. du Puy-de-Dôme, dans la banlieue sud de Clermont-Ferrand; 8 147 hab. Anc. abbatiale des XIIe-XIIIe s.

BEAUMONT, v. des États-Unis (Texas), près du golfe du Mexique; 116 000 hab. Port pétrolier. Industrie chimique.

BEAUMONT (Francis), poète dramatique anglais (Grace-Dieu, Leicestershire, 1584 - Londres 1616), auteur avec John Fletcher de tragédies et de comédies d'intrigue (*le Chevalier du Pilon-Ardent,* 1607).

BEAUMONT (Christophe DE), prélat français (château de La Roque, diocèse de Sarlat, 1703 - Paris 1781). Archevêque de Paris en 1746, il déploie contre les jansénistes et les philosophes un zèle intolérant qui lui vaut d'être relégué en Auvergne dès 1754.

BEAUMONT (Cyril William), critique et historien de la danse britannique (Londres 1891 - *id.* 1976). Érudit, il a publié de nombreux articles, monographies et ouvrages critiques sur la danse et les danseurs (*Complete Book of Ballets,* 1937).

BEAUMONT-DE-LOMAGNE (82500), ch.-l. de cant. de Tarn-et-Garonne, à 25 km au S.-O. de Castelsarrasin; 3 949 hab. Anc. bastide. Église fortifiée (XIVe s.). Halle (XVe s.).

BEAUMONT-LE-ROGER (27170), ch.-l. de cant. de l'Eure, à 17 km à l'E. de Bernay; 2 738 hab. Église des XIVe-XVIe s. Constructions électriques.

BEAUMONT-SUR-OISE (95260), ch.-l. de cant. du Val-d'Oise, à 19 km au N.-E. de Pontoise, sur la rive gauche de l'Oise; 8 312 hab. Église des XIIe-XVIe s. Cimenterie.

BEAUMONT-SUR-SARTHE (72170), ch.-l. de cant. de la Sarthe, à 26 km au N. du Mans; 1 938 hab. Monuments anciens.

BEAUNE (21200), ch.-l. d'arr. de la Côte-d'Or, à 38 km au S.-S.-O. de Dijon; 19 972 hab. *(Beaunois).* Hôtel-Dieu fondé par le chancelier Rolin en 1443, chef-d'œuvre d'architecture hospitalière (*Jugement dernier* de Van der Weyden). Église romane Notre-Dame (tenture de la *Vie de la Vierge,* fin XVe s.). Hôtel des ducs de Bourgogne (musée du Vin). Remparts, vieilles maisons. Centre de commerce des vins de la *côte de Beaune* (Aloxe-Corton, Volnay, Pommard, Meursault, etc.). Matériel viticole. Électronique.

BEAUNE-LA-ROLANDE (45340), ch.-l. de cant. du Loiret, à 18 km au S.-E. de Pithiviers; 2 027 hab. Église des XIIIe-XVe s.

BEAUNEVEU (André), sculpteur et peintre français originaire de Valenciennes, mentionné de 1360 à 1400. Il exécute le gisant de Charles V à Saint-Denis (commandé en 1364) ainsi que diverses sculptures dans les Flandres et le nord de la France, avant d'entrer, en 1386, au service du duc de Berry, pour lequel il illustre un psautier (Bibl. nat., Paris) de 24 prophètes et apôtres en grisaille. D'une harmonieuse fermeté, son art innove par sa sensibilité naturaliste.

BEAU-PÈRE n. m. (pl. *beaux-pères*). Second mari de la mère, par rapport aux enfants du premier lit de celle-ci. ‖ Père du conjoint.

BEAU-PETIT-FILS n. m. (pl. *beaux-petits-fils*). Fils de la personne dont on a épousé le père ou la mère.

BEAUPORT, v. du Canada, dans la banlieue de Québec, sur le Saint-Laurent; 55 339 hab.

BEAUPRÉ n. m. (néerl. *boegspriet*). Mât placé obliquement sur l'avant d'un navire.

BEAUPRÉ *(côte de),* littoral nord du Saint-Laurent (Canada), entre la rivière Montmorency et le cap Tourmente.

BEAUPRÉAU (49600), ch.-l. de cant. de Maine-et-Loire, à 18 km au N.-O. de Cholet; 6 195 hab. Château (XVe-XIXe s.).

BEAUREPAIRE (38270), ch.-l. de cant. de l'Isère, à 29 km au S.-E. de Vienne; 3 840 hab. Emballages métalliques.

BEAUREPAIRE-EN-BRESSE (71660), ch.-l. de cant. de Saône-et-Loire, à 14 km au N.-E. de Louhans; 505 hab.

BEAUSOLEIL (06240), ch.-l. de cant. des Alpes-Maritimes, au N.-E. de Monaco; 11 664 hab.

BEAUSSET (Le) [83330], ch.-l. de cant. du Var, à 17 km au N.-O. de Toulon; 5 329 hab. Chapelle romane.

BEAUTÉ n. f. Caractère de ce qui est beau : *beauté du visage.* ‖ Femme très belle. • *En beauté* (Fam.), d'une manière brillante : *finir en beauté.* ‖ *Se faire une beauté* (Fam.), se maquiller avec soin. ‖ *Soins de beauté,* ensemble des méthodes qui ont pour but l'entretien et l'embellissement du visage et du corps. ◆ pl. Belles choses : *les beautés de la Grèce.*

BEAUTEMPS-BEAUPRÉ (Charles François), ingénieur hydrographe français (La Neuville-au-Pont 1766 - Paris 1854). Il fut chargé, sous l'Empire et la Restauration, de tous les grands travaux hydrographiques.

Beau Ténébreux (le), nom que prend Amadis de Gaule lorsqu'il devient ermite, après avoir offensé la dame de ses pensées. Synonyme d'amoureux taciturne aux allures mélancoliques.

BEAUTOR (02800 La Fère), comm. de l'Aisne, sur l'Oise, à 1 km de La Fère; 3 333 hab. Sidérurgie.

BEAUVAIS (60000), ch.-l. du départ. de l'Oise, sur le Thérain, à 74 km au N. de Paris; 54 147 hab. *(Beauvaisiens).* Important centre industriel : constructions mécaniques (matériel agricole, industrie automobile), industrie chimique (dérivés de la cellulose), textiles, etc.
HISTOIRE. Capitale, au sein de la Belgique seconde, de la *civitas Bellovacorum,* Beauvais est dotée en 1096 de franchises communales qui l'opposent constamment au comte-évêque. En 1472, assiégée par Charles le Téméraire, la ville est défendue par Jeanne Hachette. Elle est dévastée en juin 1940 par un raid aérien.
BEAUX-ARTS. Cathédrale, la plus audacieuse de l'art gothique (48 m de hauteur de voûte), dont seuls furent construits le chœur et le transept (XIIIe-XVIe s.) [vitraux, notamment dus aux Leprince*, tapisseries]; *Basse-Œuvre* du Xe s.; palais épiscopal de la fin du gothique, auj. musée départemental. Église Saint-Étienne, romane et gothique (vitraux). Production de tapisseries depuis le XVe et surtout le XVIIe s. (manufacture transférée aux Gobelins, à Paris, après les bombardements de 1940).

BEAUVALLON, station balnéaire du Var (comm. de Grimaud), sur la côte des Maures, en face de Saint-Tropez.

BEAUVILLE (47470), ch.-l. de cant. de Lot-et-Garonne, à 26 km au N.-E. d'Agen; 548 hab. Anc. bastide; église du XIIIe s.

BEAUVOIR (Simone DE), femme de lettres française (Paris 1908 - *id.* 1986). Disciple et compagne de J.-P. Sartre (*la Cérémonie des adieux,* 1981), son œuvre de romancière et d'essayiste tente de démêler les contradictions de sa condition d'être (*Tous les hommes sont mortels,* 1946; *Pour une morale de l'ambiguïté,* 1947), de femme (*le Deuxième Sexe,* 1949; *Mémoires d'une jeune fille rangée,* 1958; *la Femme rompue,* 1967) et d'intellectuelle (*les Mandarins,* 1954; *Tout compte fait,* 1972).

BEAUVOIR-SUR-MER (85230), ch.-l. de cant. de la Vendée, à 15 km au N.-O. de Challans; 3 165 hab. Église en partie romane.

BEAUVOIR-SUR-NIORT (79360), ch.-l. de cant. des Deux-Sèvres, à 17 km au S. de Niort; 1 162 hab.

BEAUVOIS-EN-CAMBRÉSIS (59157), comm. du Nord, à 11 km à l'E.-S.-E. de Cambrai; 2 260 hab. Église (retable).

BEAUX-ARTS n. m. pl. Nom donné à l'architecture et aux arts plastiques et graphiques (sculpture, peinture, gravure, dessin), parfois à la musique et à la chorégraphie.

beaux-arts (ÉCOLE NATIONALE SUPÉRIEURE DES), établissement d'enseignement supérieur, situé à Paris, rue Bonaparte.

BEAUX-PARENTS n. m. pl. Père et mère du conjoint.

Beaux Quartiers *(les),* roman d'Aragon (1936). L'évolution opposée de deux frères (l'un vers l'argent, l'autre vers l'engagement syndical), en 1913, dans le Paris de la Belle Époque et des grandes manifestations populaires animées par Jaurès.

BEAZLEY (*sir* John David), archéologue britannique (Glasgow 1885 - Oxford 1970) dont le nom reste attaché à la céramique grecque du VIIe au IVe s. av. J.-C. et, tout particulièrement, à la céramique attique à figure noire et à figure rouge. Parmi ses ouvrages, citons : *Attic Black-figure Vase Painters* (1956), *Attic Red-figure Vase Painters* (1963).

BÉBÉ n. m. (onomat.). Nouveau-né ou nourrisson. ‖ *Fam.* Petit enfant. • *Bébé(-)éprouvette* (Fam.), enfant qui est le fruit d'une grossesse obtenue par implantation dans l'utérus maternel d'un ovule fécondé *in vitro.*

Beaune. Vue générale. Au centre, l'hôtel-Dieu (1443-1451).

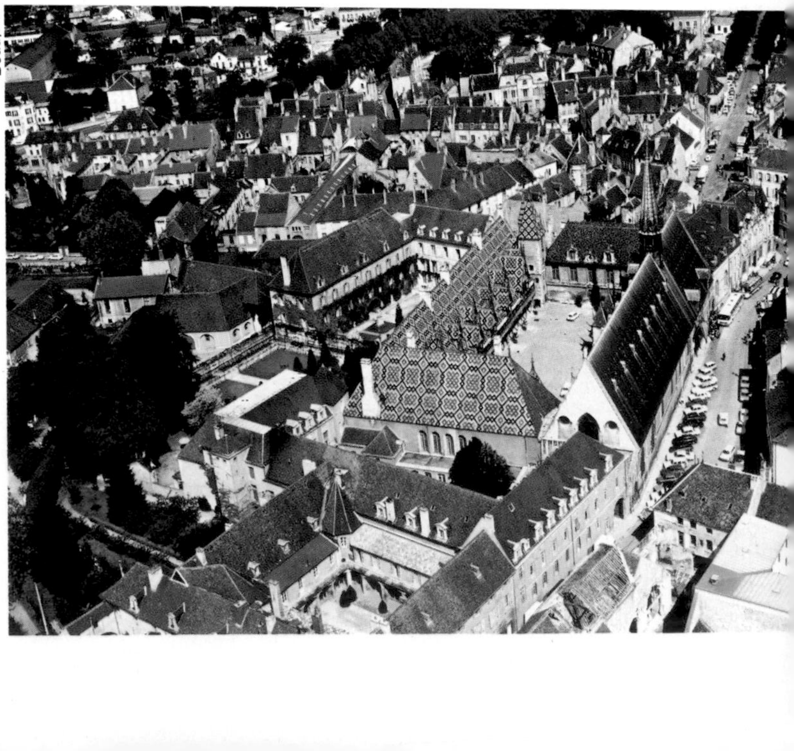
Beaujard

BEBEL (August), socialiste allemand (Deutz 1840 - Passugg, Suisse, 1913). Ouvrier tourneur, membre de la Iʳᵉ Internationale, l'un des fondateurs du parti ouvrier démocrate (1869), il anime, au Reichstag, l'opposition à Bismarck. Après la mort de Liebknecht (1900), il devient le chef incontesté de la social-démocratie allemande.

BE-BOP [bibɔp] n. m. → BOP

BEC n. m. (lat. *beccus*, mot gaul.). Organe constitué par les deux mâchoires des oiseaux et par les pièces cornées qui les recouvrent. ‖ *Fam.* Bouche : *clouer le bec à qqn.* ‖ Objet façonné en forme de bec : *le bec d'une cruche.* ‖ Saillie protégeant la base des piles d'un pont. ‖ Pointe de terre au confluent de deux cours d'eau : *le bec d'Ambès.* ‖ Extrémité d'un instrument de musique, qu'on tient entre les lèvres : *bec de clarinette.* ● *Avoir une prise de bec* (Fam.), échanger des propos vifs. ‖ *Bec Auer*, bec de gaz à manchon imprégné de sels métalliques, qui est porté à l'incandescence. ‖ *Bec de gaz*, lampadaire pour l'éclairage public au gaz (vx). ‖ *Tomber sur un bec* (Fam.), rencontrer un obstacle imprévu.

BÉCANE n. f. *Fam.* Bicyclette ou motocyclette.

BÉCARD [bekar] n. m. (de *bec*). Saumon mâle âgé, dont la mâchoire inférieure est crochue. ‖ Nom donné au brochet adulte.

BÉCARRE n. m. (it. *bequadro*). *Mus.* Signe d'altération qui ramène à son ton naturel une note précédemment haussée par un dièse ou baissée par un bémol.

BECS. 1. Balaeniceps; 2. Spatule; 3. Flamant; 4. Courlis; 5. Macareux; 6. Perroquet; 7. Fulmar; 8. Marabout; 9. Coq; 10. Goéland; 11. Coq; 12. Pic noir; 13. Canard Tadorne; 14. Toucan; 15. Aigle. 16. Mésange bleue; 17. Oie grise; 18. Ornithorynque; 19. Pélican; 20. Tortue.

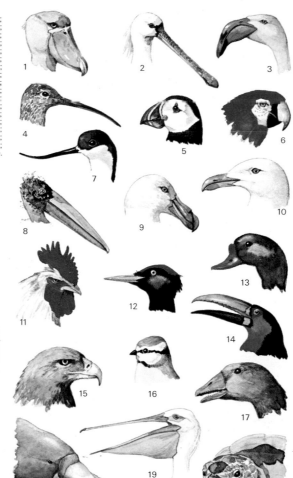

bécarre

Beauvais. La cathédrale Saint-Pierre et le musée, ancien palais épiscopal (porte fortifiée du XIVᵉ s.).

bécasse

BÉCASSE n. f. (de *bec*). Oiseau échassier atteignant 50 cm, à bec long, mince et flexible. (Famille des scolopacidés; cri : la bécasse *croule.*) ‖ *Fam.* Sotte.

BÉCASSEAU n. m. Oiseau échassier mesurant au plus 25 cm de long, à bec plus court que chez la bécasse, de passage sur les côtes françaises, surtout du Nord et de l'Ouest. ‖ Petit de la bécasse.

BÉCASSINE n. f. Oiseau échassier voisin de la bécasse, mais plus petit (au plus 30 cm de long). **Bécassine**, type de servante bretonne, héroïne d'une des premières bandes dessinées (1905), créée par Pinchon et Caumery.

BÉCAUD (François SILLY, dit **Gilbert**), chanteur et compositeur français (Toulon 1927). Auteur d'une cantate et d'un opéra (*l'Opéra d'Aran*, 1962), il est surtout connu comme parolier et interprète de chansons. Depuis le début des années 50, il occupe une place importante dans la hiérarchie des artistes de music-hall internationaux.

BECCARIA (Cesare BONESANA, *marquis* DE), publiciste et économiste italien (Milan 1738 - id. 1794), auteur d'un traité *Des délits et des peines* (1764), réagissant, en harmonie avec les idées philosophiques de l'époque, contre la dureté des peines. Économiste, il étudia les fonctions du capital et la division du travail.

BEC-CROISÉ n. m. (pl. *becs-croisés*). Oiseau passereau, à gros bec, vivant dans les forêts de conifères des montagnes de l'hémisphère Nord. (Long. 18 cm.)

BEC-DE-CANE n. m. (pl. *becs-de-cane*). Serrure fonctionnant sans clef, au moyen d'un bouton ou d'une béquille. ‖ Poignée de porte, en forme de bec.

BEC-DE-CORBEAU n. m. (pl. *becs-de-corbeau*). Pince pour couper le fil de fer. ‖ Outil tranchant recourbé à une extrémité.

BEC-DE-CORBIN n. m. (pl. *becs-de-corbin*). Ciseau à bois servant à exécuter certaines moulures.

BEC-DE-LIÈVRE n. m. (pl. *becs-de-lièvre*). Malformation congénitale caractérisée par la lèvre supérieure fendue comme celle du lièvre.

BEC-DE-PERROQUET n. m. (pl. *becs-de-perroquet*). *Méd.* Syn. fam. de OSTÉOPHYTE.

BECFIGUE n. m. (it. *beccafico*). Nom donné, dans le Midi, au gobe-mouches gris et à divers passereaux à bec fin, quand, à l'automne, ils sont devenus savoureux.

BEC-FIN n. m. (pl. *becs-fins*). Nom donné communément à plusieurs passereaux au bec droit et effilé, comme les fauvettes, les rossignols, les rouges-gorges.

BÉCHAGE n. m. Action de bêcher.

BÉCHAMEL n. f. (d'un nom propre). Sauce blanche composée à partir d'un roux blanc additionné de lait.

BÉCHAR, anc. Colomb-Béchar, v. d'Algérie, sur la bordure nord-ouest du Sahara, ch.-l. d'une wilaya saharienne; 42 000 hab.

BÊCHE n. f. Outil constitué d'une lame d'acier large et plate, pourvue d'un long manche, et qui sert à retourner la terre. ● *Bêche de crosse*, partie de l'affût d'un canon s'ancrant dans le sol.

BÊCHE-DE-MER n. f. → HOLOTHURIE.

BEC-HELLOUIN (Le) [27800 Brionne], comm. de l'Eure; 476 hab. Le bienheureux Hellouin y fonda une abbaye bénédictine (XIᵉ s.). L'école du monastère, dirigée par saint Anselme, fut l'une des plus célèbres au Moyen Âge.

BÊCHER v. t. Retourner la terre avec une bêche.

BÊCHER v. t. (de *béguer*, attaquer à coups de bec). *Fam.* et *vx.* Critiquer vivement. ◆ v. i. *Fam.* Avoir une attitude hautaine, méprisante.

BECHER (Johann Joachim), chimiste allemand (Spire 1635 - Londres 1682). Il découvrit l'éthylène en 1669. Précurseur de la théorie du phlogistique, il soutint la thèse des trois éléments : terreux, métallique et combustible.

BÉCHEREL (35190 Tinténiac), ch.-l. de cant. d'Ille-et-Vilaine, à 31 km au N.-O. de Rennes; 528 hab. Restes de fortifications; château de Caradeuc, du XVIIIᵉ s.) (jardins). Produits laitiers.

BECHET (Sidney), clarinettiste, saxophoniste, compositeur et chef d'orchestre de jazz noir américain (La Nouvelle-Orléans 1897? - Garches 1959). Virtuose du saxophone soprano, il fut l'un des plus authentiques représentants du style « Nouvelle-Orléans ».

BÊCHEUR, EUSE n. *Fam.* Personne prétentieuse et méprisante.

BÉCHIQUE adj. (gr. *bêx, bêkhos*, toux). Se dit des remèdes contre la toux (vx).

BÊCHOIR n. m. Houe carrée à large fer.

BECHUANALAND → BOTSWANA.

BECKER (Jacques), cinéaste français (Paris 1906 - id. 1960). Il s'est fait, dans ses films (*Goupi-Mains rouges*, 1943; *Falbalas*, 1944; *Antoine et Antoinette*, 1946; *Rendez-vous de juillet*, 1949; *Casque d'or*, 1952; *Touchez pas au grisbi*, 1954; *le Trou*, 1959), le chroniqueur méticuleux, sobre et sensible de l'époque contemporaine.

BECKET (Thomas) → THOMAS BECKET (saint).

BECKETT (Samuel), écrivain irlandais (Foxrock, près de Dublin, 1906 - Paris 1989). Une œuvre placée sous le signe du double : écrite en deux langues (anglais, français), sur deux registres principaux (théâtre, roman), mettant en jeu des couples de héros pitoyables (Vladimir et Estragon, Pozzo et Lucky, Watt et Sam), dans une action divisée en deux temps (dramatique, parodique) de plus en plus courts (quelques minutes pour les dernières pièces), dont le second n'est bientôt plus que la répétition du premier. Aucune opposition vraie dans cette dualité, mais une complicité (chacun est successivement bourreau et victime de l'autre), une simple variation, un renversement (ainsi du nom des héros préférés : Molloy, Murphy, Moran, Malone — on fait basculer l'initiale et l'on a : Watt, Worm, Winnie, Willie). Tout mouvement dérape et se fige : l'espace se définit en termes de reflet, le temps en termes de répétition. Toute l'œuvre compose une biologie inverse : de l'humain au minéral, à travers des personnages infirmes, loqueteux, peu distincts des détritus qu'ils traînent avec eux ou sous lesquels ils sont enfouis. Tous ont plus ou moins perdu leur mobilité : ils rampent, se traînent à quatre pattes, sont cloués à leur fauteuil ou gisent dans des sacs, dans des jarres; êtres « animés » qui se sclérosent, se pétrifient peu à peu et qui n'ont plus guère que des réactions de bactéries, répondant avec peine à quelques stimuli élémentaires : un coup de pied, une carotte agitée devant leur nez, une piqûre d'aiguillon. La parole leur est de peu d'utilité dans la reconnaissance de leur monde fragmentaire et dans leurs tentatives d'adaptation : essais de dialogues dramatiques, poussées nostalgiques de lyrisme, bribes de conversations quotidiennes, borborygmes et bruits de bouche — le langage est plutôt de l'ordre de la sécrétion que de celui de la communication (le lien le plus sûr entre deux êtres, c'est une corde). L'œuvre de Beckett est une lente conquête de l'aphasie, du silence : ses pièces se réduisent à quelques minutes (17 pour *Pas moi*), ses derniers textes à quelques lignes de mots répétés, ressassés, qu'on tourne dans sa bouche comme un caillou dans sa poche. Les gestes quotidiens se répètent minutieusement (lire l'heure à sa montre, se brosser les dents, mettre ses chaussures), mais on en a oublié la finalité, la signification. Au bout de tout, l'opacité qui envahit la page peuplée de quelques mots roulant les uns sur les autres, comme des molécules sans les aspérités qui permettent jonction, réaction, vie, et la nuit qui envahit peu à peu la scène, ne laissant dans la lumière qu'un organe vivant, la bouche qui s'épuise à articuler, proférer, parler. Une « œuvre pour rien », pour dire le rien : la tragédie du monde moderne.

Samuel **Beckett**

la vie	
1906	Naissance à Foxrock, de parents protestants.
1923	Études à Trinity College, Dublin : la même érudition et la même distance ironique que Joyce à l'égard de la culture.
1928	Lecteur à l'École normale supérieure de Paris. Rencontre Joyce.
1930-1932	Enseigne à Dublin.
1936-1937	Voyage en Allemagne.
1942	Se réfugie dans le Vaucluse.
1945	Début de la grande « crise » d'écriture. Commence à écrire d'abord en français.
1953	Première d'*En attendant Godot*.
1969	Prix Nobel de littérature.
1989	Mort à Paris.

l'essentiel de l'œuvre

(dates de publication et de création, la composition étant souvent très antérieure)

Poèmes	*Whoroscope* (1930); *Poèmes 1937-39* (1968).
Essais	*Dante... Bruno. Vico... Joyce* (1929); *la Peinture des Van Velde* (1945).
Romans	*Murphy* (1938); *Malone meurt* (1951); *Molloy** (1951); *Watt** (1953); *Comment c'est* (1961); *Mercier et Camier* (1970).
Théâtre	*En** *attendant Godot* (1953); *Fin** *de partie* (1957); *la Dernière Bande* (1960); *Oh** *les beaux jours* (1961); *Comédie* (1964); *Va et vient* (1966); *Dis Joe* (1967); *Pas moi* (1972); *Catastrophes et autres dramaticules* (1982).
Textes courts	*Textes pour rien* (1955); *Imagination morte imaginez* (1965); *Sans* (1969); *le Dépeupleur* (1971); *Compagnie* (1980); *l'Image* (1988).

BECKMANN (Max) → EXPRESSIONNISME.

BÉCOT n. m. (de *bec*). *Fam.* Petit baiser.

BÉCOTER v. t. *Fam.* Embrasser.

BECQUE (Henry), auteur dramatique français (Paris 1837 - *id.* 1899). De l'échec d'un drame « socialiste » (*Michel Pauper*, 1870) au succès d'une comédie boulevardière (*la Parisienne*, 1885), la carrière d'Henry Becque n'est que l'histoire de ses compromissions calculées avec les directeurs de théâtre et le public pour faire jouer *les Corbeaux* (1882), féroce satire de la société bourgeoise et chef-d'œuvre du théâtre réaliste.

BECQUÉE n. f. Ce qu'un oiseau prend dans son bec pour le donner à ses petits.

BÉCQUER (Gustavo Adolfo), écrivain espagnol (Séville 1836 - Madrid 1870), auteur de légendes en prose et de poésies lyriques (*Rimas*, 1860) qui en font une sorte de Musset espagnol.

BECQUEREL n. m. (de H. *Becquerel*). Unité de mesure d'activité d'une source radioactive (symb. : Bq), équivalant à l'activité d'une quantité de nucléide radioactif pour laquelle le nombre de transitions nucléaires spontanées par seconde est égal à 1.

BECQUEREL (Antoine César), physicien français (Châtillon-Coligny 1788 - Paris 1878). Il découvrit la piézo-électricité (1819), observa l'existence des corps diamagnétiques (1827), imagina la première pile impolarisable à deux liquides

Rouxaime-Jacance

bédégar

Henri Becquerel dans son laboratoire

Boyer-Roger-Viollet

(1829) et inventa la pile photovoltaïque (1839) ainsi qu'un procédé de dépôt galvanique des métaux. — Son deuxième fils, ALEXANDRE EDMOND, physicien français (Paris 1820 - *id.* 1891), utilisa la plaque photographique en spectroscopie, étudiant par ce moyen les radiations ultraviolettes, et fit, en 1866, les premières mesures de températures par la pile thermo-électrique. — Son petit-fils, HENRI, physicien français (Paris 1852 - Le Croisic 1908), découvrit, en 1896, la radioactivité, en étudiant la phosphorescence des sels d'uranium; il établit qu'il s'agissait d'une propriété de l'atome d'uranium, identifia les rayons alpha et bêta et montra qu'ils provoquent l'ionisation des gaz. (Prix Nobel de physique, 1903.)

BECQUET ou **BÉQUET** [bekɛ] n. m. *Impr.* Petit papier collé sur une copie ou une épreuve pour

signaler une modification. || *Théâtr.* Fragment de scène que l'auteur ajoute ou modifie au cours des répétitions.

BECQUETER v. t. (de *bec*) [conj. 4]. Donner des coups de bec.

BECTANCE n. f. *Pop.* Nourriture.

BECTER v. t. et i. *Pop.* Manger.

BEDAINE n. f. (anc. fr. *boudine*, nombril). *Fam.* Gros ventre.

BÉDANE n. m. (de *bec*, et de l'anc. fr. *ane*, canard). Ciseau en acier fondu et trempé, étroit et plus épais que large.

BÉDARIEUX (34600), ch.-l. de cant. de l'Hérault, à 36 km au N. de Béziers; 6525 hab. (*Bédariciens*). Église des XVe-XVIe s. Bauxite. Bonneterie.

BÉDARRIDES (84370), ch.-l. de cant. de Vaucluse, à 14 km au N.-E. d'Avignon; 4238 hab.

BEDAUX (Charles), ingénieur français (Paris 1888 - Miami 1944). On lui doit un système de mesure du travail qui fait intervenir l'allure de l'opérateur.

BEDDOES (Thomas Lovell), écrivain anglais (Clifton 1803 - Bâle 1849). Sa vie (il mena une existence errante à travers l'Allemagne et finit par se suicider) et son œuvre, marquée par le goût du macabre (*les Facéties de la mort*, 1850-1851), composent une sorte de résumé du romantisme.

BEDEAU n. m. (mot germ.). Employé laïque préposé au bon ordre dans une église.

BÉDÉGAR n. m. (persan *bâdavard*). Excroissance chevelue produite sur l'églantier par l'introduction dans la plante des œufs d'un insecte cynipidé.

BEDFORD, v. de Grande-Bretagne, ch.-l. du *comté de Bedford* (481000 hab.), au N. de Londres; 129000 hab. Constructions mécaniques.

BÉDIER (Joseph), historien littéraire français (Paris 1864 - Le Grand-Serre, Drôme, 1938). Spécialiste de la littérature médiévale (*les Fabliaux*, 1893), il proposa de voir l'origine des chansons de geste* non plus dans des créations populaires spontanées, mais dans des récits composés par les clercs desservant les sanctuaires placés sur les grandes routes de pèlerinages (*les Légendes épiques*, 1908-1913).

BEDON n. m. *Fam.* Ventre rebondi.

BEDONNANT, E adj. *Fam.* Qui a du ventre.

BEDONNER v. i. *Fam.* Prendre du ventre.

BÉDOS DE CELLES (dom François DE), bénédictin français (Caux 1709 - Saint-Denis 1779). Son *Art du facteur d'orgues* (1766-1778) demeure le plus célèbre traité consacré à l'instrument à tuyaux.

BÉDOUIN, E adj. et n. Se dit des Arabes nomades du désert, surtout au Proche-Orient.

BÉE adj. f. *Être, rester bouche bée*, être, rester frappé d'admiration, d'étonnement, de stupeur.

BEEBE (William), naturaliste et explorateur américain (New York 1877 - La Trinité 1962). Grand spécialiste de la faune américaine des régions tropicales, tant continentales qu'insulaires, il est descendu, en 1934, jusqu'à 923 m de fond dans une « bathysphère » suspendue à un câble, en vue d'observer la faune des abysses. Ce record n'a été battu que vingt ans plus tard par le bathyscaphe libre.

BEECHAM (sir Thomas), chef d'orchestre anglais (Saint-Helens 1879 - Londres 1961). Fondateur du London Philharmonic de Londres (1932) et du Royal Philharmonic Orchestra (1946), il dirigea à Covent Garden de 1932 à 1940, et excella notamment dans Mozart, Berlioz, Sibelius et dans la musique française.

BEECHER-STOWE (Harriet BEECHER, Mrs. STOWE, dite **Mrs.**), femme de lettres américaine (Lichtfield, Connecticut, 1811 - Hartford 1896).

Son roman *la Case de l'oncle Tom* (1852) fut l'un des plus puissants moyens de propagande du mouvement antiesclavagiste.

BÉER v. i. *Litt.* Être grand ouvert.

BEERNAERT (Auguste), homme politique belge (Ostende 1829 - Lucerne 1912). Catholique, président du Conseil de 1884 à 1894, il reçoit en 1909 le prix Nobel de la paix.

BEERSE, comm. de Belgique (prov. d'Anvers), à l'O. de Turnhout; 12900 hab. Produits pharmaceutiques.

BEERSHEBA ou **BEER-SHEV'A**, v. d'Israël, ch.-l. de district, à la limite septentrionale du Néguev; 103300 hab. Anc. Bersabée, elle marquait la limite sud de la Terre promise. Des vestiges de toutes les époques — perse, hellénistique et romaine — ont été dégagés; mais l'ensemble des sites qui l'entourent l'a aussi rendue célèbre en révélant une culture (IVe millénaire) de pasteurs-éleveurs, qui pratiquaient l'agriculture, et par la suite la métallurgie du cuivre pur, et qui possédaient des coutumes funéraires.

BEETHOVEN (Ludwig VAN), compositeur allemand (Bonn 1770 - Vienne 1827). La destinée de cet enfant prodige — il donne son premier concert à huit ans, est organiste à quatorze ans — le situe à la jonction entre un classicisme viennois dont il représente l'aboutissement et un romantisme germanique dont il favorise l'éveil.

Adepte des idées révolutionnaires françaises, admirateur de l'épopée bonapartiste, qu'il reniera par la suite, généreux et libéral, ce Rhénan (issu d'une famille de musiciens d'origine brabançonne et fixée à Bonn), installé, à partir de 1792, à Vienne (où il est le protégé de membres de la noblesse), est un des principaux représentants d'une école allemande qui va dominer l'Europe pendant un siècle. Il se fit le chantre de la joie, en dépit d'une existence qui l'éprouva par la surdité (testament d'Heiligenstadt de 1802, dans lequel il crie sa détresse), par des déceptions sentimentales (« lettre à l'Immortelle Bien-aimée ») et par des difficultés financières.

Il s'est moins attaché à poursuivre l'effort de Mozart dans le domaine de l'opéra (*Fidelio**, 1805) qu'à élargir le cadre et l'expressivité de la sonate (32 sonates pour piano [*la Pathétique, Au clair de lune, l'Appassionata, l'Aurore*], musique de chambre dont 17 quatuors), intensifié les recherches orchestrales (concertos, 9 symphonies dont la troisième, dite *Héroïque* [1804], la sixième, dite *Pastorale* [1808], et la neuvième avec chœurs [1824]). La majorité des compositeurs du XIXe s. lui sont redevables.

BEFFES (18560), comm. du Cher, à 10 km au S. de La Charité-sur-Loire, sur le canal latéral à la Loire; 670 hab. Cimenterie.

BEFFROI n. m. (haut all. *bergfrid*). *Arm. anc.* Tour roulante en bois qui servait à l'attaque des remparts. || *Fortif.* Tour de guet d'où l'on donnait l'alarme avec une cloche.

BÉGAIEMENT n. m. Trouble de l'élocution, qui se manifeste par des répétitions de certaines syllabes ou par des blocages au cours de l'émission de la parole.

BÉGARD n. m. Membre de sociétés mystiques au Moyen Âge.

BÉGARD (22140), ch.-l. de cant. des Côtes-du-Nord, à 14 km au N.-O. de Guingamp; 5344 hab. Restes d'une abbaye du XIIe s.

BÉGAYER [begeje] v. i. (de *bègue*) [conj. 2]. Parler avec des bégaiements. ◆ v. t. Balbutier : *bégayer une excuse.*

BEGIN (Menahem), homme politique israélien (Brest, Pologne, 1913). Chef de l'Irgoun (1942), il lutte contre les Britanniques et les Arabes. Fondateur du Hérout (1948) puis leader du Likoud, bloc nationaliste israélien, il participe au

Menahem Begin

Ph. Achache-Gamma

gouvernement de coalition nationale (1967) avant de rentrer dans l'opposition. Premier ministre après les élections de mai 1977, il signe avec l'Égypte un traité de paix en 1979. Il fait occuper la moitié du Liban en 1982 et obtient ainsi la dispersion des forces palestiniennes. Il démissionne en 1983. (Prix Nobel de la paix, 1978.)

Bégin (*hôpital*), ancien hôpital militaire de Vincennes créé en 1855 à Saint-Mandé (Val-de-Marne). Il a été entièrement rénové en 1970 comme hôpital d'instruction des armées et abrite, en outre, le Centre de traitement de l'information du service de santé militaire.

BÈGLES (33130), ch.-l. de cant. de la Gironde, dans la banlieue sud-est de Bordeaux; 23426 hab. (*Béglais*). Industries métallurgiques et alimentaires. Papeterie.

Scala

Beethoven. Peinture anonyme du XIXe s. (Lycée Musical, Bologne.)

BEG-MEIL, station balnéaire de la côte sud du Finistère (comm. de Fouesnant) en face de Concarneau.

BÉGONIA n. m. (de *Bégon*, intendant général de Saint-Domingue). Plante originaire de l'Amérique du Sud, cultivée pour son feuillage décoratif et ses fleurs vivement colorées. (Type de la famille des bégoniacées.)

BEGRAM → AFGHANISTAN.

BÈGUE adj. et n. (anc. fr. *béguer*, bégayer, mot néerl.). Qui bégaie.

BÉGUÈTEMENT n. m. Cri de la chèvre.

BÉGUETER v. i. (conj. 4). Crier, en parlant de la chèvre.

BÉGUEULE n. f. et adj. (*bée, gueule*, bouche ouverte). *Fam.* Femme d'une pudeur exagérée.

BÉGUEULERIE n. f. *Fam.* Caractère d'une bégueule.

BÉGUIN n. m. (de *béguine*). Coiffe à capuchon, que portaient les béguines. || Petit bonnet d'enfant. || *Fam.* Passion amoureuse passagère; personne qui en est l'objet.

BÉGUINAGE n. m. Communauté de béguines.

BÉGUINE n. f. Femme pieuse des Pays-Bas ou de Belgique, qui, sans prononcer de vœux, vit dans une sorte de cité-couvent.

BÉGUM [begɔm] n. f. Titre donné aux princesses indiennes.

BÉHAÏSME n. m. Mouvement religieux persan né du babisme. (Fondé par Bahā' Allāh [1817-1892], le béhaïsme prêche une religion universelle qui est l'aboutissement et le complément des anciennes croyances.)

BEHAN (Brendan), écrivain irlandais (Dublin 1923 - *id.* 1964). Ses récits autobiographiques (*Un peuple partisan*, 1957; *Confessions d'un rebelle irlandais*, 1963) et son théâtre (*le Client du matin*, 1955; *Deux Otages*, 1958) font de la farce le révélateur du tragique moderne.

BÉHANZIN (1844 - Alger 1906), roi du Dahomey (1889-1894). Fils et successeur de Glé-Glé, il est spolié de son royaume par les Français (expéditions Dodds, 1890 et 1892-93) et déporté.